letras mexicanas

OCTAVIO PAZ

OBRAS COMPLETAS

EDICIÓN DEL AUTOR

OBRAS COMPLETAS DE OCTAVIO PAZ
(8 volúmenes)

1
La casa de la presencia
POESÍA E HISTORIA

2
Excursiones / Incursiones
DOMINIO EXTRANJERO
Fundación y disidencia
DOMINIO HISPÁNICO

3
Generaciones y semblanzas
DOMINIO MEXICANO
Sor Juana Inés de la Cruz
o Las trampas de la fe

4
Los privilegios de la vista
ARTE MODERNO UNIVERSAL
ARTE DE MÉXICO

5
El peregrino en su patria
HISTORIA Y POLÍTICA DE MÉXICO

6
Ideas y costumbres
LA LETRA Y EL CETRO
USOS Y SÍMBOLOS

7
Obra poética

8
Miscelánea
PRIMEROS ESCRITOS Y ENTREVISTAS

Nota del editor

Esta nueva edición de las *Obras completas* de Octavio Paz retoma las publicadas primero por Círculo de Lectores en Barcelona, entre 1991 y 2003, y después por el Fondo de Cultura Económica en México, entre 1994 y 2004. Puesto que al preparar esa versión en quince tomos el autor seguía escribiendo, algunos de sus textos no pudieron ser recogidos en el volumen temático que les habría correspondido. En los meses finales de su vida, Paz revisó y reestructuró sus obras completas para que todos los escritos que decidió incluir aparecieran en el contexto adecuado. Entre 1999 y 2005, Galaxia Gutenberg/Círculo de Lectores publicó por vez primera una edición en ocho tomos; la que el lector tiene en sus manos sigue el mismo orden pero con un diseño y un cuidado editorial propios.

Octavio Paz estaba seguro de que «los grandes libros —quiero decir: los libros necesarios— son aquellos que logran responder a las preguntas que, oscuramente y sin formularlas del todo, se hace el resto de los hombres». El Fondo de Cultura Económica reafirma estas palabras al publicar una obra que da testimonio de una larga y diversa experiencia vital y de sus variados intereses en las letras hispánicas y la historia de los pueblos de México y América Latina, así como en las artes y las culturas de Norteamérica, Europa y Asia. Esta edición, obra del propio Paz, reagrupa en ocho volúmenes la poesía, la prosa, el arte verbal y el pensamiento del Nobel mexicano; con ella conmemoramos el centenario del nacimiento de una figura capital de la literatura del siglo XX.

FONDO DE CULTURA ECONÓMICA
Ciudad de México, 2014

OCTAVIO PAZ

OBRAS COMPLETAS

I

La casa de la presencia

POESÍA E HISTORIA

FONDO DE CULTURA ECONÓMICA

Primera edición (FCE/Círculo de Lectores), 1994
Segunda edición (FCE), 2014

Paz, Octavio
Obras completas, I. La casa de la presencia. Poesía e historia / Octavio Paz. — 2ª ed. — México : FCE, 2014
611 p. ; 21 × 14 cm — (Colec. Letras Mexicanas)
ISBN 978-607-16-1885-6 (obra completa)
ISBN 978-607-16-1872-6 (volumen I)

1. Ensayos 2. Poesía 3. Literatura mexicana — Siglo XX I. Ser. II. t.

LC PQ7297 Dewey M863 P348o V.1

Distribución mundial en español (excepto España)

Carretera Picacho-Ajusco, 227; 14738 México, D. F.
Empresa certificada ISO 9001:2008

Comentarios: editorial@fondodeculturaeconomica.com
www.fondodeculturaeconomica.com
Tel. (55) 5227-4672

Diseño de portada: Paola Álvarez Baldit
Dibujos de portada y cartera: José Moreno Villa

ISBN 978-607-16-1885-6 (Obra completa)
ISBN 978-607-16-1872-6 (Volumen I)

Impreso en México • *Printed in Mexico*

La casa de la presencia

POESÍA E HISTORIA

Advertencia del editor

La casa de la presencia reúne textos de Octavio Paz que han sido publicados con anterioridad. No obstante, al preparar la presente edición, el autor revisó e introdujo leves cambios de diversa índole.

El último apartado de este volumen, «Entre Uno y Muchos», formaba parte del segundo volumen, *Excursiones e Incursiones*, en la primera edición dc las *Obras completas*. En ésta se ha considerado, junto con el autor, que, por su afinidad temática, debería ir con las reflexiones generales sobre la poesía incluida aquí.

Al final de cada uno de los ensayos que integran este volumen, el lector encontrará la información concerniente a la procedencia de los textos, siempre y cuando sea necesario. Tras la fecha en que se escribió, se dan las referencias del libro donde se publicó por vez primera; en el caso de que no haya sido recogido en libro, se da el medio en el que apareció por primera vez.

PRÓLOGO

La casa de la presencia

La idea de recoger y publicar mis escritos en varios volúmenes nació en el curso de una conversación con Hans Meinke, director del Círculo de Lectores. Le doy las gracias: sin su amistosa solicitud yo no me habría atrevido a emprender una tarea tan complicada y laboriosa. Confieso que nunca se me había ocurrido la idea de publicar mis obras completas. La noción misma de obra me era ajena. He escrito y escribo movido por impulsos contrarios: para penetrar en mí y para huir de mí, por amor a la vida y para vengarme de ella, por ansia de comunión y para ganarme unos centavos, para preservar el gesto de una persona amada y para conversar con un desconocido, por deseo de perfección y para desahogarme, para detener el instante y para echarlo a volar. En suma, para vivir y para sobrevivir. Por esto, porque estoy vivo todavía, escribo ahora estas líneas. ¿Sobreviviré? Ni lo sé ni me importa: el ansia de supervivencia es, tal vez, una locura pero es una locura ingénita, común, inextinguible.

Más allá de mi salvación o de mi pérdida ultraterrena, declaro que al escribir aposté por la más frágil y preciosa facultad humana: la memoria. Aposté no por la perduración de mi persona sino por la de unos cuantos poemas. Desde que leí la *Antología griega* envidié a Calímaco, Meleagro, Filodemo, Páladas, Paulo el Silenciario y otros: sobreviven gracias a un puñado de sílabas. Pero yo no me siento capaz de escoger entre mis escritos. Su diversidad me cohíbe: poemas, crítica de arte y de literatura, una biografía que es asimismo un estudio literario y un cuadro histórico, ensayos sobre temas de moral y política, notas y artículos sobre los tópicos y preocupaciones de nuestra época, divagaciones, glosas. Además, el gusto y el juicio —las dos armas de la crítica— cambian con los años y aun con las horas: aborrecemos en la noche lo que amamos por la mañana. Por último, los autores somos casi siempre malos jueces de nuestras obras. El ejemplo de la *Antología griega* me enseñó que el único y verdadero antólogo es el tiempo. Publicar una docena de volúmenes que reúnan mis escritos no es tanto desafiarlo como someterse a su juicio. Sabio y caprichoso como el viento, el tiempo parece que no sabe lo que hace y, no obstante, pocas veces se equivoca. Dejo al tiempo mis obras; al dispersarlas con manos distraídas, tal vez deje caer, en la memoria de algunos lectores, semillas fortuitas, un poema o dos, una reflexión, un apunte.

Apenas vencí mis vacilaciones, surgió otra dificultad: ¿debía publicar mis libros tal como aparecieron o tenía que agruparlos conforme a sus temas y asuntos? Me pareció más razonable lo segundo: un volumen dedicado a las literaturas hispánicas, otro a las artes visuales, otro a los temas históricos y morales, otro más a los de México y así sucesivamente. Pero ¿por cuál comenzar? Aunque he publicado muchos libros de prosa, mi pasión más antigua y constante ha sido la poesía. Mi primer escrito, niño aún, fue un poema; desde esos versos infantiles la poesía ha sido mi estrella fija. Nunca ha cesado de acompañarme y, cuando atravieso por periodos de esterilidad, me consuelo leyendo a mis poetas favoritos. Muy pronto el hecho de escribir poemas —un acto a un tiempo misterioso y cotidiano— comenzó a intrigarme: ¿por qué y para qué? Casi inmediatamente esta pregunta, sin dejar de ser íntima, se transformó en una cuestión más general: ¿por qué los hombres componen poemas?, ¿cuándo comenzaron a componerlos? La reflexión sobre la poesía y sobre los distintos modos en que se manifiesta la facultad poética se convirtió en una segunda naturaleza. Las dos actividades fueron, desde entonces, inseparables.

Creación y reflexión: vasos comunicantes. El carácter *necesario* que ha tenido para mí esta doble actividad me llevó a una segunda decisión: el primer volumen de mis obras debería contener mis reflexiones sobre la poesía. Dejo mis poemas para el final. Los he escrito desde mi adolescencia; aunque no son un diario, son las huellas y, quizá, la crónica de mis días. Los ensayos, en cambio, los he escrito de modo intermitente. Con ellos no he querido justificar a mi poesía, defenderla o explicarla. Los escribí por una necesidad a un tiempo intelectual y vital; quise dilucidar, para mí y para otros, la naturaleza de la vocación poética y la función de la poesía en las sociedades. Es una preocupación que nunca me ha abandonado, ni siquiera en los trances de mayor incertidumbre y desamparo. Me siento parte de una tradición que comenzó con la lengua española; a su vez, nuestra lengua y nuestra poesía son un afluente de la gran tradición que comenzó con los primeros hombres y que no acabará sino cuando enmudezca nuestra especie. Cada poeta es un latido en el río del lenguaje.

Todas las sociedades han cultivado esta o aquella forma de poesía, de los encantamientos mágicos a las canciones eróticas, de las plegarias a los himnos funerarios, de los cantos que ritman los trabajos de los labradores a las baladas y poemas narrativos. Cantos en la plaza y en el templo, en el surco y el taller, en la batalla y en el festín, en el harem y en la celda del monje. No todos los pueblos tienen novelas, tratados de filosofía, dramas o comedias; todos tienen poemas. No menos asombrosa que la universalidad de la poesía es su antigüedad. ¿Cuándo comenzaron los hombres a componer canciones? Aunque es imposible saberlo, no es temerario suponer que la poesía comenzó cuando comenzó el habla humana. En sí mismo, el lenguaje es ya metáfora, poesía: consiste en designar con el sonido *equis* al objeto *zeta*. También desde su nacimiento el lenguaje es rima, aliteración, onomatopeya y, en fin, ritmo. Para comprobarlo basta con oír el habla de los niños. Antes de que los hombres del Paleolítico aprendiesen a tallar colmillos de mamut o a decorar con pinturas las paredes de sus cuevas, ya cantaban y bailaban: componían poemas. El habla es la hermana gemela del gesto. El habla tiende naturalmente a transformarse en poema como el gesto y el movimiento corporal en baile. El vínculo entre el poema y el habla es de la misma índole que el del gesto y la danza.

La poesía nace con el lenguaje; cada lengua secreta, fatal y espontáneamente, poemas. ¿Y la reflexión sobre la poesía? Es claro que apareció después. Aclaro: muy poco después. Todas las prácticas, sin excluir a las más simples, para repetirse y así socializarse exigen una codificación. No hay aprendizaje —es decir: cultura, sociedad— sin un conjunto de reglas y preceptos. Los actos más elementales —encender fuego, cazar, pescar, recolectar frutos, sembrar— implican un mínimo aprendizaje, recogido y explicado en fórmulas y recetas. La poesía no escapa a esta ley. Como todas las otras actividades que he mencionado, es una práctica asociada íntimamente a la vida colectiva, de la sexualidad a la magia, de la camaradería entre los cazadores a las reglas que rigen la convivencia entre las mujeres. Cantos de los guerreros, los campesinos y los pastores, de las mujeres que hilan la lana o van a la fuente comunal con el cántaro de agua en el hombro. Si la poesía es una práctica social, requiere un aprendizaje y, por lo tanto, su transmisión se realiza a través de un conjunto de reglas y principios. Por todo esto, no es aventurado inferir que la retórica y la poética —reglas de composición y teorías sobre estas reglas— nacieron casi al mismo tiempo que los cantos y los poemas.

No hay civilización que no posea un cuerpo poético formado por poemas y por un conjunto de reglas para componer esos poemas. Esas reglas no son simples recetas sino que exponen también una filosofía o una teología. La Antigüedad grecorromana es muy rica en ejemplos, de Platón y Aristóteles a Cicerón y al autor del *Tratado de lo Sublime*. La retórica incluye siempre una poética y ésta una filosofía. Esto es cierto incluso para los sofistas: al reducir la retórica a una técnica de persuasión, convirtieron al lenguaje en el centro de sus reflexiones; por esto se ha podido decir que la retórica ocupa para ellos «el lugar de la ontología».[1] No sólo los filósofos sino también los poetas griegos y latinos se aventuraron a reflexionar sobre la poesía. El caso más conocido es el de Horacio, pero hubo otros, como Calímaco, que fue un crítico agudo y acerbo, o el epicúreo Filodemo, autor de una poética de la que se conocen fragmentos, rescatados de entre los restos de los quemados papiros de Herculano. Horacio y Virgilio fueron discípulos de Filodemo, y Catulo lo imitó. La tradición oriental no es menos abundante en obras de poética, lo mismo entre los árabes y los persas que en la India, China y Japón. Tuve la suerte de vivir por una temporada en Japón, y en mis vagabundeos por el arte y la literatura de ese país descubrí el teatro Nô, especialmente las piezas de Zeami Motokiyo. Fue una verdadera revelación, en el sentido mejor de la palabra. Zeami me impresionó doblemente: por ser un gran poeta dramático y por ser el autor de varios tratados que contienen, además de instrucciones y preceptos de orden escénico, pasajes de gran sutileza estética y filosófica. Conjunción del pensar y el sentir, la quietud contemplativa y el movimiento pasional, la obra de Zeami es una verdadera poética. O como él dijo: «danza congelada». En Occidente el ejemplo mayor —al menos hasta la época moderna— de esta fusión entre el genio poético y la potencia reflexiva es Dante. En nada se parecen el florentino y el japonés —son dos extremos del arte poético— salvo en su poco común capacidad para unir el concepto y la pasión, la sensación y la idea.

Al llegar a la época moderna se hace aún más íntima la relación entre la poesía y la reflexión sobre la poesía. No pienso nada más en los poetas neoclásicos sino, sobre todo, en los románticos. Para los primeros el vínculo entre poesía y razón era evidente y, por decirlo así, consustancial. Nada más natural que Pope razone en verso; como era, además, un verdadero poeta, nada más natural también que muchos de esos versos sean

[1] Jean Louis Poirier, en la sección dedicada a los sofistas, en *Les Présocratiques*, edición de Jean-Paul Dumont con la colaboración de Daniel Delattre y del citado Poirier (Gallimard, París, 1988, Bibliothèque de la Pléiade).

verdadera poesía. Lo extraordinario es que Hölderlin y Novalis hayan sentido la necesidad de escribir textos en prosa en los que la filosofía se convierte en defensora y cómplice de las visiones y de las efusiones del poeta. En 1800 aparece la segunda edición de *Lyric Ballads,* un volumen que contenía poemas de Wordsworth y, en menor número, de Coleridge. El libro se abría con un beligerante prólogo de Wordsworth. Este célebre documento posee dos notas que van a repetirse una y otra vez en la historia de la poesía moderna. La primera es su tono *perentorio,* como lo llama Harold Bloom; es un tono que después oiremos en los textos de Victor Hugo y de Baudelaire, Whitman y Pound, Apollinaire y Breton, Huidobro y Neruda. No es un simple prefacio sino una apasionada declaración de principios, un manifiesto poético. La segunda nota es que ese escrito, aunque obra de Wordsworth, refleja las ideas de un grupo y, sobre todo, las de otro poeta que era su íntimo amigo: Coleridge.[1] Tanto por su énfasis programático como por ser la proclamación y la defensa de un nuevo modo poético, el prefacio de Wordsworth prefigura los manifiestos y las declaraciones de los movimientos poéticos del siglo XIX y del XX, de los románticos a los simbolistas y a las distintas vanguardias.

En los grandes poemas de Wordsworth la dualidad entre poesía y poética, creación y crítica, se resuelve en unidad; en sus más altos momentos, el entusiasmo reflexiona, por decirlo así, se contempla y contempla el mundo que lo rodea: la naturaleza, el hombre y sus pasiones. Por ejemplo, en ese memorable pasaje de *The Prelude* en el que Wordsworth relata un sueño. El poeta, sentado en un peñasco frente al mar, después de hojear el *Quijote,* piensa en las verdades de la geometría y en las de la imaginación hasta que se adormece; entonces ve a un guerrero beduino montado en un dromedario, armado de una lanza y que custodia dos objetos: una piedra y un caracol marino. Son dos «libros», en el lenguaje de los sueños: la piedra es el de Euclides, en el que las constelaciones dibujan sus figuras; el caracol es el de la poesía, en cuyas espirales está grabada la música del tiempo. La geometría vence al tiempo y sus accidentes; el tiempo y sus accidentes,

[1] No enteramente. Años más tarde, en su *Biographia literaria,* Coleridge señaló que, aunque el prefacio era *half a child of my own brain,* en un punto no coincidía con las ideas de su admirado amigo. Se refería a la dicción poética: para Wordsworth el poeta debía usar el lenguaje realmente hablado por los hombres en su vida diaria —una idea que no ha cesado de fertilizar a los poetas modernos—; para Coleridge, el lenguaje poético, como lo mostraban precisamente los mejores pasajes de Wordsworth, tendía naturalmente a separarse del habla coloquial. Es una discusión que continúa hasta nuestros días.

a su vez, se resuelven en música y poema. Poética: entusiasmo y geometría. Cada poema implica, de modo implícito o explícito, una poética; cada poética se resuelve en una visión filosófica o religiosa.

En el sueño de Wordsworth hay un eco de Descartes y de la famosa noche del 10 de noviembre de 1619, en la que el filósofo recibe en un sueño la revelación de su vocación: descubrir el acuerdo entre los principios de la matemática y las leyes de la naturaleza. De una manera o de otra esta ambición alimenta todas las empresas de la poesía moderna. Las poéticas cambian y el psicoanálisis, el marxismo y otras ideas han sustituido a la piedra de Wordsworth en la que estaban grabadas las verdades de la geometría; sin embargo, la relación entre las dos facultades humanas, el entendimiento y la imaginación, nunca se ha roto. La historia de la poesía moderna es inseparable de las poéticas que la justifican y la defienden. Esas poéticas, a pesar de su diversidad contradictoria, tienen un rasgo en común que las distingue de las de otras épocas: todas ellas están animadas por un ánimo beligerante lo mismo frente al pasado literario que ante la realidad presente. Son poéticas combatientes, doblemente críticas, tanto de la tradición poética como de la sociedad, sus valores y sus instituciones.

El horror que experimenta Wordsworth ante el espectáculo de Londres al comenzar el siglo XIX es una profecía de las quejas, agravios y escarnios que provocaría el mundo moderno en Baudelaire, Rimbaud, Eliot, Pessoa, Cernuda y, en fin, en casi todos nuestros poetas. No menos polémica ha sido la actitud de los poetas de la modernidad frente a la tradición poética imperante. Por esto me atreví a decir alguna vez que la tradición de la poesía moderna es una tradición de rupturas sucesivas, aunque siempre acompañadas o seguidas de conjunciones, confluencias y restauraciones. Doble movimiento: ruptura con la tradición prevaleciente e invención de otra tradición. Esas invenciones han sido resurrecciones de obras y autores olvidados o injertos y adaptaciones de tradiciones de otros pueblos y culturas. En el sueño de Wordsworth están ya todos los elementos que constituirían (y desgarrarían) a la poesía moderna: el beduino prefigura a las civilizaciones *otras;* la piedra a las ciencias de la naturaleza; el caracol al tiempo de los hombres, rebelde a la geometría pero al fin resuelto en poemas. La piedra y el caracol: en las actitudes de todos nuestros poetas, desde el romanticismo, hay un diálogo encarnizado, a veces combate y otras abrazo, entre dos palabras, una de origen religioso y otra astronómico: revelación y revolución.

En mi adolescencia el diálogo entre *revelación* y *revolución* se había transformado en combate. El significado de los dos términos sufrió un desplazamiento: *revolución* designaba sobre todo a las convulsiones y esperanzas de la historia que vivíamos; *revelación* a la conversación secreta y privada del poeta con el lenguaje o consigo mismo. ¿Arte revolucionario o arte puro? Entre los poetas a quienes leíamos con pasión en aquellos días estaban Paul Valéry y Juan Ramón Jiménez. Aunque sus ideas acerca de la «poesía pura» eran distintas y aun opuestas, ambas condenaban a la poesía ideológica y al arte de tesis. Pero hacia 1930 nos enteramos de que varios artistas más jóvenes y de talento habían abrazado con entusiasmo la poesía revolucionaria. Esta tendencia todavía no se llamaba «realismo socialista» ni tampoco «literatura comprometida». Nos impresionó mucho la actitud de Auden, Spender y otros ingleses. Algunos intentaban superar la oposición entre revelación y revolución; André Breton, por ejemplo, afirmaba que, por sí misma, la revelación poética era revolucionaria. Todas estas ideas y posiciones nos llegaban de una manera confusa y fragmentaria. En 1931 yo estudiaba el segundo año del bachillerato y, con otros tres amigos, editaba una pequeña revista *(Barandal)*. Allí publiqué mi primera opinión sobre estos temas. Confieso que no sabía con claridad lo que realmente quería y pensaba. Por una parte, admiraba a los poetas de la generación anterior —el grupo de la revista *Contemporáneos*—, defensores de la poesía pura; por otra, sentía nostalgia por el arte de las grandes épocas que identificaba, por influencia de mis lecturas alemanas, con un arte y una poesía integradas en la sociedad: la *polis* clásica o la Iglesia de la alta Edad Media. Creía, además, que en América brotaría una nueva cultura. El aire que respirábamos estaba lleno de mesianismos.

Durante los años siguientes se desvanecieron poco a poco mis esperanzas en una poesía revolucionaria que tuviese la excelencia de la que escribían los «poetas puros». Nunca acepté el dogma del «realismo socialista»; al mismo tiempo, crecía mi insatisfacción ante la «poesía pura», en sus distintas manifestaciones. En 1942 participé en un ciclo de conferencias destinadas a conmemorar el cuarto centenario del nacimiento de San Juan de la Cruz. Aproveché la ocasión para tratar de poner en orden mis encontradas ideas y sentimientos. No lo conseguí pero esas reflexiones me abrieron un camino. Llamé a mi ensayo «Poesía de soledad y poesía de comunión». Con vehemencia que hoy me hace sonreír pero que no repruebo enteramente, describía el anhelo de comunión que anima a todo verdadero poeta como «un apetito [...] un hambre de eternidad y de espacio, sed que no retrocede ante la caída [...] hambre de vida, sí, pero también de muerte [...] Los poetas han sido los primeros que han revelado que la eternidad y lo absoluto no están más allá de nuestros sentidos sino en ellos mismos». En las sociedades antiguas la escisión entre las creencias colectivas y la individual del poeta era muchísimo menor que en la sociedad moderna; a medida que la sociedad se interna en la modernidad, la escisión se agranda y se vuelve abismal: la poesía deja de ser comunión y se convierte en exasperada conciencia de sí, en soledad y, al final, en rebelión. Esta idea no era enteramente falsa aunque demasiado tajante y simplista. Estaba dividido por dentro y proyectaba mi conflicto interior en esa oposición, un poco sumaria, entre soledad y comunión.

En esos días leía fervorosamente a San Juan de la Cruz y a Francisco de Quevedo (sin duda como oposición al culto que profesó a Góngora la generación anterior). Los escogí como emblemas de los dos polos de la poesía: la soledad y la comunión. Forzando un poco la realidad histórica, según ha señalado con razón Enrico Mario Santí (¿cómo pude olvidar el carácter de la España del siglo XVI?),[1] dije que «en el seno de esa sociedad en la que, quizá por última vez en la historia, la llama de la religiosidad personal pudo alimentarse de la religión de la sociedad, San Juan de la Cruz realiza la más alta y plena de las experiencias: la de la comunión. Un poco más tarde esa comunión será imposible». En el otro extremo: Quevedo. En un poema hasta la fecha poco explorado, *Lágrimas de un penitente,* Quevedo expone una situación que será más y más la de los poetas modernos, con unas cuantas excepciones, como las de Victor Hugo y Whitman. Esta situación puede definirse brevemente así: «entre la poesía y el poeta, entre Dios y el hombre, aparece algo muy sutil y muy poderoso: la conciencia de sí y, lo que es más significativo, la conciencia de la conciencia:

> ... las aguas del abismo
> donde me enamoraba de mí mismo».

La primera edición moderna de *Lágrimas de un penitente* es la de Luis Astrana Marín (1932). Los críticos contemporáneos han preferido publicar una versión anterior del mismo poema: *Heráclito cristiano y segunda harpa a imitación de David.* Hasta ahora, que yo sepa, no se ha publicado un estudio comparativo de las dos versiones. A mi juicio, *Lágri-*

[1] Enrico Mario Santí, «Introducción» a *Primeras letras (1931-1943),* Seix Barral, Barcelona, 1988.

mas de un penitente ofrece varias ventajas. En primer término, es una versión corregida por el mismo Quevedo del *Heráclito cristiano:* ¿por qué enmendarle la plana al poeta? Agrego que, en general, esas correcciones mejoran a los poemas. En fin, el conjunto de poemas que componen *Lágrimas de un penitente* es más ceñido y depurado, posee mayor unidad. Esto último es decisivo: el *Heráclito cristiano* es una colección de poemas sueltos, sin orden visible y unidos sólo por el tema; *Lágrimas de un penitente* contiene once poemas menos y el orden en que están dispuestos no es el descosido del *Heráclito cristiano* sino que revela cierta intención. La serie se inicia con un movimiento descendente hacia el abismo de la propia conciencia, seguido por el movimiento contrario, mucho menos convincente, de ascenso y reconciliación con la divinidad. Quevedo no era místico ni canta las bodas del alma con Dios sino su caída en ella misma. La muerte lo atraía, y sus mejores poemas, lo mismo los metafísicos que los eróticos, se alimentan de su exacerbada y lúcida conciencia de la separación.

La extraordinaria novedad de este poema —piénsese en la fecha en que fue escrito: 1613— no ha sido suficientemente advertida por la crítica. Nos falta una *historia espiritual* de nuestra poesía. Nadie ha estudiado el misticismo erótico de Medrano ni el existencialismo *avant la lettre* de Quevedo. En 1942 escribí que *Lágrimas de un penitente* es «probablemente el único *poema moderno* de la literatura española hasta Rubén Darío. Hay poemas mejores en nuestra lengua [...] pero en ningún otro aparece esta nota que anticipa a Baudelaire y que consiste en saberse en el mal, verdadera y gozosa conciencia en el mal». A pesar de su exageración, me identifico con ese juicio y no me arrepiento de haberlo escrito. La modernidad de Quevedo no está en su admirable retórica, como creía Borges, sino en su dramática conciencia de la caída y en la imposibilidad del rescate. Su estoicismo cristiano es una forma intelectual de la desesperación; su conceptismo, la expresión estética del mismo sentimiento. El estoicismo de Quevedo se transformará en la edad moderna, sucesivamente, en angustia, miedo, ruptura, blasfemia, rebeldía y a veces, muy pocas, como en Eliot, en reconciliación. Pero, ¿no es verdad que los poemas de Eliot, como los de todos los modernos, nos impresionan no por lo que nos dicen de la comunión con Dios sino por la conciencia de la separación? La negatividad es uno de los rasgos de la poesía moderna.

En 1943 dejé México por muchos años. Primero viví en los Estados Unidos y después en Francia. Descubrimiento de la poesía moderna de lengua inglesa y amistad con algunos poetas y escritores franceses. El cambio más profundo no fue el de mis ideas y gustos poéticos sino el de mis convicciones morales y políticas. La segunda posguerra fue para mí una escuela severa y vivificante. Sufrí revelaciones como la de la naturaleza opresora del régimen soviético, en el que yo había visto el comienzo de la emancipación de los hombres, y viví muchos conflictos: la Guerra Fría, las convulsiones de América Latina, los movimientos de independencia en Asia y África, las polémicas y disputas filosóficas y políticas. Al llegar a París, en diciembre de 1945, triunfaba el existencialismo, un pensamiento que yo conocía ya por mis lecturas de Husserl, Heidegger y otros filósofos alemanes.[1] Por esto, y por otras razones literarias, no me podía sentir cerca de Sartre y sus amigos. Tampoco de los comunistas. En cambio, sentí por Albert Camus una espontánea y profunda simpatía. Creo que la atracción fue recíproca, aunque nuestros encuentros fueron breves. El grupo que me atrajo desde el principio fue el surrealista, a pesar de su declinación evidente, gastado y desgarrado por muchas luchas y disputas. Era un grupo de poetas libres en una ciudad intoxicada por teorías e ideologías que exacerbaban la pasión ergotista pero que no iluminaban a las almas. Es notable la medianía de las obras literarias de ese momento, sobre todo en el dominio de la poesía.

Desde antes de llegar a París admiraba las actitudes del grupo, su rebeldía, su intransigencia ante el estalinismo y otras perversiones políticas, su irreverencia frente a las instituciones y los poderes constituidos (iglesias, gobiernos, partidos, academias, honores, premios). También admiraba a varios poetas y artistas surrealistas. La personalidad magnética de Breton me atraía y sus ideas me seducían, aunque no lograban convencerme del todo. Me exaltaban la idea de libertad y la del amor único —herencias del romanticismo—, pero veía con escepticismo su creencia ingenua en la escritura automática. Tampoco comprendía su hostilidad frente al cristianismo y su fascinación por las ciencias ocultas. Sentía lo mismo ante su indiferencia, a veces verdadera antipatía, ante tradiciones, ideas y creencias que yo veía (y veo) como constitutivas no sólo de nuestra civilización sino de nuestro ser mismo. ¿Cómo divorciar al amor del pensamiento de Platón y de los poetas romanos, de los místicos sufíes y

[1] La influencia de Ortega y Gasset y de las publicaciones filosóficas de *Revista de Occidente* fue decisiva en mi iniciación. Después no fue menos importante, para mi generación y para los más jóvenes, la presencia de José Gaos, trasterrado en México y traductor de Heidegger.

de los poetas italianos que representan una tradición que él rechazaba: Cavalcanti, Petrarca? ¿Y no le debemos al cristianismo nuestras ideas de libertad y fraternidad, la condenación de la riqueza y la exaltación de los pobres? ¿Cómo condenar civilizaciones y épocas enteras: la pintura del Renacimiento, la escultura griega, la novela del siglo XIX, la poesía árabe o china, el teatro de Calderón? Y en un dominio más limitado, aunque para mí esencial: si se ama a la poesía, ¿se puede despreciar a la prosodia y a la música del verso? Nada de esto enturbiaba mi afecto y mi admiración. Mis afinidades eran más de orden ético y espiritual que estético y filosófico.

Todos estos encuentros y desgarramientos, así como otros más íntimos y personales, se resolvían en desasosiego y cavilaciones, dudas e insomnios. Volvían las preguntas de mi adolescencia y de mi primera juventud: ¿qué sentido tenía obstinarse en escribir poemas? Frente a la vida, ¿no era una deserción? Y frente al derrumbe de todos los absolutos, ¿no era una consolación mentirosa y una magia culpable? Al lado de estas preguntas y de otras parecidas, surgía una que me atañía particularmente: ¿cuál era mi lugar, como poeta hispanoamericano, en la tradición poética de Occidente? Esa pregunta se extendía a todos los poetas hispanoamericanos y, en general, a la cultura y la historia de nuestros pueblos. Doble excentricidad: era mexicano y escribía en español. Excentricidad de México y de su historia, prolongación de la excéntrica España. Dos extremos de la misma preocupación: el tema de la peculiar relación de América Latina con Europa, especialmente con España y Portugal, era (y es) para mí inseparable de la otra cuestión: el lugar de la poesía hispanoamericana en la tradición poética de Occidente. Todos los poetas hispanoamericanos han decidido conquistar y asimilar a la tradición europea; todos también han intentado no tanto separarse de ella como transformarla en algo nuevo y radicalmente diferente.

Las dos preguntas, una acerca de la filiación histórica de nuestros pueblos y otra sobre nuestra poesía, no eran de orden teórico o general sino personal. Sólo si respondía a ellas podía justificar mi existencia, como poeta y como ser humano. Mis respuestas están en los poemas y en los libros que he escrito a lo largo de mi vida. Al final de mi estancia en París, después de terminar *El laberinto de la soledad*, primera respuesta a la primera pregunta, comencé a escribir un ensayo sobre la poesía. Era una continuación y en parte una rectificación de lo que había escrito en 1942. Tuve que interrumpir mi trabajo: en 1952 dejé París, estuve en el

Oriente y, en septiembre de 1953, regresé a México. Sin embargo, en momentos libres o robados a otras ocupaciones, seguí escribiendo mi libro. A principios de 1955, gracias a Alfonso Reyes, que veía con simpatía mis esfuerzos aunque no aprobaba mis ideas, envié a la imprenta *El arco y la lira.* El título viene de Heráclito y alude a la lucha de los opuestos, que la poesía convierte en armonía, ritmo e imagen.

En 1964, mi amigo, el poeta Roger Munier, tradujo al francés *El arco y la lira.* Al preparar el texto revisé el libro. Introduje cambios y ampliaciones de consideración, que fueron recogidos en la edición mexicana de 1967. Desde entonces no he cambiado una línea en las ediciones subsecuentes.[1] Pero las preguntas de mi adolescencia regresaban; no en los mismos términos sino en el mismo sentido y con parecida urgencia. Eran otras y eran las mismas. Vivía en Delhi y mi vida había cambiado, no mis obsesiones. En 1965 escribí una serie de sentencias, equidistantes de la máxima y del aforismo. Fueron una *mise au point* o, más bien, como su título lo dice, unas «Recapitulaciones». Dos años después, volví al tema y escribí un ensayo dedicado a explorar la poca estudiada relación entre la poesía y la técnica moderna, especialmente los nuevos medios electrónicos: «La nueva analogía». Los dos escritos aparecen en este volumen a la manera de un puente —tal vez demasiado frágil, un verdadero puente colgante— entre *El arco y la lira* y el libro siguiente: *Los hijos del limo* (1972). Este libro coincide con otro cambio en mi vida. Lo escribí en los Estados Unidos; yo había vivido en ese país durante mi niñez y, más tarde, en mi juventud, pero siempre como un forastero; ahora mi relación era más íntima: no sólo me ganaba la vida con mi trabajo sino que participaba en su vida intelectual. Como mexicano, los Estados Unidos han sido siempre para mí una presencia constante. Su inmensa realidad histórica se ha desdoblado en algo más precioso: sus escritores y, sobre todo, sus poetas.

Los hijos del limo recoge y desarrolla el tema final de *El arco y la lira:* las relaciones entre poesía e historia. Procuré describir, como digo en el prólogo, desde la perspectiva de un poeta hispanoamericano, el movimiento poético moderno en su relación contradictoria con lo que llamamos modernidad. Mi reflexión abarca del nacimiento de la tradición moderna al ocaso de las vanguardias. El fenómeno no es únicamente estético

[1] Ahora, al preparar este volumen, volví a releer *El arco y la lira* y sentí el impulso de cambiar y suprimir muchas opiniones demasiado categóricas y no pocos juicios sumarios. Resistí a la tentación: *peor es menearlo.*

sino que es un aspecto de otro más amplio y complejo que abarca a la sociedad contemporánea: vivimos el crepúsculo de muchos de los supuestos que fundaron hace dos siglos a la modernidad. Entre ellos dos básicos: el culto al futuro y la idea de progreso, en sus dos vertientes, la evolucionista y la revolucionaria. Fui uno de los primeros que se ocuparon de estos asuntos. Ahora se han popularizado y hoy circula una abundante literatura, a veces aguda y otras indigesta, sobre lo que se ha llamado la «posmodernidad». Expresión infortunada y poco exacta... El título de mi libro viene de un soneto de Nerval de la serie *Le Christ aux Oliviers,* hermosa adaptación del famoso pasaje de Jean-Paul en el que sueña la muerte de Dios. El título no es muy feliz. Quizá debería haberse intitulado, como en la versión francesa, *Punto de convergencia.* ¿De qué y en qué? Convergencia *en* los poetas que escriben en este fin de siglo *entre* las dos tradiciones, la de la imitación de los antiguos y la de la ruptura. Convergencia y disolución: penetramos en un mundo desconocido.

La tercera parte de este volumen, la final, se abre con dos ensayos. Continúan y amplían la reflexión sobre el fin de la tradición de la ruptura y de los mitos gemelos que la alimentaron: el futuro y la revolución. Los dos ensayos son un puente, como «Recapitulaciones» y «La nueva analogía», que conduce al texto más reciente y que trata del lugar y la función de la poesía al finalizar el siglo. Se cierra así una meditación comenzada hace más de cincuenta años. ¿Regreso al punto de partida? Sí y no. Vivimos no el fin de un siglo sino de una era histórica. ¿Comienza otra época o, según ha ocurrido más de una vez, la crisis de hoy es el preludio de un renacimiento? ¿Quién lo sabe? Algo, sin embargo, puede decirse: el futuro no existe. Más exactamente: es una invención del presente. La misión de los hombres, a un tiempo condena y salvación, consiste en inventarlo cada día. Algunas generaciones no se atrevieron y repitieron mecánicamente los gestos del pasado, hasta petrificarse; otras, más cercanas, poseídas por los demonios del cambio y del odio a su pasado, convirtieron el futuro en un ídolo monstruoso. Sacrificaron el presente por una palabra que hoy se ha disipado. Pero la invención del futuro no implica la destrucción del pasado. Ahora sabemos que nunca muere del todo y que es vengativo: a veces resucita en forma de pasiones espantables y obsesiones inicuas. La poesía es la memoria de los pueblos y una de sus funciones, quizá la primordial, es precisamente la transfiguración del pasado en presencia viva. La poesía exorciza el pasado; así vuelve habitable el presente. Todos los tiempos, del tiempo mítico largo como un milenio a la centella del instante, tocados por la poesía, se vuelven presente. Lo que pasa en un poema, sea la caída de Troya o el abrazo precario de los amantes, está pasando siempre. El presente de la poesía es una transfiguración: el tiempo encarna en una presencia. El poema es la casa de la presencia. Tejido de palabras hechas de aire, el poema es infinitamente frágil y, no obstante, infinitamente resistente. Es un perpetuo desafío a la pesantez de la historia.

Octavio Paz

México, a 12 de abril de 1990

Primera parte

EL ARCO Y LA LIRA

El poema • La revelación poética •
Poesía e historia

Advertencia a la primera edición

Escribir, quizá, no tiene más justificación que tratar de contestar a esa pregunta que un día nos hicimos y que, hasta no recibir respuesta, no deja de aguijonearnos. Los grandes libros —quiero decir: los libros *necesarios*— son aquellos que logran responder a las preguntas que, oscuramente y sin formularlas del todo, se hace el resto de los hombres. No sé si la pregunta que ha dado origen a este libro les haya quitado el sueño a muchos y es más dudoso aún que mi respuesta conquiste el asentimiento general. Pero si no estoy seguro del alcance y de la validez de mi contestación, sí lo estoy de su necesidad personal. Desde que empecé a escribir poemas me pregunté si de veras valía la pena hacerlo: ¿no sería mejor transformar la vida en poesía que hacer poesía con la vida?, y la poesía ¿no puede tener como objeto propio, más que la creación de poemas, la de instantes poéticos? ¿Será posible una comunión universal en la poesía?

En 1942, José Bergamín, entonces entre nosotros, decidió celebrar con algunas conferencias el cuarto centenario del nacimiento de San Juan de la Cruz, y me invitó a participar en ellas. Me dio así ocasión de precisar un poco mis ideas y de esbozar una respuesta a la pregunta que desde la adolescencia me desvelaba. Aquellas reflexiones fueron publicadas, bajo el título de «Poesía de soledad y poesía de comunión», en el número cinco de la revista *El Hijo Pródigo*. Este libro no es sino la maduración, el desarrollo y, en algún punto, la rectificación de aquel lejano texto.

Una loable costumbre quiere que, al frente de obras como ésta, el autor declare los nombres de aquellos a quienes debe especial reconocimiento. Mis deudas son muchas y a lo largo de este libro he procurado señalarlas, sin omitir ninguna. De ahí que no lo haga ahora. Deseo, sin embargo, hacer una excepción y citar el nombre de Alfonso Reyes. Su estímulo ha sido doble: por una parte, su amistad y su ejemplo me han dado ánimo; por la otra, los libros que ha dedicado a temas afines al de estas páginas —*La experiencia literaria, El deslinde* y tantos ensayos inolvidables, dispersos en otras obras— me hicieron claro lo que me parecía oscuro, transparente lo opaco, fácil y bien ordenado lo selvático y enmarañado. En una palabra: me iluminaron.

Octavio Paz

México, agosto de 1955

Advertencia a la segunda edición

Esta nueva edición revisada y aumentada de *El arco y la lira* recoge todas las modificaciones que aparecen en la versión francesa del libro y otras más recientes. Las más importantes son la ampliación del capítulo «Verso y prosa» (en la parte consagrada al movimiento poético moderno) y la sustitución del epílogo por uno nuevo: «Los signos en rotación». Este último es el punto de unión entre *El arco y la lira* y otros dos escritos: «Recapitulaciones» (1965) y «La nueva analogía» (1967). ¿Todos estos cambios indican que la pregunta a que alude la «Advertencia a la primera edición» no ha sido contestada? La respuesta cambia porque la pregunta cambia. La inmovilidad es una ilusión, un espejismo del movimiento; pero el movimiento, por su parte, es otra ilusión, la proyección de Lo Mismo que se reitera en cada uno de sus cambios y que, así, sin cesar, nos reitera su cambiante pregunta —siempre la misma.

Octavio Paz
Delhi, mayo de 1967

INTRODUCCIÓN

Poesía y poema

La poesía es conocimiento, salvación, poder, abandono. Operación capaz de cambiar al mundo, la actividad poética es revolucionaria por naturaleza; ejercicio espiritual, es un método de liberación interior. La poesía revela este mundo; crea otro. Pan de los elegidos; alimento maldito. Aísla; une. Invitación al viaje; regreso a la tierra natal. Inspiración, respiración, ejercicio muscular. Plegaria al vacío, diálogo con la ausencia: el tedio, la angustia y la desesperación la alimentan. Oración, letanía, epifanía, presencia. Exorcismo, conjuro, magia. Sublimación, compensación, condensación del inconsciente. Expresión histórica de razas, naciones, clases. Niega a la historia: en su seno se resuelven todos los conflictos objetivos y el hombre adquiere al fin conciencia de ser algo más que tránsito. Experiencia, sentimiento, emoción, intuición, pensamiento no-dirigido. Hija del azar; fruto del cálculo. Arte de hablar en una forma superior; lenguaje primitivo. Obediencia a las reglas; creación de otras. Imitación de los antiguos, copia de lo real, copia de una copia de la Idea. Locura, éxtasis, logos. Regreso a la infancia, coito, nostalgia del paraíso, del infierno, del limbo. Juego, trabajo, actividad ascética. Confesión. Experiencia innata. Visión, música, símbolo. Analogía: el poema es un caracol en donde resuena la música del mundo y metros y rimas no son sino correspondencias, ecos, de la armonía universal. Enseñanza, moral, ejemplo, revelación, danza, diálogo, monólogo. Voz del pueblo, lengua de los escogidos, palabra del solitario. Pura e impura, sagrada y maldita, popular y minoritaria, colectiva y personal, desnuda y vestida, hablada, pintada, escrita, ostenta todos los rostros pero hay quien afirma que no posee ninguno: el poema es una careta que oculta el vacío, ¡prueba hermosa de la superflua grandeza de toda obra humana!

¿Cómo no reconocer en cada una de estas fórmulas al poeta que la justifica y que al encarnarla le da vida? Expresiones de algo vivido y padecido, no tenemos más remedio que adherirnos a ellas —condenados a abandonar la primera por la segunda y a ésta por la siguiente. Su misma autenticidad muestra que la experiencia que justifica a cada uno de estos conceptos, los trasciende. Habrá, pues, que interrogar a los testimonios directos de la experiencia poética. La unidad de la poesía no puede ser asida sino a través del trato desnudo con el poema.

Al preguntarle al poema por el ser de la poesía, ¿no confundimos arbitrariamente poesía y poema? Ya Aristóteles decía que «nada hay de común, excepto la métrica, entre Homero y Empédocles, y por esto con justicia se llama poeta al primero y fisiólogo al segundo». Y así es: no todo poema —o para ser exactos: no toda obra construida bajo las leyes del metro— contiene poesía. Pero esas obras métricas ¿son verdaderos poemas o artefactos artísticos, didácticos o retóricos? Un soneto no es un poema, sino una forma literaria, excepto cuando ese mecanismo retórico —estrofas, metros y rimas— ha sido tocado por la poesía. Hay máquinas de rimar pero no de poetizar. Por otra parte, hay poesía sin poemas; paisajes, personas y hechos suelen ser poéticos: son poesía sin ser poemas. Pues bien, cuando la poesía se da como una condensación del azar o es una cristalización de poderes y circunstancias ajenos a la voluntad creadora del poeta, nos enfrentamos a lo poético. Cuando —pasivo o activo, despierto o sonámbulo— el poeta es el hilo conductor y transformador de la corriente poética, estamos en presencia de algo radicalmente distinto: una obra. Un poema es una obra. La poesía se polariza, se congrega y aísla en un producto humano: cuadro, canción, tragedia. Lo poético es poesía en estado amorfo; el poema es creación, poesía erguida. Sólo en el poema la poesía se aísla y revela plenamente. Es lícito preguntar al poema por el ser de la poesía si deja de concebirse a éste como una forma capaz de llenarse con cualquier contenido. El poema no es una forma literaria sino el lugar de encuentro entre la poesía y el hombre. Poema es un organismo verbal que contiene, suscita o emite poesía. Forma y sustancia son lo mismo.

Apenas desviamos los ojos de lo poético para fijarlos en el poema, nos asombra la multitud de formas que asume ese ser que pensábamos único. ¿Cómo asir la poesía si cada poema se ostenta como algo diferente e irreductible? La ciencia de la literatura pretende reducir a géneros la vertiginosa pluralidad del poema. Por su misma naturaleza, el intento padece una doble insuficiencia. Si reducimos la poesía a unas cuantas formas —épicas, líricas, dramáticas—, ¿qué haremos con las novelas, los poemas en prosa y esos libros extraños que se llaman *Aurélia, Los cantos de Maldoror* o *Nadja*? Si aceptamos todas las excepciones y las formas intermedias —decadentes, salvajes o proféticas— la clasificación se convierte en un catálogo infinito. Todas las actividades verbales, para no abandonar el ámbito del lenguaje, son susceptibles de cambiar de signo y transformarse en poema: desde la interjección hasta el discurso lógico. No es ésta la única limitación, ni la más grave, de las clasificaciones de la retórica. Clasificar no es entender. Y menos aún comprender. Como todas las clasificaciones, las nomenclaturas son útiles de trabajo. Pero son instrumentos que resultan inservibles en cuanto se les quiere emplear para tareas más sutiles que la mera ordenación externa. Gran parte de la crítica no consiste sino en esta ingenua y abusiva aplicación de las nomenclaturas tradicionales.

Un reproche parecido debe hacerse a las otras disciplinas que utiliza la crítica, desde la estilística hasta el psicoanálisis. La primera pretende decirnos qué es un poema por el estudio de los hábitos verbales del poeta. El segundo, por la interpretación de sus símbolos. El método estilístico puede aplicarse lo mismo a Mallarmé que a una colección de versos de almanaque. Otro tanto sucede con las interpretaciones de los psicólogos, las biografías y demás estudios con que se intenta, y veces se alcanza, explicarnos el porqué, el cómo y el para qué se escribió un poema. La retórica, la estilística, la sociología, la psicología y el resto de las disciplinas literarias son imprescindibles si queremos estudiar una obra, pero nada pueden decirnos acerca de su naturaleza última.

La dispersión de la poesía en mil formas heterogéneas podría inclinarnos a construir un tipo ideal de poema. El resultado sería un monstruo o un fantasma. La poesía no es la suma de todos los poemas. Por sí misma, cada creación poética es una unidad autosuficiente. La parte es el todo. Cada poema es único, irreductible e irrepetible. Y así, uno se siente inclinado a coincidir con Ortega y Gasset: nada autoriza a señalar con el mismo nombre a objetos tan diversos como los sonetos de Quevedo, las fábulas de La Fontaine y el *Cántico espiritual.*

Esta diversidad se ofrece, a primera vista, como hija de la historia. Cada lengua y cada nación engendran la poesía que el momento y su genio particular les dictan. Mas el criterio histórico no resuelve sino que multiplica los problemas. En el seno de cada periodo y de cada sociedad reina la misma diversidad: Nerval y Hugo son contemporáneos, como lo son Velázquez y Rubens, Valéry y Apollinaire. Si sólo por un abuso de lenguaje aplicamos el mismo nombre a los poemas védicos y al haikú japonés, ¿no será también un abuso utilizar el mismo sustantivo para designar a experiencias tan diversas como las de San Juan de la Cruz y su indirecto modelo profano: Garcilaso? La perspectiva histórica —consecuencia de nuestra fatal lejanía— nos lleva a uniformar paisajes ricos en antagonismos y contrastes. La distancia nos hace olvidar las diferencias que separan a Sófocles de Eurípides, a Tirso de Lope. Y esas diferencias no son el fruto de las variaciones históricas, sino de algo mucho más sutil e inapresable: la persona humana. Así, no es tanto la ciencia histórica sino la biografía la que podría darnos la llave de la comprensión del poema. Y aquí interviene un nuevo obstáculo: dentro de la producción de cada poeta cada obra es también única, aislada e irreductible. *La Galatea* o *El viaje del Parnaso* no explican a *Don Quijote de la Mancha; Ifigenia* es algo sustancialmente distinto del *Fausto; Fuenteovejuna,* de *La Dorotea.* Cada obra tiene vida propia y las *Églogas* no son la *Eneida.* A veces, una obra niega a otra: el «Prefacio» a las nunca publicadas poesías de Lautréamont arroja una luz equívoca sobre *Los cantos de Maldoror; Una temporada en el infierno* proclama locura la «Alquimia del verbo» de *Las iluminaciones.* La historia y la biografía nos pueden dar la tonalidad de un periodo o de una vida, dibujarnos las fronteras de una obra y describirnos desde el exterior la configuración de un estilo; también son capaces de esclarecernos el sentido general de una tendencia y hasta desentrañarnos el porqué y el cómo de un poema. Pero no pueden decirnos qué es un poema.

La única nota común a todos los poemas consiste en que son obras, productos humanos, como los cuadros de los pintores y las sillas de los carpinteros. Ahora bien, los poemas son obras de una manera muy extraña: no hay entre uno y otro esa relación de filialidad que de modo tan palpable se da en los utensilios. Técnica y creación, útil y poema son realidades distintas. La técnica es procedimiento y vale en la medida de su eficacia, es decir, en la medida en que es un procedimiento susceptible de aplicación repetida: su valor dura hasta que surge un nuevo procedimiento. La técnica es repetición que se perfecciona o se degrada; es herencia y cambio: el fusil reemplaza al arco. La *Eneida* no sustituye a la *Odisea.* Cada poema es un objeto único, creado por una «técnica» que muere en el momento mismo de la creación. La llamada «técnica poética» no es transmisible, porque no está hecha de recetas sino de invenciones que sólo sirven a su creador. Es verdad que el estilo —entendido como manera común de un grupo de artistas o de una época— colinda con la técnica, tanto en el sentido de herencia y cambio cuanto en el de ser procedimiento colectivo. El estilo es el punto de partida de todo intento creador, y por eso mismo, todo artista aspira a trascender ese estilo comunal o histórico. Cuando un poeta adquiere un estilo, una manera, deja de ser poeta y se convierte en constructor de artefactos literarios. Llamar a Góngora poeta barroco puede ser verdadero desde el punto de vista de la historia literaria, pero no lo es si se quiere penetrar en su poesía, que siempre es algo más. Es cierto que los poemas del cordobés constituyen el más alto ejemplo del estilo barroco, ¿mas no será demasiado olvidar que las formas expresivas características de Góngora —eso que llamamos ahora su estilo— no fueron primero sino invenciones, creaciones verbales inéditas y que sólo después se convirtieron en procedimientos, hábitos y recetas? El poeta utiliza, adapta o imita el fondo común de su época —esto es, el estilo de su tiempo— pero trasmuta todos esos materiales y realiza una obra única. Las mejores imágenes de Góngora —como ha mostrado admirablemente Dámaso Alonso— proceden precisamente de su capacidad para transfigurar el lenguaje literario de sus antecesores y contemporáneos. A veces, claro está, el poeta es vencido por el estilo. (Un estilo que nunca es suyo, sino de su tiempo: el poeta no tiene estilo.) Entonces la imagen fracasada se vuelve bien común, botín para los futuros historiadores y filólogos. Con estas piedras y otras parecidas se construyen esos edificios que la historia llama estilos artísticos.

No quiero negar la existencia de los estilos. Tampoco afirmo que el poeta crea de la nada. Como todos los poetas, Góngora se apoya en un lenguaje. Ese lenguaje era algo más preciso y radical que el habla: un lenguaje literario, un estilo. Pero el poeta cordobés trasciende ese lenguaje. O mejor dicho: lo resuelve en actos poéticos irrepetibles: imágenes, colores, ritmos, visiones: poemas. Góngora trasciende el estilo barroco; Garcilaso, el toscano; Rubén Darío, el modernista. El poeta se alimenta de estilos. Sin ellos, no habría poemas. Los estilos nacen, crecen y mueren. Los poemas permanecen y cada uno de ellos constituye una unidad autosuficiente, un ejemplar aislado, que no se repetirá jamás.

El carácter irrepetible y único del poema lo comparten otras obras: cuadros, esculturas, sonatas, danzas, monumentos. A todas ellas es aplicable la distinción entre poema y utensilio, estilo y creación. Para Aristóteles la pintura, la escultura, la música y la danza son también formas poéticas, como la tragedia y la épica. De allí que al hablar de la ausencia de caracteres morales en la poesía de sus contemporáneos, cite como ejemplo de esta omisión al pintor Zeuxis y no a un poeta trágico. En efecto, por encima de las diferencias que separan a un cuadro de un himno, a una sinfonía de una tragedia, hay en ellos un elemento creador que los hace girar en el mismo universo. Una tela, una escultura, una danza, son, a su manera, poemas. Y esa manera no es muy distinta a la del poema hecho de palabras. La diversidad de las artes no impide su unidad. Más bien la subraya.

Las diferencias entre palabra, sonido y color han hecho dudar de la unidad esencial de las artes. El poema está hecho de palabras, seres equívocos que si son color y sonido son también significado; el cuadro y la sonata están compuestos de elementos más simples: formas, notas y colores que nada significan en sí. Las artes plásticas y sonoras parten de la no-significación; el poema, organismo anfibio, de la palabra, ser significante. Esta distinción me parece más sutil que verdadera. Colores y sones también poseen sentido. No por azar los críticos hablan de lenguajes plásticos y musicales. Y antes de que estas expresiones fueran usadas por los entendidos, el pueblo conoció y practicó el lenguaje de los colores, los sonidos y las señas. Resulta innecesario, por otra parte, detenerse en las insignias, emblemas, toques, llamadas y demás formas de comunicación no verbal que emplean ciertos grupos. En todas ellas el significado es inseparable de sus cualidades plásticas o sonoras.

En muchos casos, colores y sonidos poseen mayor capacidad evocativa que el habla. Entre los aztecas el color negro estaba asociado a la oscuridad, el frío, la sequía, la guerra y la muerte. También aludía a ciertos dioses: Tezcatlipoca, Mixcóatl; a un espacio: el norte; a un tiempo: Técpatl; al sílex; a la luna; al águila. Pintar algo de negro era como decir o invocar todas estas representaciones. Cada uno de los cuatro colores significaba un espacio, un tiempo, unos dioses, unos astros y un destino. Se nacía bajo el signo de un color, como los cristianos nacen bajo un santo patrono. Acaso no resulte ocioso añadir otro ejemplo: la función dual del ritmo en la antigua civilización china. Cada vez que se intenta explicar las nociones de Yin y Yang —los dos ritmos alternantes que forman el Tao— se recurre a términos musicales. Concepción rítmica del cosmos, la pareja Yin y Yang es filosofía y religión, danza y música, movimiento rítmico impregnado de sentido. Y del mismo modo, no es abuso del lenguaje figurado, sino alusión al poder significante del sonido, el empleo de expresiones como armonía, ritmo o contrapunto para calificar las acciones humanas. Todo el mundo usa estos vocablos, a sabiendas de que poseen sentido, difusa intencionalidad. No hay colores ni sones en sí, desprovistos de significación: tocados por la mano del hombre, cambian de naturaleza y penetran en el mundo de las obras. Y todas las obras desembocan en la significación; lo que el hombre roza, se tiñe de intencionalidad: es un ir hacia... El mundo del hombre es el mundo del sentido. Tolera la ambigüedad, la contradicción, la locura o el embrollo, no la carencia de sentido. El silencio mismo está poblado de signos. Así, la disposición de los edificios y sus proporciones obedecen a una cierta intención. No carecen de sentido —más bien puede decirse lo contrario— el impulso vertical del gótico, el equilibrio tenso del templo griego, la redondez de la estupa budista o la vegetación erótica que cubre los muros de los santuarios de Orissa. Todo es lenguaje.

Las diferencias entre el idioma hablado o escrito y los otros —plástico o musical— son muy profundas, pero no tanto que nos hagan olvidar que todos son, esencialmente, lenguaje: sistemas expresivos dotados de poder significativo y comunicativo. Pintores, músicos, arquitectos, escultores y demás artistas no usan como materiales de composición elementos radicalmente distintos de los que emplea el poeta. Sus lenguajes son diferentes, pero son lenguaje. Y es más fácil traducir los poemas aztecas a sus equivalentes arquitectónicos y escultóricos que a la lengua española. Los textos tántricos o la poesía erótica *Kavya* hablan el mismo idioma de las esculturas de Konarak. El lenguaje del *Primero sueño* de Sor Juana no es muy distinto al del Sagrario Metropolitano de la ciudad de México. La pintura surrealista está más cerca de la poesía de ese movimiento que de la pintura cubista.

Afirmar que es imposible escapar del sentido, equivale a encerrar todas las obras —artísticas o técnicas— en el universo nivelador de la historia. ¿Cómo encontrar un sentido que no sea histórico? Ni por sus materiales ni por sus significados las obras trascienden al hombre. Todas son «un para» y «un hacia» que desemboca en un hombre concreto, que a su vez sólo alcanza significación dentro de una historia precisa. Moral, filosofía, costumbres, artes, todo, en fin, lo que constituye la expresión de un periodo determinado participa de lo que llamamos estilo. Todo estilo es histórico y todos los productos de una época, desde sus utensilios más simples hasta sus obras más desinteresadas, están impregnados de historia, es decir, de estilo. Pero esas afinidades y parentescos recubren diferencias específicas. En el interior de un estilo es posible descubrir lo que separa a un poema de un tratado en verso, a un cuadro de una lámina educativa, a un mueble de una escultura. Ese elemento distintivo es la poesía. Sólo ella puede mostrarnos la diferencia entre creación y estilo, obra de arte y utensilio.

Cualquiera que sea su actividad y profesión, artista o artesano, el hombre transforma la materia prima: colores, piedras, metales, palabras. La operación trasmutadora consiste en lo siguiente: los materiales abandonan el mundo ciego de la naturaleza para ingresar en el de las obras, es decir, en el de las significaciones. ¿Qué ocurre, entonces, con la materia piedra, empleada por el hombre para esculpir una estatua y construir una escalera? Aunque la piedra de !a estatua no sea distinta a la de la escalera y ambas estén referidas a un mismo sistema de significaciones (por ejemplo: las dos forman parte de una iglesia medieval), la transformación que la piedra ha sufrido en la escultura es de naturaleza diversa a la que la convirtió en escalera. La suerte del lenguaje en manos de prosistas y poetas puede hacernos vislumbrar el sentido de esa diferencia.

La forma más alta de la prosa es el discurso, en el sentido recto de la palabra. En el discurso las palabras aspiran a constituirse en significado unívoco. Este trabajo implica reflexión y análisis. Al mismo tiempo, entraña un ideal inalcanzable, porque la palabra se niega a ser mero concepto, significado sin más. Cada palabra —aparte de sus propiedades físicas— encierra una pluralidad de sentidos. Así, la actividad del prosista se ejerce contra la naturaleza misma de la palabra. No es cierto, por tanto, que M. Jourdain hablase en prosa sin saberlo. Alfonso Reyes señala con verdad que no se puede hablar en prosa sin tener plena conciencia de lo que se dice. Incluso puede agregarse que la prosa no se habla: se escribe. El lenguaje hablado está más cerca de la poesía que de la prosa; es menos reflexivo y más natural y de ahí que sea más fácil ser poeta sin saberlo que prosista. En la prosa la palabra tiende a identificarse con uno de sus posibles significados, a expensas de los otros: al pan, pan; y al vino, vino. Esta operación es de carácter analítico y no se realiza sin violencia, ya que la palabra posee varios significados latentes, es una cierta potencialidad de direcciones y sentidos. El poeta, en cambio, jamás atenta contra la ambigüedad del vocablo. En el poema el lenguaje recobra su originalidad primera, mutilada por la reducción que le imponen prosa y habla cotidiana. La reconquista de su naturaleza es total y afecta los valores sonoros y plásticos tanto como los significativos. La palabra, al fin en libertad, muestra todas sus entrañas, todos sus sentidos y alusiones, como un fruto maduro o como un cohete en el momento de estallar en el cielo. El poeta pone en libertad su materia. El prosista la aprisiona.

Otro tanto ocurre con formas, sonidos y colores. La piedra triunfa en la escultura, se humilla en la escalera. El color resplandece en el cuadro; el movimiento del cuerpo, en la danza. La materia, vencida o deformada en el utensilio, recobra su esplendor en la obra de arte. La operación poética es de signo contrario a la manipulación técnica. Gracias a la primera, la materia reconquista su naturaleza: el color es más color, el sonido es plenamente sonido. En la creación poética no hay victoria sobre la materia o sobre los instrumentos, como quiere una vana estética de artesanos, sino un poner en libertad la materia. Palabras, sonidos, colores y demás materiales sufren una trasmutación apenas ingresan en el círculo de la poesía. Sin dejar de ser instrumentos de significación y comunicación, se convierten en «otra cosa». Ese cambio —al contrario de lo que ocurre en la técnica— no consiste en abandonar su naturaleza original, sino en volver a ella. Ser «otra cosa» quiere decir ser «la misma cosa»: la cosa misma, aquello que real y primitivamente son.

Por otra parte, la piedra de la estatua, el rojo del cuadro, la palabra del poema, no son pura y simplemente piedra, color, palabra: encarnan algo que los trasciende y traspasa. Sin perder sus valores primarios, su peso original, son también como puentes que nos llevan a otra orilla, puertas que se abren a otro mundo de significados indecibles por el mero lenguaje. Ser ambivalente, la palabra poética es plenamente lo que es —ritmo, color, significado— y asimismo, es otra cosa: imagen. La poesía convierte la piedra, el color, la palabra y el sonido en imágenes. Y esa segunda nota, el ser imágenes, y el extraño poder que tienen para suscitar en el oyente o en el espectador constelaciones de imágenes, vuelve poemas todas las obras de arte.

Nada prohíbe considerar poemas las obras plásticas y musicales, a condición de que cumplan las dos notas señaladas: por una parte, regresar sus materiales a lo que son —materia resplandeciente u opaca— y así negarse al mundo de la utilidad; por la otra, transformarse en imágenes y de este modo convertirse en una forma peculiar de la comunicación. Sin dejar de ser lenguaje —sentido y transmisión del sentido— el poema es algo que está más allá del lenguaje. Mas eso que está más allá del lenguaje sólo puede alcanzarse a través del lenguaje. Un cuadro será poema sí es algo más que lenguaje pictórico. Piero della Francesca, Masaccio, Leonardo o Ucello no merecen, ni consienten, otro calificativo que el de poetas. En ellos la preocupación por los medios expresivos de la pintura, esto es, por el lenguaje pictórico, se resuelve en obras que trascienden ese mismo lenguaje. Las investigaciones de Masaccio y Ucello fueron aprovechadas por sus herederos, pero sus obras son algo más que esos hallazgos técnicos: son imágenes, poemas irrepetibles. Ser un gran pintor quiere decir ser un gran poeta: alguien que trasciende los límites de su lenguaje.

En suma, el artista no se sirve de sus instrumentos —piedras, sonido, color o palabra— como el artesano, sino que los sirve para que recobren su naturaleza original. Servidor del lenguaje, cualquiera que sea éste, lo trasciende. Esta operación paradójica y contradictoria —que se analizará más adelante— produce la imagen. El artista es creador de imágenes: poeta. Y su calidad de imágenes permite llamar poemas al *Cántico espiritual* y a los himnos védicos, al haikú y a los sonetos de Quevedo. El ser imágenes lleva a las palabras, sin dejar de ser ellas mismas, a trascender el lenguaje, en tanto que sistema dado de significaciones históricas. El poema, sin dejar de ser palabra e historia, trasciende la historia. A reserva de examinar con mayor detenimiento en qué consiste este traspasar la historia, puede concluirse que la pluralidad de poemas no niega, sino afirma, la unidad de la poesía.

Cada poema es único. En cada obra late, con mayor o menor intensidad, toda la poesía. Por tanto, la lectura de un solo poema nos revelará con mayor certeza que cualquier investigación histórica o filológica qué es la poesía. Pero la experiencia del poema —su recreación a través de la lectura o la recitación— también ostenta una desconcertante pluralidad y heterogeneidad. Casi siempre la lectura se presenta como la revelación de algo ajeno a la poesía propiamente dicha. Los pocos contemporáneos de San Juan de la Cruz que leyeron sus poemas, atendieron más bien a su valor ejemplar que a su fascinante hermosura. Muchos de los paisajes que admiramos en Quevedo dejaban fríos a los lectores del siglo XVII, en tanto que otras cosas que nos repelen o aburren constituían para ellos los encantos de la obra. Sólo por un esfuerzo de comprensión histórica adivinamos la función poética de las enumeraciones históricas en las *Coplas* de Manrique. Al mismo tiempo, nos conmueven, acaso más hondamente que a sus contemporáneos, las alusiones a su tiempo y al pasado inmediato. Y no sólo la historia nos hace leer con ojos distintos un mismo texto. Para algunos el poema es la experiencia del abandono; para otros, del rigor. Los muchachos leen versos para ayudarse a expresar o conocer sus sentimientos, como si sólo en el poema las borrosas, presentidas facciones del amor, del heroísmo o de la sensualidad pudiesen contemplarse con nitidez. Cada lector busca algo en el poema. Y no es insólito que lo encuentre: ya lo llevaba dentro.

No es imposible que después de este primer y engañoso contacto, el lector acceda al centro del poema. Imaginemos ese encuentro. En el flujo y reflujo de nuestras pasiones y quehaceres (escindidos siempre, siempre yo y mi doble y el doble de mi otro yo), hay un momento en que todo pacta. Los contrarios no desaparecen, pero se funden por un instante. Es algo así como una suspensión del ánimo: el tiempo no pesa. Los Upanishad enseñan que esta reconciliación es *ananda* o deleite con lo Uno. Cierto, pocos son capaces de alcanzar tal estado. Pero todos, alguna vez, así haya sido por una fracción de segundo, hemos vislumbrado algo semejante. No es necesario ser un místico para rozar esta certidumbre. Todos hemos sido niños. Todos hemos amado. El amor es un estado de reunión y participación, abierto a los hombres: en el acto amoroso la conciencia es como la ola que, vencido el obstáculo, antes de desplomarse se yergue en una plenitud en la que todo —forma y movimiento, impulso hacia arriba y fuerza de gravedad— alcanza un equilibrio sin apoyo, sustentado en sí mismo. Quietud del movimiento. Y del mismo modo que a través de un cuerpo amado entrevemos una vida más plena, más vida que la vida, a través del poema vislumbramos el rayo fijo de la poesía. Ese instante contiene todos los instantes. Sin dejar de fluir, el tiempo se detiene, colmado de sí.

Objeto magnético, secreto sitio de encuentro de muchas fuerzas contrarias, gracias al poema podemos acceder a la experiencia poética. El poema es una posibilidad abierta a todos los hombres, cualquiera que sea su temperamento, su ánimo o su disposición. Ahora bien, el poema no es sino eso: posibilidad, algo que sólo se anima al contacto de un lector o de un oyente. Hay una nota común a todos los poemas, sin la cual no serían nunca poesía: la participación. Cada vez que el lector revive de veras el poema, accede a un estado que podemos llamar poético. La experiencia puede adoptar esta o aquella forma, pero es siempre un ir más allá de sí, un romper los muros temporales, para ser otro. Como la creación poética, la experiencia del poema se da en la historia, es historia y, al mismo tiempo, niega a la historia. El lector lucha y muere con Héctor, duda y mata con Arjuna, reconoce las rocas natales con Odiseo. Revive una imagen, niega la sucesión, revierte el tiempo. El poema es mediación: por gracia suya, el tiempo original, padre de los tiempos, encarna en un instante. La sucesión se convierte en presente puro, manantial que se alimenta a sí mismo y trasmuta al hombre. La lectura del poema ostenta una gran semejanza con la creación poética. El poeta crea imágenes, poemas, y el poema hace del lector imagen, poesía.

Las tres partes en que se ha dividido este libro se proponen responder a estas preguntas: ¿hay un decir poético —el poema— irreductible a todo otro decir?; ¿qué dicen los poemas?; ¿cómo se comunica el decir poético? Acaso no sea innecesario repetir que nada de lo que se afirme debe considerarse mera teoría o especulación, pues constituye el testimonio del encuentro con algunos poemas. Aunque se trata de una elaboración más o menos sistemática, la natural desconfianza que despierta esta clase de construcciones puede, en justicia, mitigarse. Si es cierto que en toda tentativa por comprender la poesía se introducen residuos ajenos a ella —filosóficos, morales u otros— también lo es que el carácter sospechoso de toda poética parece como redimido cuando se apoya en la revelación que, alguna vez, durante unas horas, nos otorgó un poema. Y aunque hayamos olvidado aquellas palabras y hayan desaparecido hasta su sabor y significado, guardamos viva aún la sensación de unos minutos de tal modo plenos que fueron tiempo desbordado, alta marea que rompió los diques de la sucesión temporal. Pues el poema es vía de acceso al tiempo puro, inmersión en las aguas originales de la existencia. La poesía no es nada sino tiempo, ritmo perpetuamente creador.

El poema

EL LENGUAJE

La primera actitud del hombre ante el lenguaje fue la confianza: el signo y el objeto representado eran lo mismo. La escultura era un doble del modelo; la fórmula ritual una reproducción de la realidad, capaz de re-engendrarla. Hablar era re-crear el objeto aludido. La exacta pronunciación de las palabras mágicas era una de las primeras condiciones de su eficacia. La necesidad de preservar el lenguaje sagrado explica el nacimiento de la gramática, en la India védica. Pero al cabo de los siglos los hombres advirtieron que entre las cosas y sus nombres se abría un abismo. Las ciencias del lenguaje conquistaron su autonomía apenas cesó la creencia en la identidad entre el objeto y su signo. La primera tarea del pensamiento consistió en fijar un significado preciso y único a los vocablos, y la gramática se convirtió en el primer peldaño de la lógica. Mas las palabras son rebeldes a la definición. Y todavía no cesa la batalla entre la ciencia y el lenguaje.

La historia del hombre podría reducirse a la de las relaciones entre las palabras y el pensamiento. Todo periodo de crisis se inicia o coincide con una crítica del lenguaje. De pronto se pierde fe en la eficacia del vocablo: «Tuve a la belleza en mis rodillas y era amarga», dice el poeta. ¿La belleza o la palabra? Ambas: la belleza es inasible sin las palabras. Cosas y palabras se desangran por la misma herida. Todas las sociedades han atravesado por estas crisis de sus fundamentos que son, asimismo y sobre todo, crisis del sentido de ciertas palabras. Se olvida con frecuencia que, como todas las otras creaciones humanas, los Imperios y los Estados están hechos de palabras: son hechos verbales. En el libro XIII de las *Analectas,* Tzu-Lu pregunta a Confucio: «Si el Duque de Wei te llamase para administrar su país, ¿cuál sería tu primera medida? El Maestro dijo: La reforma del lenguaje». No sabemos en dónde empieza el mal, si en las palabras o en las cosas, pero cuando las palabras se corrompen y los significados se vuelven inciertos, el sentido de nuestros actos y de nuestras obras también es inseguro. Las cosas se apoyan en sus nombres y viceversa. Nietzsche inicia su crítica de los valores enfrentándose a las palabras: ¿qué es lo que quieren decir realmente *virtud, verdad* o *justicia*? Al desvelar el significado de ciertas palabras sagradas e inmutables —precisamente aquellas sobre las que reposaba el edificio de la metafísica occidental— minó los fundamentos de esa metafísica. Toda crítica filosófica se inicia con un análisis del lenguaje.

El equívoco de toda filosofía depende de su fatal sujeción a las palabras. Casi todos los filósofos afirman que los vocablos son instrumentos groseros, incapaces de asir la realidad. Ahora bien, ¿es posible una filosofía sin palabras? Los símbolos son también lenguaje, aun los más abstractos y puros, como los de la lógica y la matemática. Además, los signos deben ser explicados y no hay otro medio de explicación que el lenguaje. Pero imaginemos lo imposible: una filosofía dueña de un lenguaje simbólico o matemático sin referencia a las palabras. El hombre y sus problemas —tema esencial de toda filosofía— no tendrían cabida en ella. Pues el hombre es inseparable de las palabras. Sin ellas, es inasible. El hombre es un ser de palabras. Y a la inversa: toda filosofía que se sirve de palabras está condenada a la servidumbre de la historia, porque las palabras nacen y mueren, como los hombres. Así, en un extremo, la realidad que las palabras no pueden expresar; en el otro, la realidad del hombre que sólo puede expresarse con palabras. Por tanto, debemos someter a examen las pretensiones de la ciencia del lenguaje. Y en primer término su postulado principal: la noción del lenguaje como objeto.

Si todo objeto es, de alguna manera, parte del sujeto cognoscente —límite fatal del saber al mismo tiempo que única posibilidad de conocer—, ¿qué decir del lenguaje? Las fronteras entre objeto y sujeto se muestran aquí particularmente indecisas. La palabra es el hombre mismo. Estamos hechos de palabras. Ellas son nuestra única realidad o, al menos, el único testimonio de nuestra realidad. No hay pensamiento sin lenguaje, ni tampoco objeto de conocimiento: lo primero que hace el hombre frente a una realidad desconocida es nombrarla, bautizarla. Lo que ignoramos es lo innombrado. Todo aprendizaje principia como enseñanza de los verdaderos nombres de las cosas y termina con la revelación de la palabra-llave que nos abrirá las puertas del saber. O con la confesión de ignorancia: el silencio. Y aun el silencio dice algo, pues está preñado de signos. No podemos escapar del lenguaje. Cierto, los especialistas pueden aislar el idioma y convertirlo en objeto. Mas se trata de un ser artificial arrancado a su mundo original ya que, a diferencia de lo que ocurre con los otros objetos de la ciencia, las palabras no viven fuera de nosotros. Nosotros somos su mundo y ellas el nuestro. Para apresar el lenguaje no tenemos más remedio que emplearlo. Las redes de pescar palabras están hechas de palabras. No pretendo negar con esto el valor de los estudios lingüísticos. Pero los descubrimientos de la lingüística no deben hacernos olvidar sus limitaciones: el lenguaje, en su realidad última, se nos escapa. Esa realidad consiste en ser algo indivisible e inseparable del hombre. El lenguaje es una condición de la existencia del hombre y no un objeto, un organismo o un sistema convencional de signos que podemos aceptar o desechar. El estudio del lenguaje, en este sentido, es una de las partes de una ciencia total del hombre.[1]

Afirmar que el lenguaje es propiedad exclusiva del hombre contradice una creencia milenaria. Recordemos cómo principian muchas fábulas: «Cuando los animales hablaban...» Aunque parezca extraño, esta creencia fue resucitada por la ciencia del siglo pasado. Todavía muchos afirman que los sistemas de comunicación animal no son esencialmente diferentes de los usados por el hombre. Para algunos sabios no es una gastada metáfora hablar del lenguaje de los pájaros. En efecto, en los lenguajes animales aparecen las dos notas distintivas del habla: el significado —reducido, es cierto, al nivel más elemental y rudimentario— y la comunicación. El grito animal alude a algo, dice algo: posee significación. Y ese significado es recogido y, por decirlo así, comprendido por los otros animales. Esos gritos inarticulados constituyen un sistema de signos comunes, dotados de significación. No es otra la función de las palabras. Por tanto, el habla no es sino el desarrollo del lenguaje animal, y las palabras pueden ser estudiadas como cualquiera de los otros objetos de la ciencia de la naturaleza.

[1] Hoy, quince años después de escrito este párrafo, no diría exactamente lo mismo. La lingüística, gracias sobre todo a N. Trubetzkoy y a Roman Jakobson, ha logrado aislar al lenguaje como un objeto, al menos en el nivel fonológico. Pero si, como dice el mismo Jakobson, la lingüística ha anexado el sonido al lenguaje (fonología), aún no ha realizado la operación complementaria: anexar el sentido al sonido (semántica). Desde este punto de vista mi juicio sigue siendo válido. Señalo, además, que los descubrimientos de la lingüística —por ejemplo: la concepción del lenguaje como un sistema inconsciente que obedece a leyes estrictas e independientes de nuestra voluntad— convierten más y más a esta ciencia en una disciplina central en el estudio del hombre. Como parte de esa ciencia general de los signos que propone Lévi-Strauss, la lingüística colinda, en uno de sus extremos, con la cibernética y, en el otro, con la antropología. Así, quizá será el punto de unión entre las ciencias exactas y las ciencias humanas. [Nota de 1964.]

El primer reparo que podría oponerse a esta idea es la incomparable complejidad del habla humana; el segundo, la ausencia de pensamiento abstracto en el lenguaje animal. Son diferencias de grado, no de esencia. Más decisivo me parece lo que Marshall Urban llama la función tripartita de los vocablos: las palabras indican o designan, son nombres; también son respuestas intensivas o espontáneas a un estímulo material o psíquico, como en el caso de las interjecciones y onomatopeyas, y son representaciones: signos y símbolos. La significación es indicativa, emotiva y representativa. En cada expresión verbal aparecen las tres funciones, a niveles distintos y con diversa intensidad. No hay representación que no contenga elementos indicativos y emotivos, y lo mismo debe decirse de la indicación y la emoción. Aunque se trata de elementos inseparables, la función simbólica es el fundamento de las otras dos. Sin representación no hay indicación: los sonidos de la palabra *pan* son signos sonoros del objeto a que aluden; sin ellos la función indicativa no podría realizarse: la indicación es simbólica. Y del mismo modo: el grito no sólo es respuesta instintiva a una situación particular sino indicación de esa situación por medio de una representación: palabra, voz. En suma, «la esencia del lenguaje es la representación, *Darstellung*, de un elemento de experiencia por medio de otro, la relación bipolar entre el signo o el símbolo y la cosa significada o simbolizada, y la conciencia de esa relación».[1] Caracterizada así el habla humana, Marshall Urban pregunta a los especialistas si en los gritos animales aparecen las tres funciones. La mayor parte de los entendidos afirma que «la escala fonética de los monos es enteramente "subjetiva" y puede expresar sólo emociones, nunca designar o describir objetos». Lo mismo se puede decir de sus gestos faciales y demás expresiones corporales. Es verdad que en algunos gritos animales hay débiles indicios de indicación, mas en ningún caso se ha comprobado la existencia de la función simbólica o representativa. Así pues, entre el lenguaje animal y humano hay una ruptura. El lenguaje humano es algo radicalmente distinto de la comunicación animal. Las diferencias entre ambos son de orden cualitativo y no cuantitativo. El lenguaje es algo exclusivo del hombre.[2]

[1] Wilbur Marshall Urban, *Lenguaje y realidad,* FCE, México, 1952 (Lengua y Estudios Literarios).

[2] Hoy no afirmaría de modo tan tajante las diferencias entre comunicación animal y humana. Cierto, hay una ruptura o hiato entre ellas pero ambas son parte de ese universo de la comunicación, presentido por todos los poetas bajo la forma de la analogía universal, que ha descubierto la cibernética. [Nota de 1964.]

Las hipótesis tendientes a explicar la génesis y el desarrollo del lenguaje como el paso gradual de lo simple a lo complejo —por ejemplo, de la interjección, el grito o la onomatopeya a las expresiones indicativas y simbólicas— parecen igualmente desprovistas de fundamento. Las lenguas primitivas ostentan una gran complejidad. En casi todos los idiomas arcaicos existen palabras que por sí mismas constituyen frases y oraciones completas. El estudio de los lenguajes primitivos confirma lo que nos revela la antropología cultural: a medida que penetramos en el pasado no encontramos, como se pensaba en el siglo XIX, sociedades más simples, sino dueñas de una desconcertante complejidad. El tránsito de lo simple a lo complejo puede ser una constante en las ciencias naturales pero no en las de la cultura. Aunque la hipótesis del origen animal del lenguaje se estrella ante el carácter irreductible de la significación, en cambio tiene la gran originalidad de incluir el «lenguaje en el campo de los movimientos expresivos».[1] Antes de hablar, el hombre gesticula. Gestos y movimientos poseen significación. Y en ella están presentes los tres elementos del lenguaje: indicación, emoción y representación. Los hombres hablan con las manos y con el rostro. El grito accede a la significación representativa e indicativa al aliarse con esos gestos y movimientos. Quizá el primer lenguaje humano fue la pantomima imitativa y mágica. Regidos por las leyes del pensamiento analógico, los movimientos corporales imitan y recrean objetos y situaciones.

Cualquiera que sea el origen del habla, los especialistas parecen coincidir en la «naturaleza primariamente mítica de todas las palabras y formas del lenguaje...» La ciencia moderna confirma de manera impresionante la idea de Herder y los románticos alemanes: «parece indudable que desde el principio el lenguaje y el mito permanecen en una inseparable correlación [...] Ambos son expresiones de una tendencia fundamental a la formación de símbolos: el principio radicalmente metafórico que está en la entraña de toda función de simbolización».[2] Lenguaje y mito son vastas metáforas de la realidad. La esencia del lenguaje es simbólica porque consiste en representar un elemento de la realidad por otro, según ocurre con las metáforas. La ciencia verifica una creencia común a todos los poetas de todos los tiempos: el lenguaje es poesía en estado natural. Cada palabra o grupo de palabras es una metáfora. Y asimismo es un instrumento mágico, esto es, algo susceptible de cambiarse en otra cosa y de tras-

[1] Wilbur Marshall Urban, *Lenguaje y realidad*, 1952.

[2] *Op. cit.*

mutar aquello que toca: la palabra *pan,* tocada por la palabra *sol,* se vuelve efectivamente un astro, y el sol, a su vez, se vuelve un alimento luminoso. La palabra es un símbolo que emite símbolos. El hombre es hombre gracias al lenguaje, gracias a la metáfora original que lo hizo ser otro y lo separó del mundo natural. El hombre es un ser que se ha creado a sí mismo al crear un lenguaje. Por la palabra, el hombre es una metáfora de sí mismo.

La constante producción de imágenes y de formas verbales rítmicas es una prueba del carácter simbolizante del habla, de su naturaleza poética. El lenguaje tiende espontáneamente a cristalizar en metáforas. Diariamente las palabras chocan entre sí y arrojan chispas metálicas o forman parejas fosforescentes. El cielo verbal se puebla sin cesar de astros nuevos. Todos los días afloran a la superficie del idioma palabras y frases chorreando aún humedad y silencio por las frías escamas. En el mismo instante otras desaparecen. De pronto, el erial de un idioma fatigado se cubre de súbitas flores verbales. Criaturas luminosas habitan las espesuras del habla. Criaturas, sobre todo, voraces. En el seno del lenguaje hay una guerra civil sin cuartel. Todos contra uno. Uno contra todos. ¡Enorme masa siempre en movimiento, engendrándose sin cesar, ebria de sí! En labios de niños, locos, sabios, cretinos, enamorados o solitarios, brotan imágenes, juegos de palabras, expresiones surgidas de la nada. Por un instante, brillan o relampaguean. Luego se apagan. Hechas de materia inflamable, las palabras se incendian apenas las rozan la imaginación o la fantasía. Mas son incapaces de guardar su fuego. El habla es la sustancia o alimento del poema, pero no es el poema. La distinción entre el poema y esas expresiones poéticas —inventadas ayer o repetidas desde hace mil años por un pueblo que guarda intacto su saber tradicional— radica en lo siguiente: el primero es una tentativa por trascender el idioma; las expresiones poéticas, en cambio, viven en el nivel mismo del habla y son el resultado del vaivén de las palabras en las bocas de los hombres. No son creaciones, obras. El habla, el lenguaje social, se concentra en el poema, se articula y levanta. El poema es lenguaje erguido.

Así como ya nadie sostiene que el pueblo sea el autor de las epopeyas homéricas, tampoco nadie puede defender la idea del poema como una secreción natural del lenguaje. Lautréamont quiso decir otra cosa cuando profetizó que un día la poesía sería hecha por todos. Nada más deslumbrante que este programa. Pero como ocurre con toda profecía revolucionaria, el advenimiento de ese estado futuro de poesía total supone un regreso al tiempo original. En este caso al tiempo en que hablar era crear.

O sea: volver a la identidad entre la cosa y el nombre. La distancia entre la palabra y el objeto —que es la que obliga, precisamente, a cada palabra a convertirse en metáfora de aquello que designa— es consecuencia de otra: apenas el hombre adquirió conciencia de sí, se separó del mundo natural y se hizo otro en el seno de sí mismo. La palabra no es idéntica a la realidad que nombra porque entre el hombre y las cosas —y, más hondamente, entre el hombre y su ser— se interpone la conciencia de sí. La palabra es un puente mediante el cual el hombre trata de salvar la distancia que lo separa de la realidad exterior. Mas esa distancia forma parte de la naturaleza humana. Para disolverla, el hombre debe renunciar a su humanidad, ya sea regresando al mundo natural, ya trascendiendo las limitaciones que su condición le impone. Ambas tentaciones, latentes a lo largo de toda la historia, ahora se presentan con mayor exclusividad al hombre moderno. De ahí que la poesía contemporánea se mueva entre dos polos: por una parte, es una profunda afirmación de los valores mágicos; por la otra una vocación revolucionaria. Las dos direcciones expresan la rebelión del hombre contra su propia condición. «Cambiar al hombre», así, quiere decir renunciar a serlo: hundirse para siempre en la inocencia animal o liberarse del peso de la historia. Para lograr lo segundo es necesario trastornar los términos de la vieja relación, de modo que no sea la existencia histórica la que determine la conciencia sino a la inversa. La tentativa revolucionaria se presenta como una recuperación de la conciencia enajenada y, asimismo, como la conquista que hace esa conciencia recobrada del mundo histórico y de la naturaleza. Dueña de las leyes históricas y sociales, la conciencia determinaría la existencia. La especie habría dado entonces su segundo salto mortal. Gracias al primero, abandonó el mundo natural, dejó de ser animal y se puso en pie: contempló la naturaleza y se contempló. Al dar el segundo, regresaría a la unidad original, pero sin perder la conciencia sino haciendo de ésta el fundamento real de la naturaleza. Aunque no es ésta la única tentativa del hombre para recobrar la perdida unidad de conciencia y existencia (magia, mística, religión y filosofía han propuesto y proponen otras vías), su mérito reside en que se trata de un camino abierto a todos los hombres y que se reputa como el fin o sentido de la historia. Y aquí habría que preguntarse: una vez reconquistada la unidad primordial entre el mundo y el hombre, ¿no saldrían sobrando las palabras? El fin de la enajenación sería también el del lenguaje. La utopía terminaría, como la mística, en el silencio. En fin, cualquiera que sea nuestro juicio sobre esta idea, es evidente que la fusión —o mejor: la reunión— de la palabra y la cosa, el nombre y lo nombrado, exige la previa reconciliación del hombre consigo mismo y con el mundo. Mientras no se opere este cambio, el poema seguirá siendo uno de los pocos recursos del hombre para ir, más allá de sí mismo, al encuentro de lo que es profunda y originalmente. Por tanto, no es posible confundir el chisporroteo de lo poético con las empresas más temerarias y decisivas de la poesía.

La imposibilidad de confiar al puro dinamismo del lenguaje la creación poética se corrobora apenas se advierte que no existe un solo poema en el que no haya intervenido una voluntad creadora. Sí, el lenguaje es poesía y cada palabra esconde una cierta carga metafórica dispuesta a estallar apenas se toca el resorte secreto, pero la fuerza creadora de la palabra reside en el hombre que la pronuncia. El hombre pone en marcha el lenguaje. La noción de un creador, necesario antecedente del poema, parece oponerse a la creencia en la poesía como algo que escapa al control de la voluntad. Todo depende de lo que se entienda por voluntad. En primer término, debemos abandonar la concepción estática de las llamadas facultades como hemos abandonado la idea de un alma aparte. No se puede hablar de facultades psíquicas —memoria, voluntad, etc.— como si fueran entidades separadas e independientes. La psiquis es una totalidad indivisible. Si no es posible trazar las fronteras entre el cuerpo y el espíritu, tampoco lo es discernir dónde termina la voluntad y empieza la pura pasividad. En cada una de sus manifestaciones la psiquis se expresa de un modo total. En cada función están presentes todas las otras. La inmersión en estados de absoluta receptividad no implica la abolición del querer. El testimonio de San Juan de la Cruz —«deseando nada»— cobra aquí un inmenso valor psicológico: la nada misma se vuelve activa, por la fuerza del deseo. El Nirvana ofrece la misma combinación de pasividad activa, de movimiento que es reposo. Los estados de pasividad —desde la experiencia del vacío interior hasta la opuesta de congestión del ser— exigen el ejercicio de una voluntad decidida a romper la dualidad entre objeto y sujeto. El perfecto yogui es aquel que, inmóvil, sentado en una postura apropiada, «mirando con mirada impasible la punta de su nariz», es tan dueño de sí que se olvida de sí.

Todos sabemos hasta qué punto es difícil rozar las orillas de la distracción. Esta experiencia se enfrenta a las tendencias predominantes de nuestra civilización, que propone como arquetipos humanos al abstraído, al retraído y hasta al contraído. Un hombre que se distrae niega al mundo moderno. Al hacerlo, se juega el todo por el todo. Intelectualmente, su decisión no es diversa a la del suicida por sed de saber qué hay del otro lado de la vida. El distraído se pregunta: ¿qué hay del otro lado de la vigilia y de la razón? La distracción quiere decir: atracción por el reverso de este mundo. La voluntad no desaparece; simplemente, cambia de dirección: en lugar de servir a los poderes analíticos les impide que confisquen para sus fines la energía psíquica. La pobreza de nuestro vocabulario psicológico y filosófico en esta materia contrasta con la riqueza de las expresiones e imágenes poéticas. Recordemos la «música callada» de San Juan o «el vacío es plenitud» de Lao-tsé. Los estados pasivos no son nada más experiencias del silencio y el vacío, sino de momentos positivos y plenos: del núcleo del ser salta un chorro de imágenes. «Mi corazón está brotando flores en mitad de la noche», dice el poema azteca. La voluntaria parálisis no ataca sino a una parte de la psiquis. La pasividad de una zona provoca la actividad de la otra y hace posible la victoria de la imaginación frente a las tendencias analíticas, discursivas o razonadoras. En ningún caso desaparece la voluntad creadora. Sin ella, las puertas de la identificación con la realidad permanecen inexorablemente cerradas.

La creación poética se inicia como violencia sobre el lenguaje. El primer acto de esta operación consiste en el desarraigo de las palabras. El poeta las arranca de sus conexiones y menesteres habituales: separados del mundo informe del habla, los vocablos se vuelven únicos, como si acabasen de nacer. El segundo acto es el regreso de la palabra: el poema se convierte en objeto de participación. Dos fuerzas antagónicas habitan el poema: una de elevación o desarraigo, que arranca a la palabra del lenguaje; otra de gravedad, que la hace volver. El poema es creación original y única, pero también es lectura y recitación: participación. El poeta lo crea; el pueblo, al recitarlo, lo recrea. Poeta y lector son dos momentos de una misma realidad. Alternándose de una manera que no es inexacto llamar cíclica, su rotación engendra la chispa: la poesía.

Las dos operaciones —separación y regreso— exigen que el poema se sustente en un lenguaje común. No en un habla popular o coloquial, como se pretende ahora, sino en la lengua de una comunidad: ciudad, nación, clase, grupo o secta. Los poemas homéricos fueron «compuestos en un dialecto literario y artificial que nunca se habló propiamente» (Alfonso Reyes). Los grandes textos de la literatura sánscrita pertenecen a épocas en que esta lengua había dejado de hablarse, excepto entre grupos reducidos. En el teatro de Kalidasa los personajes nobles hablan sánscrito; los plebeyos, prácrito. Ahora bien, popular o minoritario, el lenguaje que sustenta al poeta posee dos notas: es vivo y común. Esto es, usado por un grupo de hombres para comunicar y perpetuar sus experiencias, pasiones, esperanzas y creencias. Nadie puede escribir un poema en una lengua muerta, excepto como ejercicio literario (y entonces no se trata de un poema, porque éste sólo se realiza plenamente en la participación: sin lector la obra sólo lo es a medias). Tampoco el lenguaje matemático, físico o de cualquier otra ciencia ofrece sustento a la poesía: es lenguaje común, pero no vivo. Nadie canta en fórmulas. Es verdad que las definiciones científicas pueden ser utilizadas en un poema (Lautréamont las empleó con genio). Sólo que entonces se opera una trasmutación, un cambio de signo: la fórmula científica deja de servir a la demostración y más bien tiende a destruirla. El humor es una de las armas mayores de la poesía.

Al crear el lenguaje de las naciones europeas, las leyendas y poemas épicos contribuyeron a crear esas mismas naciones. Y en ese sentido profundo las fundaron: les dieron conciencia de sí mismas. En efecto, por obra de la poesía, el lenguaje común se transformó en imágenes míticas dotadas de valor arquetípico. Rolando, el Cid, Arturo, Lanzarote, Parsifal son héroes, modelos. Lo mismo puede decirse —con ciertas y decisivas salvedades— de las creaciones épicas que coinciden con el nacimiento de la sociedad burguesa: las novelas. Cierto, lo distintivo de la edad moderna, desde el punto de vista de la situación social del poeta, es su posición marginal. La poesía es un alimento que la burguesía —como clase— ha sido incapaz de digerir. De ahí que una y otra vez haya intentado domesticarla. Sólo que apenas un poeta o un movimiento poético cede y acepta regresar al orden social, surge una nueva creación que constituye, a veces sin proponérselo, una crítica y un escándalo. La poesía moderna se ha convertido en el alimento de los disidentes y desterrados del mundo burgués. A una sociedad escindida corresponde una poesía en rebelión. Y aun en este caso extremo no se rompe la relación entrañable que une al lenguaje social con el poema. El lenguaje del poeta es el de su comunidad, cualquiera que ésta sea. Entre uno y otro se establece un juego recíproco de influencias, un sistema de vasos comunicantes. El lenguaje de Mallarmé es un idioma de iniciados. Los lectores de los poetas modernos están unidos por una suerte de complicidad y forman una sociedad secreta. Pero lo característico de nuestros días es la ruptura del equilibrio precariamente mantenido a lo largo del siglo XIX. La poesía de sectas toca a su fin porque la tensión se ha vuelto insoportable: el lenguaje social día a día se degrada en una jerga reseca de técnicos y periodistas, y el poema, en el otro extremo, se convierte en ejercicio suicida. Hemos llegado al término de un proceso iniciado en los albores de la edad moderna.

Muchos poetas contemporáneos, deseosos de salvar la barrera de vacío que el mundo moderno les opone, han intentado buscar el perdido auditorio: ir al pueblo. Sólo que ya no hay pueblo: hay masas organizadas. Y así, «ir al pueblo» significa ocupar un sitio entre los «organizadores» de las masas. El poeta se convierte en funcionario. No deja de ser asombroso este cambio. Los poetas del pasado habían sido sacerdotes o profetas, señores o rebeldes, bufones o santos, criados o mendigos. Correspondía al Estado burocrático hacer del creador un alto empleado del «frente cultural». El poeta ya tiene un «lugar» en la sociedad. ¿Lo tiene la poesía?

La poesía vive en las capas más profundas del ser, en tanto que las ideologías y todo lo que llamamos ideas y opiniones constituyen los estratos más superficiales de la conciencia. El poema se nutre del lenguaje vivo de una comunidad, de sus mitos, sus sueños y sus pasiones, esto es, de sus tendencias más secretas y poderosas. El poema funda al pueblo porque el poeta remonta la corriente del lenguaje y bebe en la fuente original. En el poema la sociedad se enfrenta con los fundamentos de su ser, con su palabra primera. Al proferir esa palabra original, el hombre se creó. Aquiles y Odiseo son algo más que dos figuras heroicas: son el destino griego creándose a sí mismo. El poema es mediación entre la sociedad y aquello que la funda. Sin Homero, el pueblo griego no sería lo que fue. El poema nos revela lo que somos y nos invita a ser eso que somos.

Los partidos políticos modernos convierten al poeta en propagandista y así lo degradan. El propagandista disemina en la «masa» las concepciones de los jerarcas. Su tarea consiste en transmitir ciertas directivas, de arriba para abajo. Su radio de interpretación es muy reducido (ya se sabe que toda desviación, aun involuntaria, es peligrosa). El poeta, en cambio, opera de abajo para arriba: del lenguaje de su comunidad al del poema. En seguida, la obra regresa a sus fuentes y se vuelve objeto de comunión. La relación entre el poeta y su pueblo es orgánica y espontánea. Todo se opone ahora a este proceso de constante recreación. El pueblo se escinde en clases y grupos; después, se petrifica en bloques. El lenguaje común se transforma en un sistema de fórmulas. Las vías de comunicación tapiadas, el poeta se encuentra sin lenguaje en que apoyarse y el pueblo sin imágenes en que reconocerse. Hay que aceptar con lealtad esta situación.

Si el poeta abandona su destierro —única posibilidad de auténtica rebeldía— abandona también la poesía y la posibilidad de que ese exilio se transforme en comunión. Porque entre el propagandista y su auditorio se establece un doble equívoco: él cree que habla el lenguaje del pueblo, y el pueblo, que escucha el de la poesía. La soledad gesticulante de la tribuna es total e irrevocable. Ella —y no la del que lucha a solas por encontrar la palabra común— sí que es soledad sin salida y sin porvenir.

Algunos poetas creen que un simple cambio verbal basta para reconciliar poema y lenguaje social. Unos resucitan el folklore; otros se apoyan en el habla coloquial. Mas el folklore, preservado en los museos o en regiones aisladas, ha dejado de ser lenguaje desde hace varios siglos: es una curiosidad o una nostalgia. Y en cuanto al habla desgarrada de las urbes: no es un lenguaje, sino el jirón de algo que fue un todo coherente y armónico. El habla de la ciudad tiende a petrificarse en fórmulas y *slogans* y sufre así la misma suerte del arte popular, convertido en artefacto industrial, y la del hombre mismo, que de persona se transforma en masa. La explotación del folklore, el uso del lenguaje coloquial o la inclusión de pasajes deliberadamente antipoéticos o prosaicos en medio de un texto de alta tensión son recursos literarios que tienen el mismo sentido que el empleo de dialectos artificiales por los poetas del pasado. En todos los casos se trata de procedimientos característicos de la llamada poesía minoritaria, como las imágenes geográficas de los poetas «metafísicos» ingleses, las alusiones mitológicas de los renacentistas o las irrupciones del humor en Lautréamont y Jarry. Piedras de toque, incrustadas en el poema para subrayar la autenticidad del resto, su función no es distinta a la del empleo de materiales que tradicionalmente no pertenecían al mundo de la pintura. No en balde se ha comparado *The Waste Land* a un *collage*. Lo mismo puede decirse de ciertos poemas de Apollinaire. Todo esto posee eficacia poética, pero no hace más comprensible la obra. Las fuentes de la comprensión son otras: radican en la comunidad del lenguaje y de los valores. El poeta moderno no habla el lenguaje de la sociedad ni comulga con los valores de la actual civilización. La poesía de nuestro tiempo no puede escapar de la soledad y la rebelión, excepto a través de un cambio de la sociedad y del hombre mismo. La acción del poeta contemporáneo sólo se puede ejercer sobre individuos y grupos. En esta limitación reside, acaso, su eficacia presente y su futura fecundidad.

Los historiadores afirman que las épocas de crisis o estancamiento producen automáticamente una poesía decadente. Condenan así la poesía hermética, solitaria o difícil. Por el contrario, los momentos de ascenso histórico se caracterizan por un arte de plenitud, al que accede toda la sociedad. Si el poema está escrito en lo que llaman el lenguaje de todos, estamos ante un arte de madurez. Arte claro es arte grande. Arte oscuro y para pocos, decadente. Ciertas parejas de adjetivos expresan esta dualidad: arte humano y deshumano, popular y minoritario, clásico y romántico (o barroco). Casi siempre se hace coincidir estas épocas de esplendor con el apogeo político o militar de la nación. Apenas los pueblos tienen grandes ejércitos y jefes invencibles, surgen los grandes poetas. Otros historiadores aseguran que esa grandeza poética se da un poco antes —cuando afilan los dientes los ejércitos— o un poco después —cuando los nietos de los conquistadores digieren las ganancias. Deslumbrados por esta idea forman parejas radiantes: Racine y Luis XIV, Garcilaso y Carlos V, Isabel y Shakespeare. Y otras oscuras, crepusculares, como las de Luis de Góngora y Felipe IV, Licofrón y Ptolomeo Filadelfo.

Por lo que toca a la oscuridad de las obras, debe decirse que todo poema ofrece, al principio, dificultades. La creación poética se enfrenta siempre a la resistencia de lo inerte y horizontal. Esquilo padeció la acusación de oscuridad. Eurípides era odiado por sus contemporáneos y fue juzgado poco claro. Garcilaso fue llamado descastado y cosmopolita. Los simbolistas fueron acusados de herméticos y decadentes. Los modernistas se enfrentaron a las mismas críticas. La verdad es que la dificultad de toda obra reside en su novedad. Separadas de sus funciones habituales y reunidas en un orden que no es el de la conversación ni el del discurso, las palabras ofrecen una resistencia irritante. Toda creación engendra equívocos. El goce poético no se da sin vencer ciertas dificultades, análogas a las de la creación. La participación implica una recreación; el lector reproduce los gestos y experiencias del poeta. Por otra parte, casi todas las épocas de crisis o decadencia social son fértiles en grandes poetas: Góngora y Quevedo, Rimbaud y Lautréamont, Donne y Blake, Melville y Dickinson. Si hemos de hacer caso al criterio histórico, Poe es la expresión de la decadencia sudista y Rubén Darío de la extrema postración de la sociedad hispanoamericana. ¿Y cómo explicar a Leopardi en plena disolución italiana y a los románticos germanos en una Alemania rota y a merced de los ejércitos napoleónicos? Gran parte de la poesía profética de los hebreos coincide con las épocas de esclavitud, disolución o decadencia israelita. Villon y Manrique escriben en lo que se ha llamado el «otoño de la Edad Media». ¿Y qué decir de la «sociedad de transición» en que vive

Dante? La España de Carlos IV produce a Goya. No, la poesía no es un reflejo mecánico de la historia. Las relaciones entre ambas son más sutiles y complejas. La poesía cambia, pero no progresa ni decae. Decaen las sociedades.

En tiempos de crisis se rompen o aflojan los lazos que hacen de la sociedad un todo orgánico. En épocas de cansancio, se inmovilizan. En el primer caso la sociedad se dispersa; en el segundo, se petrifica bajo la tiranía de una máscara imperial y nace el arte oficial. Pero el lenguaje de sectas y comunidades reducidas es propicio a la creación poética. La situación de exilio del grupo da a sus palabras una tensión y un valor particulares. Todo idioma sagrado es secreto. Y a la inversa: todo idioma secreto —sin excluir al de conjurados y conspiradores— colinda con lo sagrado. El poema hermético proclama la grandeza de la poesía y la miseria de la historia. Góngora es un testimonio de la salud del idioma español tanto como el conde-duque de Olivares lo es de la decadencia de un imperio. El cansancio de una sociedad no implica necesariamente la extinción de las artes ni provoca el silencio del poeta. Más bien es posible que ocurra lo contrario: suscita la aparición de poetas y obras solitarias. Cada vez que surge un poeta hermético o movimientos de poesía en rebelión contra los valores de una sociedad determinada, debe sospecharse de que esa sociedad, no la poesía, padece males incurables. Y esos males pueden medirse atendiendo a dos circunstancias: la ausencia de un lenguaje común y la sordera de la sociedad ante el canto solitario. La soledad del poeta muestra el descenso social. La creación, siempre a la misma altura, acusa la baja de nivel histórico. De ahí que a veces nos parezcan más altos los poetas difíciles. Se trata de un error de perspectiva. No son más altos: simplemente, el mundo que los rodea es más bajo.[1]

El poema se apoya en el lenguaje social o comunal, pero ¿cómo se efectúa el tránsito y qué ocurre con las palabras cuando dejan la esfera social y pasan a ser palabras del poema? Filósofos, oradores y literatos escogen sus palabras. El primero, según sus significados; los otros, en atención a su eficacia moral, psicológica o literaria. El poeta no escoge sus palabras. Cuando se dice que un poeta busca su lenguaje no quiere decirse que ande por bibliotecas o mercados recogiendo giros antiguos y nuevos, sino que, indeciso, vacila entre las palabras que realmente le pertenecen, que

[1] Sobre «Poesía, sociedad y Estado», véase el Apéndice 1, pp. 256 y ss.

están en él desde el principio, y las otras aprendidas en los libros o en la calle. Cuando un poeta encuentra su palabra, la reconoce: ya estaba en él. Y él ya estaba en ella. La palabra del poeta se confunde con su ser mismo. Él es su palabra. En el momento de la creación, aflora a la conciencia la parte más secreta de nosotros mismos. La creación consiste en un sacar a luz ciertas palabras inseparables de nuestro ser. Ésas y no otras. El poema está hecho de palabras necesarias e insustituibles. Por eso es tan difícil corregir una obra ya hecha. Toda corrección implica una re-creación, un volver sobre nuestros pasos, hacia dentro de nosotros. La imposibilidad de la traducción poética depende también de esta circunstancia. Cada palabra del poema es única. No hay sinónimos. Única e inamovible: imposible herir un vocablo sin herir todo el poema; imposible cambiar una coma sin trastornar todo el edificio. El poema es una totalidad viviente, hecha de elementos irreemplazables. La verdadera traducción no puede ser, así, sino re-creación.

Afirmar que el poeta no emplea sino las palabras que ya estaban en él, no desmiente lo que se ha dicho acerca de las relaciones entre poema y lenguaje común. Para disipar este equívoco basta recordar que, por su naturaleza misma, todo lenguaje es comunicación. Las palabras del poeta son también las de su comunidad. De otro modo no serían palabras. Toda palabra implica dos: el que habla y el que oye. El universo verbal del poema no está hecho de los vocablos del diccionario, sino de los de la comunidad. El poeta no es un hombre rico en palabras muertas, sino en voces vivas. Lenguaje personal quiere decir lenguaje común revelado o transfigurado por el poeta. El más alto de los poetas herméticos definía así la misión del poema: «Dar un sentido más puro a las palabras de la tribu». Y esto es cierto hasta en el sentido más superficial de la frase: vuelta al significado etimológico del vocablo y, asimismo, enriquecimiento de los idiomas. Gran número de voces que ahora nos parecen comunes y corrientes son invenciones, italianismos, neologismos y latinismos de Juan de Mena, Garcilaso o Góngora. Las palabras del poeta son también las de la tribu o lo serán un día. El poeta transforma, recrea y purifica el idioma, y después, lo comparte. Ahora que, ¿en qué consiste esta purificación de la palabra por la poesía y qué se quiere decir cuando se afirma que el poeta no se sirve de las palabras, sino que es su servidor?

Las palabras, frases y exclamaciones que nos arrancan el dolor, el placer o cualquier otro sentimiento son reducciones del lenguaje a su mero valor afectivo. Los vocablos así pronunciados dejan de ser, estrictamente, instrumentos de relación. Croce observa que no se trata, propiamente, de expresiones verbales: les falta el elemento voluntario y personal y les sobra la espontaneidad casi maquinal con que se producen. Son frases hechas, de las que está ausente todo matiz personal. No es necesario aceptar el juicio del filósofo italiano para darse cuenta de que, incluso si se trata de verdaderas expresiones, carecen de una dimensión imprescindible: ser vehículos de relación. Toda palabra implica un interlocutor. Y lo menos que se puede decir de esas expresiones y frases con que maquinalmente se descarga nuestra afectividad es que en ellas el interlocutor está disminuido y casi borrado. La palabra sufre una mutilación: la del oyente.

En alguna parte Valéry dice que «el poema es el desarrollo de una exclamación». Entre *desarrollo* y *exclamación* hay una tensión contradictoria, y yo agregaría que esa tensión *es* el poema. Si uno de los dos términos desaparece, el poema regresa a la interjección maquinal o se convierte en amplificación elocuente, descripción o teorema. El *desarrollo* es un lenguaje que se crea a sí mismo frente a esa realidad bruta y propiamente indecible a que alude la exclamación. Poema: oreja que escucha a una boca que dice lo que no dijo la exclamación. El grito de pena o júbilo señala al objeto que nos hiere o alegra; lo señala pero lo encubre: dice *ahí está,* no dice *qué* o *quién* es. La realidad indicada por la exclamación permanece innombrada: está ahí, ni ausente ni presente, a punto de aparecer o desvanecerse para siempre. Es una inminencia ¿de qué? El *desarrollo* no es una pregunta ni una respuesta: es una convocación. El poema —boca que habla y oreja que oye— será la revelación de aquello que la exclamación señala sin nombrar. Digo revelación y no explicación. Si el *desarrollo* es una explicación, la realidad no será revelada sino elucidada y el lenguaje sufrirá una mutilación: habremos dejado de ver y oír para sólo entender.

Un extremo contrario es el uso del lenguaje con fines de intercambio inmediato. Entonces las palabras dejan de tener significados precisos y pierden muchos de sus valores plásticos, sonoros y emotivos. El interlocutor no desaparece; al contrario, se afirma con exceso. La que se adelgaza y atenúa es la palabra, que se convierte en mera moneda de cambio. Todos sus valores se extinguen o decrecen, a expensas del valor de relación.

En el caso de la exclamación, la palabra es grito lanzado al vacío: se prescinde del interlocutor. Cuando la palabra es instrumento del pensamiento abstracto, el significado lo devora todo: oyente y placer verbal. Vehículo de intercambio, se degrada. En los tres casos se reduce y especializa. Y la causa de esta común mutilación es que el lenguaje se nos vuelve útil, instrumento, cosa. Cada vez que nos servimos de las palabras, las mutilamos. Mas el poeta no se sirve de las palabras. Es su servidor. Al servirlas, las devuelve a su plena naturaleza, les hace recobrar su ser. Gracias a la poesía, el lenguaje reconquista su estado original. En primer término, sus valores plásticos y sonoros, generalmente desdeñados por el pensamiento; en seguida, los afectivos, y, al fin, los significativos. Purificar el lenguaje, tarea del poeta, significa devolverle su naturaleza original. Y aquí tocamos uno de los temas centrales de esta reflexión. La palabra, en sí misma, es una pluralidad de sentidos. Si por obra de la poesía la palabra recobra su naturaleza original —es decir, su posibilidad de significar dos o más cosas al mismo tiempo—, el poema parece negar la esencia misma del lenguaje: la significación o sentido. La poesía sería una empresa fútil y, al mismo tiempo, monstruosa: ¡despoja al hombre de su bien más precioso, el lenguaje, y le da en cambio un sonoro balbuceo ininteligible! ¿Qué sentido tienen, si alguno tienen, las palabras y frases del poema?

EL RITMO

Las palabras se conducen como seres caprichosos y autónomos. Siempre dicen «esto y lo otro» y, al mismo tiempo, «aquello y lo de más allá». El pensamiento no se resigna; forzado a usarlas, una y otra vez pretende reducirlas a sus propias leyes, y una y otra vez el lenguaje se rebela y rompe los diques de la sintaxis y del diccionario. Léxicos y gramáticas son obras condenadas a no terminarse nunca. El idioma está siempre en movimiento, aunque el hombre, por ocupar el centro del remolino, pocas veces se da cuenta de este incesante cambiar. De ahí que, como si fuera algo estático, la gramática afirme que la lengua es un conjunto de voces y que éstas constituyen la unidad más simple, la célula lingüística. En realidad, el vocablo nunca se da aislado; nadie habla en palabras sueltas. El idioma es una totalidad indivisible; no lo forman la suma de sus voces, del mismo modo que la sociedad no es el conjunto de los individuos que la componen. Una palabra aislada es incapaz de constituir una unidad significativa. La palabra suelta no es, propiamente, lenguaje; tampoco lo es una sucesión de vocablos dispuestos al azar. Para que el lenguaje se produzca es menester que los signos y los sonidos se asocien de tal manera que impliquen y transmitan un sentido. La pluralidad potencial de significados de la palabra suelta se transforma en la frase en una cierta y única, aunque no siempre rigurosa y unívoca, dirección. Así, no es la voz, sino la frase u oración, la que constituye la unidad más simple del habla. La frase es una totalidad autosuficiente; todo el lenguaje, como en un microcosmos, vive en ella. A semejanza del átomo, es un organismo sólo separable por la violencia. Y en efecto, sólo por la violencia del análisis gramatical la frase se descompone en palabras. El lenguaje es un universo de unidades significativas, es decir, de frases.

Basta observar cómo escriben los que no han pasado por los aros del análisis gramatical para comprobar la verdad de estas afirmaciones. Los niños son incapaces de aislar las palabras. El aprendizaje de la gramática se inicia enseñando a dividir las frases en palabras y éstas en sílabas y letras. Pero los niños no tienen conciencia de las palabras; la tienen, y muy viva, de las frases: piensan, hablan y escriben en bloques significativos y les cuesta trabajo comprender que una frase está hecha de palabras. Todos aquellos que apenas si saben escribir muestran la misma tendencia. Cuando escriben, separan o juntan al azar los vocablos: no saben a ciencia cierta dónde acaban y empiezan. Al hablar, por el contrario, los analfabetos hacen las pausas precisamente donde hay que hacerlas: piensan en frases. Asimismo, apenas nos olvidamos o exaltamos y dejamos de ser dueños de nosotros, el lenguaje natural recobra sus derechos y dos palabras o más se juntan en el papel, ya no conforme a las reglas de la gramática sino obedeciendo al dictado del pensamiento. Cada vez que nos distraemos, reaparece el lenguaje en su estado natural, anterior a la gramática. Podría argüirse que hay palabras aisladas que forman por sí mismas unidades significativas. En ciertos idiomas primitivos la unidad parece ser la palabra; los pronombres demostrativos de algunas de estas lenguas no se reducen a señalar a este o aquel, sino a «este que está de pie», «aquel que está tan cerca que podría tocársele», «aquella ausente», «este visible», etc. Pero cada una de estas palabras es una frase. Así, ni en los idiomas más simples la palabra aislada es lenguaje. Esos pronombres son palabras-frase.[1]

[1] La lingüística moderna parece contradecir esta opinión. No obstante, como se verá, la contradicción no es absoluta. Para Roman Jakobson, «la palabra es una parte constituyente de un contexto superior, la frase, y simultáneamente es un contexto de otros constituyentes más pequeños, los *morfemas* (unidades mínimas dotadas de significación) y los *fonemas*». A su vez los fonemas son haces o manojos de *rasgos diferenciales*. Tanto cada rasgo diferencial como cada fonema se constituye frente a las otras partículas en una relación de oposición o contraste: los fonemas «designan una mera alteridad». Ahora bien, aunque carecen de significación propia, los fonemas «participan de la significación» ya que

El poema posee el mismo carácter complejo e indivisible del lenguaje y de su célula: la frase. Todo poema es una totalidad cerrada sobre sí misma: es una frase o un conjunto de frases que forman un todo. Como el resto de los hombres, el poeta no se expresa en vocablos sueltos, sino en unidades compactas e inseparables. La célula del poema, su núcleo más simple, es la frase poética. Pero, a diferencia de lo que ocurre con la prosa, la unidad de la frase, lo que la constituye como tal y hace lenguaje, no es el sentido o dirección significativa, sino el ritmo. Esta desconcertante propiedad de la frase poética será estudiada más adelante; antes es indispensable describir de qué manera la frase prosaica —el habla común— se transforma en frase poética.

Nadie puede sustraerse a la creencia en el poder mágico de las palabras. Ni siquiera aquellos que desconfían de ellas. La reserva ante el lenguaje es una actitud intelectual. Sólo en ciertos momentos medimos y pesamos las palabras; pasado ese instante, les devolvemos su crédito. La confianza ante el lenguaje es la actitud espontánea y original del hombre: las cosas son su nombre. La fe en el poder de las palabras es una reminiscencia de nuestras creencias más antiguas: la naturaleza está animada; cada objeto posee una vida propia; las palabras, que son los dobles del mundo objetivo, también están animadas. El lenguaje, como el universo, es un mundo de llamadas y respuestas; flujo y reflujo, unión y separación, inspiración y espiración. Unas palabras se atraen, otras se repelen y todas se corresponden. El habla es un conjunto de seres vivos, movidos por ritmos semejantes a los que rigen a los astros y las plantas.

Todo aquel que haya practicado la escritura automática —hasta donde es posible esta tentativa— conoce las extrañas y deslumbrantes asociaciones del lenguaje dejado a su propia espontaneidad. Evocación y convocación. *Les mots font l'amour,* dice André Breton. Y un espíritu tan lúcido como Alfonso Reyes advierte al poeta demasiado seguro de su do-

---

su «función consiste en diferenciar, cimentar, separar o destacar» los morfemas y de tal modo distinguirlos entre sí. Por su parte, el morfema no alcanza efectiva significación sino en la palabra y ésta en la frase o en la palabra-frase. Así pues, rasgos diferenciales, fonemas, morfemas y palabras son signos que sólo significan plenamente dentro de un contexto. Por último, el contexto significa y es inteligible sólo dentro de una clave común al que habla y al que oye: el lenguaje. Las unidades semánticas (morfemas y palabras) y las fonológicas (rasgos diferenciales y fonemas) son elementos lingüísticos por pertenecer a un sistema de significados que los engloba. Las unidades lingüísticas no constituyen el lenguaje sino a la inversa: el lenguaje las constituye. Cada unidad, sea en el nivel fonológico o en el significativo, se define por su relación con las otras partes: «el lenguaje es una totalidad indivisible». [Nota de 1964.]

minio del idioma: «Un día las palabras se coaligarán contra ti, se te sublevarán a un tiempo...» Pero no es necesario acudir a estos testimonios literarios. El sueño, el delirio, la hipnosis y otros estados de relajación de la conciencia favorecen el manar de las frases. La corriente parece no tener fin: una frase nos lleva a otra. Arrastrados por el río de imágenes, rozamos las orillas del puro existir y adivinamos un estado de unidad, de final reunión con nuestro ser y con el ser del mundo. Incapaz de oponer diques a la marea, la conciencia vacila. Y de pronto todo desemboca en una imagen final. Un muro nos cierra el paso: volvemos al silencio.

Los estados contrarios —extrema tensión de la conciencia, sentimiento agudo del lenguaje, diálogos en que las inteligencias chocan y brillan, galerías transparentes que la introspección multiplica hasta el infinito— también son favorables a la repentina aparición de frases caídas del cielo. Nadie las ha llamado; son como la recompensa de la vigilia. Tras el forcejeo de la razón que se abre paso, pisamos una zona armónica. Todo se vuelve fácil, todo es respuesta tácita, alusión esperada. Sentimos que las ideas riman. Entrevemos entonces que pensamientos y frases son también ritmos, llamadas, ecos. Pensar es dar la nota justa, vibrar apenas nos toca la onda luminosa. La cólera, el entusiasmo, la indignación, todo lo que nos pone fuera de nosotros posee la misma virtud liberadora. Brotan frases inesperadas y dueñas de un poder eléctrico: «lo fulminó con la mirada», «echó rayos y centellas por la boca»... El elemento fuego preside todas esas expresiones. Los juramentos y malas palabras estallan como soles atroces. Hay maldiciones y blasfemias que hacen temblar el orden cósmico. Después, el hombre se admira y arrepiente de lo que dijo. En realidad no fue él, sino «otro», quien profirió esas frases: estaba «fuera de sí». Los diálogos amorosos muestran el mismo carácter. Los amantes «se quitan las palabras de la boca». Todo coincide: pausas y exclamaciones, risas y silencios. El diálogo es más que un acuerdo: es un acorde. Y los enamorados mismos se sienten como dos rimas felices, pronunciadas por una boca invisible.

El lenguaje es el hombre, pero es algo más. Tal podría ser el punto de partida de una inquisición sobre estas turbadoras propiedades de las palabras. Pero el poeta no se pregunta cómo está hecho el lenguaje y si ese dinamismo es suyo o sólo es reflejo. Con el pragmatismo inocente de todos los creadores, verifica un hecho y lo utiliza: las palabras llegan y se juntan sin que nadie las llame, y estas reuniones y separaciones no son hijas del puro azar: un orden rige las afinidades y las repulsiones. En el fondo de todo fenómeno verbal hay un ritmo. Las palabras se juntan y separan atendiendo a ciertos principios rítmicos. Si el lenguaje es un continuo vaivén de frases y asociaciones verbales regido por un ritmo secreto, la reproducción de ese ritmo nos dará poder sobre las palabras. El dinamismo del lenguaje lleva al poeta a crear su universo verbal utilizando las mismas fuerzas de atracción y repulsión. El poeta crea por analogía. Su modelo es el ritmo que mueve a todo idioma. El ritmo es un imán. Al reproducirlo —por medio de metros, rimas, aliteraciones, paronomasias y otros procedimientos— convoca las palabras. A la esterilidad sucede un estado de abundancia verbal; abiertas las esclusas interiores, las frases brotan como chorros o surtidores. Lo difícil, dice Gabriela Mistral, no es encontrar rimas sino evitar su abundancia. La creación poética consiste, en buena parte, en esta voluntaria utilización del ritmo como agente de seducción.

La operación poética no es diversa del conjuro, el hechizo y otros procedimientos de la magia. Y la actitud del poeta es muy semejante a la del mago. Los dos utilizan el principio de analogía; los dos proceden con fines utilitarios e inmediatos: no se preguntan qué es el idioma o la naturaleza, sino que se sirven de ellos para sus propios fines. No es difícil añadir otra nota: magos y poetas, a diferencia de filósofos, técnicos y sabios, extraen sus poderes de sí mismos. Para obrar no les basta poseer una suma de conocimientos, como ocurre con un físico o con un chofer. Toda operación mágica requiere una fuerza interior, lograda a través de un penoso esfuerzo de purificación. Las fuentes del poder mágico son dobles: las fórmulas y demás métodos de encantamiento, y la fuerza psíquica del encantador, su afinación espiritual que le permite acordar su ritmo con el del cosmos. Lo mismo ocurre con el poeta. El lenguaje del poema está en él y sólo a él se le revela. La revelación poética implica una búsqueda interior. Búsqueda que no se parece en nada a la introspección o al análisis; más que búsqueda, actividad psíquica capaz de provocar la pasividad propicia a la aparición de las imágenes.

Con frecuencia se compara al mago con el rebelde. La seducción que todavía ejerce sobre nosotros su figura procede de haber sido el primero que dijo No a los dioses y Sí a la voluntad humana. Todas las otras rebeliones —esas, precisamente, por las cuales el hombre ha llegado a ser hombre— parten de esta primera rebelión. En la figura del hechicero hay una tensión trágica, ausente en el hombre de ciencia y en el filósofo. Éstos sirven al conocimiento y en su mundo los dioses y las fuerzas naturales no son sino hipótesis e incógnitas. Para el mago los dioses no son hipótesis, ni tampoco, como para el creyente, realidades que hay que aplacar o amar, sino poderes que hay que seducir, vencer o burlar. La magia es una empresa peligrosa y sacrílega, una afirmación del poder humano frente a lo sobrenatural. Separado del rebaño humano, cara a los dioses, el mago está solo. En esa soledad radica su grandeza y, casi siempre, su final esterilidad. Por una parte, es un testimonio de su decisión trágica. Por la otra, de su orgullo. En efecto, toda magia que no se trasciende —esto es, que no se transforma en don, en filantropía— se devora a sí misma y acaba por devorar a su creador. El mago ve a los hombres como medios, fuerzas, núcleos de energía latente. Una de las formas de la magia consiste en el dominio propio para después dominar a los demás. Príncipes, reyes y jefes se rodean de magos y astrólogos, antecesores de los consejeros políticos. Las recetas del poder mágico entrañan fatalmente la tiranía y la dominación de los hombres. La rebelión del mago es solitaria, porque la esencia de la actividad mágica es la búsqueda del poder. Con frecuencia se han señalado las semejanzas entre magia y técnica y algunos piensan que la primera es el origen remoto de la segunda. Cualquiera que sea la validez de esta hipótesis, es evidente que el rasgo característico de la técnica moderna —como el de la antigua magia— es el culto del poder. Frente al mago se levanta Prometeo, la figura más alta que ha creado la imaginación occidental. Ni mago, ni filósofo, ni sabio: héroe, robador del fuego, filántropo. La rebelión prometeica encarna la de la especie. En la soledad del héroe encadenado late, implícito, el regreso al mundo de los hombres. La soledad del mago es soledad sin retorno. Su rebelión es estéril porque la magia —es decir: la búsqueda del poder por el poder— termina aniquilándose a sí misma. No es otro el drama de la sociedad moderna.

La ambivalencia de la magia puede condensarse así: por una parte, trata de poner al hombre en relación viva con el cosmos, y en este sentido es una suerte de comunión universal; por la otra, su ejercicio no implica sino la búsqueda del poder. El *¿para qué?* es una pregunta que la magia no se hace y que no puede contestar sin transformarse en otra cosa: religión, filosofía, filantropía. En suma, la magia es una concepción del mundo pero no es una idea del hombre. De ahí que el mago sea una figura desgarrada entre su comunicación con las fuerzas cósmicas y su imposibilidad de llegar al hombre, excepto como una de esas fuerzas.

La magia afirma la fraternidad de la vida —una misma corriente recorre el universo— y niega la fraternidad de los hombres.

Ciertas creaciones poéticas modernas están habitadas por la misma tensión. La obra de Mallarmé es, acaso, el ejemplo máximo. Jamás las palabras han estado más cargadas y plenas de sí mismas; tanto, que apenas si las reconocemos, como esas flores tropicales negras a fuerza de encarnadas. Cada palabra es vertiginosa, tal es su claridad. Pero es una claridad mineral: nos refleja y nos abisma, sin que nos refresque o caliente. Un lenguaje a tal punto excelso merecía la prueba de fuego del teatro. Sólo en la escena podría haberse consumido y consumado plenamente y, así, encarnar de veras. Mallarmé lo intentó. No sólo nos ha dejado varios fragmentos poéticos que son tentativas teatrales, sino una reflexión sobre ese imposible y soñado teatro. Mas no hay teatro sin palabra poética común. La tensión del lenguaje poético de Mallarmé se consume en ella misma. Su mito no es filantrópico; no es Prometeo, el que da fuego a los hombres, sino Igitur: el que se contempla a sí mismo. Su claridad acaba por incendiarlo. La flecha se vuelve contra el que la dispara, cuando el blanco es nuestra propia imagen interrogante. La grandeza de Mallarmé no consiste nada más en su tentativa por crear un lenguaje que fuese el doble mágico del universo —la Obra concebida como un Cosmos— sino sobre todo en la conciencia de la imposibilidad de transformar ese lenguaje en teatro, en diálogo con el hombre. Si la obra no se resuelve en teatro, no le queda otra alternativa que desembocar en la página en blanco. El acto mágico se trasmuta en suicidio. Por el camino del lenguaje mágico el poeta francés llega al silencio. Pero todo silencio humano contiene un habla. Callamos, decía Sor Juana, no porque no tengamos nada que decir, sino porque no sabemos cómo decir todo lo que quisiéramos decir. El silencio humano es un callar y, por tanto, es implícita comunicación, sentido latente. El silencio de Mallarmé nos dice *nada,* que no es lo mismo que nada decir. Es el silencio anterior al silencio.

El poeta no es un mago, pero su concepción del lenguaje como una *society of life* —según define Cassirer la visión mágica del cosmos— lo acerca a la magia. Aunque el poema no es hechizo ni conjuro, a la manera de ensalmos y sortilegios el poeta despierta las fuerzas secretas del idioma. El poeta encanta al lenguaje por medio del ritmo. Una imagen suscita a otra. Así, la función predominante del ritmo distingue al poema de todas las otras formas literarias. El poema es un conjunto de frases, un orden verbal, fundado en el ritmo.

Si se golpea un tambor a intervalos iguales, el ritmo aparecerá como tiempo dividido en porciones homogéneas. La representación gráfica de semejante abstracción podría ser la línea de rayas: — — — — — — — — —. La intensidad rítmica dependerá de la celeridad con que los golpes caigan sobre el parche del tambor. A intervalos más reducidos corresponderá redoblada violencia. Las variaciones dependerán también de la combinación entre golpes e intervalos. Por ejemplo: —I— —I—I— —I—I— —I—I— —, etc. Aun reducido a ese esquema, el ritmo es algo más que medida, algo más que tiempo dividido en porciones. La sucesión de golpes y pausas revela una cierta intencionalidad, algo así como una dirección. El ritmo provoca una expectación, suscita un anhelar. Si se interrumpe, sentimos un choque. Algo se ha roto. Si continúa, esperamos algo que no acertamos a nombrar. El ritmo engendra en nosotros una disposición de ánimo que sólo podrá calmarse cuando sobrevenga «algo». Nos coloca en actitud de espera. Sentimos que el ritmo es un ir hacia algo, aunque no sepamos qué pueda ser ese algo. Todo ritmo es sentido de algo. Así pues, el ritmo no es exclusivamente una medida vacía de contenido sino una dirección, un sentido. El ritmo no es medida, sino tiempo original. La medida no es tiempo sino manera de calcularlo. Heidegger ha mostrado que toda medida es una «forma de hacer presente el tiempo». Calendarios y relojes son maneras de marcar nuestros pasos. Esta presentación implica una reducción o abstracción del tiempo original: el reloj presenta al tiempo y para presentarlo lo divide en porciones iguales y carentes de sentido. La temporalidad —que es el hombre mismo y que, por tanto, da sentido a lo que toca— es anterior a la presentación y lo que la hace posible.

El tiempo no está fuera de nosotros, ni es algo que pasa frente a nuestros ojos como las manecillas del reloj: nosotros somos el tiempo y no son los años sino nosotros los que pasamos. El tiempo posee una dirección, un sentido, porque es nosotros mismos. El ritmo realiza una operación contraria a la de relojes y calendarios: el tiempo deja de ser medida abstracta y regresa a lo que es: algo concreto y dotado de una dirección. Continuo manar, perpetuo ir más allá, el tiempo es permanente trascenderse. Su esencia es el *más* —y la negación de ese más. El tiempo afirma el sentido de un modo paradójico: posee un sentido —el ir más allá, siempre fuera de sí— que no cesa de negarse a sí mismo como sentido. Se destruye y, al destruirse, se repite, pero cada repetición es un cambio. Siempre lo mismo y la negación de lo mismo. Así, nunca es medida sin más, sucesión vacía. Cuando el ritmo se despliega frente a nosotros, algo pasa con él: nosotros mismos. En el ritmo hay un *ir hacia,* que sólo puede ser elucidado si, al mismo tiempo, se elucida qué somos nosotros. El ritmo no es medida, ni algo que está fuera de nosotros, sino que somos nosotros mismos los que nos vertemos en el ritmo y nos disparamos hacia «algo». El ritmo es sentido y dice «algo». Así, su contenido verbal o ideológico no es separable. Aquello que dicen las palabras del poeta ya está diciéndolo el ritmo en que se apoyan esas palabras. Y más: esas palabras surgen naturalmente del ritmo, como la flor del tallo. La relación entre ritmo y palabra poética no es distinta a la que reina entre danza y ritmo musical: no se puede decir que el ritmo es la representación sonora de la danza; tampoco que el baile sea la traducción corporal del ritmo. Todos los bailes son ritmos; todos los ritmos, bailes. En el ritmo está ya la danza, y a la inversa.

Rituales y relatos míticos muestran que es imposible disociar al ritmo de su sentido. El ritmo fue un procedimiento mágico con una finalidad inmediata: encantar y aprisionar ciertas fuerzas, exorcizar otras. Asimismo, sirvió para conmemorar o, más exactamente, para reproducir ciertos mitos: la aparición de un demonio o la llegada de un dios, el fin de un tiempo o el comienzo de otro. Doble del ritmo cósmico, era una fuerza creadora, en el sentido literal de la palabra, capaz de producir lo que el hombre deseaba: el descenso de la lluvia, la abundancia de la caza o la muerte del enemigo. La danza contenía ya, en germen, la representación; el baile y la pantomima eran también un drama y una ceremonia: un ritual. El ritmo era un rito. Sabemos, por otra parte, que rito y mito son realidades inseparables. En todo cuento mítico se descubre la presencia del rito, porque el relato no es sino la traducción en palabras de la ceremonia ritual: el mito cuenta o describe el rito. Y el rito actualiza el relato; por medio de danzas y ceremonias el mito encarna y se repite: el héroe vuelve una vez más entre los hombres y vence a los demonios, se cubre de verdor la tierra y aparece el rostro radiante de la desenterrada, el tiempo que acaba renace e inicia un nuevo ciclo. El relato y su representación son inseparables. Ambos se encuentran ya en el ritmo, que es drama y danza, mito y rito, relato y ceremonia. La doble realidad del mito y del rito se apoya en el ritmo, que los contiene. De nuevo se hace patente que, lejos de ser medida vacía y abstracta, el ritmo es inseparable de un contenido concreto. Otro tanto ocurre con el ritmo verbal: la frase o «idea poética» no precede al ritmo, ni éste a aquélla. Ambos son la misma cosa. En el verso ya late la frase y su posible significación. Por eso hay metros heroicos y ligeros, danzantes y solemnes, alegres y fúnebres.

El ritmo no es medida: es visión del mundo. Calendarios, moral, política, técnica, artes, filosofías, todo, en fin, lo que llamamos cultura hunde sus raíces en el ritmo. Él es la fuente de todas nuestras creaciones. Ritmos binarios o terciarios, antagónicos o cíclicos alimentan las instituciones, las creencias, las artes y las filosofías. La historia misma es ritmo. Y cada civilización puede reducirse al desarrollo de un ritmo primordial. Los antiguos chinos veían (acaso sea más exacto decir: oían) al universo como la cíclica combinación de dos ritmos: «Una vez Yin —otra vez Yang: eso es el Tao». Yin y Yang no son ideas, al menos en el sentido occidental de la palabra, según observa Granet; tampoco son meros sonidos y notas: son emblemas, imágenes que contienen una representación concreta del universo. Dotados de un dinamismo creador de realidades, Yin y Yang se alternan, y alternándose engendran la totalidad. En esa totalidad nada ha sido suprimido ni abstraído; cada aspecto está presente, vivo y sin perder sus particularidades. Yin es el invierno, la estación de las mujeres, la casa y la sombra. Su símbolo es la puerta, lo cerrado y escondido que madura en la oscuridad. Yang es la luz, los trabajos agrícolas, la caza y la pesca, el aire libre, el tiempo de los hombres, abierto. Calor y frío, luz y oscuridad, «tiempo de plenitud y tiempo de decrepitud: tiempo masculino y tiempo femenino —un aspecto dragón y un aspecto serpiente—, tal es la vida». El universo es un sistema bipartido de ritmos contrarios, alternantes y complementarios. El ritmo rige el crecimiento de las plantas y de los imperios, de las cosechas y de las instituciones. Preside la moral y la etiqueta. El libertinaje de los príncipes altera el orden cósmico; pero también lo altera, en ciertos periodos, su castidad. La cortesía y el buen gobierno son formas rítmicas, como el amor y el tránsito de las estaciones. El ritmo es imagen viva del universo, encarnación visible de la legalidad cósmica: Yi Yin – Yi Yang: «Una vez Yin – otra vez Yang: eso es el Tao».[1]

El pueblo chino no es el único que ha sentido el universo como unión, separación y reunión de ritmos. Todas las concepciones cosmológicas del hombre brotan de la intuición de un ritmo original. En el fondo de toda cultura se encuentra una actitud fundamental ante la vida que, antes de expresarse en creaciones religiosas, estéticas o filosóficas, se manifiesta como ritmo. Yin y Yang para los chinos; ritmo cuaternario para

[1] Marcel Granet, *La Pensée chinoise*, París, 1938.

los aztecas; dual para los hebreos. Los griegos conciben el cosmos como lucha y combinación de contrarios. Nuestra cultura está impregnada de ritmos ternarios. Desde la lógica y la religión hasta la política y la medicina parecen regirse por dos elementos que se funden y absorben en una unidad: padre, madre, hijo; tesis, antítesis, síntesis; comedia, drama, tragedia; infierno, purgatorio, cielo; temperamentos sanguíneo, muscular y nervioso; memoria, voluntad y entendimiento; reinos mineral, vegetal y animal; aristocracia, monarquía y democracia... No es ésta ocasión para preguntarse si el ritmo es una expresión de las instituciones sociales primitivas, del sistema de producción o de otras «causas» o si, por el contrario, las llamadas estructuras sociales no son sino manifestaciones de esta primera y espontánea actitud del hombre ante la realidad. Semejante pregunta, acaso la esencial de la historia, posee el mismo carácter vertiginoso de la pregunta sobre el ser del hombre —porque ese ser parece no tener sustento o fundamento, sino que, disparado o exhalado, diríase que se asienta en su propio sinfín. Pero si no podemos dar una respuesta a este problema, al menos sí es posible afirmar que el ritmo es inseparable de nuestra condición. Quiero decir: es la manifestación más simple, permanente y antigua del hecho decisivo que nos hace ser hombres: ser temporales, ser mortales y lanzados siempre hacia «algo», hacia lo «otro»: la muerte, Dios, la amada, nuestros semejantes.

La constante presencia de formas rítmicas en todas las expresiones humanas no podía menos de provocar la tentación de edificar una filosofía fundada en el ritmo. Pero cada sociedad posee un ritmo propio. O más exactamente: cada ritmo es una actitud, un sentido y una imagen del mundo, distinta y particular. Del mismo modo que es imposible reducir los ritmos a pura medida, dividida en espacios homogéneos, tampoco es posible abstraerlos y convertirlos en esquemas racionales. Cada ritmo implica una visión concreta del mundo. Así, el ritmo universal de que hablan algunos filósofos es una abstracción que apenas si guarda relación con el ritmo original, creador de imágenes, poemas y obras. El ritmo, que es imagen y sentido, actitud espontánea del hombre ante la vida, no está fuera de nosotros: es nosotros mismos, expresándonos. Es temporalidad concreta, vida humana irrepetible. El ritmo que Dante percibe y que mueve las estrellas y las almas se llama Amor; Lao-tsé y Chuang-tsé oyen otro ritmo, hecho de contrarios relativos; Heráclito lo sintió como guerra. No es posible reducir todos estos ritmos a unidad sin que al mismo tiempo se evapore el contenido particular de cada uno de ellos. El ritmo no es filosofía, sino imagen del mundo, es decir, aquello en que se apoyan las filosofías.

En todas las sociedades existen dos calendarios. Uno rige la vida diaria y las actividades profanas; otro, los periodos sagrados, los ritos y las fiestas. El primero consiste en una división del tiempo en porciones iguales: horas, días, meses, años. Cualquiera que sea el sistema adoptado para la medición del tiempo, éste es una sucesión cuantitativa de porciones homogéneas. En el calendario sagrado, por el contrario, se rompe la continuidad. La fecha mítica adviene si una serie de circunstancias se conjugan para reproducir el acontecimiento. A diferencia de la fecha profana, la sagrada no es una medida sino una realidad viviente, cargada de fuerzas sobrenaturales, que encarna en sitios determinados. En la representación profana del tiempo, el 1 de enero sucede necesariamente al 31 de diciembre. En la religiosa, puede muy bien ocurrir que el tiempo nuevo no suceda al viejo. Todas las culturas han sentido el horror del «fin del tiempo». De ahí la existencia de «ritos de entrada y salida». Entre los antiguos mexicanos los ritos del fuego —celebrados cada fin de año y especialmente al terminar el ciclo de 52 años— no tenían más propósito que provocar la llegada del tiempo nuevo. Apenas se encendían las fogatas en el Cerro de la Estrella, todo el Valle de México, hasta entonces sumido en sombras, se iluminaba. Una vez más el mito había encarnado. El tiempo —un tiempo creador de vida y no vacía sucesión— había sido re-engendrado. La vida podía continuar hasta que ese tiempo, a su vez, se desgastase. Un admirable ejemplo plástico de esta concepción es el Entierro del Tiempo, pequeño monumento de piedra que se encuentra en el Museo de Antropología de México: rodeados de calaveras, yacen los signos del tiempo viejo: de sus restos brota el tiempo nuevo. Pero su renacer no es fatal. Hay mitos, como el del Grial, que aluden a la obstinación del tiempo viejo, que se empeña en no morir, en no irse: la esterilidad impera; los campos se agostan; las mujeres no conciben; los viejos gobiernan. Los «ritos de salida» —que casi siempre consisten en la intervención salvadora de un joven héroe— obligan al tiempo viejo a dejar el campo a su sucesor.

Si la fecha mítica no se inserta en la pura sucesión, ¿en qué tiempo pasa? La respuesta nos la dan los cuentos: «Una vez había un rey...» El mito no se sitúa en una fecha determinada, sino en «una vez...», nudo en el que espacio y tiempo se entrelazan. El mito es un pasado que también es un futuro. Pues la región temporal en donde acaecen los mitos no es el ayer irreparable y finito de todo acto humano, sino un pasado cargado de posibilidades, susceptible de actualizarse. El mito transcurre en un tiempo arquetípico. Y más: es tiempo arquetípico, capaz de re-encarnar. El calendario sagrado es rítmico porque es arquetípico. El mito es un pasado que es un futuro dispuesto a realizarse en un presente. En nuestra concepción cotidiana del tiempo, éste es un presente que se dirige hacia el futuro pero que fatalmente desemboca en el pasado. El orden mítico invierte los términos: el pasado es un futuro que desemboca en el presente. El calendario profano nos cierra las puertas de acceso al tiempo original que abraza todos los tiempos, pasados o futuros, en un presente, en una presencia total. La fecha mítica nos hace entrever un presente que desposa el pasado con el futuro. El mito, así, contiene a la vida humana en su totalidad: por medio del ritmo actualiza un pasado arquetípico, es decir, un pasado que potencialmente es un futuro dispuesto a encarnar en un presente. Nada más distante de nuestra concepción cotidiana del tiempo. En la vida diaria nos aferramos a la representación cronométrica del tiempo, aunque hablemos de «mal tiempo» y de «buen tiempo» y aunque cada 31 de diciembre despidamos al año viejo y saludemos la llegada del nuevo. Ninguna de estas actitudes —residuos de la antigua concepción del tiempo— nos impide arrancar cada día una hoja al calendario o consultar la hora en el reloj. Nuestro «buen tiempo» no se desprende de la sucesión; podemos suspirar por el pasado —que tiene fama de ser mejor que el presente— pero sabemos que el pasado no volverá. Nuestro «buen tiempo» muere de la misma muerte que todos los tiempos: es sucesión. En cambio, la fecha mítica no muere: se repite, encarna. Así, lo que distingue al tiempo mítico de toda otra representación del tiempo es el ser un arquetipo. Pasado susceptible siempre de ser hoy, el mito es una realidad flotante, siempre dispuesta a encarnar y volver a ser.

La función del ritmo se precisa ahora con mayor claridad: por obra de la repetición rítmica el mito regresa. Hubert y Mauss, en su clásico estudio sobre este tema, advierten el carácter discontinuo del calendario sagrado y encuentran en la magia rítmica el origen de esta discontinuidad: «La representación mítica del tiempo es esencialmente rítmica. Para la religión y la magia el calendario no tiene por objeto medir, sino ritmar, tiempo».[1] Evidentemente no se trata de «ritmar» el tiempo —resabio positivista de estos autores— sino de volver al tiempo original. La repeti-

[1] H. Hubert y M. Mauss, *Mélanges d'histoire des religions,* París, 1929.

ción rítmica es invocación y convocación del tiempo original. Y más exactamente: recreación del tiempo arquetípico. No todos los mitos son poemas pero todo poema es mito. Como en el mito, en el poema el tiempo cotidiano sufre una trasmutación: deja de ser sucesión homogénea y vacía para convertirse en ritmo. Tragedia, epopeya, canción, el poema tiende a repetir y recrear un instante, un hecho o conjunto de hechos que, de alguna manera, resultan arquetípicos. El tiempo del poema es distinto al tiempo cronométrico. «Lo que pasó, pasó», dice la gente. Para el poeta lo que pasó volverá a ser, volverá a encarnar. El poeta, dice el centauro Quirón a Fausto, «no está atado por el tiempo». Y éste le responde: «Fuera del tiempo encontró Aquiles a Helena». ¿Fuera del tiempo? Más bien en el tiempo original. Incluso en las novelas históricas y en las de asunto contemporáneo el tiempo del relato se desprende de la sucesión. El pasado y el presente de las novelas no es el de la historia, ni el del reportaje periodístico. No es lo que fue, ni lo que está siendo, sino lo que se está haciendo: lo que se está gestando. Es un pasado que re-engendra y reencarna. Y reencarna de dos maneras; en el momento de la creación poética, y después, como recreación, cuando el lector revive las imágenes del poeta y convoca de nuevo ese pasado que regresa. El poema es tiempo arquetípico, que se hace presente apenas unos labios repiten sus frases rítmicas. Esas frases rítmicas son lo que llamamos versos y su función consiste en re-crear el tiempo.

Al tratar el origen de la poesía, dice Aristóteles: «En total, dos parecen haber sido las causas especiales del origen de la poesía, y ambas naturales: primero, ya desde niños es connatural a los hombres reproducir imitativamente, y en esto se distingue de los demás animales: en que es más imitador el hombre que todos ellos y hace sus primeros pasos en el aprendizaje mediante imitación; segundo, en que todos se complacen en las reproducciones imitativas».[1] Y más adelante agrega que el objeto propio de esta reproducción imitativa es la contemplación por semejanza o comparación: la metáfora es el principal instrumento de la poesía, ya que por medio de la imagen —que acerca y hace semejantes los objetos distantes u opuestos— el poeta puede decir que esto sea parecido a aquello. La poética de Aristóteles ha sufrido muchas críticas. Sólo que, contra lo que uno se sentiría inclinado a pensar instintivamente, lo que nos resulta insufi-

[1] Aristóteles, *Poética*, versión directa, introd. y notas de Juan David García Bacca, México, 1945.

ciente no es tanto el concepto de *reproducción* imitativa como su idea de la metáfora y, sobre todo, su noción de *naturaleza*.

Según explica García Bacca en su «Introducción» a la *Poética*, «imitar no significa ponerse a copiar un original [...] sino toda acción cuyo efecto es una presencialización». Y el efecto de tal imitación, «que, al pie de la letra, no copia nada, será un objeto original y nunca visto, o nunca oído, como una sinfonía o una sonata». Mas, ¿de dónde saca el poeta esos objetos nunca vistos ni oídos? El modelo del poeta es la naturaleza, paradigma y fuente de inspiración para todos los griegos. Con más razón que al de Zola y sus discípulos, se puede llamar naturalista al arte griego. Pues bien, una de las cosas que nos distinguen de los griegos es nuestra concepción de la naturaleza. Nosotros no sabemos cómo es, ni cuál es su figura, si alguna tiene. La naturaleza ha dejado de ser algo animado, un todo orgánico y dueño de una forma. No es, ni siquiera, un objeto, porque la idea misma de objeto ha perdido su antigua consistencia. Si la noción de *causa* está en entredicho, ¿cómo no va a estarlo la de *naturaleza* con sus cuatro causas? Tampoco sabemos en dónde termina lo natural y empieza lo humano. El hombre, desde hace siglos, ha dejado de ser natural. Unos lo conciben como un haz de impulsos y reflejos, esto es, como un animal superior. Otros han transformado a este animal en una serie de respuestas a estímulos dados, es decir, en un ente cuya conducta es previsible y cuyas reacciones no son diversas a las de un aparato: para la cibernética el hombre se conduce como una máquina. En el extremo opuesto se encuentran los que nos conciben como entes históricos, sin más continuidad que la del cambio. No es eso todo. *Naturaleza* e *historia* se han vuelto términos incompatibles, al revés de lo que ocurría entre los griegos. Si el hombre es un animal o una máquina, no veo cómo pueda ser un ente político, a no ser reduciendo la política a una rama de la biología o de la física. Y a la inversa: si es histórico, no es natural ni mecánico. Así pues, lo que nos parece extraño y caduco —como muy bien observa García Bacca— no es la poética aristotélica, sino su ontología. La naturaleza no puede ser un modelo para nosotros, porque el término ha perdido toda su consistencia.

No menos insatisfactoria parece la idea aristotélica de la metáfora. Para Aristóteles la poesía ocupa un lugar intermedio entre la historia y la filosofía. La primera reina sobre los hechos; la segunda rige el mundo de lo necesario. Entre ambos extremos la poesía se ofrece «como lo optativo». «No es oficio del poeta —dice García Bacca— contar las cosas como sucedieron, sino cual desearíamos que hubiesen sucedido.» El reino de la poesía es el «ojalá». El poeta es «varón de deseos». En efecto, la poesía es deseo. Mas ese deseo no se articula en lo posible, ni en lo verosímil. La imagen no es lo «imposible verosímil», deseo de imposibles: la poesía es hambre de realidad. El deseo aspira siempre a suprimir las distancias, según se ve en el deseo por excelencia: el impulso amoroso. La imagen es el puente que tiende el deseo entre el hombre y la realidad. El mundo del «ojalá» es el de la imagen por comparación de semejanzas y su principal vehículo es la palabra *como:* esto es como aquello. Pero hay otra metáfora que suprime el *como* y dice: esto es aquello. En ella el deseo entra en acción: no compara ni muestra semejanzas sino que revela —y más: provoca— la identidad última de objetos que nos parecían irreductibles.

Entonces, ¿en qué sentido nos parece verdadera la idea de Aristóteles? En el de ser la poesía una reproducción imitativa, si se entiende por esto que el poeta recrea arquetipos, en la acepción más antigua de la palabra: modelos, mitos. Aun el poeta lírico, al recrear su experiencia, convoca un pasado que es un futuro. No es paradoja afirmar que el poeta —como los niños, los primitivos y, en suma, como todos los hombres cuando dan rienda suelta a su tendencia más profunda y natural— es un imitador de profesión. Esa imitación es creación original: evocación, resurrección y recreación de algo que está en el origen de los tiempos y en el fondo de cada hombre, algo que se confunde con el tiempo mismo y con nosotros, y que siendo de todos es también único y singular. El ritmo poético es la actualización de ese pasado que es un futuro que es un presente: nosotros mismos. La frase poética es tiempo vivo, concreto: es ritmo, tiempo original, perpetuamente recreándose. Continuo renacer y remorir y renacer de nuevo. La unidad de la frase, que en la prosa se da por el sentido o significación, en el poema se logra por gracia del ritmo. La coherencia poética, por tanto, debe ser de orden distinto a la prosa. La frase rítmica nos lleva así al examen de su sentido. Sin embargo, antes de estudiar cómo se logra la unidad significativa de la frase poética, es necesario ver más de cerca las relaciones entre verso y prosa.

VERSO Y PROSA

El ritmo no solamente es el elemento más antiguo y permanente del lenguaje, sino que no es difícil que sea anterior al habla misma. En cierto sentido puede decirse que el lenguaje nace del ritmo, o, al menos, que todo ritmo implica o prefigura un lenguaje. Así, todas las expresiones verbales son ritmo, sin excluir las formas más abstractas o didácticas de la prosa. ¿Cómo distinguir, entonces, prosa y poema? De este modo: el ritmo se da espontáneamente en toda forma verbal, pero sólo en el poema se manifiesta plenamente. Sin ritmo, no hay poema; sólo con él, no hay prosa. El ritmo es condición del poema, en tanto que es inesencial para la prosa. Por la violencia de la razón las palabras se desprenden del ritmo; esa violencia racional sostiene en vilo la prosa, impidiéndole caer en la corriente del habla en donde no rigen las leyes del discurso sino las de atracción y repulsión. Mas este desarraigo nunca es total, porque entonces el lenguaje se extinguiría. Y con él, el pensamiento mismo. El lenguaje, por propia inclinación, tiende a ser ritmo. Como si obedeciesen a una misteriosa ley de gravedad, las palabras vuelven a la poesía espontáneamente. En el fondo de toda prosa circula, más o menos adelgazada por las exigencias del discurso, la invisible corriente rítmica. Y el pensamiento, en la medida en que es lenguaje, sufre la misma fascinación. Dejar al pensamiento en libertad, divagar, es regresar al ritmo; las razones se transforman en correspondencias, los silogismos en analogías y la marcha intelectual en fluir de imágenes. Pero el prosista busca la coherencia y la claridad conceptual. Por eso se resiste a la corriente rítmica que, fatalmente, tiende a manifestarse en imágenes y no en conceptos.

La prosa es un género tardío, hijo de la desconfianza del pensamiento ante las tendencias naturales del idioma. La poesía pertenece a todas las épocas: es la forma natural de expresión de los hombres. No hay pueblos sin poesía; los hay sin prosa. Por tanto, puede decirse que la prosa no es una forma de expresión inherente a la sociedad, mientras que es inconcebible la existencia de una sociedad sin canciones, mitos u otras expresiones poéticas. La poesía ignora el progreso o la evolución, y sus orígenes y su fin se confunden con los del lenguaje. La prosa, que es primordialmente un instrumento de crítica y análisis, exige una lenta maduración y sólo se produce tras una larga serie de esfuerzos tendientes a domar al habla. Su avance se mide por el grado de dominio del pensamiento sobre las palabras. La prosa crece en batalla permanente contra las inclinaciones naturales del idioma y sus géneros más perfectos son el discurso y la demostración, en los que el ritmo y su incesante ir y venir ceden el sitio a la marcha del pensamiento.

Mientras el poema se presenta como un orden cerrado, la prosa tiende a manifestarse como una construcción abierta y lineal. Valéry ha comparado la prosa con la marcha y la poesía con la danza. Relato o discurso, historia o demostración, la prosa es un desfile, una verdadera teoría de ideas o hechos. La figura geométrica que simboliza la prosa es la línea: recta, sinuosa, espiral, zigzagueante, mas siempre hacia adelante y con una meta precisa. De ahí que los arquetipos de la prosa sean el discurso y el relato, la especulación y la historia. El poema, por el contrario, se ofrece como un círculo o una esfera: algo que se cierra sobre sí mismo, universo autosuficiente y en el cual el fin es también un principio que vuelve, se repite y se recrea. Y esta constante repetición y recreación no es sino ritmo, marea que va y viene, cae y se levanta. El carácter artificial de la prosa se comprueba cada vez que el prosista se abandona al fluir del idioma. Apenas vuelve sobre sus pasos, a la manera del poeta o del músico, y se deja seducir por las fuerzas de atracción y repulsión del idioma, viola las leyes del pensamiento racional y penetra en el ámbito de ecos y correspondencias del poema. Esto es lo que ha ocurrido con buena parte de la novela contemporánea. Lo mismo se puede afirmar de ciertas novelas orientales, como *Los cuentos de Genji,* de la señora Murasaki, o la célebre novela china *El sueño del aposento rojo.* La primera recuerda a Proust, es decir, al autor que ha llevado más lejos la ambigüedad de la novela, oscilante siempre entre la prosa y el ritmo, el concepto y la imagen; la segunda es una vasta alegoría a la que difícilmente se puede llamar novela sin que la palabra pierda su significado habitual. En realidad, las únicas obras orientales que se aproximan a lo que nosotros llamamos novela son libros que vacilan entre el apólogo, la pornografía y el costumbrismo, como el *Chin P'ing Mei.*

Sostener que el ritmo es el núcleo del poema no quiere decir que este sea un conjunto de metros. La existencia de una prosa cargada de poesía, y la de muchas obras correctamente versificadas y absolutamente prosaicas, revela la falsedad de esta identificación. Metro y ritmo no son la misma cosa. Los antiguos retóricos decían que el ritmo es el padre del metro. Cuando un metro se vacía de contenido y se convierte en forma inerte, mera cáscara sonora, el ritmo continúa engendrando nuevos metros. El ritmo es inseparable de la frase; no está hecho de palabras sueltas, ni es sólo medida o cantidad silábica, acentos y pausas: es imagen y sentido. Ritmo, imagen y sentido se dan simultáneamente en una unidad indivisible y compacta: la frase poética, el verso. El metro, en cambio, es medida abstracta e independiente de la imagen. La única exigencia del metro es que cada verso tenga las sílabas y acentos requeridos. Todo se puede decir en endecasílabos: una fórmula matemática, una receta de cocina, el sitio de Troya y una sucesión de palabras inconexas. Incluso se puede prescindir de la palabra: basta con una hilera de sílabas o letras. En sí mismo, el metro es medida desnuda de sentido. En cambio, el ritmo no se da solo nunca; no es medida, sino contenido cualitativo y concreto. Todo ritmo verbal contiene ya en sí la imagen y constituye, real o potencialmente, una frase poética completa.

El metro nace del ritmo y vuelve a él. Al principio las fronteras entre uno y otro son borrosas. Más tarde el metro cristaliza en formas fijas. Instante de esplendor, pero también de parálisis. Aislado del flujo y reflujo del lenguaje, el verso se transforma en medida sonora. Al momento de acuerdo, sucede otro de inmovilidad; después, sobreviene la discordia y en el seno del poema se entabla una lucha: la medida oprime la imagen o ésta rompe la cárcel y regresa al habla para recrearse en nuevos ritmos. El metro es medida que tiende a separarse del lenguaje; el ritmo jamás se separa del habla porque es el habla misma. El metro es procedimiento, manera; el ritmo, temporalidad concreta. Un endecasílabo de Garcilaso no es idéntico a uno de Quevedo o Góngora. La medida es la misma pero el ritmo es distinto. La razón de esta singularidad se encuentra, en castellano, en la existencia de periodos rítmicos en el interior de cada metro, entre la primera sílaba acentuada y antes de la última. El periodo rítmico forma el núcleo del verso y no obedece a la regularidad silábica sino al golpe de los acentos y a la combinación de éstos con las cesuras y las sílabas débiles. Cada periodo, a su vez, está compuesto por lo menos de dos cláusulas rítmicas, formadas también por acentos tónicos y cesuras. «La representación formal del verso —dice Tomás Navarro en su tratado de *Métrica española*— resulta de sus componentes métricos y gramaticales; la función del periodo es esencialmente rítmica; de su composición y dimensiones depende que el movimiento del verso sea lento o rápido, grave o leve, sereno o turbado.» El ritmo infunde vida al metro y le otorga individualidad.[1]

[1] En *Linguistics and Poetics*, Jakobson dice que «far from being an abstract, theoretical scheme, meter —or in more explicit terms, *verse design*— underlies the structure of any single line —or, in logical terminology, any single *verse instance* [...] The verse design determines the invariant features of the verse instances and sets up the limit of variations». En seguida cita el ejemplo de los campesinos servios que improvisan poemas con metros fijos y los recitan sin equivocarse nunca de medida. Es posible que, en efecto, los metros sean medidas inconscientes, al menos en ciertos casos (el octosílabo español sería

La distinción entre metro y ritmo prohíbe llamar poemas a un gran número de obras, correctamente versificadas que, por pura inercia, aparecen como tales en los manuales de literatura. Libros como *Los cantos de Maldoror, Alicia en el país de las maravillas* o *El jardín de senderos que se bifurcan* son poemas. En ellos la prosa se niega a sí misma; las frases no se suceden obedeciendo al orden conceptual o al del relato, sino presididas por las leyes de la imagen y el ritmo. Hay un flujo y reflujo de imágenes, acentos y pausas, señal inequívoca de la poesía. Lo mismo debe decirse del verso libre contemporáneo: los elementos cuantitativos del metro han cedido el sitio a la unidad rítmica. En ocasiones —por ejemplo, en la poesía francesa contemporánea— el énfasis se ha trasladado de los elementos sonoros a los visuales. Pero el ritmo permanece: subsisten las pausas, las aliteraciones, las paronomasias, el choque de sonidos, la marea verbal. El verso libre es una unidad rítmica. D. H. Lawrence dice que la unidad del verso libre la da la imagen y no la medida externa. Y cita los versículos de Walt Whitman, que son como la sístole y la diástole de un pecho poderoso. Y así es: el verso libre es una unidad y casi siempre se pronuncia de una sola vez. Por eso la imagen moderna se rompe en los metros antiguos: no cabe en la medida tradicional de las catorce u once sílabas, lo que no ocurría cuando los metros eran la expresión natural del habla. Casi siempre los versos de Garcilaso, Herrera, fray Luis o cualquier poeta de los siglos XVI y XVII constituyen unidades por sí mismos: cada verso es también una imagen o una frase completa. Había una relación, que ha desaparecido, entre esas formas poéticas y el lenguaje de su tiempo. Lo mismo ocurre con el verso libre contemporáneo: cada verso es una imagen y no es necesario cortarse el resuello para decirlos. Por eso, muchas veces, es innecesaria la puntuación. Sobran las comas y los puntos: el poema es un flujo y reflujo rítmico de palabras. Sin embargo, el creciente predominio de lo intelectual y visual sobre la respiración revela

uno de ellos). No obstante, la observación de Jakobson no anula la diferencia entre metro y verso concreto. La realidad del primero es ideal, es una pauta y, por tanto, es una medida, una abstracción. El verso concreto es único: «Resuelta en polvo ya, mas siempre hermosa» (Lope de Vega) es un endecasílabo acentuado en la sexta sílaba, como «Y en uno de mis ojos te llagaste» (San Juan de la Cruz) y como «De ponderosa vana pesadumbre» (Góngora). Imposible confundirlos: cada uno tiene un ritmo distinto. En suma, habría que considerar tres realidades: el ritmo del idioma en este o aquel lugar y en determinado momento histórico; los metros derivados del ritmo del idioma o adaptados de otros sistemas de versificación, y el ritmo de cada poeta. Este último es el elemento distintivo y lo que separa a la literatura versificada de la poesía propiamente dicha. [Nota de 1964.]

que nuestro verso libre amenaza en convertirse, como el alejandrino y el endecasílabo, en medida mecánica. Esto es particularmente cierto para la poesía francesa contemporánea.[1]

Los metros son históricos, mientras que el ritmo se confunde con el lenguaje mismo. No es difícil distinguir en cada metro los elementos intelectuales y abstractos y los más puramente rítmicos. En las lenguas modernas los metros están compuestos por un determinado número de sílabas, duración cortada por acentos tónicos y pausas. Los acentos y las pausas constituyen la porción más antigua y puramente rítmica del metro; están cerca aún del golpe del tambor, de la ceremonia ritual y del talón danzante que hiere la tierra. El acento es danza y rito. Gracias al acento, el metro se pone en pie y es unidad danzante. La medida silábica implica un principio de abstracción, una retórica y una reflexión sobre el lenguaje. Duración puramente lineal, tiende a convertirse en mecánica pura. Los acentos, las pausas, las aliteraciones, los choques o reuniones inesperados de un sonido con otro constituyen la porción concreta y permanente del metro. Los lenguajes oscilan entre la prosa y el poema, el ritmo y el discurso. En unos es visible el predominio rítmico; en otros se observa un crecimiento excesivo de los elementos analíticos y discursivos a expensas de los rítmicos e imaginativos. La lucha entre las tendencias naturales del idioma y las exigencias del pensamiento abstracto se expresa en los idiomas modernos de Occidente a través de la dualidad de los metros: en un extremo, versificación silábica, medida fija; en el polo opuesto, el juego libre de los acentos y las pausas. Lenguas latinas y lenguas germanas. Las nuestras tienden a hacer del ritmo medida fija. No es extraña esta inclinación, pues son hijas de Roma. La importancia de la versificación silábica revela el imperialismo del discurso y la gramática. Y este predominio de la medida explica también que las creaciones poéticas modernas en nuestras lenguas sean, asimismo, rebeliones contra el sistema de versificación silábica. En sus formas atenuadas la rebelión conserva el metro, pero subraya el valor visual de la imagen o introduce elementos que rompen o alteran la medida: la expresión coloquial, el humor, la frase encabalgada sobre dos versos, los cambios de acentos y de pausas, etc. En otros casos la revuelta se presenta como un regreso a las formas populares y espontáneas de la poesía. Y en sus tentativas más extremas prescinde del metro y escoge como medio de expresión la prosa o el verso libre.

[1] Sobre ritmos verbales y fisiológicos, véase el Apéndice 2 (pp. 263 y ss.).

Agotados los poderes de convocación y evocación de la rima y el metro tradicionales, el poeta remonta la corriente, en busca del lenguaje original, anterior a la gramática. Y encuentra el núcleo primitivo: el ritmo.

El entusiasmo con que los poetas franceses acogieron el romanticismo alemán debe verse como una instintiva rebelión contra la versificación silábica y lo que ella significa. En el alemán, como en el inglés, el idioma no es víctima del análisis racional. El predominio de los valores rítmicos facilitó la aventura del pensamiento romántico. Frente al racionalismo del Siglo de las Luces el romanticismo esgrime una filosofía de la naturaleza y el hombre fundada en el principio de analogía: «todo —dice Baudelaire en *L'Art romantique*—, en lo espiritual como en lo natural, es significativo, recíproco, correspondiente [...] todo es jeroglífico [...] y el poeta no es sino el traductor, el que descifra». Versificación rítmica y pensamiento analógico son las dos caras de una misma medalla. Gracias al ritmo percibimos esta universal correspondencia; mejor dicho, esa correspondencia no es sino manifestación del ritmo. Volver al ritmo entraña un cambio de actitud ante la realidad, y a la inversa: adoptar el principio de analogía, significa regresar al ritmo. Al afirmar los poderes de la versificación acentual frente a los artificios del metro fijo, el poeta romántico proclama el triunfo de la imagen sobre el concepto, y el triunfo de la analogía sobre el pensamiento lógico.

La evolución de la poesía moderna en francés y en inglés es un ejemplo de las relaciones entre ritmo verbal y creación poética. El francés es una lengua sin acentos tónicos, y los recursos de la pausa y la cesura los reemplazan. En el inglés, lo que cuenta realmente es el acento. La poesía inglesa tiende a ser puro ritmo: danza, canción. La francesa: discurso, «meditación poética». En Francia, el ejercicio de la poesía exige ir contra las tendencias de la lengua. En inglés, abandonarse a la corriente. El primero es el menos poético de los idiomas modernos, el menos inesperado; el segundo abunda en expresiones extrañas y henchidas de sorpresa verbal. De ahí que la revolución poética moderna tenga sentidos distintos en ambos idiomas.

La riqueza rítmica del inglés da su carácter al teatro isabelino, a la poesía de los «metafísicos» y a la de los románticos. No obstante, con cierta regularidad de péndulo, surgen reacciones de signo contrario, periodos en los que la poesía inglesa busca insertarse de nuevo en la tradición latina.[1]

[1] No es extraño: la historia de Inglaterra y la de los Estados Unidos puede verse como una continua oscilación —nostalgia y repulsión— que alternativamente los acerca y los

Parece ocioso citar a Milton, Dryden y Pope. Estos nombres evocan un sistema de versificación opuesto a lo que podría llamarse la tradición nativa inglesa: el verso blanco de Milton, más latino que inglés, y el *heroic couplet,* medio favorito de Pope. Sobre este último, Dryden decía que «it bounds and circumscribes the Fancy». La rima regula a la fantasía, es un dique contra la marea verbal, una canalización del ritmo. La primera mitad de nuestro siglo ha sido también una reacción «latina» en dirección contraria al movimiento del siglo anterior, de Blake al primer Yeats. (Digo «primer» porque este poeta, como Juan Ramón Jiménez, es varios poetas.) La renovación de la poesía inglesa moderna se debe principalmente a dos poetas y a un novelista: Ezra Pound, T. S. Eliot y James Joyce. Aunque sus obras no pueden ser más distintas, una nota común las une: todas ellas son una reconquista de la herencia europea. Parece innecesario añadir que se trata, sobre todo, de la herencia latina: poesía provenzal e italiana en Pound; Dante y Baudelaire en Eliot. En Joyce es más decisiva aún la presencia grecolatina y medieval: no en balde fue un hijo rebelde de la Compañía de Jesús. Para los tres, la vuelta a la tradición europea se inicia, y culmina, con una revolución verbal. La más radical fue la de Joyce, creador de un lenguaje que, sin cesar de ser inglés, también es todos los idiomas europeos. Eliot y Pound usaron primero el verso libre rimado, a la manera de Laforgue; en su segundo momento, regresaron a metros y estrofas fijos y entonces, según nos cuenta el mismo Pound, el ejemplo de Gautier fue determinante. Todos estos cambios se fundaron en otro: la sustitución del lenguaje «poético» —o sea del dialecto literario de los poetas de fin de siglo— por el idioma de todos los días. No el estilizado lenguaje «popular», a la manera de Juan Ramón Jiménez, Antonio Machado, García Lorca o Alberti, al fin de cuentas no menos artificial que el idioma de la poesía «culta», sino el habla de la ciudad. No la canción tra-

---

aleja de Europa o, más exactamente, del mundo latino. Mientras los germanos, inclusive en sus épocas de mayor extravío, no han cesado de sentirse europeos, en los ingleses es manifiesta la voluntad de ruptura, desde la Guerra de los Cien Años. Germania sigue hechizada, para bien y para mal, por el espectro del Sacro Imperio Romano Germánico, que, más o menos abiertamente, ha inspirado sus ambiciones de hegemonía europea. Gran Bretaña jamás ha pretendido hacer de Europa un imperio y se ha opuesto a todas las tentativas, vengan de la izquierda o de la derecha, invoquen el nombre de César o el de Marx, por crear un orden político que no sea el del inestable «equilibrio de poderes». La historia de la cultura germánica, con mayor énfasis aún que su historia política, es una apasionada tentativa por consumar la fusión entre lo germano y lo latino. No es necesario citar a Goethe; la misma pasión anima a espíritus tan violentamente germánicos como Novalis y Nietzsche o a pensadores en apariencia tan alejados de esta clase de preocupaciones como Marx.

dicional: la conversación, el lenguaje de las grandes urbes de nuestro siglo. En esto la influencia francesa fue determinante. Pero las razones que movieron a los poetas ingleses fueron exactamente las contrarias de las que habían inspirado a sus modelos. La irrupción de expresiones prosaicas en el verso —que se inicia con Victor Hugo y Baudelaire— y la adopción del verso libre y el poema en prosa fueron recursos contra la versificación silábica y contra la poesía concebida como discurso rimado. Contra el metro, contra el lenguaje analítico: tentativa por volver al ritmo, llave de la analogía o correspondencia universal. En lengua inglesa la reforma tuvo una significación opuesta: no ceder a la seducción rítmica, mantener viva la conciencia crítica aun en los momentos de mayor abandono.[1] En uno y otro idioma los poetas buscaron sustituir la falsedad de la dicción «poética» por la imagen concreta. Pero en tanto que los franceses se rebelaron contra la *abstracción* del verso silábico, los poetas de lengua inglesa se rebelan contra la *vaguedad* de la poesía rítmica.

The Waste Land ha sido juzgado como un poema revolucionario por buena parte de la crítica inglesa y extranjera. No obstante, sólo a la luz de la tradición del verso inglés puede entenderse cabalmente la significación de este poema. Su tema no es simplemente la descripción del helado mundo moderno, sino la nostalgia de un orden universal cuyo modelo es el orden cristiano de Roma. De ahí que su arquetipo poético sea una obra que es la culminación y la expresión más plena de este mundo: la *Divina Comedia*. Al orden cristiano —que recoge, transmuta y da un sentido de salvación personal a los viejos ritos de fertilidad de los paganos— Eliot opone la realidad de la sociedad moderna, tanto en sus brillantes orígenes renacentistas como en su sórdido y fantasmal desenlace contemporáneo. Así, las citas del poema —sus fuentes espirituales— pueden dividirse en dos porciones. Al mundo de salud personal y cósmica aluden las referencias a Dante, Buda, San Agustín, los Upanishad y los mitos de vegetación. La segunda porción se subdivide, a su vez, en dos: la primera corresponde al nacimiento de nuestra edad; la segunda, a su presente situación. Por una parte, fragmentos de Shakespeare, Spencer, Webster, Marvell, en los que se refleja el luminoso nacimiento del mundo moderno; por la otra, Baudelaire, Nerval, el folklore urbano, la lengua coloquial de los arrabales. La vitalidad de los primeros se revela en los últimos como vida desalmada. La visión de Isabel de Inglaterra y de Lord Robert en una barca engala-

[1] Esto explica la escasa influencia del surrealismo en Inglaterra y los Estados Unidos durante ese periodo.

nada con velas de seda y gallardetes airosos, como una ilustración de un cuadro de Tiziano o del Veronés, se resuelve en la imagen de la empleada, poseída por un petimetre un fin de semana.

A esta dualidad espiritual corresponde otra en el lenguaje. Eliot se reconoce deudor de dos corrientes: los isabelinos y los simbolistas (especialmente Laforgue). Ambas le sirven para expresar la situación del mundo contemporáneo. En efecto, el hombre moderno empieza a hablar por boca de Hamlet, Próspero y algunos héroes de Marlowe y Webster. Pero empieza a hablar como un ser sobrehumano y sólo hasta Baudelaire se expresa como un hombre caído y un alma dividida. Lo que hace a Baudelaire un poeta moderno no es tanto la ruptura con el orden cristiano, cuanto la conciencia de esa ruptura. Modernidad es conciencia. Y conciencia ambigua: negación y nostalgia, prosa y lirismo. El lenguaje de Eliot recoge esta doble herencia: despojos de palabras, fragmentos de verdades, el esplendor del Renacimiento inglés aliado a la miseria y aridez de la urbe moderna. Ritmos rotos, mundos de asfalto y ratas atravesados por relámpagos de belleza caída. En ese reino de hombres huecos, al ritmo sucede la repetición. Las guerras púnicas son también la primera Guerra Mundial; confundidos, presente y pasado se deslizan hacia un agujero que es una boca que tritura: la historia. Más tarde, esos mismos hechos y esas mismas gentes reaparecen, desgastadas, sin perfiles, flotando a la deriva sobre un agua gris. Todos son aquel y aquel es ninguno. Este caos recobra significación apenas se le enfrenta al universo de salud que representa Dante. La conciencia de la culpa es asimismo nostalgia, conciencia del exilio. Pero Dante no necesita probar sus afirmaciones, y su palabra sostiene sin fatiga, como el tallo a la fruta, el significado espiritual: no hay ruptura entre palabra y sentido. Eliot, en cambio, debe acudir a la cita y al *collage*. El florentino se apoya en creencias vivas y compartidas; el inglés, como indica el crítico C. Brooks, tiene por tema «la rehabilitación de un sistema de creencias conocido pero desacreditado».[1] Puede ahora comprenderse en qué sentido el poema de Eliot es asimismo una reforma poética no sin analogías con las de Milton y Pope. Es una restauración, pero es una restauración de algo contra lo que Inglaterra, desde el Renacimiento, se ha rebelado: Roma.

Nostalgia de un orden espiritual, las imágenes y ritmos de *The Waste Land* niegan el principio de analogía. Su lugar lo ocupa la asociación de

[1] Véase el libro *T. S. Eliot, A Study of his Writings by Several Hands,* Londres, 1948.

ideas, destructora de la unidad de la conciencia. La utilización sistemática de este procedimiento es uno de los aciertos más grandes de Eliot. Desaparecido el mundo de valores cristianos —cuyo centro es, justamente, la universal analogía o correspondencia entre cielo, tierra e infierno— no le queda nada al hombre, excepto la asociación fortuita y casual de pensamiento e imágenes. El mundo moderno ha perdido sentido y el testimonio más crudo de esa ausencia de dirección es el automatismo de la asociación de ideas, que no está regido por ningún ritmo cósmico o espiritual, sino por el azar. Todo ese caos de fragmentos y ruinas se presenta como la antítesis de un universo teológico, ordenado conforme a los valores de la Iglesia romana. El hombre moderno es el personaje de Eliot. Todo es ajeno a él y él en nada se reconoce. Es la excepción que desmiente todas las analogías y correspondencias. El hombre no es árbol, ni planta, ni ave. Está solo en medio de la creación. Y cuando toca un cuerpo humano no roza un cielo, como quería Novalis, sino que penetra en una galería de ecos. Nada menos romántico que este poema. Nada menos inglés. La contrapartida de *The Waste Land* es la *Comedia,* y su antecedente inmediato, *Las flores del mal.* ¿Será necesario añadir que el título original del libro de Baudelaire era *Limbos,* y que *The Waste Land* representa, dentro del universo de Eliot, según declaración del mismo autor, no el Infierno sino el Purgatorio?

Pound, *il miglior fabbro,* es el maestro de Eliot y a él se debe el «simultaneísmo» de *The Waste Land,* procedimiento del que se usa y abusa en los *Cantos.* Ante la crisis moderna, ambos poetas vuelven los ojos hacia el pasado y actualizan la historia: todas las épocas son esta época. Pero Eliot desea efectivamente regresar y reinstalar a Cristo; Pound se sirve del pasado como otra forma del futuro. Perdido el centro de su mundo, se lanza a todas las aventuras. A diferencia de Eliot, es un reaccionario, no un conservador. En verdad, Pound nunca ha dejado de ser norteamericano y es el legítimo descendiente de Whitman, es decir, es un hijo de la Utopía. Por eso valor y futuro se le vuelven sinónimos: es valioso lo que contiene una garantía de futuro. Vale todo aquello que acaba de nacer y aún brilla con la luz húmeda de lo que está más allá del presente. El *Che-King* y los poemas de Arnault, justamente por ser tan antiguos, también son nuevos: acaban de ser desenterrados, son lo desconocido. Para Pound la historia es marcha, no círculo. Si se embarca con Odiseo, no es para regresar a Ítaca, sino por sed de espacio histórico: para ir hacia allá, siempre más allá, hacia el futuro. La erudición de Pound es un banquete tras de una expedición de conquista; la de Eliot, la búsqueda de una pauta que dé sentido a la historia, fijeza al movimiento. Pound acumula las citas con un aire heroico de saqueador de tumbas; Eliot las ordena como alguien que recoge reliquias de un naufragio. La obra del primero es un viaje que acaso no nos lleva a ninguna parte; la de Eliot, una búsqueda de la casa ancestral.

Pound está enamorado de las grandes civilizaciones clásicas o, más bien, de ciertos momentos que, no sin arbitrariedad, considera arquetípicos. Los *Cantos* son una actualización en términos modernos —una *presentación*— de épocas, nombres y obras ejemplares. Nuestro mundo flota sin dirección; vivimos bajo el imperio de la violencia, mentira, agio y chabacanería porque hemos sido amputados del pasado. Pound nos propone una tradición: Confucio, Malatesta, Adams, Odiseo... La verdad es que nos ofrece tantas y tan diversas porque él mismo no tiene ninguna. Por eso va de la poesía provenzal a la china, de Sófocles a Frobenius. Toda su obra es una dramática búsqueda de esa tradición que él y su país han perdido. Pero esa tradición no estaba en el pasado; la verdadera tradición de los Estados Unidos, según se manifiesta en Whitman, *era* el futuro: la libre sociedad de los camaradas, la nueva Jerusalén democrática. Los Estados Unidos no han perdido ningún pasado; han perdido su futuro. El gran proyecto histórico de los fundadores de esa nación fue malogrado por los monopolios financieros, el imperialismo, el culto a la acción por la acción, el odio a las ideas. Pound se vuelve hacia la historia e interroga a los libros y a las piedras de las grandes civilizaciones. Si se extravía en esos inmensos cementerios es porque le hace falta un guía: una tradición central. La herencia puritana, como lo vio muy bien Eliot, no podía ser un puente: ella misma es ruptura, disidencia de Occidente.

Ante la desmesura de su patria, Pound busca una medida —sin darse cuenta de que él también es desmesurado. El héroe de los *Cantos* no es el ingenioso Ulises, siempre dueño de sí, ni el maestro Kung, que conoce el secreto de la moderación, sino un ser exaltado, tempestuoso y sarcástico, a un tiempo esteta, profeta y *clown:* Pound, el poeta enmascarado, encarnación del antiguo héroe de la tradición romántica. Es lo contrario de una casualidad que la obra anterior a los *Cantos* se ampare bajo el título de *Personae:* la máscara latina. En ese libro, que contiene algunos de los poemas más hermosos del siglo, Pound es Bertran de Born, Propercio, Li Po —sin dejar nunca de ser Ezra Pound. El mismo personaje, cubierto el rostro por una sucesión no menos prodigiosa de antifaces, atraviesa las páginas confusas y brillantes, lirismo transparente y galimatías, de los *Can-*

tos. Esta obra, como visión del mundo y de la historia, carece de centro de gravedad; pero su personaje es una figura grave y central. Es real aunque se mueva en un escenario irreal. El tema de los *Cantos* no es la ciudad ni la salud colectiva sino la antigua historia de la pasión, condenación y transfiguración del poeta solitario. Es el último gran poema romántico de la lengua inglesa y, tal vez, de Occidente. La poesía de Pound no está en la línea de Homero, Virgilio, Dante y Goethe; tal vez tampoco en la de Propercio, Quevedo y Baudelaire. Es poesía extraña, discordante y entrañable a un tiempo, como la de los grandes nombres de la tradición inglesa y yanqui. Para nosotros, latinos, leer a Pound es tan sorprendente y estimulante como habrá sido para él leer a Lope de Vega o a Ronsard.

Los sajones son los disidentes de Occidente, y sus creaciones más significativas son excéntricas con respecto a la tradición central de nuestra civilización, que es latino-germánica. A diferencia de Pound y de Eliot —disidentes de la disidencia, heterodoxos en busca de una imposible ortodoxia mediterránea—, Yeats nunca se rebeló contra su tradición. La influencia de pensamientos y poéticas extrañas e inusitadas no contradice, sino subraya, su esencial romanticismo. Mitología irlandesa, ocultismo hindú y simbolismo francés son influencias de tonalidades e intenciones semejantes. Todas estas corrientes afirman la identidad última entre el hombre y la naturaleza; todas ellas se reclaman herederas de una tradición y un saber perdidos, anteriores a Cristo y a Roma; en todas ellas, en fin, se refleja un mismo ciclo poblado de signos que sólo el poeta puede leer. La analogía es el lenguaje del poeta. Analogía es ritmo. Yeats continúa la línea de Blake. Eliot marca el otro tiempo del compás. En el primero triunfan los valores rítmicos; en el segundo, los conceptuales. Uno inventa o resucita mitos, el poeta en el sentido original de la palabra. El otro se sirve de los antiguos mitos para revelar la condición del hombre moderno.

Concluyo: la reforma poética de Pound, Eliot, Wallace Stevens, cummings[1] y Marienne Moore puede verse como una *re-latinización* de la poesía de lengua inglesa. Es revelador que todos estos poetas fuesen oriundos de los Estados Unidos. El mismo fenómeno se produjo, un poco antes, en América Latina: a semejanza de los poetas yanquis, que le recordaron a la poesía inglesa su origen europeo, los «modernistas» hispanoamericanos reanudaron la *tradición europea* de la poesía de lengua es-

[1] Se adopta la grafía e. e. cummings, respetando el deseo del poeta estadunidense que llegó a legalizar así el registro de su patronímico. [E.]

pañola, que había sido rota u olvidada en España. La mayoría de los poetas angloamericanos intentó trascender la oposición entre versificación acentual y regularidad métrica, ritmo y discurso, analogía y análisis, sea por la creación de un lenguaje poético cosmopolita (Pound, Eliot, Stevens) o por la americanización de la vanguardia europea (cummings y William Carlos Williams). Los primeros buscaron en la tradición europea un clasicismo; los segundos, una antitradición. William Carlos Williams se propuso reconquistar el *American idiom,* ese mito que desde la época de Whitman reaparece una y otra vez en la literatura angloamericana. Si la poesía de Williams es, en cierto modo, una vuelta a Whitman, hay que agregar que se trata de un Whitman visto con los ojos de la vanguardia europea. Lo mismo debe decirse de los poetas que, en los últimos quince o veinte años, han seguido el camino de Williams. Este episodio paradójico es ejemplar: los poetas europeos, en especial los franceses, vieron en Whitman —en su verso libre tanto como en su exaltación del cuerpo— un profeta y un modelo de su rebelión contra el verso silábico regular; hoy, los jóvenes poetas ingleses y angloamericanos buscan en la vanguardia francesa (surrealismo y Dadá) y en menor grado en otras tendencias —en el expresionismo alemán, el futurismo ruso y en algunos poetas de América Latina y España— aquello mismo que los europeos buscaron en Whitman. En el otro extremo de la poesía contemporánea angloamericana, W. H. Auden, John Berryman y Robert Lowell también miran hacia Europa, pero lo que buscan en ella, ya que no una imposible reconciliación, es un origen. El origen de una norma que, según ellos, la misma Europa ha perdido.

Después de lo dicho apenas si es necesario extenderse en la evolución de la poesía francesa moderna. Bastará con mencionar algunos episodios característicos. En primer término, la presencia del romanticismo alemán, más como una levadura que como influencia textual. Aunque muchas de las ideas de Baudelaire y de los simbolistas se encuentran ya en Novalis y en otros poetas y filósofos alemanes, no se trata de un préstamo sino de un estímulo. Alemania fue una atmósfera espiritual. En algunos casos, sin embargo, hubo trasplante. Nerval no sólo tradujo e imitó a Goethe y a varios románticos menores; una de las *Quimeras* (Délfica) está inspirada directamente en *Mignon: Kennst du das Land, wo die Zitronen blühn...* La canción lírica de Goethe se transforma en un soneto hermético que es un verdadero templo (en el sentido de Nerval: sitio de iniciación y consagración). La contribución inglesa también fue esencial. Los alemanes ofrecieron a Francia una visión del mundo y una filosofía simbólica; los ingleses, un mito: la figura del poeta como un desterrado, en lucha contra los hombres y los astros. Más tarde Baudelaire descubriría a Poe. Un descubrimiento que fue una recreación. La desdicha funda una estética en la que la excepción, la belleza irregular, es la verdadera regla. El extraño poeta Baudelaire-Poe mina así las bases éticas y metafísicas del clasicismo. En cambio, excepto como ruinas ilustres o paisajes pintorescos, Italia y España desaparecen. La influencia de España, determinante en los siglos XVI y XVII, es inexistente en el XIX: Lautréamont cita de paso, en *Poésies,* a Zorrilla (¿lo leyó?) y Hugo proclama su amor por nuestro Romancero. No deja de ser notable esta indiferencia, si se piensa que la literatura española —especialmente Calderón— impresionó profundamente a los románticos alemanes e ingleses. Sospecho que la razón de estas actitudes divergentes es la siguiente: mientras alemanes e ingleses ven en los barrocos españoles una justificación de su propia singularidad, los poetas franceses buscan algo que no podía darles España sino Alemania: un principio poético contrario a su tradición.

El contagio alemán, con su énfasis en la correspondencia entre sueño y realidad y su insistencia en ver a la naturaleza como un libro de símbolos, no podía circunscribirse a la esfera de las ideas. Si el verbo es el doble del cosmos, el campo de la experiencia espiritual es el lenguaje. Hugo es el primero que ataca a la prosodia. Al hacer más flexible el alejandrino, prepara la llegada del verso libre. Sin embargo, debido a la naturaleza de la lengua, la reforma poética no podía consistir en un cambio del sistema de versificación. Ese cambio, por lo demás, era y es imposible. Se pueden multiplicar las cesuras en el interior del verso y practicar el *enjambement:* siempre faltarán los apoyos rítmicos de la versificación acentual. El verso libre francés se distingue del de los otros idiomas en ser combinación de distintas medidas silábicas y no de unidades rítmicas diferentes. Por eso Claudel acude a la asonancia y Saint-John Perse a la rima interior y a la aliteración. De ahí que la reforma haya consistido en la intercomunicación entre prosa y verso. La poesía francesa moderna nace con la prosa romántica y sus precursores son Rousseau y Chateaubriand. La prosa deja de ser servidora de la razón y se vuelve el confidente de la sensibilidad. Su ritmo obedece a las efusiones del corazón y a los saltos de la fantasía. Pronto se convierte en poema. La analogía rige el universo de *Aurélia;* y los ensayos de Aloysius Bertrand y de Baudelaire desembocan en la vertiginosa sucesión de visiones de *Las iluminaciones.* La imagen hace saltar a la prosa como descripción o relato. Lautréamont consuma la ruina del discurso y la demostración. Nunca ha sido tan completa la venganza de la poesía. El camino quedaba abierto para libros como *Nadja, Le Paysan de Paris, Un Certain Plume...* El verso se beneficia de otra manera. El primero que acepta elementos prosaicos es Hugo; después, con mayor lucidez y sentido, Baudelaire. No se trataba de una reforma rítmica sino de la inserción de un cuerpo extraño —humor, ironía, pausa reflexiva— destinado a interrumpir el trote de las sílabas. La aparición del prosaísmo es un alto, una cesura mental; suspensión del ánimo, su función es provocar una irregularidad. Estética de la pasión, filosofía de la excepción. El paso siguiente fue la poesía popular y, sobre todo, el verso libre. Sólo que, por lo dicho más arriba, las posibilidades del verso libre eran limitadas; Eliot observa que en manos de Laforgue no era sino una contracción o distorsión del alejandrino tradicional. Por un momento pareció que no se podía ir más allá del poema en prosa y del verso libre. El proceso había llegado a su término. Pero en 1897, un año antes de su muerte, Mallarmé publica en una revista *Un Coup de dés jamais n'abolira le hasard.*

Lo primero que sorprende es la disposición tipográfica del poema. Impresas en caracteres de diversos tamaños y espesores —versales, negrillas, bastardillas— las palabras se reúnen o dispersan de una manera que dista de ser arbitraria pero que no es la habitual ni de la prosa ni de la poesía. Sensación de encontrarse ante un cartel o aviso de propaganda. Mallarmé compara esta distribución a una partitura: «la différence de caractères d'imprimerie... dicte son importance à l'emission orale». Al mismo tiempo, advierte que no se trata propiamente de versos —«traits sonores réguliers»— sino de «subdivisions prismatiques de l'Idée». Música para el entendimiento y no para la oreja; pero un entendimiento que oye y ve con los sentidos interiores. La Idea no es un objeto de la razón sino una realidad que el poema nos revela en una serie de formas fugaces, es decir, en un orden temporal. La Idea, igual a sí misma siempre, no puede ser contemplada en su totalidad porque el hombre es tiempo, perpetuo movimiento: lo que vemos y oímos son las «subdivisiones» de la Idea a través del prisma del poema. Nuestra aprehensión es parcial y sucesiva. Además, es simultánea: visual (imágenes suscitadas por el texto), sonora (tipografía: recitación mental) y espiritual (significados intuitivos, conceptuales y emotivos). Más adelante, en la misma nota que precede al poema, el poeta nos confía que no fue extranjera a su inspiración la música escuchada en el concierto. Y para hacer más completa su afirmación, agrega que su texto inaugura un género que será al antiguo verso lo que la sinfonía es a la música vocal. La nueva forma, insinúa, podrá servir para los temas de imaginación pura y para los del intelecto, mientras que el verso tradicional seguirá siendo el dominio de la pasión y de la fantasía. Por último, nos entrega una observación capital: su poema es una tentativa de reunión «de poursuites particulières et chères à notre temps, le vers libre et le poème en prose».

Aunque la influencia de Mallarmé ha sido central en la historia de la poesía moderna, dentro y fuera de Francia, no creo que hayan sido exploradas enteramente todas las vías que abre a la poesía este texto. Tal vez en esta segunda mitad del siglo, gracias a la invención de instrumentos cada vez más perfectos de reproducción sonora de la palabra, la forma poética iniciada por Mallarmé se desplegará en toda su riqueza. La poesía occidental nació aliada a la música; después, las dos artes se separaron, y cada vez que se ha intentado reunirlas el resultado ha sido la querella o la absorción de la palabra por el sonido. Así, no pienso en una alianza entre ambas. La poesía tiene su propia música: la palabra. Y esta música, según lo muestra Mallarmé, es más vasta que la del verso y la prosa tradicionales. De una manera un poco sumaria, pero que es testimonio de su lucidez, Apollinaire afirma que los días del libro están contados: «la typographie termine brillamment sa carrière, à l'aurore des moyens noveaux de reproduction que sont le cinéma et le phonographe». No creo en el fin de la escritura; creo que cada vez más el poema tenderá a ser una partitura. La poesía volverá a ser palabra dicha.

Un Coup de dés cierra un periodo, el de la poesía propiamente simbolista, y abre otro: el de la poesía contemporánea. Dos vías parten de *Un Coup de dés:* una va de Apollinaire a los surrealistas; otra de Claudel a Saint-John Perse. El ciclo aún no se cierra y de una manera u otra la poesía de René Char, Francis Ponge e Yves Bonnefoy se alimenta de la tensión, unión y separación, entre prosa y verso, reflexión y canto. A pesar de su pobreza rítmica, gracias a Mallarmé la lengua francesa ha desplegado en este medio siglo las posibilidades que contenía virtualmente el romanticismo alemán. Al mismo tiempo, por camino distinto al de la poesía inglesa, pero con intensidad semejante, es palabra que reflexiona sobre sí misma, conciencia de su canto. En fin, la poesía francesa ha destruido la ilusoria arquitectura de la prosa y nos ha mostrado que la sintaxis se apoya en un abismo. Devastación de lo que tradicionalmente se llama «espíritu francés»: análisis, discurso, meditación moral, ironía, psicología y todo lo demás. La rebelión poética más profunda del siglo se operó ahí donde el espíritu discursivo se había apoderado casi totalmente de la lengua, al grado de que parecía desprovista de poderes rítmicos. En el centro de un pueblo razonador brotó un bosque de imágenes, una nueva orden de caballería, armada de punta en blanco con armas envenenadas. A cien años de distancia del romanticismo alemán, la poesía volvió a combatir en las mismas fronteras. Y esa rebelión fue primordialmente rebelión contra el verso francés: contra la versificación silábica y el discurso poético.

El verso español combina de una manera más completa que el francés y el inglés la versificación acentual y la silábica. Se muestra así equidistante de los extremos de estos idiomas. Pedro Henríquez Ureña divide al verso español en dos grandes corrientes: la versificación regular —fundada en esquemas métricos y estróficos fijos, en los que cada verso está compuesto por un número determinado de sílabas— y la versificación irregular, en la que no importa tanto la medida como el golpe rítmico de los acentos. Ahora bien, los acentos tónicos son decisivos aun en el caso de la más pura versificación silábica, y sin ellos no hay verso en español. La libertad rítmica se ensancha en virtud de que los metros españoles en realidad no exigen acentuación fija; incluso el más estricto, el endecasílabo, consiente una gran variedad de golpes rítmicos: en las sílabas cuarta y octava; en la sexta; en la cuarta y la séptima; en la cuarta; en la quinta. Agréguese el valor silábico variable de esdrújulos y agudos, la disolución de los diptongos, las sinalefas y demás recursos que permiten modificar la cuenta de las sílabas. En verdad, no se trata propiamente de dos sistemas independientes, sino de una sola corriente en la que se combaten y separan, se alternan y funden, las versificaciones silábica y acentual.

La lucha que entablan en la entraña del español la versificación regular y la rítmica no se expresa como oposición entre la imagen y el concepto. Entre nosotros la dualidad se muestra como tendencia a la historia e inclinación por el canto. El verso español, cualquiera que sea su longitud, consiste en una combinación de acentos —pasos de danza— y medida silábica. Es una unidad en la que se abrazan dos contrarios: uno que es danza y otro que es relato lineal, marcha en el sentido militar de la palabra. Nuestro verso tradicional, el octosílabo, es un verso a caballo, hecho para trotar y pelear, pero también para bailar. La misma dualidad se observa en los metros mayores, endecasílabos y alejandrinos, que han servido a Berceo y Ercilla para narrar y a San Juan y Darío para cantar. Nuestros metros oscilan entre la danza y el galope y nuestra poesía se mueve entre dos polos: el Romancero y el *Cántico espiritual.* El verso español posee una natural facilidad para contar sucesos heroicos y cotidianos, con objetividad, precisión y sobriedad. Cuando se dice que el rasgo que distingue a nuestra poesía épica es el realismo, ¿se advierte que este realismo ingenuo y, por tanto, de naturaleza muy diversa al moderno, siempre intelectual e ideológico, coincide con el carácter del ritmo español? Versos viriles, octosílabos y alejandrinos, muestran una irresistible vocación por la crónica y el relato. El romance nos lleva siempre a relatar. En pleno apogeo de la llamada «poesía pura», arrastrado por el ritmo del octosílabo, García Lorca vuelve a la anécdota y no teme incurrir en el pormenor descriptivo. Esos episodios y esas imágenes perderían su valor en combinaciones métricas más irregulares. Alfonso Reyes, al traducir la *Ilíada,* no tiene más remedio que regresar al alejandrino. En cambio, nuestros poetas fracasan cuando intentan el relato en versos libres, según se ve en los largos y desencuadernados pasajes del *Canto general,* de Pablo Neruda. (En otros casos acierta plenamente, como en *Alturas de Machu Picchu;* mas ese poema no es descripción ni relato, sino canto.) Darío fracasó también cuando quiso crear una suerte de hexámetro para sus tentativas épicas. No deja de ser extraña esta modalidad si se piensa que nuestra poesía épica medieval es irregular y que la versificación silábica se inicia en la lírica, en el siglo XV. Sea como sea, los acentos tónicos expresan nuestro amor por el garbo, el donaire y, más profundamente, por el furor danzante. Los acentos españoles nos llevan a concebir al hombre como un ser extremoso y, al mismo tiempo, como el sitio de encuentro de los mundos inferiores y superiores. Agudos, graves, esdrújulos, sobresdrújulos —golpes sobre el cuero del tambor, palmas, ayes, clarines: la poesía de lengua española es jarana y danza fúnebre, baile erótico y vuelo místico. Casi todos nuestros poemas, sin excluir a los místicos, se pueden cantar y bailar, como dicen que bailaban los suyos los filósofos presocráticos.

Esta dualidad explica la antítesis y contrastes en que abunda nuestra poesía. Si el barroquismo es juego dinámico, claroscuro, oposición violenta entre esto y aquello, nosotros somos barrocos por fatalidad del idioma. En la lengua misma ya están, en germen, todos nuestros contrastes, el realismo de los místicos y el misticismo de los pícaros. Pero ya es cansancio aludir a esas dos venas, gemelas y contrarias, de nuestra tradición. ¿Y qué decir de Góngora? Poeta visual, no hay nada más plástico que sus imágenes, y, simultáneamente, nada menos hecho para los ojos: hay luces que ciegan. Esta doble tendencia combate sin cesar en cada poema e impulsa al poeta a jugarse el todo por el todo del poema en una imagen cerrada como un puño. De ahí la tensión, el carácter rotundo, la valentía de nuestros clásicos. De ahí, también, las caídas en lo prolijo, el efectismo, la tiesura y ese constante perderse en los corredores del castillo de sal si puedes de lo ingenioso. Pero a veces la lucha cesa y brotan versos transparentes en que todo pacta y se acompasa:

> Corrientes aguas, puras, cristalinas,
> árboles que os estáis mirando en ellas...

milagrosa combinación de acentos y claras consonantes y vocales. El idioma se viste «de hermosura y luz no usada». Todo se transfigura, todo se desliza, danza o vuela, movido por unos cuantos acentos. El verso español lleva espuelas en los viejos zapatos, pero también alas. Y es tal el poder expresivo del ritmo que a veces basta con los puros elementos sonoros para que la iluminación poética se produzca, como en el obsesionante y tan citado

> un no sé *qué que que*dan balbuciendo

de San Juan de la Cruz. El éxtasis no se manifiesta como imagen, ni como idea o concepto. Es, verdaderamente, lo inefable expresándose inefablemente. El idioma ha llegado, sin esfuerzo, a su extrema tensión. El verso dice lo indecible. Es un tartamudeo que lo dice todo sin decir nada, ardiente repetición de un pobre sonido: ritmo puro. Compárese este verso con uno de Eliot, en *The Waste Land,* que pretende expresar el mismo arrobo, a un tiempo henchido y vacío de palabras: el poeta inglés acude a una cita en lengua sánscrita. Lo sagrado —o, al menos, una cierta familiaridad con lo divino, entrañable y fulminante al mismo tiempo— parece encarnar en nuestra lengua con mayor naturalidad que en otras. Y del mismo modo: *Augurios de inocencia,* de Blake, dice cosas que jamás se han dicho en español y que, acaso, jamás se dirán.

La prosa sufre más que el verso de esta continua tensión. Y es comprensible: la lucha se resuelve, en el poema, con el triunfo de la imagen, que abraza los contrarios sin aniquilarlos. El concepto, en cambio, tiene que forcejear entre dos fuerzas enemigas. Por eso la prosa española triunfa en el relato y prefiere la descripción al razonamiento. La frase se nos alarga entre comas y paréntesis; si la cortamos con puntos, el párrafo se convierte en una sucesión de disparos, un jadeo de afirmaciones entrecortadas y los trozos de la serpiente saltan en todas direcciones. En ocasiones, para que la marcha no resulte monótona, recurrimos a las imágenes. Entonces el discurso vacila y las palabras se echan a bailar. Rozamos las fronteras de lo poético o, con más frecuencia, de la oratoria. Sólo la vuelta a lo concreto, a lo palpable con los ojos del cuerpo y del alma, devuelve su equilibrio a la prosa. Novelistas, cronistas, teólogos o místicos, todos los grandes prosistas españoles relatan, cuentan, describen, abandonan las ideas por las imágenes, esculpen los conceptos. Inclusive un filósofo como Ortega y Gasset ha creado una prosa que no se rehúsa a la plasticidad de la imagen. Prosa solar, las ideas desfilan bajo una luz de mediodía, cuerpos hermosos en un aire transparente y resonante, aire de alta meseta hecha para los ojos y la escultura. Nunca las ideas se habían movido con mayor donaire: «hay estilos de pensar que son estilos de danzar». La naturaleza del idioma favorece el nacimiento de talentos extremados, solitarios y excéntricos. Al revés de lo que pasa en Francia, entre nosotros la mayoría escribe mal y canta bien. Aun entre los grandes escritores, las fronteras entre prosa y poesía son indecisas. En español hay una prosa en el sentido artístico del vocablo, es decir, en el sentido en que el prosista Valle-Inclán es un gran poeta, pero no la hay en el sentido recto de la palabra: discurso, teoría intelectual.

Cada vez que surge un gran prosista, nace de nuevo el lenguaje. Con él empieza una nueva tradición. Así, la prosa tiende a confundirse con la poesía, a ser ella misma poesía. El poema, por el contrario, no puede apoyarse en la prosa española. Situación única en la época moderna. La poesía europea contemporánea es inconcebible sin los estudios críticos que la preceden, acompañan y prolongan. Una excepción sería la de Antonio Machado. Pero hay una ruptura entre su poética —al menos entre lo que considero el centro de su pensamiento— y su poesía. Ante el simbolismo de los poetas modernistas y ante las imágenes de la vanguardia, Machado mostró la misma reticencia, y frente a las experiencias de este último movimiento sus juicios fueron severos e incomprensivos. Su oposición a estas tendencias lo hizo regresar a las formas de la canción tradicional. En cambio, sus reflexiones sobre la poesía son plenamente modernas y aun se adelantan a su tiempo. Al prosista, no al poeta, debemos esta intuición capital: la poesía, sí es algo, es revelación de la «esencial heterogeneidad del ser», erotismo, «otredad». Sería vano buscar en sus poemas la revelación de esa «otredad» o la visión de nuestra extrañeza. Su descubrimiento aparece en su obra poética como idea, no como realidad, quiero decir: no se tradujo en la creación de un lenguaje que encarnase nuestra «otredad». Así, no tuvo consecuencias en su poesía.

Durante muchos años el prestigio de la preceptiva neoclásica impidió una justa apreciación de nuestra poesía medieval. La versificación irregular parecía titubeo e incertidumbre de aprendices. La presencia de metros de distintas longitudes en nuestros cantares épicos era fruto de la torpeza del poeta, aunque los entendidos advertían cierta tendencia a la regularidad métrica. Sospecho que esa tendencia «a la regularidad» es una invención moderna. Ni el poeta ni los oyentes oían las «irregularidades» métricas y sí eran muy sensibles a su profunda unidad rítmica e imaginativa. No creo, además, que sepamos cómo se decían esos versos. Se olvida con frecuencia que no solamente pensamos y vivimos de una manera distinta a la de nuestros antepasados, sino que también oímos y vemos de otro modo. Hacia el fin del Medievo se inicia el apogeo de la versificación regular. Pero la adopción de los metros regulares no hizo desaparecer la versificación acentual porque, como ya se ha dicho, no se trata de sistemas distintos sino de dos tendencias en el seno de una misma corriente. Desde el triunfo de la versificación italiana, en el siglo XVI, solamente en dos periodos la balanza se ha inclinado hacia la versificación amétrica: en el romántico y en el moderno. En el primero, con timidez; en el segundo, abiertamente. El periodo moderno se divide en dos momentos: el «modernista», apogeo de las influencias parnasianas y simbolistas de Francia, y el contemporáneo. En ambos, los poetas hispanoamericanos fueron los iniciadores de la reforma, y en las dos ocasiones la crítica peninsular denunció el «galicismo mental» de los hispanoamericanos —para más tarde reconocer que esas importaciones e innovaciones eran también, y sobre todo, un redescubrimiento de los poderes verbales del castellano.

El movimiento modernista se inicia hacia 1885 y se extingue, en América, en los años de la primera Guerra Mundial. En España principia y termina más tarde. La influencia francesa fue predominante. Influyeron también, en menor grado, dos poetas norteamericanos (Poe y Whitman) y un portugués (Eugenio de Castro). Hugo y Verlaine, especialmente el segundo, fueron los dioses mayores de Rubén Darío. Tuvo otros. En su libro *Los raros* (1896) ofrece una serie de retratos y estudios de los poetas que admiraba o le interesaban: Baudelaire, Leconte de Lisle, Moréas, Villiers de l'Isle-Adam, Castro, Poe y el cubano José Martí, como único escritor de lengua castellana... Darío habla de Rimbaud, Mallarmé y, novedad mayor, de Lautréamont. El estudio sobre Ducasse fue tal vez el primero que haya aparecido fuera de Francia, y allá mismo sólo fue precedido, si no recuerdo mal, por los artículos de Léon Bloy y Rémy de Gourmont. La poética del modernismo, despojada de la hojarasca de la época, oscila entre el ideal escultórico de Gautier y la música simbolista: «Yo persigo una forma que no encuentra mi estilo —dice Darío— y no hallo sino la palabra que huye [...] y el cuello del gran cisne blanco que me interroga». La «celeste unidad» del universo está en el ritmo. En el caracol marino el poeta oye «un profundo oleaje y un misterioso viento: el caracol la forma tiene de un corazón». El método de asociación poética de los modernistas, a veces verdadera manía, es la sinestesia. Correspondencias entre música y colores, ritmo e ideas, mundo de sensaciones que riman con realidades invisibles. En el centro, la mujer: «la rosa sexual [que] al entreabrirse conmueve todo lo que existe». Oír el ritmo de la creación —pero asimismo verlo y palparlo— para construir un puente entre el mundo, los sentidos y el alma: misión del poeta.

Nada más natural que el centro de sus preocupaciones fuese la música del verso. La teoría acompañó a la práctica. Aparte de las numerosas declaraciones de Darío, Díaz Mirón, Valencia y los demás corifeos del movimiento, dos poetas dedicaron libros enteros al tema: el peruano Manuel González Prada y el boliviano Ricardo Jaimes Freyre. Los dos sostienen que el núcleo del verso es la unidad rítmica y no la medida silábica. Sus estudios amplían y confirman la doctrina del venezolano Andrés Bello, que ya desde 1835 había señalado la función básica del acento tónico en la formación de las cláusulas (o pies) que componen los periodos rítmicos. Los «modernistas» inventaron metros, algunos hasta de veinte sílabas, adoptaron otros del francés, el inglés y el alemán, y resucitaron muchos que habían sido olvidados en España. Con ellos aparece en castellano el verso semilibre y el libre. La influencia francesa en los ensayos de versificación amétrica fue menor; más decisivo, a mi parecer, fue el ejemplo de Poe, Whitman y Castro. A principios de siglo los poetas españoles acogieron estas novedades. La mayoría fue sensible a la retórica modernista pero pocos advirtieron la verdadera significación del movimiento. Y dos grandes poetas mostraron su reserva: Unamuno con cierta impaciencia. Antonio Machado con amistosa lejanía. Ambos, sin embargo, usaron muchas de las innovaciones métricas. Juan Ramón Jiménez, en un primer momento, adoptó la manera más externa de la escuela; después, a semejanza del Rubén Darío de *Cantos de vida y esperanza* aunque con un instinto más seguro de la palabra interior, despojó al poema de atavíos inútiles e intentó una poesía que se ha llamado «desnuda» y que yo prefiero llamar esencial.

Jiménez no niega al modernismo: asume su conciencia profunda. En su segundo y tercer periodos se sirve de metros cortos tradicionales y del verso libre y semilibre de los «modernistas». Su evolución poética se parece a la de Yeats. Ambos sufrieron la influencia de los simbolistas franceses y de sus epígonos (ingleses e hispanoamericanos); ambos aprovecharon la lección de sus seguidores (Yeats, más generoso, confesó su deuda con Pound; Jiménez denigró a Guillén, García Lorca y Cernuda); ambos parten de una poesía recargada que lentamente se aligera y torna transparente; ambos llegan a la vejez para escribir sus mejores poemas. Su carrera hacia la muerte fue carrera hacia la juventud poética. En todos sus cambios Jiménez fue fiel a sí mismo. No hubo evolución sino maduración, crecimiento. Su coherencia es como la del árbol que cambia pero no se desplaza. No fue un poeta simbolista: es el simbolismo en lengua española. Al decir esto no descubro nada; él mismo lo dijo muchas veces. La crítica se empeña en ver en el segundo y tercer Jiménez a un negador del modernismo: ¿cómo podría serlo si lo lleva a sus consecuencias más extremas y, añadiré, *naturales:* la expresión simbólica del mundo? Unos años antes de morir escribe *Espacio*, largo poema que es una recapitulación y una crítica de su vida poética. Está frente al paisaje tropical de Florida (y frente a todos los paisajes que ha visto o presentido): ¿habla solo o conversa con los árboles? Jiménez percibe por primera vez, y quizá por última, el silencio *in-significante* de la naturaleza. ¿O son las palabras humanas las que únicamente son aire y ruido? La misión del poeta, nos dice, no es salvar al hombre sino salvar al mundo: nombrarlo. *Espacio* es uno de los monumentos de la conciencia poética moderna, y con ese texto capital culmina y termina la interrogación que el gran cisne hizo a Darío en su juventud.

El «modernismo» también abre la vía de la interpenetración entre prosa y verso. El lenguaje hablado, y asimismo, el vocablo técnico y el de la ciencia, la expresión en francés o en inglés y, en fin, todo lo que constituye el habla urbana. Aparecen el humor, el monólogo, la conversación, el *collage* verbal. Como siempre, Darío es el primero. El verdadero maestro, sin embargo, es Leopoldo Lugones, uno de los más grandes poetas de nuestra lengua (o quizá habría que decir: uno de nuestros más grandes escritores). En 1909 publica *Lunario sentimental.* Es Laforgue pero un Laforgue desmesurado, con menos corazón y más ojos y en el que la ironía ha crecido hasta volverse visión descomunal y grotesca. El mundo visto por un telescopio desde una ventanuca de Buenos Aires. El lote baldío es una cuenca lunar. La inmensa llanura sudamericana entra por la azotea y se tiende en la mesa del poeta como un mantel arrugado. El mexicano López Velarde recoge y transforma la estética inhumana de Lugones. Es el primero que de verdad oye hablar a la gente y que percibe en ese murmullo confuso el oleaje del ritmo, la música del tiempo. El monólogo de López Velarde es inquietante porque está hecho de dos voces: el «otro», nuestro doble y nuestro desconocido, aparece al fin en el poema. Hacia los mismos años Jiménez y Machado proclaman la vuelta al «lenguaje popular». La diferencia con los hispanoamericanos es decisiva. El «habla del pueblo», vaga noción que viene de Herder, no es lo mismo que el lenguaje efectivamente hablado en las ciudades de nuestro siglo. El primero es una nostalgia del pasado; es una herencia literaria y su modelo es la canción tradicional; el segundo es una realidad viva y presente: aparece en el poema precisamente como ruptura de la canción. La canción es tiempo medido; el lenguaje hablado es discontinuidad, revelación del tiempo real. En España sólo hacia 1930 un poeta menor, José Moreno Villa, descubrirá los poderes poéticos de la frase coloquial.

López Velarde nos conduce a las puertas de la poesía contemporánea. No será él quien las abra sino Vicente Huidobro. Con Huidobro, el «pájaro de lujo», llegan Apollinaire y Reverdy. La imagen recobra las alas. La influencia del poeta chileno fue muy grande en América y España; grande y polémica. Esto último ha dañado la apreciación de su obra; su leyenda oscurece su poesía. Nada más injusto: *Altazor* es un poema, un gran poema en el que la aviación poética se transforma en caída hacia «los adentros de sí mismo», inmersión vertiginosa en el vacío. Vicente Huidobro, el «ciudadano del olvido»: *contempla de tan alto que todo se hace aire.* Está en todas partes y en ninguna: es el oxígeno invisible de nuestra poesía. Frente al aviador, el minero: César Vallejo. La palabra, difícilmente arrancada al insomnio, ennegrece y enrojece, es piedra y es ascua, carbón y ceniza: *a fuerza de calor, tiene frío.* El lenguaje se vuelve sobre sí mismo. No el de los libros, el de la calle; no el de la calle, el del cuarto del hotel sin nadie. Fusión de la palabra y la fisiología: «Ya va a venir el día, ponte el saco. Ya va a venir el día; ten fuerte en la mano a tu intestino grande [...] Ya va a venir el día, ponte el alma [...] has soñado esta noche que vivías de nada y morías de todo». No la poesía de la ciudad: el poeta en la ciudad. El hambre no como tema de disertación sino hablando directamente, con voz desfalleciente y delirante. Voz más poderosa que la del sueño. Y esa hambre se vuelve una infinita gana de dar y repartirse: «su cadáver estaba lleno de mundo».

Como en la época del modernismo, los dos centros de la vanguardia fueron Buenos Aires (Borges, Girondo, Molinari) y México (Pellicer, Villaurrutia, Gorostiza). En Cuba aparece la poesía mulata: para cantar, bailar y maldecir (Nicolás Guillén, Emilio Ballagas); en Ecuador, Jorge Carrera Andrade inicia un «registro del mundo», inventario de imágenes americanas... Pero el poeta que encarna mejor ese periodo es Pablo Neruda. Cierto, es el más abundante y desigual y esto perjudica su comprensión; también es cierto que casi siempre es el más rico y denso de nuestros poetas. La vanguardia tiene dos tiempos: el inicial de Huidobro, hacia 1920, volatilización de la palabra y la imagen, y el segundo de Neruda, diez años después, ensimismada penetración hacia la entraña de las cosas. No el regreso a la tierra: la inmersión es un océano de aguas pesadas y lentas. La historia del modernismo se repite. Los dos poetas chilenos influyeron en todo el ámbito de la lengua y fueron reconocidos en España como Darío en su hora. Y podría agregarse que la pareja Huidobro-Neruda es como un desdoblamiento de un mítico Darío vanguardista, que correspondería a las dos épocas del Darío real: *Prosas profanas*, Huidobro; *Cantos de vida y esperanza*, Neruda. En España la ruptura con la poesía anterior es menos violenta. El primero que realiza la fusión entre lenguaje hablado e imagen no es un poeta en verso sino en prosa: el gran Ramón Gómez de la Serna. En 1930 aparece la antología de Gerardo Diego, que da a conocer al grupo de poetas más rico y singular que haya tenido España desde el siglo XVII: Jorge Guillén, Federico García Lorca, Rafael Alberti, Luis Cernuda, Aleixandre... Me detengo. No escribo un panorama literario. Y el capítulo que sigue me toca demasiado de cerca.

La poesía moderna de nuestra lengua es un ejemplo más de las relaciones entre prosa y verso, ritmo y metro. La descripción podría extenderse al italiano, que posee una estructura semejante al castellano, o al alemán, mina de ritmos. Por lo que toca al español, vale la pena repetir que el apogeo de la versificación rítmica, consecuencia de la reforma llevada a cabo por los poetas hispanoamericanos, en realidad es una vuelta al verso español tradicional. Pero este regreso no hubiera sido posible sin la influencia de corrientes poéticas extrañas, la francesa en particular, que nos mostraron la correspondencia entre ritmo e imagen poética. Una vez más: ritmo e imagen son inseparables. Esta larga digresión nos lleva al punto de partida: sólo la imagen podrá decirnos cómo el verso, que es frase rítmica, es también frase dueña de sentido.

LA IMAGEN

La palabra imagen posee, como todos los vocablos, diversas significaciones. Por ejemplo: bulto, representación, como cuando hablamos de una imagen o escultura de Apolo o de la Virgen. O figura real o irreal que evocamos o producimos con la imaginación. En este sentido, el vocablo posee un valor psicológico: las imágenes son productos imaginarios. No son éstos sus únicos significados, ni los que aquí nos interesan. Conviene advertir, pues, que designamos con la palabra *imagen* toda forma verbal, frase o conjunto de frases, que el poeta dice y que unidas componen un poema.[1] Estas expresiones verbales han sido clasificadas por la retórica y se llaman comparaciones, símiles, metáforas, juegos de palabras, paronomasias, símbolos, alegorías, mitos, fábulas, etc. Cualesquiera que sean las diferencias que las separen, todas ellas tienen en común el preservar la pluralidad de significados de la palabra sin quebrantar la unidad sintáctica de la frase o del conjunto de frases. Cada imagen —o cada poema hecho de imágenes— contiene muchos significados contrarios o dispares, a los que abarca o reconcilia sin suprimirlos. Así, San Juan habla de «la música callada», frase en la que se alían dos términos en apariencia irreconciliables. El héroe trágico, en este sentido, también es una imagen. Verbigracia: la figura de Antígona, despedazada entre la piedad divina y las leyes humanas. La cólera de Aquiles tampoco es simple y en ella se anudan los contrarios: el amor por Patroclo y la piedad por Príamo, la fascinación ante una muerte gloriosa y el deseo de una vida larga. En Segismundo la vigilia y el sueño se enlazan de manera indisoluble y misteriosa. En Edipo, la libertad y el destino... La imagen es cifra de la condición humana.

Épica, dramática o lírica, condensada en una frase o desenvuelta en mil páginas, toda imagen acerca o acopla realidades opuestas, indiferentes o alejadas entre sí. Esto es, somete a unidad la pluralidad de lo real. Conceptos y leyes científicas no pretenden otra cosa. Gracias a una misma reducción racional, individuos y objetos —plumas ligeras y pesadas pie-

[1] Roberto Vernengo propone, para evitar confusiones, la expresión: «mención poética».

dras— se convierten en unidades homogéneas. No sin justificado asombro los niños descubren un día que un kilo de piedras pesa lo mismo que un kilo de plumas. Les cuesta trabajo reducir piedras y plumas a la abstracción kilo. Se dan cuenta de que piedras y plumas han abandonado su manera propia de ser y que, por un escamoteo, han perdido todas sus cualidades y su autonomía. La operación unificadora de la ciencia las mutila y empobrece. No ocurre lo mismo con la de la poesía. El poeta nombra las cosas: estas son plumas, aquellas son piedras. Y de pronto afirma: las piedras son plumas, esto es aquello. Los elementos de la imagen no pierden su carácter concreto y singular: las piedras siguen siendo piedras, ásperas, duras, impenetrables, amarillas de sol o verdes de musgo: piedras pesadas. Y las plumas, plumas: ligeras. La imagen resulta escandalosa porque desafía el principio de contradicción: lo pesado es lo ligero. Al enunciar la identidad de los contrarios, atenta contra los fundamentos de nuestro pensar. Por tanto, la realidad poética de la imagen no puede aspirar a la verdad. El poema no dice lo que es, sino lo que podría ser. Su reino no es el del ser, sino el del «imposible verosímil» de Aristóteles.

A pesar de esta sentencia adversa, los poetas se obstinan en afirmar que la imagen revela lo que es y no lo que podría ser. Y más: dicen que la imagen recrea el ser. Deseosos de restaurar la dignidad filosófica de la imagen, algunos no vacilan en buscar el amparo de la lógica dialéctica. En efecto, muchas imágenes se ajustan a los tres tiempos del proceso: la piedra es un momento de la realidad; la pluma otro, y de su choque surge la imagen, la nueva realidad. No es necesario acudir a una imposible enumeración de las imágenes para darse cuenta de que la dialéctica no las abarca a todas. Algunas veces el primer término devora al segundo. Otras, el segundo neutraliza al primero. O no se produce el tercer término y los dos elementos aparecen frente a frente, irreductibles, hostiles. Las imágenes del humor pertenecen generalmente a esta última clase: la contradicción sólo sirve para señalar el carácter irreparablemente absurdo de la realidad o del lenguaje. En fin, a pesar de que muchas imágenes se despliegan conforme al orden hegeliano, casi siempre se trata más bien de una semejanza que de una verdadera identidad. En el proceso dialéctico piedras y plumas desaparecen en favor de una tercera realidad, que ya no es ni piedras ni plumas sino otra cosa. Pero en algunas imágenes —precisamente las más altas— las piedras y las plumas siguen siendo lo que son: esto es esto y aquello es aquello; y al mismo tiempo, esto es aquello: las piedras son plumas, sin dejar de ser piedras. Lo pesado es lo ligero. No hay la transmutación cualitativa que pide la lógica de Hegel, como no hubo la reducción cuantitativa de la ciencia. En suma, también para la dialéctica la imagen constituye un escándalo y un desafío, también viola las leyes del pensamiento. La razón de esta insuficiencia —porque es insuficiencia no poder explicarse algo que está ahí, frente a nuestros ojos, tan real como el resto de la llamada realidad— quizá consiste en que la dialéctica es una tentativa por salvar los principios lógicos —y, en especial, el de contradicción— amenazados por su cada vez más visible incapacidad para digerir el carácter contradictorio de la realidad. La tesis no se da al mismo tiempo que la antítesis, y ambas desaparecen para dar paso a una nueva afirmación que, al englobarlas, las transmuta. En cada uno de los tres momentos reina el principio de contradicción. Nunca afirmación y negación se dan como realidades simultáneas, pues eso implicaría la supresión de la idea misma de proceso. Al dejar intacto el principio de contradicción, la lógica dialéctica condena la imagen, que se pasa de ese principio.

Como el resto de las ciencias, la lógica no ha dejado de hacerse la pregunta crítica que toda disciplina debe hacerse en un momento u otro: la de sus fundamentos. Tal es, si no me equivoco, el sentido de las paradojas de Bertrand Russell y, en un extremo opuesto, el de las investigaciones de Husserl. Así, han surgido nuevos sistemas lógicos. Algunos poetas se han interesado en las investigaciones de S. Lupasco, que se propone desarrollar series de proposiciones fundadas en lo que él llama principio de contradicción complementaria. Lupasco deja intactos los términos contrarios, pero subraya su interdependencia. Cada término puede actualizarse en su contrario, del que depende en razón directa y contradictoria: A vive en función contradictoria de *B;* cada alteración en *A* produce consecuentemente una modificación, en sentido inverso, en *B*.[1] Negación y afirmación, esto y aquello, piedras y plumas, se dan simultáneamente y en función complementaria de su opuesto.

El principio de contradicción complementaria absuelve a algunas imágenes, pero no a todas. Lo mismo, acaso, debe decirse de otros sistemas lógicos. Ahora bien, el poema no sólo proclama la coexistencia dinámica y necesaria de los contrarios, sino su final identidad. Y esta reconciliación, que no implica reducción ni transmutación de la singularidad de cada término, sí es un muro que hasta ahora el pensamiento occiden-

[1] Stéphane Lupasco, *Le Principe d'antagonisme et la logique de lénergie,* París, 1951.

tal se ha rehusado a saltar o a perforar. Desde Parménides nuestro mundo ha sido el de la distinción neta y tajante entre lo que es y lo que no es. El ser no es el no-ser. Este primer desarraigo —porque fue un arrancar al ser del caos primordial— constituye el fundamento de nuestro pensar. Sobre esta concepción se construyó el edificio de las «ideas claras y distintas», que si ha hecho posible la historia de Occidente también ha condenado a una suerte de ilegalidad toda tentativa de asir al ser por vías que no sean las de esos principios. Mística y poesía han vivido así una vida subsidiaria, clandestina y disminuida. El desgarramiento ha sido indecible y constante. Las consecuencias de ese exilio de la poesía son cada día más evidentes y aterradoras: el hombre es un desterrado del fluir cósmico y de sí mismo. Pues ya nadie ignora que la metafísica occidental termina en un solipsismo. Para romperlo, Hegel regresa hasta Heráclito. Su tentativa no nos ha devuelto la salud. El castillo de cristal de roca de la dialéctica se revela al fin como un laberinto de espejos. Husserl se replantea de nuevo todos los problemas y proclama la necesidad de «volver a los hechos». Mas el idealismo de Husserl parece desembocar también en un solipsismo. Heidegger retorna a los presocráticos para hacerse la misma pregunta que se hizo Parménides y encontrar una respuesta que no inmovilice al ser. No conocemos aún la palabra última de Heidegger, pero sabemos que su tentativa por encontrar el ser en la existencia tropezó con un muro. Ahora, según lo muestran algunos de sus escritos últimos, vuelve a la poesía. Cualquiera que sea el desenlace de su aventura, lo cierto es que, desde este ángulo, la historia de Occidente puede verse como la historia de un error, un extravío, en el doble sentido de la palabra: nos hemos alejado de nosotros mismos al perdernos en el mundo. Hay que empezar de nuevo.

El pensamiento oriental no ha padecido este horror a lo «otro», a lo que es y no es al mismo tiempo. El mundo occidental es el del «esto o aquello»; el oriental, el del «esto y aquello», y aun el de «esto es aquello». Ya en el más antiguo Upanishad se afirma sin reticencias el principio de identidad de los contrarios: «Tú eres mujer. Tú eres hombre. Tú eres el muchacho y también la doncella. Tú, como un viejo, te apoyas en un cayado... Tú eres el pájaro azul oscuro y el verde de ojos rojos... Tú eres las estaciones y los mares».[1] Y estas afirmaciones las condensa el Upanishad

[1] *Svetasvatara Upanishad. The Thirteen Principal Upanishads,* trad. del sánscrito por R. E. Hume, Oxford University Press, 1951.

Chandogya en la célebre fórmula: «Tú eres aquello». Toda la historia del pensamiento oriental parte de esta antiquísima aseveración, del mismo modo que la de Occidente arranca de la de Parménides. Éste es el tema constante de especulación de los grandes filósofos budistas y de los exégetas del hinduismo. El taoísmo muestra las mismas tendencias. Todas estas doctrinas reiteran que la oposición entre esto y aquello es, simultáneamente, relativa y necesaria, pero que hay un momento en que cesa la enemistad entre los términos que nos parecían excluyentes.

Como si se tratase de un anticipado comentario a ciertas especulaciones contemporáneas, Chuang-tsé explica así el carácter funcional y relativo de los opuestos: «No hay nada que no sea esto; no hay nada que no sea aquello. Esto vive en función de aquello. Tal es la doctrina de la interdependencia de esto y aquello. La vida es vida frente a la muerte. Y viceversa. La afirmación lo es frente a la negación. Y viceversa. Por tanto, si uno se apoya en esto, tendría que negar aquello. Mas esto posee su afirmación y su negación y también engendra su esto y su aquello. Por tanto, el verdadero sabio desecha el esto y el aquello y se refugia en Tao...» Hay un punto en que esto y aquello, piedras y plumas, se funden. Y ese momento no está antes ni después, al principio o al fin de los tiempos. No es paraíso natal o prenatal ni cielo ultraterrestre. No vive en el reino de la sucesión que es precisamente el de los contrarios relativos, sino que está en cada momento. Es cada momento. Es el tiempo mismo engendrándose, manándose, abriéndose a un acabar que es un continuo empezar. Chorro, fuente. Ahí, en el seno del existir —o mejor, del existiéndose—, piedras y plumas, lo ligero y lo pesado, nacerse y morirse, serse, son uno y lo mismo.

El conocimiento que nos proponen las doctrinas orientales no es transmisible en fórmulas o razonamientos. La verdad es una experiencia y cada uno debe intentarla por su cuenta y riesgo. La doctrina nos muestra el camino, pero nadie puede caminarlo por nosotros. De ahí la importancia de las técnicas de meditación. El aprendizaje no consiste en la acumulación de conocimientos, sino en la afinación del cuerpo y del espíritu. La meditación no nos enseña nada, excepto el olvido de todas las enseñanzas y la renuncia a todos los conocimientos. Al cabo de estas pruebas, sabemos menos pero estamos más ligeros; podemos emprender el viaje y afrontar la mirada vertiginosa y vacía de la verdad. Vertiginosa en su inmovilidad; vacía en su plenitud. Muchos siglos antes de que Hegel descubriese la final equivalencia entre la nada absoluta y el pleno ser, los Upanishad habían definido los estados de vacío como instantes de comunión con el ser: «El más alto estado se alcanza cuando los cinco instrumentos del conocer se quedan quietos y juntos en la mente y ésta no se mueve».[1] Pensar es respirar. Retener el aliento, detener la circulación de la idea: hacer el vacío para que aflore el ser. Pensar es respirar porque pensamiento y vida no son universos separados sino vasos comunicantes: esto es aquello. La identidad última entre el hombre y el mundo, la conciencia y el ser, el ser y la existencia, es la creencia más antigua del hombre y la raíz de ciencia y religión, magia y poesía. Todas nuestras empresas se dirigen a descubrir el viejo sendero, la olvidada vía de comunicación entre ambos mundos. Nuestra búsqueda tiende a redescubrir o a verificar la universal correspondencia de los contrarios, reflejo de su original identidad. Inspirados en este principio, los sistemas tántricos conciben el cuerpo como metáfora o imagen del cosmos. Los centros sensibles son nudos de energía, confluencias de corrientes estelares, sanguíneas, nerviosas. Cada una de las posturas de los cuerpos abrazados es el signo de un zodiaco regido por el triple ritmo de la savia, la sangre y la luz. El templo de Konarak está cubierto por una delirante selva de cuerpos enlazados: estos cuerpos son también soles que se levantan de su lecho de llamas, estrellas que se acoplan. La piedra arde, las sustancias enamoradas se entrelazan. Las bodas alquímicas no son distintas de las humanas. Po Chü-i nos cuenta en un poema autobiográfico que:

> In the middle of the night I stole a furtive glance:
> The two ingredients were in affable embrace;
> Their attitude was most unexpected,
> They were locked together in the posture of man and wife,
> Intertwined as dragons, coil with coil.[2]

Para la tradición oriental la verdad es una experiencia personal. Por tanto, en sentido estricto, es incomunicable. Cada uno debe comenzar y rehacer por sí mismo el proceso de la verdad. Y nadie, excepto aquel que emprende la aventura, puede saber si ha llegado o no a la plenitud, a la identidad con el ser. El conocimiento es inefable. A veces, este «estar en el saber» se expresa con una carcajada, una sonrisa o una paradoja. Pero esa sonrisa puede también indicar que el adepto no ha encontrado nada.

[1] *Katha Upanishad*, véase nota de la página 107.

[2] Arthur Waley, *The Life and Times of Po-Chü-I*, Londres, 1949.

Todo el conocimiento se reduciría entonces a saber que el conocimiento es imposible. Una y otra vez los textos se complacen en este género de ambigüedades. La doctrina se resuelve en silencio. Tao es indefinible e innombrable: «El Tao que puede ser nombrado no es el Tao absoluto; los Nombres que pueden ser pronunciados no son los Nombres absolutos». Chuang-tsé afirma que el lenguaje, por su misma naturaleza, no puede expresar lo absoluto, dificultad que no es muy distinta a la que desvela a los creadores de la lógica simbólica. «Tao no puede ser definido... Aquel que conoce, no habla. Y el que habla, no conoce. Por tanto, el Sabio predica la doctrina sin palabras.» La condenación de las palabras procede de la incapacidad del lenguaje para trascender el mundo de los opuestos relativos e interdependientes, del esto en función del aquello. «Cuando la gente habla de aprehender la verdad, piensa en los libros. Pero los libros están hechos de palabras. Las palabras, claro está, tienen un valor. El valor de las palabras reside en el sentido que esconden. Ahora bien, este sentido no es sino un esfuerzo para alcanzar algo que no puede ser alcanzado realmente por las palabras.»[1] En efecto, el sentido apunta hacia las cosas, las señala, pero nunca las alcanza. Los objetos están más allá de las palabras.

A pesar de su crítica del lenguaje, Chuang-tsé no renunció a la palabra. Lo mismo sucede con el budismo Zen, doctrina que se resuelve en paradojas y en silencio pero a la que debemos dos de las más altas creaciones verbales del hombre: el teatro Nô y el haikú de Bashō. ¿Cómo explicar esta contradicción? Chuang-tsé afirma que el sabio «predica la doctrina sin palabras». Ahora bien, el taoísmo —a diferencia del cristianismo— no cree en las buenas obras. Tampoco en las malas: sencillamente, no cree en las obras. La prédica sin palabras a que alude el filósofo chino no es la del ejemplo, sino la de un lenguaje que sea algo más que lenguaje: palabra que diga lo indecible. Aunque Chuang-tsé jamás pensó en la poesía como un lenguaje capaz de trascender el sentido de esto y aquello y decir lo indecible, no se puede separar su razonamiento de las imágenes, juegos de palabras y otras formas poéticas. Poesía y pensamiento se entretejen en Chuang-tsé hasta formar una sola tela, una sola materia insólita. Lo mismo debe decirse de las otras doctrinas. Gracias a las imágenes poéticas el pensamiento taoísta, hindú y budista resulta comprensible. Cuando Chuang-tsé explica que la experiencia de Tao implica un volver a una suerte de conciencia elemental u original, en donde los significados rela-

[1] Arthur Waley, *The Way and its Power. A Study of the Tao Tê Ching and its Place in the Chinese Thought,* Londres, 1949.

tivos del lenguaje resultan inoperantes, acude a un juego de palabras que es un acertijo poético. Dice que esta experiencia de regreso a lo que somos originalmente es «entrar en la jaula de los pájaros sin ponerlos a cantar». *Fan* es jaula y regreso; *ming* es canto y nombres.[1] Así, la frase también quiere decir: «regresar allá donde los nombres salen sobrando», al silencio, reino de las evidencias. O al lugar en donde nombres y cosas se funden y son lo mismo: a la poesía, reino en donde el nombrar es ser. La imagen dice lo indecible: las plumas ligeras son piedras pesadas. Hay que volver al lenguaje para ver cómo la imagen puede decir lo que, por naturaleza, el lenguaje parece incapaz de decir.

El lenguaje es significado: sentido de esto o aquello. Las plumas son ligeras; las piedras, pesadas. Lo ligero es ligero con relación a lo pesado, lo oscuro frente a lo luminoso, etc. Todos los sistemas de comunicación viven en el mundo de las referencias y de los significados relativos. De ahí que constituyan conjuntos de signos dotados de cierta movilidad. Por ejemplo, en el caso de los números, un cero a la izquierda no es lo mismo que un cero a la derecha: las cifras modifican su significado de acuerdo con su posición. Otro tanto ocurre con el lenguaje, sólo que su gama de movilidad es muy superior a la de otros procedimientos de significación y comunicación. Cada vocablo posee varios significados, más o menos conexos entre sí. Esos significados se ordenan y precisan de acuerdo con el lugar de la palabra en la oración. Todas las palabras que componen la frase —y con ellas sus diversos significados— adquieren de pronto un sentido: el de la oración. Los otros desaparecen o se atenúan. O dicho de otro modo: en sí mismo el idioma es una infinita posibilidad de significados; al actualizarse en una frase, al convertirse de veras en lenguaje, esa posibilidad se fija en una dirección única. En la prosa, la unidad de la frase se logra a través del sentido, que es algo así como una flecha que obliga a todas las palabras que la componen a apuntar hacia un mismo objeto o hacia una misma dirección. Ahora bien, la imagen es una frase en la que la pluralidad de significados no desaparece. La imagen recoge y exalta todos los valores de las palabras, sin excluir los significados primarios y secundarios. ¿Cómo la imagen, encerrando dos o más sentidos, es una y resiste la tensión de tantas fuerzas contrarias, sin convertirse en un mero disparate? Hay muchas proposiciones, perfectamente correctas en cuanto

[1] *Idem.*

a lo que llamaríamos la sintaxis gramatical y lógica, que se resuelven en un contrasentido. Otras desembocan en un sinsentido, como las que cita García Bacca en su *Introducción a la lógica moderna* («el número dos es dos piedras»). Pero la imagen no es ni un contrasentido ni un sinsentido. Así, la unidad de la imagen debe ser algo más que la meramente formal que se da en los contrasentidos y, en general, en todas aquellas proposiciones que no significan nada, o que constituyen simples incoherencias. ¿Cuál puede ser el sentido de la imagen si varios y dispares significados luchan en su interior?

Las imágenes del poeta tienen sentido en diversos niveles. En primer término, poseen autenticidad: el poeta las ha visto u oído, son la expresión genuina de su visión y experiencia del mundo. Se trata, pues, de una verdad de orden psicológico, que evidentemente nada tiene que ver con el problema que nos preocupa. En segundo término, esas imágenes constituyen una realidad objetiva, válida por sí misma: son obras. Un paisaje de Góngora no es lo mismo que un paisaje natural, pero ambos poseen realidad y consistencia, aunque vivan en esferas distintas. Son dos órdenes de realidades paralelas y autónomas. En este caso, el poeta hace algo más que decir la verdad; crea realidades dueñas de una verdad: las de su propia existencia. Las imágenes poéticas poseen su propia lógica y nadie se escandaliza porque el poeta diga que el agua es cristal o que «el pirú es primo del sauce» (Carlos Pellicer). Mas esta verdad estética de la imagen vale sólo dentro de su propio universo. Finalmente, el poeta afirma que sus imágenes nos dicen algo sobre el mundo y sobre nosotros mismos, y que ese algo, aunque parezca disparatado, nos revela de veras lo que somos. ¿Esta pretensión de las imágenes poéticas posee algún fundamento objetivo?, ¿el aparente contrasentido o sinsentido del decir poético encierra algún sentido?

Cuando percibimos un objeto cualquiera, éste se nos presenta como una pluralidad de cualidades, sensaciones y significados. Esta pluralidad se unifica, instantáneamente, en el momento de la percepción. El elemento unificador de todo ese contradictorio conjunto de cualidades y formas es el sentido. Las cosas poseen un sentido. Incluso en el caso de la más simple, casual y distraída percepción se da una cierta intencionalidad, según han mostrado los análisis fenomenológicos. Así, el sentido no sólo es el fundamento del lenguaje, sino también de todo asir la realidad. Nuestra experiencia de la pluralidad y ambigüedad de lo real parece que se redime en el sentido. A semejanza de la percepción ordinaria, la imagen poética reproduce la pluralidad de la realidad y, al mismo tiempo, le otorga unidad. Hasta aquí el poeta no realiza algo que no sea común al resto de los hombres. Veamos ahora en qué consiste la operación unificadora de la imagen, para diferenciarla de las otras formas de expresión de la realidad.

Todas nuestras versiones de lo real —silogismos, descripciones, fórmulas científicas, comentarios de orden práctico, etc.— no recrean aquello que intentan expresar. Se limitan a representarlo o describirlo. Si vemos una silla, por ejemplo, percibimos instantáneamente su color, su forma, los materiales de que está construida, etc. La aprehensión de todas estas notas dispersas y contradictorias no es obstáculo para que, en el mismo acto, se nos dé el significado de la silla: el ser un mueble, un utensilio. Pero si queremos describir nuestra percepción de la silla, tendremos que ir con tiento y por partes: primero, su forma, luego su color y así sucesivamente hasta llegar al significado. En el curso del proceso descriptivo se ha ido perdiendo poco a poco la totalidad del objeto. Al principio la silla sólo fue forma, más tarde cierta clase de madera y finalmente puro significado abstracto: la silla es un objeto que sirve para sentarse. En el poema la silla es una presencia instantánea y total, que hiere de golpe nuestra atención. El poeta no describe la silla: nos la pone enfrente. Como en el momento de la percepción, la silla se nos da con todas sus contrarias cualidades y, en la cúspide, el significado. Así, la imagen reproduce el momento de la percepción y constriñe al lector a suscitar dentro de sí al objeto un día percibido. El verso, la frase-ritmo, evoca, resucita, despierta, recrea. O como decía Machado: no representa, sino presenta. Recrea, revive nuestra experiencia de lo real. No vale la pena señalar que esas resurrecciones no son sólo las de nuestra experiencia cotidiana, sino las de nuestra vida más oscura y remota. El poema nos hace recordar lo que hemos olvidado: lo que somos realmente.

La silla es muchas cosas a la vez: sirve para sentarse, pero también puede tener otros usos. Y otro tanto ocurre con las palabras. Apenas reconquistan su plenitud, readquieren sus perdidos significados y valores. La ambigüedad de la imagen no es distinta a la de la realidad, tal como la aprehendemos en el momento de la percepción: inmediata, contradictoria, plural y, no obstante, dueña de un recóndito sentido. Por obra de la imagen se produce la instantánea reconciliación entre el nombre y el objeto, entre la representación y la realidad. Por tanto, el acuerdo entre el sujeto y el objeto se da con cierta plenitud. Ese acuerdo sería imposible si el poeta no usase del lenguaje y si ese lenguaje, por virtud de la imagen, no recobrase su riqueza original. Mas esta vuelta de las palabras a su naturaleza primera —es decir, a su pluralidad de significados— no es sino el primer acto de la operación poética. Aún no hemos asido del todo el sentido de la imagen poética.

Toda frase posee una referencia a otra, es susceptible de ser explicada por otra. Gracias a la movilidad de los signos, las palabras pueden ser explicadas por las palabras. Cuando tropezamos con una sentencia oscura decimos: «Lo que quieren decir estas palabras es esto o aquello». Y para decir «esto o aquello» recurrimos a otras palabras. Toda frase quiere decir algo que puede ser dicho o explicado por otra frase. En consecuencia, el sentido o significado es un *querer decir.* O sea: un decir que puede decirse de otra manera. El sentido de la imagen, por el contrario, es la imagen misma: no se puede decir con otras palabras. *La imagen se explica a sí misma.* Nada, excepto ella, puede decir lo que quiere decir. Sentido e imagen son la misma cosa. Un poema no tiene más sentido que sus imágenes. Al ver la silla, aprehendemos instantáneamente su sentido: sin necesidad de acudir a la palabra, nos sentamos en ella. Lo mismo ocurre con el poema: sus imágenes no nos llevan a otra cosa, como ocurre con la prosa, sino que nos enfrentan a una realidad concreta. Cuando el poeta dice de los labios de su amada: «pronuncian con desdén sonoro hielo», no hace un símbolo de la blancura o del orgullo. Nos enfrenta a un hecho sin recurso a la demostración: dientes, palabras, hielos, labios, realidades dispares, se presentan de un solo golpe ante nuestros ojos. Goya no nos describe los horrores de la guerra: nos ofrece, sin más, la imagen de la guerra. Sobran los comentarios, las referencias y las explicaciones. El poeta no quiere decir: *dice.* Oraciones y frases son medios. La imagen no es medio; sustentada en sí misma, ella es su sentido. En ella acaba y en ella empieza. El sentido del poema es el poema mismo. Las imágenes son irreductibles a cualquier explicación e interpretación. Así pues, las palabras —que habían recobrado su original ambigüedad— sufren ahora otra desconcertante y más radical transformación. ¿En qué consiste?

Derivadas de la naturaleza significante del lenguaje, dos atributos distinguen a las palabras: primero, su movilidad o intercanjeabilidad; segundo, por virtud de su movilidad, el poder una palabra ser explicada por otra. Podemos decir de muchas maneras la idea más simple. O cambiar las palabras de un texto o de una frase sin alterar gravemente el sentido. O explicar una sentencia por otra. Nada de esto es posible con la imagen. Hay muchas maneras de decir la misma cosa en prosa; sólo hay una en poesía.

No es lo mismo decir «de desnuda que está brilla la estrella» que «la estrella brilla porque está desnuda». El sentido se ha degradado en la segunda versión: de afirmación se ha convertido en rastrera explicación. La corriente poética ha sufrido una baja de tensión. La imagen hace perder a las palabras su movilidad e intercanjeabilidad. Los vocablos se vuelven insustituibles, irreparables. Han dejado de ser instrumentos. El lenguaje cesa de ser un útil. El regreso del lenguaje a su naturaleza original, que parecía ser el fin último de la imagen, no es así sino el paso preliminar para una operación aún más radical: el lenguaje, tocado por la poesía, cesa de pronto de ser lenguaje. O sea: conjunto de signos móviles y significantes. El poema trasciende el lenguaje. Queda ahora explicado lo que dije al comenzar este libro: el poema es lenguaje —y lenguaje antes de ser sometido a la mutilación de la prosa o la conversación—, pero es algo más también. Y ese algo más es inexplicable por el lenguaje, aunque sólo puede ser alcanzado por él. Nacido de la palabra, el poema desemboca en algo que la traspasa.

La experiencia poética es irreductible a la palabra y, no obstante, sólo la palabra la expresa. La imagen reconcilia a los contrarios, mas esta reconciliación no puede ser explicada por las palabras —excepto por las de la imagen, que han cesado ya de serlo. Así, !a imagen es un recurso desesperado contra el silencio que nos invade cada vez que intentamos expresar la terrible experiencia de lo que nos rodea y de nosotros mismos. El poema es lenguaje en tensión: en extremo de ser y en ser hasta el extremo. Extremos de la palabra y palabras extremas, vueltas sobre sus propias entrañas, mostrando el reverso del habla: el silencio y la no significación. Más acá de la imagen, yace el mundo del idioma, de las explicaciones y la historia. Más allá, se abren las puertas de lo real: significación y no-significación se vuelven términos equivalentes. Tal es el sentido último de la imagen: ella misma.

Cierto, no en todas las imágenes los opuestos se reconcilian sin destruirse. Algunas descubren semejanzas entre los términos o elementos de que está hecha la realidad: son las comparaciones, según las definió Aristóteles. Otras acercan «realidades contrarias» y producen así una «nueva realidad», como dice Reverdy. Otras provocan una contradicción insuperable o un sinsentido absoluto, que delata el carácter irrisorio del mundo, del lenguaje o del hombre (a esta clase pertenecen los disparos del humor y, ya fuera del ámbito de la poesía, los chistes). Otras nos revelan la pluralidad e interdependencia de !o real. Hay, en fin, imágenes que realizan lo que parece ser una imposibilidad lógica tanto como lingüística: las nupcias de los contrarios. En todas ellas —apenas visible o realizado del todo— se observa el mismo proceso: la pluralidad de lo real se manifiesta o expresa como unidad última, sin que cada elemento pierda su singularidad esencial. Las plumas son piedras, sin dejar de ser plumas. El lenguaje, vuelto sobre sí mismo, dice lo que por naturaleza parecía escapársele. El decir poético dice lo indecible.

El reproche que hace Chuang-tsé a las palabras no alcanza a la imagen, porque ella ya no es, en sentido estricto, función verbal. En efecto, el lenguaje es sentido de esto o aquello. El sentido es el nexo entre e! nombre y aquello que nombramos. Así, implica distancia entre uno y otro. Cuando enunciamos cierta clase de proposiciones («el teléfono es comer», «María es un triángulo», etc.) se produce un sinsentido porque la distancia entre la palabra y la cosa, el signo y el objeto se hace insalvable: el puente, el sentido, se ha roto. El hombre se queda solo, encerrado en su lenguaje. Y en verdad se queda también sin lenguaje, pues las palabras que emite son puros sonidos que ya no significan nada. Con la imagen sucede lo contrario. Lejos de agrandarse, la distancia entre la palabra y la cosa se acorta o desaparece del todo: el nombre y lo nombrado son ya lo mismo. El sentido —en la medida en que es nexo o puente— también desaparece: no hay nada ya que asir, nada que señalar. Mas no se produce el sinsentido o el contrasentido, sino algo que es indecible e inexplicable excepto por sí mismo. De nuevo: el sentido de la imagen es la imagen misma. El lenguaje traspasa el círculo de los significados relativos, el esto y el aquello, y dice lo indecible: las piedras son plumas, esto es aquello. El lenguaje indica, representa; el poema no explica ni representa: presenta. No alude a la realidad; pretende —y a veces lo logra— recrearla. Por tanto, la poesía es un penetrar, un estar o ser en la realidad.

La verdad del poema se apoya en la experiencia poética, que no difiere esencialmente de la experiencia de identificación con la «realidad de la realidad», tal como ha sido descrita por el pensamiento oriental y una parte del occidental. Esta experiencia, reputada por indecible, se expresa y comunica en la imagen. Y aquí nos enfrentamos a otra turbadora propiedad del poema, que será examinada más adelante (pp. 135 y ss.): en virtud de ser inexplicable, excepto por sí misma, la manera propia de comunicación de la imagen no es la transmisión conceptual. La imagen no explica: invita a recrearla y, literalmente, a revivirla. El decir del poeta encarna en la comunión poética. La imagen transmuta al hombre y lo convierte a su vez en imagen, esto es, en espacio donde los contrarios se funden. Y el hombre mismo, desgarrado desde el nacer, se reconcilia consigo cuando se hace imagen, cuando *se hace otro*. La poesía es metamorfosis, cambio, operación alquímica, y por eso colinda con la magia, la religión y otras tentativas para transformar al hombre y hacer de «este» y de «aquel» ese «otro» que es él mismo. El universo deja de ser un vasto almacén de cosas heterogéneas. Astros, zapatos, lágrimas, locomotoras, sauces, mujeres, diccionarios, todo es una inmensa familia, todo se comunica y se transforma sin cesar, una misma sangre corre por todas las formas y el hombre puede ser al fin su deseo: él mismo. La poesía pone al hombre fuera de sí y, simultáneamente, lo hace regresar a su ser original: lo vuelve a sí. El hombre es su imagen: él mismo y aquel otro. A través de la frase que es ritmo, que es imagen, el hombre —ese perpetuo llegar a ser— es. La poesía es entrar en el ser.

La revelación poética

LA OTRA ORILLA

El hombre se vierte en el ritmo, cifra de su temporalidad; el ritmo, a su vez, se declara en la imagen, y la imagen vuelve al hombre apenas unos labios repiten el poema. Por obra del ritmo, repetición creadora, la imagen —haz de sentidos rebeldes a la explicación— se abre a la participación. La recitación poética es una fiesta: una comunión. Y lo que se reparte y recrea en ella es la imagen. El poema se realiza en la participación, que no es sino recreación del instante original. Así, el examen del poema nos lleva al de la experiencia poética. El ritmo poético no deja de ofrecer analogías con el tiempo mítico; la imagen con el decir místico; la participación con la alquimia mágica y la comunión religiosa. Todo nos lleva a insertar el acto poético en la zona de lo sagrado. Pero todo, desde la mentalidad primitiva hasta la moda, los fanatismos políticos y el crimen mismo, es susceptible de ser considerado como forma de lo sagrado. La fertilidad de esta noción —de la que se ha abusado tanto como del psicoanálisis y del historicismo— nos puede llevar a las peores confusiones. De ahí que estas páginas no se propongan tanto explicar la poesía por lo sagrado como trazar las fronteras entre ambos y mostrar que la poesía constituye un hecho irreductible, que sólo puede comprenderse totalmente por sí mismo y en sí mismo.

El hombre moderno ha descubierto modos de pensar y de sentir que no están lejos de lo que llamamos la parte nocturna de nuestro ser. Todo lo que la razón, la moral o las costumbres modernas nos hacen ocultar o despreciar constituye para los llamados primitivos la única actitud posible ante la realidad. Freud descubrió que no bastaba con ignorar la vida inconsciente para hacerla desaparecer. La antropología, por su parte, muestra que se puede vivir en un mundo regido por los sueños y la imaginación, sin que esto signifique anormalidad o neurosis. El mundo de lo divino no cesa de fascinarnos porque, más allá de la curiosidad intelectual, hay en el hombre moderno una nostalgia. La boga de los estudios sobre los mitos y las instituciones mágicas y religiosas tiene las mismas raíces que otras aficiones contemporáneas, como el arte primitivo, la psicología del inconsciente o la tradición oculta. Estas preferencias no son casuales. Son el testimonio de una ausencia, las formas intelectuales de una nostalgia. De ahí que, al inclinarme sobre este tema, no pueda dejar de tener presente su ambigüedad: por una parte, juzgo que poesía y religión brotan de la misma fuente y que no es posible disociar el poema de su pretensión de cambiar al hombre sin peligro de convertirlo en una forma inofensiva de la literatura; por la otra, creo que la empresa prometeica de la poesía moderna consiste en su beligerancia frente a la religión, fuente de su deliberada voluntad por crear un nuevo «sagrado», frente al que nos ofrecen las iglesias actuales.

Al estudiar las instituciones de los aborígenes de Australia y África, o al examinar el folklore y la mitología de los pueblos históricos, los antropólogos encontraron formas de pensamiento y de conducta que les parecían un desafío a la razón. Constreñidos a buscar una explicación, algunos pensaron que se trataba de aplicaciones equivocadas del principio de causalidad. Frazer creía que la magia era la «actitud más antigua del hombre ante la realidad», de la cual se habían desprendido ciencia, religión y poesía; ciencia falaz, la magia era «una interpretación errónea de las leyes que gobiernan la naturaleza». Lévy-Bruhl, por su parte, acudió a la noción de *mentalidad prelógica,* fundada en la participación: «El primitivo no asocia de manera lógica, causal, los objetos de su experiencia. Ni los ve como una cadena de causas y efectos, ni los considera como fenómenos distintos, sino que experimenta una participación recíproca de tales objetos, de manera que uno entre ellos no puede moverse sin afectar al otro. Esto es, que no puede tocarse a uno sin influir en el otro y sin que el hombre mismo no cambie». Freud, por su parte, aplicó con poco éxito sus ideas al estudio de ciertas instituciones primitivas. C. G. Jung ha intentado también una explicación psicológica, fundándose en el inconsciente colectivo y en los arquetipos míticos universales; Lévi-Strauss busca el origen del incesto, acaso el primer «No» opuesto por el hombre a la naturaleza; Dumézil se inclina sobre los mitos arios y encuentra en la comunión primaveral —o como poéticamente la llama en uno de sus libros: *El festín de la inmortalidad*— el origen de la mitología y de la poesía indoeuropeas; Cassirer concibe el mito, la magia, el arte y la religión como expresiones simbólicas del hombre; Malinowski..., pero el campo es inmenso y no es mi propósito agotar una materia tan rica y que día a día se transforma, conforme surgen nuevas ideas y descubrimientos.

Lo primero que debemos preguntarnos ante esta enorme masa de hechos e hipótesis es si de verdad existe eso que se llama una sociedad primitiva. Nada más discutible. Los lacandones, por ejemplo, pueden ser considerados como un grupo que vive en condiciones de real arcaísmo. Sólo que se trata de los descendientes directos de la civilización maya, la más compleja y rica que haya brotado en tierras americanas. Las instituciones de los lacandones no constituyen la génesis de una cultura, sino que son sus últimos restos. Ni su mentalidad es prelógica, ni sus prácticas mágicas representan un estado pre-religioso, ya que la sociedad lacandona no precede a nada, excepto a la muerte. Y así, esas formas más bien parecen mostrarnos cómo mueren ciertas culturas, que cómo nacen. En otros casos —según indica Toynbee— se trata de sociedades cuya civilización se ha petrificado, según ocurre con la sociedad esquimal. Por tanto, puede concluirse que, decadentes o petrificadas, ninguna de las sociedades que estudian los especialistas merece realmente el nombre de primitiva.

La idea de una *mentalidad primitiva* —en el sentido de algo antiguo, anterior y ya superado o en vías de superación— no es sino una de tantas manifestaciones de una concepción lineal de la historia. Desde este punto de vista es una excrecencia de la noción de *progreso*. Ambas proceden, por lo demás, de la concepción cuantitativa del tiempo. No es eso todo. En la primera de sus grandes obras Lévy-Bruhl afirma que «la necesidad de participación seguramente es más imperiosa e intensa, incluso entre nosotros, que la necesidad de conocer o de adaptarse a las exigencias lógicas. Es más profunda y viene de más lejos». Los psiquiatras han encontrado ciertas analogías entre la génesis de la neurosis y la de los mitos; la esquizofrenia muestra semejanza con el pensamiento mágico. Para los niños, dice el psicólogo Piaget, la verdadera realidad está constituida por lo que nosotros llamamos fantasía: entre dos explicaciones de un fenómeno, una racional y otra maravillosa, escogen fatalmente la segunda porque les parece más convincente. Por su parte Frazer denuncia la persistencia de las creencias mágicas en el hombre moderno. Pero no es necesario acudir a más testimonios. Todos sabemos que no solamente los poetas, los locos, los salvajes y los niños aprehenden el mundo en un acto de participación irreductible al razonamiento lógico; cada vez que sueñan, se enamoran o asisten a sus ceremonias profesionales, cívicas o políticas, el resto de los hombres «participa», regresa, forma parte de esa vasta *society of life* que constituye para Cassirer el origen de las creencias mágicas. Y no excluyo a los profesores, a los psiquiatras y a los políticos. La *mentalidad primitiva* se encuentra en todas partes, ya recubierta por una capa racional, ya a plena luz. Sólo que no parece legítimo designar a todas estas actitudes con el adjetivo *primitivo,* pues no constituyen formas antiguas, infantiles o regresivas de la psiquis, sino una posibilidad presente y común a todos los hombres.

Si para muchos el protagonista de ritos y ceremonias es un hombre radicalmente distinto a nosotros —un primitivo o un neurótico—, para otros no es el hombre, sino las instituciones, la esencia de lo sagrado. Conjunto de formas sociales, lo sagrado es un objeto. Ritos, mitos, fiestas, leyendas —lo que llaman con expresión reveladora el «material»— están ahí, frente a nosotros: son objetos, cosas. Hubert y Mauss sostienen que los sentimientos y emociones del creyente ante lo sagrado no constituyen experiencias específicas ni categorías especiales. El hombre no cambia y la naturaleza humana es la misma siempre: amor, odio, temor, miedo, hambre, sed. Lo que cambia son las instituciones sociales. Esta opinión me parece que no corresponde a la realidad. El hombre es inseparable de sus creaciones y de sus objetos; si el conjunto de instituciones que forman el universo de lo sagrado constituye realmente algo cerrado y único, un verdadero universo, aquel que participa en una fiesta o en una ceremonia es también un ser distinto al que, unas horas antes, cazaba en el bosque o conducía un automóvil. El hombre no es nunca idéntico a sí mismo. Su manera de ser, aquello que lo distingue del resto de los seres vivos es el cambio. O como dice Ortega y Gasset: el hombre es un ser insustancial, carece de sustancia. Y precisamente lo característico de la experiencia religiosa es el salto brusco, el cambio fulminante de naturaleza. No es cierto, por tanto, que nuestros sentimientos sean los mismos frente al tigre real y al dios-tigre, ante una estampa erótica y las imágenes tántricas de Tíbet.

Las instituciones sociales no son lo sagrado, pero tampoco lo son la *mentalidad primitiva* o la neurosis. Ambos métodos ostentan la misma insuficiencia. Los dos convierten lo sagrado en un objeto. En consecuencia, habrá que huir de estos extremos y abrazar el fenómeno como una totalidad de la cual nosotros mismos formamos parte. Ni las instituciones separadas de su protagonista, ni éste aislado de las primeras. También sería insuficiente una descripción de la experiencia de lo divino como algo exterior a nosotros. Esa experiencia nos incluye y su descripción será la de nosotros mismos.[1]

El punto de partida de algunos sociólogos es la división de la sociedad en dos mundos opuestos: uno, lo profano; otro, lo sagrado. El tabú podría ser la raya de separación entre ambos. En una zona se pueden hacer ciertas cosas que en la otra están prohibidas. Nociones como la pureza y el sacrilegio arrancarían de esta división. Sólo que, según se ha dicho, una mera descripción que no nos incluya nos daría apenas una serie de datos externos. Además, toda sociedad está dividida en diversas esferas. En cada una de ellas rige un sistema de reglas y prohibiciones que no son aplicables a las otras. La legislación relativa a la herencia no tiene función en el derecho penal (aunque sí la tuvo en épocas remotas); actos como enviar presentes, exigidos por las leyes de la etiqueta, resultarían escandalosos si fueran practicados por la administración pública; las normas que rigen las relaciones políticas entre las naciones no son aplicables a la familia, ni las de ésta al comercio internacional. En cada esfera las cosas pasan de «cierto modo», que es siempre privativo. Así, debemos penetrar en el mundo de lo sagrado para ver de una manera concreta cómo «pasan las cosas» y, sobre todo, qué nos pasa a nosotros.

Si lo sagrado es un mundo aparte, ¿cómo podemos penetrarlo? Mediante lo que Kierkegaard llama el «salto» y nosotros, a la española, «el salto mortal». Hui-neng, patriarca chino del siglo VII, explica así la experiencia central del budismo: *Mahaprajñaparamita* es un término sánscrito del país occidental; en lengua tang significa: gran-sabiduría-otra-orilla-alcanzada [...] ¿Qué es *Maha? Maha* es grande... ¿Qué es *Prajña*? *Prajña* es sabiduría... ¿Qué es *Paramita*?: la otra orilla alcanzada [...] Adherirse al mundo objetivo es adherirse al ciclo del vivir y el morir, que es como las olas que se levantan en el mar; a esto se llama: esta orilla [...] Al desprendernos del mundo objetivo, no hay ni muerte ni vida y se es como el agua corriendo incesante; a esto se llama: la otra orilla».[2]

Al final de muchos Sutras Prajñaparamita, la idea del viaje o salto se

[1] Todo esto fue escrito diez años antes de la aparición de *La Penseé sauvage* (1962). En esa obra capital, Lévi-Strauss muestra que la *mentalidad primitiva* no es menos racional que la nuestra. [Nota de 1964.]

[2] D. T. Suzuki, *Manual of Zen Buddhism: From the Chinese Zen Masters,* Londres, 1950. En realidad, *Maha* es grande; *Prajña,* sabiduría; *Paramita,* perfección (L. Renou y J. Filliozat, *L'Inde classique,* 1953).

expresa de una manera imperiosa: «Oh, ido, ido, ido a la otra orilla, caído en la otra orilla». Pocos realizan la experiencia del salto, a pesar de que el bautismo, la comunión, los sacramentos y otros ritos de iniciación o de tránsito están destinados a prepararnos para esa experiencia. Todos ellos tienen en común el cambiarnos, el hacernos «otros». De ahí que consistan en darnos un nuevo nombre, indicando así que ya somos otros: acabamos de nacer o de renacer. El rito reproduce la experiencia mística de la «otra orilla» tanto como el hecho capital de la vida humana: nuestro nacimiento, que exige previamente la muerte del feto. Y quizá nuestros actos más significativos y profundos no sean sino la repetición de este morir del feto que renace en criatura. En suma, el «salto mortal», la experiencia de la «otra orilla», implica un cambio de naturaleza: es un morir y un nacer. Mas la «otra orilla» está en nosotros mismos. Sin movernos, quietos, nos sentimos arrastrados, movidos por un gran viento que nos echa fuera de nosotros. Nos echa fuera y, al mismo tiempo, nos empuja hacia dentro de nosotros. La metáfora del soplo se presenta una y otra vez en los grandes textos religiosos de todas las culturas: el hombre es desarraigado como un árbol y arrojado hacia allá, a la otra orilla, al encuentro de sí. Y aquí se presenta otra nota extraordinaria: la voluntad interviene poco o participa de una manera paradójica. Si ha sido escogido por el gran viento, es inútil que el hombre intente resistirlo. Y a la inversa: cualquiera que sea el valor de las obras o el fervor de la plegaria, el hecho no se produce si no interviene el poder extraño. La voluntad se mezcla a otras fuerzas de manera inextricable, exactamente como en el momento de la creación poética. Libertad y fatalidad se dan cita en el hombre. El teatro español nos ofrece varias ilustraciones de este conflicto.

En *El condenado por desconfiado*, Tirso de Molina —o quienquiera que sea el autor de esta obra— nos presenta a Paulo, asceta que desde hace diez años busca la salvación en la austeridad de una cueva. Un día se sueña muerto; comparece ante Dios y aprende la verdad: irá al infierno. Al despertar, duda. El demonio se le aparece en forma de ángel y le anuncia que Dios le ordena ir a Nápoles: allá encontrará la respuesta a las cavilaciones que le atormentan, en la figura de Enrico. En él verá su destino «porque el fin que aquél tuviere, ese fin has de tener». Enrico es «el hombre más malo del mundo», aunque dueño de dos virtudes: el amor filial y la fe. Ante el espejo de Enrico, Paulo retrocede horrorizado; luego, no sin cierta lógica, decide imitarlo. Pero Paulo nada más ve una parte, la más exterior, de su modelo e ignora que ese criminal es también un hombre de fe, que en los momentos decisivos se entrega a Dios sin reticencias. Al fin de la obra, Enrico se arrepiente y se abandona sin segundos pensamientos a la voluntad divina: da el salto mortal y se salva. Paulo, empecinado, da otro salto: al vacío infernal. En cierto modo se hunde en sí mismo, porque la duda lo ha vaciado por dentro. ¿Cuál es el delito de Paulo? Para Tirso, el teólogo, la desconfianza, la duda. Y más hondamente, la soberbia: Paulo jamás se abandona a Dios. Su desconfianza frente a la divinidad se transforma en un exceso de confianza en sí mismo: en el demonio. Paulo es culpable de no saber oír. Sólo que Dios se expresa como silencio; el demonio, como voz. La entrega libera a Enrico del peso del pecado y le da la eterna libertad; la afirmación de sí mismo pierde a Paulo. La libertad es un misterio, porque es una gracia divina y la voluntad de Dios es inescrutable.

Más allá de los problemas teológicos que provoca *El condenado por desconfiado,* es notable el tránsito instantáneo, el cambio fulminante de naturaleza que se opera en los protagonistas. Enrico es una fiera; de pronto se vuelve «otro» y muere arrepentido. Paulo, también en un instante, se transforma de asceta en libertino. En otra obra, de Mira de Amescua, *El esclavo del demonio,* la revolución psíquica es igualmente vertiginosa y total. En una de las primeras escenas del drama, un piadoso predicador, don Gil, sorprende a un galán en el momento en que escala el balcón de Lisarda, su amada. El fraile logra disuadirlo y el mancebo se aleja. Cuando el sacerdote se queda solo, el movimiento de orgullo por su buena acción le abre las puertas del pecado. En un monólogo relampagueante, don Gil da el salto mortal: de la alegría pasa al orgullo y de éste a la lascivia. En un abrir de ojos se vuelve «otro»: sube por la escala que ha dejado el caballero y, al amparo de la noche y el deseo, duerme con la doncella. A la mañana siguiente, Lisarda descubre la identidad del fraile. También a ella se le cierra un mundo y se le abre otro. Del amor pasa a la afirmación de sí misma, una afirmación, por decirlo así, negativa: puesto que el amor se le niega, no le queda sino abrazar el mal. El vértigo se apodera de ambos. De ahí en adelante la acción, literalmente, se precipita. La pareja no retrocede ante nada: robo, matanza, parricidio. Pero sus actos, como los de Paulo y Enrico, no consienten una explicación psicológica. Inútil buscar razones a este fervor sombrío. Libremente, pero también empujados, arrastrados por un abismo que los llama, en un instante que es todos los instantes, se despeñan. Aunque sus actos son el fruto de una decisión al mismo tiempo instantánea e irrevocable, el poeta nos los presenta habitados por otras fuerzas, desaforados, salidos de madre. Están poseídos: son «otros».

Y este ser otros consiste en un despeñarse en ellos mismos. Han dado un salto, como Enrico y Paulo. Saltos, actos que nos arrancan de este mundo y nos hacen penetrar en la otra orilla sin que sepamos a ciencia cierta si somos nosotros o lo sobrenatural quien nos lanza.

El «mundo de aquí» está hecho de contrarios relativos. Es el reino de las explicaciones, las razones y los motivos. Sopla el gran viento y se rompe la cadena de las causas y los efectos. Y la primera consecuencia de esta catástrofe es la abolición de las leyes de gravedad, naturales y morales. El hombre pierde peso, es una pluma. Los héroes de Tirso y de Mira de Amescua no tropiezan con ninguna resistencia: se hunden o se elevan verticalmente, sin que nada los detenga. Al mismo tiempo, se transtorna la figura del mundo: lo de arriba está abajo; lo de abajo, arriba. El salto es al vacío o al pleno ser. *Bien* y *mal* son nociones que adquieren otro sentido apenas ingresamos en la esfera de lo sagrado. Los criminales se salvan, los justos se pierden. Los actos humanos resultan ambiguos. Practicamos el mal, oímos al demonio cuando creemos proceder con rectitud y a la inversa. La moral es ajena a lo sagrado. Estamos en un mundo que es, efectivamente, otro mundo.

La misma ambigüedad distingue nuestros sentimientos y sensaciones frente a lo divino. Ante los dioses y sus imágenes sentimos simultáneamente asco y apetito, terror y amor, repulsión y fascinación. Huimos de aquello que buscamos, según se ve en los místicos; gozamos al sufrir, nos dicen los mártires. En un soneto que lleva por epígrafe unas palabras de San Juan Crisólogo *(Plus ordebat, quam urebat),* Quevedo describe los goces del martirio:

Arde Lorenzo y goza en las parrillas;
el tirano en Lorenzo arde y padece,
viendo que su valor constante crece
cuanto crecen las llamas amarillas.

Las brasas multiplica en maravillas
y Sol entre carbones amanece
y en alimento a su verdugo ofrece
guisadas del martirio sus costillas.

A Cristo imita en darse en alimento
a su enemigo, esfuerzo soberano
y ardiente imitación del Sacramento.

> Mírale el cielo eternizar lo humano,
> y viendo victorioso el vencimiento
> menos abrasa que arde el vil tirano.

Lorenzo, quemándose, goza en su martirio; el tirano padece y se quema en su enemigo. Para vislumbrar la distancia que separa este martirio sagrado de las torturas profanas basta pensar en el mundo del Marqués de Sade. Ahí la relación entre víctimas y verdugo es inexistente; nada rompe la soledad del libertino porque sus víctimas se vuelven objetos. El goce de sus verdugos es puro y solitario. No es goce, sino rabia fría. El deseo de los personajes de Sade es infinito porque jamás logra satisfacerse. Su mundo es el de la incomunicación: cada uno está solo en su infierno. En el soneto de Quevedo la ambigüedad de la comunión es llevada hasta sus últimas consecuencias. La parrilla es un instrumento de tortura y de cocina y la transfiguración de Lorenzo es doble: se convierte en guisado y en sol. En el plano moral se repite la dualidad: el triunfo del tirano es derrota; la de Lorenzo, victoria. Y no sólo los sentimientos se mezclan al grado que es imposible saber en dónde acaba el padecimiento y principia el goce, sino que Lorenzo, por obra de la comunión, es también su verdugo y éste su víctima.

Lo divino afecta de una manera acaso más decisiva las nociones de espacio y tiempo, fundamentos y límites de nuestro pensar. La experiencia de lo sagrado afirma: aquí es allá; los cuerpos son ubicuos; el espacio no es una extensión, sino una cualidad; ayer es hoy; el pasado regresa; lo futuro ya aconteció. Si se examina de cerca esta manera de pasar que tienen tiempo y cosas, se advierte la presencia de un centro que atrae o separa, eleva o precipita, mueve o inmoviliza. Las fechas sagradas regresan conforme a cierto ritmo, que no es distinto del que junta o separa los cuerpos, trastorna los sentimientos, hace dolor del goce, placer del sufrimiento, mal del bien. El universo está imantado. Una suerte de ritmo teje tiempo y espacio, sentimientos y pensamientos, juicios y actos y hace una sola tela de ayer y mañana, de aquí y allá, de náusea y delicia. Todo es hoy. Todo está presente. Todo está, todo es aquí. Pero también todo está en otra parte y en otro tiempo. Fuera de sí y pleno de sí. Y la sensación de arbitrariedad y capricho se transforma en un vislumbrar que todo está regido por algo que es radicalmente distinto y extraño a nosotros. El salto mortal nos enfrenta a lo sobrenatural. La sensación de estar ante lo sobrenatural es el punto de partida de toda experiencia religiosa.

Lo sobrenatural se manifiesta, en primer término, como sensación de radical extrañeza. Y esa extrañeza pone en entredicho la realidad y el existir mismo, precisamente en el momento en que los afirma en sus expresiones más cotidianas y palpables. Lorenzo se vuelve sol, pero también un atroz pedazo de carne quemada. Todo es real e irreal. Los ritos y ceremonias religiosas subrayan esta ambigüedad. Recuerdo que una tarde, en Mutra, ciudad sagrada del hinduismo, tuve ocasión de asistir a una pequeña ceremonia a la orilla del Jumma. El rito es muy simple: a la hora del crepúsculo un bramín enciende, sobre un pequeño templete, el fuego sagrado y alimenta a las tortugas que habitan las márgenes del río; después, recita un himno mientras los devotos tañen campanas, cantan y queman incienso. Aquel día asistían a la ceremonia dos o tres docenas de fieles de Krishna, cuyo gran santuario se encuentra a unos cuantos kilómetros. Cuando el bramín hizo el fuego (¡y qué débil aquella luz frente a la noche inmensa que empezaba a levantarse frente a nosotros!) los devotos gritaron, cantaron y saltaron. Sus contorsiones y gritos no dejaron de causarme desprecio y pena. Nada menos solemne, nada más sórdido, que aquel fervor desmedrado. Mientras crecía el pobre griterío, unos niños desnudos jugaban y reían; otros pescaban o nadaban. Inmóvil, un campesino orinaba en el agua opaca. Unas mujeres lavaban. El río fluía. Todo continuaba su vida de siempre y las únicas que parecían exaltadas eran las tortugas, que alargaban el cuello para atrapar la comida. Al fin, todo se quedó quieto. Los mendigos regresaron al mercado, los peregrinos a sus mesones, las tortugas al agua. ¿A esto se reducía el culto a Krishna?

Todo rito es una representación. Aquel que participa en una ceremonia es como el actor que representa una obra: está y no está al mismo tiempo en su personaje. El escenario es también una representación: esa montaña es el palacio de una serpiente; ese río que corre indiferente es una divinidad. Pero montaña y río no dejan por eso de ser lo que son. Todo es y no es. Aquellos devotos de Krishna representaban, sólo que con esto no quiero decir que eran los actores de una farsa sino subrayar el carácter ambiguo de su acto. Todo pasa de un modo común y corriente, a menudo de una manera que nos hiere por su agresiva vulgaridad; y al mismo tiempo, todo está ungido. El creyente está y no está en este mundo. Este mundo es y no es real. A veces la ambigüedad se manifiesta como humor: «Un monje preguntó a Unnón: ¿qué es Buda? Un mojón seco», respondió el maestro. El adepto de Zen, por medio de ejercicios de los que no está ausente lo grotesco y una especie de nihilismo circular, que acaba por refutarse a sí mismo, alcanza la súbita iluminación. Un Sutra Prajñaparamita dice: «No predicar doctrina alguna: eso es predicar la verdadera doctrina». Un discípulo pregunta: «¿Podrías tocar un son en un arpa sin cuerdas? El maestro no responde durante un rato y luego dice: ¿Oíste? No, contesta el otro. A lo que el maestro replica: ¿Por qué no me pediste que tocara más fuerte?»[1]

La extrañeza es asombro ante una realidad cotidiana que de pronto se revela como lo nunca visto. Las dudas de Alicia nos muestran hasta qué punto el suelo de las llamadas evidencias puede hundirse bajo nuestros pies: «I'm sure I'm not Ada, for her hair goes in such long ringlets and mine doesn't go in ringlets at all, and I'm sure I can't be Mabel [...] besides, she's she and I'm I and —oh dear, how puzzling it all is!» Las dudas de Alicia no son muy distintas a las de los místicos y poetas. Como ellos, Alicia se asombra. Mas ¿ante qué se asombra? Ante ella misma, ante su propia realidad, sí, pero también ante algo que pone en tela de juicio su realidad, la identidad de su ser mismo. Esto que está frente a nosotros —árbol, montaña, imagen de piedra o de madera, yo mismo que me contemplo— no es una presencia natural. Es otro. Está habitado por lo *Otro*. La experiencia de lo sobrenatural es experiencia de lo *Otro*.

Para Rodolfo Otto la presencia de lo *Otro* —y, podríamos añadir, la sensación de *otredad*— se manifiesta «como un misterio *tremendum*, un misterio que hace temblar».[2] Al analizar el contenido de lo tremendo, el pensador alemán encuentra tres elementos. En primer término el terror sagrado, esto es, «un terror especial», que sería vano comparar con el miedo que nos produce un peligro conocido. El terror sagrado es pavor indecible, precisamente por ser experiencia de lo indecible. El segundo elemento es la majestad de la Presencia o Aparición: «tremenda majestad». Finalmente, al poder majestuoso se alía la noción de «energía de lo numinoso», y así, la idea de un Dios vivo, activo, todopoderoso, es el tercer elemento. Ahora bien, las dos últimas notas son atributos de la presencia divina y más bien parecen derivarse de la experiencia que constituir su núcleo original. Por tanto, podemos excluirlas y quedarnos con la nota esencial: «misterio que hace temblar». Pero apenas reparamos en este misterio terrible, advertimos que lo que sentimos ante lo desconocido no es siempre terror o temor. Muy bien puede ocurrir que experimentemos lo contrario: alegría, fascinación. En su forma más pura y original

1 D. T. Suzuki, *Essays on Zen Buddhism (First Series)*, Londres, 1927.

2 Rodolfo Otto, *Lo santo*, trad. de Fernando Vela, Madrid, 1928.

la experiencia de la *otredad* es extrañeza, estupefacción, parálisis del ánimo: asombro. El mismo filósofo alemán lo reconoce cuando dice que el término *mysterium* debe comprenderse como la «noción capital» de la experiencia. El misterio —esto es «la inaccesibilidad absoluta»— no es sino la expresión de la *otredad*, de esto *Otro* que se presenta como algo por definición ajeno o extraño a nosotros. Lo *Otro* es algo que no es como nosotros, un ser que es también el no ser. Y lo primero que despierta su presencia es la estupefacción. Pues bien, la estupefacción ante lo sobrenatural no se manifiesta como terror o temor, como alegría o amor, sino como horror. En el horror está incluido el terror —el echarse hacia atrás— y la fascinación que nos lleva a fundirnos con la presencia. El horror nos paraliza. Y no porque la Presencia sea en sí misma amenazante, sino porque su visión es insoportable y fascinante al mismo tiempo. Y esa presencia es horrible porque en ella todo se ha exteriorizado. Es un rostro al que afluyen todas las profundidades, una presencia que muestra el verso y el anverso del ser.

Baudelaire ha dedicado páginas inolvidables a la hermosura horrible, irregular. Esa hermosura no es de este mundo: lo sobrenatural la ha ungido y es una encarnación de lo *Otro*. La fascinación que nos infunde es la del vértigo. Mas antes de caer en ella, experimentamos una suerte de parálisis. No en balde el tema del petrificado aparece una y otra vez en mitos y leyendas. El horror nos «corta el resuello», nos «hiela la sangre», nos petrifica. La estupefacción ante la Presencia extraña es ante todo una suspensión del ánimo, es decir, un interrumpir la respiración, que es el fluir de la vida. El horror pone en entredicho la existencia. Una mano invisible nos tiene en vilo: nada somos y nada es lo que nos rodea. El universo se vuelve abismo y no hay nada frente a nosotros sino esa Presencia inmóvil, que no habla, ni se mueve, ni afirma esto o aquello, sino que sólo está presente. Y ese estar presente sin más engendra el horror.

El momento central del *Bhagavad Gita* es la epifanía de Krishna. El dios ha revestido la forma de cochero del carro de guerra de Arjuna. Antes de la batalla se entabla un diálogo entre Arjuna y Krishna. El héroe vacila. Pero no turba su ánimo la cobardía, sino la piedad: la victoria significa la matanza de gente de su misma sangre, ya que los jefes del ejército enemigo son sus primos, sus maestros y su medio hermano. La destrucción de la casta, dice Arjuna, produce «la de las leyes de la casta». Y con ellas, fundamentos del mundo, la del universo entero. Al principio Krishna combate estas razones con argumentos terrestres: el guerrero debe combatir porque la lucha es su *dharma*. Retirarse del combate es traicionar a su destino y a lo que es él mismo: un luchador. Nada de esto convence a Arjuna: matar es un crimen. Y un crimen inexpiable, porque engendrará un karma sin fin. Krishna responde con razones igualmente poderosas: abstenerse no ha de impedir que la sangre corra, pero sí llevará a la derrota y a la muerte a los Pandu. La situación de Arjuna recuerda un poco a la de Antígona, sólo que el conflicto del *Gita* es más radical. Antígona se debate entre la ley sagrada y la de la ciudad: sepultar a un enemigo del Estado es un acto injusto; no enterrar a un hermano, impiedad. El acto que propone Krishna a Arjuna no está inspirado ni en la piedad ni en la justicia. Nada lo justifica. De ahí que, agotadas las razones, Krishna se manifieste. No es un azar que el dios se presente como una forma horrible, pues se trata de una verdadera Aparición, quiero decir, de una Presencia en la que se hacen aparentes —visibles, externas, palpables— todas las formas de la existencia y en primer término las ocultas y escondidas. Arjuna, petrificado, estupefacto, describe así su visión:

> Looking upon thy mighty form of many mouths and eyes, of many arms and thighs and feet, of many bellies, and grim with many teeth, O mighty-armed one, the worlds and I quake.
>
> For as I behold thee touching the heavens, glittering, many-hued, with yawning mouths, with wide eyes agleam, my inward soul trembles [...]

Vishnú es la «casa del universo» y su apariencia es horrible porque se manifiesta como una presencia abigarrada, hecha de todas las formas: las de la vida tanto como las de la muerte. El horror es asombro ante una totalidad henchida e inaccesible. Ante esta Presencia, que comprende todas las presencias, bien y mal dejan de ser mundos opuestos y discernibles y nuestros actos pierden peso, se vuelven inescrutables. Las medidas son otras. Krishna resume la situación en una frase: *Thou art my tool.* Arjuna no es sino una herramienta en las manos del dios. El hacha no sabe qué es lo que mueve la mano que la empuña. Hay actos que no pueden ser juzgados por la moral de los hombres: los actos sagrados.

En la escultura azteca lo sagrado también se expresa como lo repleto y demasiado lleno. Mas lo horrible no consiste en la mera acumulación de formas y símbolos, sino en ese mostrar en un mismo plano y en un mismo instante las dos vertientes de la existencia. Lo horrible muestra las entrañas del ser. Coatlicue está cubierta de espigas y calaveras, de flores y garras. Su ser es todos los seres. Lo de adentro está afuera. Son visibles al fin las entrañas de la vida. Pero esas entrañas son la muerte. La vida es la muerte. Y ésta, aquélla. Los órganos de la gestación son también los de la destrucción. Por la boca de Krishna fluye el río de la creación. Por ella se precipita hacia su ruina el universo. Todo está presente. Y este *todo está presente* equivale a un *todo está vacío*. En efecto, el horror no sólo se manifiesta como una presencia total, sino también como ausencia: el suelo se hunde, las formas se desmoronan, el universo se desangra. Todo se precipita hacia lo blanco. Hay una boca abierta, un hoyo. Baudelaire lo sintió como nadie:

> Pascal avait son gouffre, avec lui se mouvant.
> —Hélas! tout est abîme —action, désir, rêve,
> Parole! et sur mon poil qui tout droit se relève
> Mainte fois de la Peur je sens passer le vent.
>
> En haut, en bas, partout, la profondeur, la grève,
> Le silence, l'espace affreux et captivant...
> Sur le fond de mes nuits Dieu de son doigt savant
> Dessine un cauchemar multiforme et sans trêve.
>
> J'ai peur du sommeil comme on a peur d'un grand trou,
> Tout plein de vague horreur, menant on ne sait où;
> Je ne vois qu'infini par toutes les fenêtres,
>
> Et mon esprit, toujours du vertige hanté,
> Jalouse du néant l'insensibilité.
> —Ah! ne jamais sortir des Nombres et des Êtres!

Asombro, estupefacción, alegría, la gama de sensaciones ante lo *Otro* es muy rica. Mas todas ellas tienen esto en común: el primer movimiento del ánimo es echarse hacia atrás. Lo *Otro* nos repele: abismo, serpiente, delicia, monstruo bello y atroz. Y a esta repulsión sucede el movimiento contrario: no podemos quitar los ojos de la presencia, nos inclinamos hacia el fondo del precipicio. Repulsión y fascinación. Y luego, el vértigo: caer, perderse, ser uno con lo *Otro*. Vaciarse. Ser nada: ser todo: ser. Fuerza de gravedad de la muerte, olvido de sí, abdicación y, simultáneamente, instantáneo darse cuenta de que esa presencia extraña es también nosotros. Esto que me repele, me atrae. Ese *Otro* es también yo. La fascinación sería inexplicable si el horror ante la *otredad* no estuviese, desde su raíz, teñido por la sospecha de nuestra final identidad con aquello que de tal manera nos parece extraño y ajeno. La inmovilidad es también caída; la caída, ascensión; la presencia, ausencia; el temor, profunda e invencible atracción. La experiencia de lo *Otro* culmina en la experiencia de la Unidad. Los dos movimientos contrarios se implican. En el echarse hacia atrás ya late el salto hacia adelante. El precipitarse en el *Otro* se presenta como un regreso a algo de que fuimos arrancados. Cesa la dualidad, estamos en la otra orilla. Hemos dado el salto mortal. Nos hemos reconciliado con nosotros mismos.

A veces, sin causa aparente —o como decimos en español: *porque sí*— vemos de verdad lo que nos rodea. Y esa visión es, a su manera, una suerte de teofanía o aparición, pues el mundo se nos revela en sus repliegues y abismos como Krishna ante Arjuna. Todos los días cruzamos la misma calle o el mismo jardín; rodas las tardes nuestros ojos tropiezan con el mismo muro rojizo, hecho de ladrillo y tiempo urbano. De pronto, un día cualquiera, la calle da a otro mundo, el jardín acaba de nacer, el muro fatigado se cubre de signos. Nunca los habíamos visto y ahora nos asombra que sean así: tanto y tan abrumadoramente reales. Su misma compacta realidad nos hace dudar: ¿son así las cosas o son de otro modo? No, esto que vemos por primera vez ya lo habíamos visto antes. En algún lugar, en el que acaso nunca hemos estado, ya estaban el muro, la calle, el jardín. Y a la extrañeza sucede la añoranza. Nos parece recordar y quisiéramos volver allá, a ese lugar en donde las cosas son siempre así, bañadas por una luz antiquísima y, al mismo tiempo, acabada de nacer. Nosotros también somos de allá. Un soplo nos golpea la frente. Estamos encantados, suspensos en medio de la tarde inmóvil. Adivinamos que somos de otro mundo. Es la «vida anterior», que regresa.

Los estados de extrañeza y reconocimiento, de repulsión y fascinación, de separación y reunión con lo *Otro*, son también estados de soledad y comunión con nosotros mismos. Aquel que de veras está a solas consigo, aquel que se basta en su propia soledad, no está solo. La verdadera soledad consiste en estar separado de su ser, en ser dos. Todos estamos solos, porque todos somos dos. El extraño, el *otro*, es nuestro doble. Una y otra vez intentamos asirlo. Una y otra vez se nos escapa. No tiene rostro, ni nombre, pero está allí siempre, agazapado. Cada noche, por unas cuantas horas, vuelve a fundirse con nosotros. Cada mañana se separa. ¿Somos su hueco, la huella de su ausencia? ¿Es una imagen? Pero no es el espejo, sino el tiempo, el que lo multiplica. Y es inútil huir, aturdirse, enredarse en la maraña de las ocupaciones, los quehaceres, los placeres. El *otro* está siempre ausente. Ausente y presente. Hay un hueco, un hoyo a nuestros pies. El hombre anda desaforado, angustiado, buscando a ese *otro* que es él mismo. Y nada puede volverlo en sí, excepto el salto mortal: el amor, la imagen, la Aparición.

Ante la Aparición, porque se trata de una verdadera aparición, dudamos entre avanzar y retroceder. El carácter contradictorio de nuestras emociones nos paraliza. Ese cuerpo, esos ojos, esa voz nos hacen daño y al mismo tiempo nos hechizan. Nunca habíamos visto ese rostro y ya se confunde con nuestro pasado más remoto. Es la extrañeza total y la vuelta a algo que no admite más calificativo que el de entrañable. Tocar ese cuerpo es perderse en lo desconocido; pero, asimismo, es alcanzar tierra firme. Nada más ajeno y nada más nuestro. El amor nos suspende, nos arranca de nosotros mismos y nos arroja a lo extraño por excelencia: otro cuerpo, otros ojos, otro ser. Y sólo en ese cuerpo que no es el nuestro y en esa vida irremediablemente ajena, podemos ser nosotros mismos. Ya no hay *otro,* ya no hay dos. El instante de la enajenación más completa es el de la plena reconquista de nuestro ser. También aquí todo se hace presente y vemos el otro lado, el oscuro y escondido, de la existencia. De nuevo el ser abre sus entrañas.

Las semejanzas entre el amor y la experiencia de lo sagrado son algo más que coincidencias. Se trata de actos que brotan de la misma fuente. En distintos niveles de la existencia se da el salto y se pretende llegar a la otra orilla. La comunión, para citar un ejemplo muy socorrido, opera como un cambio en la naturaleza del creyente. El manjar sagrado nos transmuta. Y ese ser *otros* no es sino en un recobrar nuestra naturaleza o condición original. «La mujer —decía Novalis— es el alimento corporal más elevado.» Gracias al canibalismo erótico el hombre cambia, esto es, regresa a su estado anterior. La idea del regreso —presente en todos los actos religiosos, en todos los mitos y aun en las utopías— es la fuerza de gravedad del amor. La mujer nos exalta, nos hace salir de nosotros y, simultáneamente, nos hace volver. Caer: volver a ser. Hambre de vida: hambre de muerte. Salto de la energía, disparo, expansión del ser: pereza, inercia cósmica, caer en el sinfín. Extrañeza ante lo *Otro:* vuelta a uno mismo. Experiencia de la unidad e identidad final del ser.

Los primeros en advertir el origen común de amor, religión y poesía fueron los poetas. El pensamiento moderno ha confiscado este descubrimiento para sus fines. Para el nihilismo contemporáneo poesía y religión no son sino formas de la sexualidad: la religión es una neurosis, la poesía una sublimación. No es necesario detenerse en estas explicaciones. Tampoco en las que pretenden explicar un fenómeno por otro —económico, social o psicológico— que a su vez necesita otra explicación. Todas esas hipótesis, como se ha dicho muchas veces, delatan el imperialismo de lo particular, característico de las concepciones del siglo pasado. La verdad es que en la experiencia de lo sobrenatural, como en la del amor y en la de la poesía, el hombre se siente arrancado o separado de sí. Y a esta primera sensación de ruptura sucede otra de total identificación con aquello que nos parecía ajeno y al cual nos hemos fundido de tal modo que ya es indistinguible e inseparable de nuestro propio ser. ¿Por qué no pensar, entonces, que todas estas experiencias tienen por centro común algo más antiguo que la sexualidad, la organización económica o social o cualquier otra «causa»?

Lo sagrado trasciende la sexualidad y las instituciones sociales en que cristaliza. Es erotismo, pero es algo que traspasa el impulso sexual; es un fenómeno social, pero es otra cosa. Lo sagrado se nos escapa. Al intentar asirlo, nos encontramos que tiene su origen en algo anterior y que se confunde con nuestro ser. Otro tanto ocurre con amor y poesía. Las tres experiencias son manifestaciones de algo que es la raíz misma del hombre. En las tres late la nostalgia de un estado anterior. Y ese estado de unidad primordial, del cual fuimos separados, del cual estamos siendo separados a cada momento, constituye nuestra condición original, a la que una y otra vez volvemos. Apenas sabemos qué es lo que nos llama desde el fondo de nuestro ser. Entrevemos su dialéctica y sabemos que los movimientos antagónicos en que se expresa —extrañeza y reconocimiento, elevación y caída, horror y devoción, repulsión y fascinación— tienden a resolverse en unidad. ¿Escapamos así a nuestra condición? ¿Regresamos de veras a lo que somos? Regreso a lo que fuimos y anticipación de lo que seremos. La nostalgia de la vida anterior es presentimiento de la vida futura. Pero una vida anterior y una vida futura que son aquí y ahora y que se resuelven en un instante relampagueante. Esa nostalgia y ese presentimiento son la sustancia de todas las grandes empresas humanas, trátese de poemas o de mitos religiosos, de utopías sociales o de empresas heroicas. Y quizá el verdadero nombre del hombre, la cifra de su ser, sea el Deseo. Pues ¿qué es la temporalidad de Heidegger o la *otredad* de Machado, qué es ese continuo proyectarse del hombre hacia lo que no es él mismo sino Deseo? Si el hombre es un ser que no es, sino que se está siendo, un ser que nunca acaba de serse, ¿no es un ser de deseos tanto como un deseo de ser? En el encuentro amoroso, en la imagen poética y en la teofanía se conjugan sed y satisfacción: somos simultáneamente fruto y boca, en unidad indivisible. El hombre, dicen los modernos, es temporalidad. Mas esa temporalidad quiere aquietarse, saciarse, contemplarse a sí misma. Mana para satisfacerse. El hombre se imagina, y al imaginarse, se revela. ¿Qué es lo que nos revela la poesía?

LA REVELACIÓN POÉTICA

Religión y poesía tienden a realizar de una vez y para siempre esa posibilidad de ser que somos y que constituye nuestra manera propia de ser; ambas son tentativas por abrazar esa *otredad* que Machado llamaba la «esencial heterogeneidad del ser». La experiencia poética, como la religiosa, es un salto mortal: un cambiar de naturaleza que es también un regresar a nuestra naturaleza original. Encubierto por la vida profana o prosaica, nuestro ser de pronto recuerda su perdida identidad, y entonces aparece, emerge, ese *otro* que somos. Poesía y religión son revelación. Pero la palabra poética se pasa de la autoridad divina. La imagen se sustenta en sí misma, sin que le sea necesario recurrir ni a la demostración racional ni a la instancia de un poder sobrenatural: es la revelación de sí mismo que el hombre se hace a sí mismo. La palabra religiosa, por el contrario, pretende revelarnos un misterio que es, por definición, ajeno a nosotros. Esta diversidad no deja de hacer más turbadoras las semejanzas entre religión y poesía. ¿Cómo, si parecen nacer de la misma fuente y obedecer a la misma dialéctica, se bifurcan hasta cristalizar en formas irreconciliables: por una parte, ritmos e imágenes; por la otra, teofanías y ritos? ¿La poesía es una suerte de excrecencia de la religión o una como oscura y borrosa prefiguración de lo sagrado? ¿La religión es poesía convertida en dogma? La descripción del capítulo anterior no nos da elementos suficientes para responder con certeza a estas preguntas.

Para Rodolfo Otto lo sagrado es una categoría *a priori*, compuesta de dos elementos: unos racionales y otros irracionales. Los elementos racionales están constituidos por las ideas «de absoluto, perfección, necesidad y entidad —y aun la del bien en cuanto valor objetivo y objetivamente obligatorio— que no proceden de ninguna percepción sensible [...] Estas ideas nos obligan a abandonar el terreno de la experiencia sensible y nos llevan a aquello que, independientemente de toda percepción, existe en la razón pura y constituye una disposición original del espíritu mismo».[1] Confieso que no me parece tan evidente la existencia *a priori* de ideas como las de perfección, necesidad o bien. Tampoco veo cómo pueden constituir una disposición original de nuestra razón. Es verdad que podría afirmarse que semejantes ideas son algo así como aspiraciones constitutivas de la conciencia. Mas cada vez que cristalizan en un juicio ético, niegan otros juicios éticos que también pretenden encarnar, con el mismo rigor y absolutismo, esa aspiración al bien. Cada juicio ético niega a los otros y, en cierto modo, a esa idea *a priori* en que se fundan y en la que él mismo se sustenta. Pero no es necesario detenerse en esta cuestión, que rebasa los límites de este ensayo (para no hablar de los más estrechos aún de mi competencia). Pues aun si efectivamente esas ideas constituyen un dominio anterior a la percepción, o a las interpretaciones de la percepción, ¿cómo podemos saber si realmente son un elemento originario de la categoría de lo sagrado? Ni en la experiencia de lo sobrenatural se encuentra un trazo de su presencia ni tampoco aparece su huella en muchas concepciones religiosas. La idea de *perfección*, concebida como un *a priori* racional, debería reflejarse automáticamente en la noción de divinidad. Los hechos parecen desmentir esta presunción. La religión azteca nos muestra un dios que cede y peca: Quetzalcóatl; la religión griega y otras creencias pueden darnos ejemplos parecidos. Asimismo, las ideas de *bien* y de *necesidad* exigen la noción complementaria de *omnipotencia*. La misma religión azteca nos ofrece una desconcertante interpretación del sacrificio: los dioses no son todopoderosos, puesto que necesitan de la sangre humana para asegurar el mantenimiento del orden cósmico. Los dioses mueven el mundo, pero la sangre mueve a los dioses. No es útil multiplicar los ejemplos, ya que el mismo Otto cuida de fijar un límite a su afirmación: «Los predicados racionales no agotan la esencia de lo divino [...] son predicados esenciales más sintéticos. No se comprenderá exactamente lo que son si no se les considera como atributos de un objeto que en cierto modo les sirve de apoyo y que para ellos mismos es inaccesible».[2]

[1] Rodolfo Otto, *Lo santo,* Madrid, 1928.
[2] *Idem.*

La experiencia de lo sagrado es una experiencia repulsiva. O más exactamente: revulsiva. Es un echar afuera lo interior y secreto, un mostrar las entrañas. Lo demoniaco, nos dicen todos los mitos, brota del centro de la tierra. Es una revelación de lo escondido. Al mismo tiempo, toda aparición implica una ruptura del tiempo o del espacio: la tierra se abre, el tiempo se escinde; por la herida o abertura vemos «el otro lado» del ser. El vértigo brota de este abrirse del mundo en dos y enseñarnos que la creación se sustenta en un abismo. Mas apenas el hombre intenta sistematizar su experiencia y hace del horror original un concepto, tiende a introducir una suerte de jerarquía en sus visiones. No es aventurado ver en esta operación el origen del dualismo y, por tanto, de los llamados elementos racionales. Ciertos componentes de la experiencia se convierten en atributos de la manifestación nocturna o siniestra del dios (el aspecto destructor de Shiva, la cólera de Jehová, la embriaguez de Quetzalcóatl, la vertiente norte de Tezcatlipoca, etc.). Otros elementos se transforman en expresiones de su forma luminosa, aspecto solar o salvador. En otras religiones el dualismo se hace más radical y el dios de dos caras o manifestaciones cede el sitio a divinidades autónomas, al príncipe de la luz y al de las tinieblas. En suma, a través de una purga o purificación los elementos atroces de la experiencia se desprenden de la figura del dios y preparan el advenimiento de la ética religiosa. Pero cualquiera que sea el valor moral de los preceptos religiosos, es indudable que no constituyen el fondo último de lo sagrado y que no proceden, tampoco, de una intuición ética pura. Son el resultado de una racionalización o purificación de la experiencia original, que se da en capas más profundas del ser.

Otto funda así la anterioridad y originalidad de los elementos irracionales: «Las ideas de numinoso y sus elementos correlativos son, como las racionales, ideas y sentimientos absolutamente puros, a los que se aplican con exactitud perfecta los signos que Kant señala como inherentes al concepto y al sentimiento *puros*». Esto es, ideas y sentimientos anteriores a la experiencia, aunque sólo se den en ella y sólo por ella podamos aprehenderlos. Al lado de la razón teórica y la razón práctica, Otto postula la existencia de un tercer dominio «que constituye algo más elevado o, si se quiere, más profundo». Este tercer dominio es lo divino, lo santo o lo sagrado, y en él se apoyan todas las concepciones religiosas. Así pues, lo sagrado no es sino la expresión de una disposición divinizante, innata en el hombre. Estamos, pues, en presencia de una suerte de «instinto religioso», que tiende a tener conciencia de sí y de sus objetos «gracias al desarrollo del oscuro contenido de esa idea *a priori* de la que el mismo ha surgido». El contenido de las representaciones de esa disposición es irracional, como el *a priori* mismo en que se asienta; porque no puede ser reducido a razones ni a conceptos: «La religión es una tierra incógnita para la razón». El objeto numinoso es lo radicalmente extraño a nosotros, precisamente por inasible para la razón humana. Cuando queremos expresarlo no tenemos más remedio que acudir a imágenes y paradojas. El Nirvana del budismo y la Nada del místico cristiano son nociones negativas y positivas al mismo tiempo, verdaderos «ideogramas numinosos de lo *Otro*». La antinomia, «que es la forma más aguda de la paradoja», constituye así el elemento natural de la teología mística, lo mismo para los cristianos que para los árabes, los hindúes y los budistas.

La concepción de Otto recuerda la sentencia de Novalis: «Cuando el corazón se siente a sí mismo y, desasido de todo objeto particular y real, deviene su propio objeto ideal, entonces nace la religión». La experiencia de lo sagrado no es tanto la revelación de un objeto exterior a nosotros —dios, demonio, presencia ajena— como un abrir nuestro corazón o nuestras entrañas para que brote ese *Otro* escondido. La revelación, en el sentido de un don o gracia que viene del exterior, se transforma en un abrirse del hombre a sí mismo. Lo menos que se puede decir de esta idea es que la noción de *trascendencia* —fundamento de la religión— sufre un grave quebranto. El hombre no está «suspendido de la mano de Dios», sino que Dios yace oculto en el corazón del hombre. El objeto numinoso es siempre interior y se da como la otra cara, la positiva, del vacío con que se inicia toda experiencia mística. ¿Cómo conciliar este emerger de Dios en el hombre con la idea de una Presencia absolutamente extraña a nosotros? ¿Cómo aceptar que vemos a Dios gracias a una disposición divinizante sin al mismo tiempo minar su existencia misma, haciéndola depender de la subjetividad humana?

Por otra parte, ¿cómo distinguir la disposición religiosa o divinizante de otras «disposiciones», entre las cuales se encuentra, precisamente, la de poetizar? Porque podemos alterar la frase de Novalis y decir, con el mismo derecho y sin escándalo para nadie: «Cuando el corazón se siente a sí mismo... entonces nace la poesía». El mismo Otto reconoce que «la noción de lo *sublime* se asocia estrechamente a la de *numinoso*» y que sucede lo mismo con el sentimiento poético y el musical. Sólo que, dice, la aparición del sentimiento de lo sublime es posterior a la de lo numinoso. Así, lo distintivo de lo sagrado sería su antigüedad.

La anterioridad de lo sagrado no puede ser de orden histórico. No sabemos, ni lo sabremos nunca, qué fue lo primero que sintió o pensó el hombre en el momento de aparecer sobre la tierra. La antigüedad que reclama Otto debe entenderse de otra manera: lo sagrado es el sentimiento original, del que se desprenden lo sublime y lo poético. Nada más difícil de probar. En toda experiencia de lo sagrado se da un elemento que no es temerario llamar *sublime,* en el sentido kantiano de la palabra. Y a la inversa: en lo sublime hay siempre un temblor, un malestar, un pasmo y ahogo, que delatan la presencia de lo desconocido e inconmensurable, rasgos del horror divino. Otro tanto puede decirse del amor: la sexualidad se manifiesta en la experiencia de lo sagrado con terrible potencia, y éste en la vida erótica: todo amor es una revelación, un sacudimiento que hace temblar los cimientos del yo y nos lleva a proferir palabras que no son muy distintas de las que emplea el místico. En la creación poética pasa algo parecido: ausencia y presencia, silencio y palabra, vacío y plenitud son estados poéticos tanto como religiosos y amorosos. Y en todos ellos los elementos racionales se dan al mismo tiempo que los irracionales, sin que sea posible separarlos sino tras una purificación o interpretación posterior. Todo esto nos lleva a presumir que es imposible afirmar que lo sagrado constituye una categoría *a priori,* irreductible y original, de la que proceden las otras. Cada vez que intentamos asirla nos encontramos con que lo que parecía distinguirla está presente también en otras experiencias. El hombre es un ser que se asombra; al asombrarse, poetiza, ama, diviniza. En el amor hay asombro, poetización, divinización y fetichismo. El poetizar brota también del asombro y el poeta diviniza como el místico y ama como el enamorado. Ninguna de estas experiencias es pura; en todas ellas aparecen los mismos elementos, sin que pueda decirse que uno es anterior a los otros.

El sentido, y no la composición de los elementos que las forman, podría distinguir cada una de estas experiencias. La coloración especial que distingue las palabras del místico de las del poeta es el objeto a que están referidas. Un texto de San Juan adquiere tonalidad religiosa porque el objeto numinoso las baña en una luz particular. Así, lo realmente privativo de cada experiencia sería su objeto. Pero aquí la dificultad empieza a mostrarse como realmente insuperable. Nos movemos en un círculo. Pues los objetos externos sólo pueden «excitar o despertar la disposición divinizante». No son ellos, sino esa elusiva disposición, la que los inscribe dentro de lo sagrado. Mas esa disposición no es pura, según se ha visto. En suma: nada nos permite aislar la categoría de lo sagrado de otras análogas, excepto su objeto o referencia; pero el objeto no se da fuera, sino dentro, en la experiencia misma. Todos los caminos de acceso se cierran. No queda más remedio que abandonar ideas y categorías *a priori* y asir lo sagrado en el momento de su nacimiento en el hombre.

El horror sagrado brota de la extrañeza radical. El asombro produce una suerte de disminución del yo. El hombre se siente pequeño, perdido en la inmensidad, apenas se ve solo. La sensación de pequeñez puede llegar a la afirmación de la miseria: el hombre no es sino «polvo y ceniza». Schleiermacher llama a este estado «sentimiento de dependencia». Una diferencia cualitativa separa esta «dependencia» de las otras. Nuestra dependencia de un superior o de una circunstancia cualquiera es relativa y cesa apenas desaparece su agente; nuestra dependencia de Dios es absoluta y permanente: nace con nuestro mismo nacimiento y no termina nunca, ni siquiera después de la muerte. Esta dependencia es algo «original y fundamental del espíritu, algo que no es definible sino por sí mismo». Lo sagrado se obtiene así por inferencia: del sentimiento de mí mismo, del sentirme dependiente de algo, brota la noción de la *divinidad*. Otto hace suya la idea del filósofo romántico, pero le reprocha su racionalismo. En efecto, para Schleiermacher lo sagrado o numinoso no constituye realmente una idea anterior a todas las ideas, sino que es una consecuencia de este sentirnos a nosotros mismos como dependencia de algo desconocido. Ese algo desconocido, siempre presente y nunca visible del todo, se llama Dios. Para evitar todo equívoco, Otto llama al sentimiento original «estado de criatura». El centro de gravedad cambia. Lo realmente característico reside en el hecho «de no ser más que criaturas». Con lo cual no quiere decir que nuestro sentimiento original arranca de la oscura conciencia de nuestra finitud y pequeñez, sino que nos sentimos criaturas porque nos encontramos ante la faz de un creador. La aprehensión inmediata del creador constituye así el elemento primero y distintivo del sentimiento original. A la inversa de Schleiermacher, para Otto el estado de criatura es una consecuencia de este súbito enfrentarse al creador. Nos sentimos poca cosa o nada porque estamos ante el todo. Somos criaturas y tenemos conciencia de nosotros mismos porque hemos vislumbrado al creador.

Es difícil aceptar esta interpretación. Todos los textos místicos y religiosos más bien parecen afirmar lo contrario: los estados negativos preceden a los positivos, el estado de criatura es anterior a la noción o visión de un creador. Al nacer, el niño no se siente hijo, ni tiene noción alguna de paternidad o de maternidad. Se siente desarraigado, echado en un mundo extraño y nada más. Estrictamente hablando, el sentimiento de orfandad es anterior a la noción de *maternidad* o de *paternidad.* Así, Otto no hace sino reproducir —sólo que en sentido inverso— la operación que critica a Schleiermacher. El primero hace surgir la idea de *Dios* del sentimiento de dependencia; el segundo hace de lo numinoso la fuente del estado de criatura. En ambos casos se trata de una interpretación de una situación dada. ¿Y cuál es esa situación? Aquí Otto da en el blanco justo. Porque precisamente se trata de la situación original y determinante del hombre: el haber nacido. El hombre ha sido arrojado, echado al mundo. Y a lo largo de nuestra existencia se repite la situación del recién nacido: cada minuto nos echa al mundo; cada minuto nos engendra desnudos y sin amparo; lo desconocido y ajeno nos rodea por todas partes. Despojado de su interpretación teológica, el estado de criatura de Otto no es sino lo que llama Heidegger «el abrupto sentimiento de estar (o encontrarse) ahí». Y como dice Waelhens en su comentario a *El ser y el tiempo:* «El sentimiento de la situación original expresa afectivamente nuestra condición fundamental».[1] La categoría de lo sagrado no es una revelación afectiva de esa condición fundamental —el ser criaturas, el haber nacido y el nacernos a cada instante— sino que es una interpretación de esa condición. El hecho radical de «estar ahí», de encontrarnos siempre lanzados a lo extraño, finitos e indefensos, se convierte en un haber sido creados por una voluntad todopoderosa a cuyo seno hemos de volver.

De acuerdo con el análisis de Heidegger, la angustia y el miedo son las dos vías, enemigas y paralelas, que nos abren y cierran, respectivamente, el acceso a nuestra condición original. Gracias a la experiencia de lo sagrado —que parte del vértigo ante su propia oquedad— el hombre logra asirse como lo que es: contingencia y finitud. Mas esta revelación fulgurante queda encubierta un segundo después por la interpretación de nuestra condición conforme a elementos exteriores a ella misma: un creador, una divinidad. En efecto, «muchos autores han discernido muy bien la nada que se descubre en la angustia. Pero inmediatamente han desviado el sentido de esta revelación, denunciando la nadería del pecador ante Dios. Por gracia de la Redención y del perdón que otorga a nuestras faltas, parece que nuestra miseria se borra, y la recobrada perspectiva de una salvación eterna restaura el valor de nuestra existencia y nos per-

[1] Alphonse de Waelhens, *La Philosophie de Martin Heidegger,* Lovaina, 1948.

mite superar la nada un instante entrevista. Una vez más se disfraza la verdadera significación de la angustia, según ocurre en San Agustín, Lutero y el mismo Kierkegaard».[1] Nosotros podemos añadir otros nombres: Miguel de Unamuno y, sobre todo, Quevedo (en sus poemas *Lágrimas de un penitente* y *Heráclito cristiano*, hasta ahora ignorados por nuestra crítica). Puede concluirse que la experiencia de lo sagrado es una revelación de nuestra condición original, pero que asimismo es una interpretación que tiende a ocultarnos el sentido de esa revelación. Reacción ante el hecho fundamental que nos define como hombres: el ser mortales y el saberlo y sentirlo, la religión es una respuesta a esa condena a vivir su mortalidad que es todo hombre. Pero es una respuesta que nos encubre eso mismo que, en su primer movimiento, nos revela. Y esto se ve con mayor claridad apenas se examinan las nociones de pecado y expiación.

Por oposición a nuestra miseria original, lo divino concentra en su forma numinosa la plenitud del ser. Lo numinoso es «lo augusto», noción que trasciende las ideas de *bien* y *moralidad.* «Lo augusto mueve al respeto», exige la veneración, reclama la obediencia. «Independientemente de toda sistematización moral, la religión es obligación íntima que se impone a la conciencia y que liga.»[2] Las nociones de *pecado, propiciación* y *expiación* brotan de este sentimiento de obediencia que inspira lo augusto a la criatura. Es inútil buscar en la idea de *pecado* un eco de una falta concreta o cualquier otra resonancia ética. Del mismo modo que sentimos la orfandad antes de tener conciencia de nuestra filiación, el pecado es anterior a nuestras faltas y crímenes. Anterior a la moral. «En el terreno propiamente moral no aparecen ni la necesidad de redención, ni las ideas de *propiciación* y *expiación.*» Estas ideas, concluye Otto, «son auténticas y necesarias en el terreno de la mística, pero apócrifas en el de la ética». La necesidad de expiar, como la no menos imperiosa de ser redimidos, brotan de una *falta,* no en el sentido moral de la palabra, sino en su acepción literal. Estamos en falta, porque en efecto algo nos falta: somos poco o nada frente al ser que es todo. Nuestra falta no es moral: es insuficiencia original. El pecado es poco ser.

Para ser, el hombre debe propiciar a la divinidad, esto es, apropiarse de ella; mediante la consagración, el hombre accede a lo sagrado, al pleno ser. Tal es el sentido de los sacramentos, en especial el de la comunión. Y éste es también el objeto último del sacrificio: una propiciación que cul-

[1] *Idem.*

[2] R. Otto, *Lo santo*, 1928.

mina en una consagración. Pero no basta el sacrificio de otros. El hombre es «indigno de acercarse a lo sagrado», en virtud de su falta original. La redención —el Dios que a través del sacrificio nos devuelve la posibilidad de ser— y la expiación —el sacrificio que nos purifica— nacen de este sentimiento de indignidad original. La religión afirma así que culpabilidad y mortalidad son términos equivalentes. Somos culpables porque somos mortales. Ahora bien, la culpa exige la expiación; la muerte, la eternidad. Culpa y expiación, muerte y vida eterna forman parejas que se completan, en especial para las religiones cristianas. Las orientales, al menos en sus formas más altas, no nos prometen esa salvación con todo y zapatos que tanto conmovía a Unamuno y que constituye uno de los aspectos más inquietantes y enfermizos de su carácter.

En sentido estricto nada permite inferir que *falta* y *poco ser* sean lo mismo que pecado original: el análisis del «ser deudor no prueba nada ni en pro ni en contra de la posibilidad de pecado».[1] La teología católica difiere en esto de la protestante. Para San Agustín la naturaleza humana —y, en general, el mundo natural— no es mala en sí, de modo que no identifica el *poco ser* del hombre con la culpa. Frente a Dios, que es el ser perfecto, todos los seres —sin excluir a los ángeles y a los hombres— son defectuosos. Su «defecto» reside precisamente en no ser Dios, esto es, en ser contingentes. La contingencia se da en los ángeles y en los hombres como libertad: el moverse, el poder ascender hacia el Ser o caer hasta la Nada, implica libertad. La contingencia, por una parte, engendra la libertad; por la otra, la libertad es una posibilidad de redimir o atenuar esa contingencia o «defecto» original. Así, el hombre es perpetua posibilidad de caída o salvación. San Agustín concibe el hombre como posibilidad, idea que el teatro español desarrolla con el brillo que sabemos y que me parece válida aun si no se acepta el punto de vista católico. Así, el pecado original no es el equivalente del *poco ser* sino de una falta concreta: el preferirse el hombre a sí mismo y dar la espalda a Dios. Pero vivimos en un mundo caído, en el cual el hombre por sí solo no puede escoger. La gracia —incluso cuando se manifiesta, según sostuvo Sor Juana en una célebre carta, como «favor negativo»— es indispensable para la salvación. La libertad del hombre, por tanto, queda supeditada a la gracia; su *poco ser* es realmente poco, escaso, insuficiente. Con esto no se quiere decir que la gracia sustituye a la libertad, sino que la restablece: «Con la gracia no tene-

[1] Martin Heidegger, *El ser y el tiempo*, 2ª ed., trad. de José Gaos, FCE, México, 1962.

mos nuestro libre arbitrio más el poder de la gracia, sino que nuestro libre arbitrio, por la gracia, recobra su poder y su libertad».[1] El pensamiento católico es más rico, libre y coherente que el protestante pero, a mi juicio, no logra deshacer del todo esta conexión causal que se establece entre el *poco ser* del hombre y el pecado: ¿cómo la libertad, antes de la caída, pudo escoger el mal?; ¿qué libertad es ésta que se niega a sí misma y no elige el ser sino la nada?

Al enfrentar el *poco ser* del hombre con el pleno ser de Dios, la religión postula una vida eterna. Nos redime así de la muerte, pero hace de la vida terrestre una larga pena y una expiación de la falta original. Al matar a la muerte, la religión desvive a la vida. La eternidad deshabita al instante. Porque vida y muerte son inseparables. La muerte está presente en la vida: vivimos muriendo. Y cada minuto que morimos, lo vivimos. Al quitarnos el morir, la religión nos quita la vida. En nombre de la vida eterna, la religión afirma la muerte de esta vida.

Como la religión, la poesía parte de la situación humana original —el estar ahí, el sabernos arrojados en ese ahí que es el mundo hostil o indiferente— y del hecho que la hace precaria entre todos: su temporalidad, su finitud. Por una vía que, a su manera, es también negativa, el poeta llega al borde del lenguaje. Y ese borde se llama silencio, página en blanco. Un silencio que es como un lago, una superficie lisa y compacta. Dentro, sumergidas, aguardan las palabras. Y hay que descender, ir al fondo, callar, esperar. La esterilidad precede a la inspiración, como el vacío a la plenitud. La palabra poética brota tras eras de sequía. Mas cualquiera que sea su contenido expreso, su concreta significación, la palabra poética afirma la vida de esta vida. Quiero decir: el acto poético, el poetizar, el decir del poeta —independientemente del contenido particular de ese decir— es un acto que no constituye, originalmente al menos, una interpretación, sino una revelación de nuestra condición. Hable de esto o de aquello, de Aquiles o de la rosa, del morir o del nacer, del rayo o de la ola, del pecado o de la inocencia, la palabra poética es ritmo, temporalidad manándose y reengendrándose sin cesar. Y siendo ritmo es imagen que abraza los contrarios, vida y muerte en un solo decir. Como si el existir mismo, como la vida que aun en sus momentos de mayor exaltación lleva en sí la imagen de la muerte, el decir poético, chorro de tiempo, es afirmación simultánea de la muerte y la vida.

[1] Étienne Gilson, *L'Esprit de la philosophie médiévale*, París, 1944.

La poesía no es un juicio ni una interpretación de la existencia humana. El surtidor del ritmo-imagen expresa simplemente lo que somos; es una revelación de nuestra condición original, cualquiera que sea el sentido inmediato y concreto de las palabras del poema. Sin perjuicio de volver sobre este problema, vale la pena repetir que unos son los significados del poema y otro el sentido de poetizar: aquí nos ocupa la significación del acto poético —el crear poemas del poeta y el recrearlos del lector— y no lo que dice este o aquel poema. Ahora bien, ¿cómo el poetizar no puede ser un juicio sobre nuestra falta o defecto original, si se ha convenido precisamente en que la poesía es una revelación de nuestra condición fundamental? Esta condición es esencialmente defectuosa, pues consiste en la contingencia y la finitud. Nos asombramos ante el mundo, porque se nos presenta como lo extraño, lo «inhospitalario»; la indiferencia del mundo ante nosotros proviene de que en su totalidad no tiene más sentido que el que le otorga nuestra posibilidad de ser, y esta posibilidad es la muerte, pues «tan pronto como un hombre entra en la vida es ya bastante viejo para morir».[1] Desde el nacer, nuestro vivir es un permanente estar en lo extraño e inhospitalario, un radical malestar. Estamos mal porque nos proyectamos en la nada, en el no ser. Nuestra falta o deuda es original: no procede de un hecho posterior a nuestro nacimiento y constituye nuestra manera propia de ser: la falta es nuestra condición original porque originariamente somos carencia de ser. Y aquí Heidegger parece coincidir con Otto: «No ser más que criaturas» equivale a decir que nuestro ser se reduce a un «actual, permanente poder no ser, o morir».[2] Cierto, se prescinde de la noción de *Dios* y se deja así la falta sin referencia y la deuda sin redención. Pero se afirma que, desde el nacer, estamos en deuda o falta. Deuda impagable, mancha imborrable. Calderón y el budismo tienen razón: nuestro mayor delito es nacer, ya que todo nacer contiene en sí al morir. El análisis de Heidegger, que nos había servido para desvelar la función de la interpretación religiosa, al fin de cuentas parece desmentirnos. Si el poetizar realmente descubre nuestra condición original y permanente, afirma la falta.

No deja de ser revelador que a lo largo de *El ser y el tiempo* —y más acusadamente en otros trabajos, en especial en *¿Qué es metafísica?*— el mismo Heidegger se esfuerce por mostrar que este «no ser», esta negatividad en que culmina nuestro ser, no constituye una deficiencia. El hombre

[1] José Gaos, «Introducción», a *El ser y el tiempo*, de Martin Heidegger, FCE, 1951.
[2] *Idem.*

no es un ser incompleto o al que le falta algo. Pues ya se ha visto que ese algo que podría faltarle sería la muerte. Ahora bien, la muerte no está fuera del hombre, no es un hecho extraño que le venga del exterior. Si se considera la muerte como un hecho que no forma parte de nosotros mismos, la actitud estoica es la única posible: mientras estamos vivos, la muerte no existe para nosotros; apenas entra en nosotros, nosotros dejamos de existir: ¿por qué temerla entonces y hacerla el centro de nuestro pensar? Pero la muerte es inseparable de nosotros. No está fuera: es nosotros. Vivir es morir. Y precisamente porque la muerte no es algo exterior, sino que está incluida en la vida, de modo que todo vivir es asimismo morir, no es algo negativo. La muerte no es una falta de la vida humana; al contrario, la completa. Vivir es ir hacia adelante, avanzar hacia lo extraño, y este avanzar es ir al encuentro de nosotros mismos. Por tanto, vivir es dar la cara a la muerte. Nada más afirmativo que este dar la cara, este continuo salir de nosotros mismos al encuentro de lo extraño. La muerte es el vacío, el espacio abierto, que permite el paso hacia adelante. El vivir consiste en haber sido arrojados al morir, mas ese morir sólo se cumple en y por el vivir. Si el nacer implica morir, también el morir entraña nacer; si el nacer está bañado de negatividad, el morir adquiere una tonalidad positiva porque el nacer lo determina. Se dice que estamos rodeados de muerte; ¿no puede decirse, asimismo, que estamos rodeados de vida?

Vida y muerte, ser o nada, no constituyen sustancias o cosas separadas. Negación y afirmación, falta y plenitud, coexisten en nosotros. Son nosotros. El ser implica el no ser, y a la inversa. Esto es, sin duda, lo que ha querido decir Heidegger al afirmar que el ser emerge o brota de la experiencia de la nada. En efecto, apenas el hombre se contempla, advierte que está sumergido en una totalidad de cosas y objetos sin significación, y él mismo se ve como un objeto más, todos cayendo sobre sí mismos, todos a la deriva. La ausencia de significación procede de que el hombre, siendo el que da sentido a las cosas y al mundo, de pronto se da cuenta de que no tiene otro sentido que morir. La experiencia de la caída en el caos es indecible: nada podemos decir sobre nosotros, nada sobre el mundo, porque nada somos. Mas si nombramos la nada —como efectivamente lo hacemos— ésta se iluminará con la luz del ser. Pues del mismo modo: vivir frente a la muerte es insertarla en la vida. Porque el ser es la condición previa de la nada, porque la muerte nace de la vida, podemos nombrarla y así reintegrarlas. Podemos acercarnos a la nada por el ser. Y al ser, por la nada. Somos el «fundamento de una negatividad», pero también la trascendencia de esa negatividad. Lo negativo y lo positivo se entrecruzan y forman un solo núcleo indisoluble. La frase «porque somos posibilidad de ser, somos posibilidad de no ser» puede invertirse sin perder su verdad.

La angustia no es la única vía que conduce al encuentro de nosotros mismos. Baudelaire se ha referido a las revelaciones del aburrimiento: el universo fluye, a la deriva, como un mar gris y sucio, mientras la conciencia varada no refleja sino el golpe monótono del oleaje. «No pasa nada», dice el aburrido y, en efecto, la nada es lo único que brilla sobre el mar muerto de la conciencia. La soledad en compañía —situación muy frecuente en el mundo contemporáneo— puede ser también propicia a esta clase de revelaciones. Al principio, el hombre se siente separado de la multitud. Mientras la ve gesticular y despeñarse en acciones insensatas y maquinales, él se refugia en su conciencia. Pero la conciencia se abre y le muestra un abismo. También él se despeña, también él va a la deriva, hacia la muerte. Sin embargo, en todos estos estados hay una suerte de marea rítmica: la revelación de la nadería del hombre se transforma en la de su ser. Morir, vivir: viviendo morimos, morimos viviendo.

La experiencia amorosa nos da de una manera fulgurante la posibilidad de entrever, así sea por un instante, la indisoluble unidad de los contrarios. Esa unidad es el ser. Heidegger mismo ha señalado que la alegría ante la presencia del ser amado es una de las vías de acceso a la revelación de nosotros mismos. Aunque nunca ha desarrollado su afirmación, es notable que el filósofo alemán confirme lo que todos sabemos con saber oscuro y previo: el amor, la alegría del amor, es una revelación del ser. Como todo movimiento del hombre, el amor es un «ir al encuentro». En la espera todo nuestro ser se inclina hacia adelante. Es un anhelar, un tenderse hacia algo que aún no está presente y que es una posibilidad que puede no producirse: la aparición de la mujer. La espera nos tiene en vilo, es decir, suspendidos, fuera de nosotros. Hace un minuto estábamos instalados en nuestro mundo y nos movíamos con tal naturalidad y facilidad entre cosas y seres que no advertíamos su distancia. Ahora, a medida que crecen la impaciencia y el anhelar, el paisaje se aleja, el muro y las cosas de enfrente se retiran y repliegan sobre sí mismas, el reloj marcha más despacio. Todo se ha puesto a vivir una vida aparte, impenetrable. El mundo se hace ajeno. Ya estamos solos. La espera misma se vuelve desesperación, porque la esperanza de la presencia se ha trocado en certidumbre de soledad. No vendrá. No habrá nadie. No hay nadie. Yo mismo no soy nadie.

La nada se abre a nuestros pies. Y en ese instante sobreviene lo inesperado, lo que ya no esperábamos. El goce ante la irrupción de la presencia amada se expresa como una suspensión del ánimo: nos falta suelo, nos faltan palabras, la alegría nos corta la respiración. Todo se queda inmóvil, a mitad del salto en el vacío. El mundo impenetrable, ininteligible e innombrable, cayendo pesadamente sobre sí mismo, de pronto se levanta, se yergue, vuela al encuentro de la presencia. Está imantado por unos ojos, suspendido en un misterioso equilibrio. Todo había perdido sentido y nosotros estábamos al borde del precipicio de la existencia bruta. Ahora todo se ilumina y cobra significación. La presencia rescata al ser. O mejor dicho, lo arranca del caos en que se hundía, lo recrea. Nace el ser de la nada. Pero basta con que no me mires para que todo caiga de nuevo y yo mismo me hunda en el caos. Tensión, marcha sobre el abismo, marcha sobre el filo de una espada. Tú estás aquí, frente a mí, cifra del mundo, cifra de mí mismo, cifra del ser.

Como un agua profunda brotando, como el mar cubriendo la playa, las presencias vuelven a la superficie. Todo se puede ver, tocar, palpar. Ser y apariencia son uno y lo mismo. Nada está escondido, todo está presente, radiante, henchido de sí mismo. Marea del ser. Y llevado por la ola de ser, me acerco, toco tus pechos, rozo tu piel, me adentro por tus ojos. El mundo desaparece. Ya no hay nada ni nadie: las cosas y sus nombres y sus números y sus signos caen a nuestros pies. Ya estamos desnudos de palabras. Hemos olvidado nuestros nombres y nuestros pronombres se confunden y enlazan: yo es tú, tú es yo. Ascendemos, disparados hacia arriba. Caemos, asidos a nosotros mismos, mientras fluyen y se pierden los nombres y las formas. Río abajo, río arriba, tu rostro huye. La presencia pierde pie, anegada en sí misma. Pierde cuerpo el cuerpo. El ser se precipita en la nada. El ser es la nada. La nada es el ser. Abro los ojos: un cuerpo ajeno. El ser ha vuelto a ocultarse y me rodean las apariencias. En ese instante puede brotar la pregunta, el sadismo, la tortura por saber qué hay detrás de esa presencia irremediablemente ajena. Esa pregunta encierra toda la desesperación amorosa. Porque detrás de esa presencia no hay nada. Y, al mismo tiempo, de la nada de esa presencia, el ser se levanta.

El amor desemboca en la muerte, pero de esa muerte salimos al nacer. Es un morir y un nacer. «La mujer —dice Machado— es el anverso del ser.» Pura presencia, en ella aflora y se hace presente el ser. Y en ella se hunde y oculta. Así, el amor es simultánea revelación del ser y de la nada. No es una revelación pasiva, algo que se hace y deshace ante nuestros ojos, como una representación teatral, sino algo en lo que nosotros participamos, algo que nosotros nos hacemos: el amor es creación del ser. Y ese ser es el nuestro. Nosotros mismos nos aniquilamos al crearnos y nos creamos al aniquilarnos.

Nuestra actitud ante el mundo natural posee una dialéctica análoga. Frente al mar o ante una montaña, perdidos entre los árboles de un bosque o a la entrada de un valle que se tiende a nuestros pies, nuestra primera sensación es la de extrañeza o separación. Nos sentimos distintos. El mundo natural se presenta como algo ajeno, dueño de una existencia propia. Este alejamiento se transforma pronto en hostilidad. Cada rama del árbol habla un lenguaje que no entendemos; en cada espesura nos espía un par de ojos; criaturas desconocidas nos amenazan o se burlan de nosotros. También puede ocurrir lo contrario: la naturaleza se repliega sobre sí misma y el mar se enrolla y se desenrolla frente a nosotros, indiferente; las rocas se vuelven aún más compactas e impenetrables; el desierto más vacío e insondable. No somos nada frente a tanta existencia cerrada sobre sí misma. Y de este sentirnos nada pasamos, si la contemplación se prolonga y el pánico no nos embarga, al estado opuesto: el ritmo del mar se acompasa al de nuestra sangre; el silencio de las piedras es nuestro propio silencio; andar entre las arenas es caminar por la extensión de nuestra conciencia, ilimitada como ellas; los ruidos del bosque nos aluden. Todos formamos parte de todo. El ser emerge de la nada. Un mismo ritmo nos mueve, un mismo silencio nos rodea. Los objetos mismos se animan y como dice hermosamente el poeta japonés Buson:

> Ante los crisantemos blancos
> las tijeras vacilan
> un instante.

Ese instante revela la unidad del ser. Todo está quieto y todo en movimiento. La muerte no es algo aparte: es, de manera indecible, la vida. La revelación de nuestra nadería nos lleva a la creación del ser. Lanzado a la nada, el hombre se crea frente a ella.

La experiencia poética es una revelación de nuestra condición original. Y esa revelación se resuelve siempre en una creación: la de nosotros mismos. La revelación no descubre algo externo, que estaba ahí, ajeno, sino que el acto de descubrir entraña la creación de lo que va a ser descubierto:

nuestro propio ser. Y en este sentido sí puede decirse, sin temor a incurrir en contradicción, que el poeta crea al ser. Porque el ser no es algo dado, sobre lo cual se apoya nuestro existir, sino algo que se hace. En nada puede apoyarse el ser, porque la nada es su fundamento. Así, no le queda más recurso que asirse a sí mismo, crearse a cada instante. Nuestro ser consiste sólo en una posibilidad de ser. Al ser no le queda sino serse. Su falta original —ser fundamento de una negatividad— lo obliga a crearse su abundancia o plenitud. El hombre es carencia de ser, pero también conquista del ser. El hombre está lanzado a nombrar y crear el ser. Ésa es su condición: poder ser. Y en esto consiste el poder de su condición. En suma, nuestra condición original no es sólo carencia ni tampoco abundancia, sino posibilidad. La libertad del hombre se funda y radica en no ser más que posibilidad. Realizar esa posibilidad es ser, crearse a sí mismo. El poeta revela al hombre creándolo. Entre nacer y morir hay nuestro existir, a lo largo del cual entrevemos que nuestra condición original, si es un desamparo y un abandono, también es la posibilidad de una conquista: la de nuestro propio ser. Todos los hombres, por gracia de nuestro nacimiento, podemos acceder a esa visión y trascender así nuestra condición. Porque nuestra condición exige ser trascendida y sólo vivimos trascendiéndonos. El acto poético muestra que ser mortales no es sino una de las caras de nuestra condición. La otra es: ser vivientes. El nacer contiene al morir. Pero al nacer cesa de ser sinónimo de carencia y condena apenas dejamos de percibir como contrarios la muerte y la vida. Tal es el sentido último de todo poetizar.

Entre nacer y morir la poesía nos abre una posibilidad, que no es la vida eterna de las religiones ni la muerte eterna de las filosofías, sino un vivir que implica y contiene al morir, un ser esto que es también un ser aquello. La antinomia poética, la imagen, no nos encubre nuestra condición: la descubre y nos invita a realizarla plenamente. La posibilidad de ser se da a todos los hombres. La creación poética es una de las formas de esa posibilidad. La poesía afirma que la vida humana no se reduce al «prepararse a morir» de Montaigne, ni el hombre al «ser para la muerte» del análisis existencial. La existencia humana encierra una posibilidad de trascender nuestra condición: vida y muerte, reconciliación de los contrarios. Nietzsche decía que los griegos inventaron la tragedia por un exceso de salud. Y así es: sólo un pueblo que vive con total exaltación la vida puede ser trágico, porque vivir plenamente quiere decir vivir también la muerte. Ese estado del que habla Breton en el que «la vida y la muerte, lo real y lo imaginario, lo pasado y lo futuro, lo comunicable y lo incomunicable, lo alto y lo bajo cesan de ser percibidos contradictoriamente» no se llama vida eterna, ni está allá, fuera del tiempo. Es tiempo y está aquí. Es el hombre lanzado a ser todos los contrarios que lo constituyen. Y puede llegar a ser todos ellos porque al nacer ya los lleva en sí, ya es ellos. Al ser él mismo, es otro. Otros. Manifestarlos, realizarlos, es la tarea del hombre y del poeta. La poesía no nos da la vida eterna, sino que nos hace vislumbrar aquello que llamaba Nietzsche «la vivacidad incomparable de la vida». La experiencia poética es un abrir las fuentes del ser. Un instante y jamás. Un instante y para siempre. Instante en el que somos lo que fuimos y seremos. Nacer y morir: un instante. En ese instante somos vida y muerte, esto y aquello.

La palabra poética y la religiosa se confunden a lo largo de la historia. Pero la revelación religiosa no constituye —al menos en la medida en que es palabra— el acto original sino su interpretación. En cambio, la poesía es revelación de nuestra condición y, por eso mismo, creación del hombre por la imagen. La revelación es creación. El lenguaje poético revela la condición paradójica del hombre, su *otredad,* y así lo lleva a realizar lo que es. No son las sagradas escrituras de las religiones las que fundan al hombre, pues se apoyan en la palabra poética. El acto mediante el cual el hombre se funda y revela a sí mismo es la poesía. En suma, la experiencia religiosa y la poética tienen un origen común; sus expresiones históricas —poemas, mitos, oraciones, exorcismos, himnos, representaciones teatrales, ritos, etc.— son a veces indistinguibles; las dos, en fin, son experiencias de nuestra *otredad* constitutiva. Pero la religión interpreta, canaliza y sistematiza dentro de una teología la inspiración, al mismo tiempo que las iglesias confiscan sus productos. La poesía nos abre la posibilidad de ser que entraña todo nacer; recrea al hombre y lo hace asumir su condición verdadera, que no es la disyuntiva: vida o muerte, sino una totalidad: vida y muerte en un solo instante de incandescencia.

LA INSPIRACIÓN

La revelación de nuestra condición es, asimismo, creación de nosotros mismos. Según se ha visto, esa revelación puede darse en muchas formas e incluso no recibir formulación verbal alguna. Pero aun entonces implica una creación de aquello mismo que revela: el hombre. Nuestra condición original es, por esencia, algo que siempre está haciéndose a sí mismo. Ahora bien, cuando la revelación asume la forma particular de la experiencia poética, el acto es inseparable de su expresión. La poesía no se siente: se dice. Quiero decir: no es una experiencia que luego traducen las palabras, sino que las palabras mismas constituyen el núcleo de la experiencia. La experiencia se da como un nombrar aquello que, hasta no ser nombrado, carece propiamente de existencia. Así pues, el análisis de la experiencia incluye el de su expresión. Ambas son uno y lo mismo. En el capítulo precedente se intentó desentrañar y aislar el sentido de la revelación poética. Ahora es necesario ver cómo se da efectivamente. O sea: ¿cómo se componen los poemas?

La primera dificultad a que se enfrenta nuestra pregunta reside en la ambigüedad de los testimonios que poseemos sobre la creación poética. Si se ha de creer a los poetas, en el momento de la expresión hay siempre una colaboración fatal y no esperada. Esta colaboración puede darse con nuestra voluntad o sin ella, pero asume siempre la forma de una intrusión. La voz del poeta es y no es suya. ¿Cómo se llama, quién es ese que interrumpe mi discurso y me hace decir cosas que yo no pretendía decir? Algunos lo llaman demonio, musa, espíritu, genio; otros lo nombran trabajo, azar, inconsciente, razón. Unos afirman que la poesía viene del exterior; otros, que el poeta se basta a sí mismo. Mas unos y otros se ven obligados a admitir excepciones. Y estas excepciones son de tal modo frecuentes que sólo por pereza puede llamárselas así. Para comprobarlo, imaginemos a dos poetas como tipos ideales de estas contrarias concepciones sobre la creación.

Inclinado sobre su escritorio, los ojos fijos y vacíos, el poeta-que-no-cree-en-la-inspiración ha terminado ya su primera estrofa, de acuerdo con el plan previamente trazado. Nada ha sido dejado al azar. Cada rima y cada imagen poseen la necesidad rigurosa de un axioma, tanto como la gratuidad y ligereza de un juego geométrico. Pero falta una palabra para rematar el endecasílabo final. El poeta consulta el diccionario en busca de la rima rebelde. No la encuentra. Fuma, se levanta, se sienta, vuelve a levantarse. Nada: vacío, esterilidad. Y de pronto, aparece la rima. No la esperada, sino otra —siempre otra— que completa la estrofa de una manera imprevista y acaso contraria al proyecto original. ¿Cómo explicar esta extraña colaboración? No basta decir: el poeta tuvo una ocurrencia, que lo exaltó y puso fuera de sí un instante. Nada viene de nada. Esa palabra ¿en dónde estaba? Y sobre todo, ¿cómo se nos ocurren las «ocurrencias» poéticas?

Algo semejante sucede en el caso contrario. Abandonado «al fluir inagotable del murmullo», cerrados los ojos al mundo exterior, el poeta escribe sin parar. Al principio, las frases se adelantan o atrasan, pero poco a poco el ritmo de la mano que escribe se acuerda al del pensamiento que dicta. Ya se ha logrado la fusión, ya no hay distancia entre pensar y decir. El poeta ha perdido conciencia del acto que realiza: no sabe si escribe o no, ni qué es lo que escribe. Todo fluye con felicidad hasta que sobreviene la interrupción: hay una palabra —o el reverso de una palabra: un silencio— que cierra el paso. El poeta intenta una y otra vez sortear el obstáculo, rodearlo, esquivarlo de alguna manera y proseguir. Es inútil: los caminos desembocan siempre en el mismo muro. La fuente ha dejado de manar. El poeta relee lo que acaba de escribir y comprueba, no sin asombro, que ese texto enmarañado es dueño de una coherencia secreta. El poema posee una innegable unidad de tono, ritmo y temperatura. Es un todo. O los fragmentos, vivos aún, todavía resplandecientes, de un todo. Mas la unidad del poema no es de orden físico o material; tono, temperatura, ritmo e imágenes poseen unidad porque el poema es una obra. Y la obra, toda obra, es el fruto de una voluntad que transforma y somete la materia bruta a sus designios. En ese texto en cuya redacción apenas ha participado la conciencia crítica, hay palabras que se repiten, imágenes que dan nacimiento a otras conforme a ciertas tendencias, frases que parecen alargar los brazos en busca de una palabra inasible. El poema fluye, marcha. Y este fluir es lo que le otorga unidad. Ahora bien, fluir no sólo significa transcurrir sino ir hacia algo; la tensión que habita las palabras y las lanza hacia delante es un ir al encuentro de algo. Las palabras buscan una palabra que dará sentido a su marcha, fijeza a su movilidad. El poema se ilumina por y ante esa palabra última. Es un apuntar hacia esa palabra no dicha y acaso indecible. En suma, la unidad del poema se da, como la de todas las obras, por su dirección o sentido. Mas ¿quién imprime sentido a la marcha zigzagueante del poema?

En el caso del poeta reflexivo tropezamos con una misteriosa colaboración ajena, con la no invocada aparición de otra voz. En el del romántico, nos encaramos a la no menos inexplicable presencia de una voluntad que hace del murmullo un todo concertado y dueño de una oscura premeditación. En uno y en otro caso se manifiesta lo que, con riesgo de inexactitud, ha de llamarse provisionalmente «irrupción de una voluntad ajena». Pero es evidente que damos este nombre a algo que apenas si tiene relación con el fenómeno llamado voluntad. Algo, acaso, más antiguo que la voluntad y en lo cual ésta se apoya. En efecto, en el sentido ordinario de la palabra, la voluntad es aquella facultad que traza planes y somete nuestra actividad a ciertas normas con objeto de realizarlos. La voluntad que aquí nos preocupa no implica reflexión, cálculo o previsión; es anterior a toda operación intelectual y se manifiesta en el momento mismo de la creación. ¿Cuál es el verdadero nombre de esta voluntad? ¿Es de veras nuestra?

El acto de escribir poemas se ofrece a nuestra mirada como un nudo de fuerzas contrarias, en el que nuestra voz y la otra voz se enlazan y confunden. Las fronteras se vuelven borrosas: nuestro discurrir se transforma insensiblemente en algo que no podemos dominar del todo, y nuestro yo cede el sitio a un pronombre innombrado, que tampoco es enteramente un tú o un él. En esta ambigüedad consiste el misterio de la inspiración. ¿Misterio o problema? Ambas cosas: para los antiguos la inspiración era un misterio; para nosotros, un problema que contradice nuestras concepciones psicológicas y nuestra misma idea del mundo. Pues bien, esta conversión del misterio de la inspiración en problema psicológico es la raíz de nuestra imposibilidad para comprender rectamente en qué consiste la creación poética.

A diferencia de lo que ocurre con el pensamiento hindú, que desde el principio se planteó el problema de la existencia del mundo exterior, el pensamiento occidental por mucho tiempo aceptó confiadamente su realidad y no puso en duda lo que ven nuestros ojos. El acto poético, en el que interviene la *otredad* como rasgo decisivo, fue siempre considerado como algo inexplicable y oscuro pero sin que constituyera un problema que pusiese en peligro la concepción del mundo. Al contrario, era un fenómeno que se podía insertar con toda naturalidad en el mundo y que, lejos de contradecir su existencia, la afirmaba. Incluso puede afirmarse que era una de las pruebas de su objetividad, realidad y dinamismo. Para Platón el poeta es un poseído. Su delirio y entusiasmo son los signos de la posesión demoniaca. En el *Ion*, Sócrates define al poeta como «un ser alado, ligero y sagrado, incapaz de producir mientras el entusiasmo no lo arrastra y le hace salir de sí mismo [...] No son los poetas quienes dicen cosas tan maravillosas, sino que son los órganos de la divinidad que nos habla por su boca». Aristóteles, por su parte, concibe la creación poética como imitación de la naturaleza. Sólo que, según se ha visto, no se puede entender con toda claridad qué significa esta imitación si se olvida que para Aristóteles la naturaleza es un todo animado, un organismo y un modelo viviente. En su «Introducción» a la *Poética* de Aristóteles, subraya García Bacca con pertinencia que la concepción aristotélica de la naturaleza está animada por un hilozoísmo más o menos oculto. Así, la «ocurrencia» poética no brota de la nada, ni la saca el poeta de sí mismo: es el fruto del encuentro entre esa naturaleza animada, dueña de existencia propia, y el alma del poeta.

El hilozoísmo griego se transforma más tarde en la trascendencia cristiana. La realidad exterior no perdió por eso consistencia. Naturaleza habitada por dioses o creada por Dios, el mundo exterior está ahí, frente a nosotros, visible o invisible, siempre como nuestro necesario horizonte. Ángel, piedra, animal, demonio, planta, lo *otro* existe, tiene vida propia y a veces se apodera de nosotros y habla por nuestra boca. En una sociedad en la que, lejos de ser puesta en tela de juicio, la realidad exterior es la fuente de donde brotan ideas y arquetipos, no es difícil identificar la inspiración. La «otra voz», la «voluntad extraña», son lo *otro,* es decir, Dios o la naturaleza con sus dioses y demonios. La inspiración es una revelación porque es una manifestación de los poderes divinos. Un numen habla y suplanta al hombre. Sagrada o profana, épica o lírica, la poesía es una gracia, algo exterior que desciende sobre el poeta. La creación poética es un misterio porque consiste en un hablar los dioses por boca humana. Mas ese misterio no provoca problema alguno, ni contradice las creencias comúnmente aceptadas. Nada más natural que lo sobrenatural encarne en los hombres y hable su lenguaje.

Desde Descartes nuestra idea de la realidad exterior se ha transformado radicalmente. El subjetivismo moderno afirma la existencia del mundo exterior solamente a partir de la conciencia. Una y otra vez esa conciencia se postula como una conciencia trascendental y una y otra vez se enfrenta al solipsismo. La conciencia no puede salir de sí y fundar el mundo. Mientras tanto, la naturaleza se nos ha convertido en un mundo de objetos y relaciones. Dios ha desaparecido de nuestras perspectivas vitales y las nociones de *objeto, sustancia* y *causa* han entrado en crisis. Ahí donde el idealismo no ha destruido la realidad exterior —por ejemplo, en la esfera de la ciencia— la ha convertido en un objeto, en un «campo de experiencias» y así la ha despojado de sus antiguos atributos.

La naturaleza ha dejado de ser un todo viviente y animado, una potencia dueña de oscuros o claros designios. Pero la desaparición de la antigua idea del mundo no ha acarreado la inspiración. La «voz ajena», la «voluntad extraña», siguen siendo un hecho que nos desafía. Así, entre nuestra idea de la inspiración y nuestra idea del mundo se alza un muro. La inspiración se nos ha vuelto un problema. Su existencia niega nuestras creencias intelectuales más arraigadas. No es extraño, por tanto, que a lo largo del siglo XIX se multipliquen las tentativas por atenuar o hacer desaparecer el escándalo que constituye una noción que tiende a devolver a la realidad exterior su antiguo poder sagrado.

Una manera de resolver los problemas consiste en negarlos. Si la inspiración es un hecho incompatible con nuestra idea del mundo, nada más fácil que negar su existencia. Desde el siglo XVI comienza a concebirse la inspiración como una frase retórica o una figura literaria. Nadie habla por boca del poeta, excepto su propia conciencia; el verdadero poeta no oye otra voz, ni escribe al dictado: es un hombre despierto y dueño de sí mismo. La imposibilidad de encontrar una respuesta que explicase de veras la creación poética se transforma insensiblemente en una condenación de orden moral y estético. Durante una época se denunciaron los extravíos a que conducía la creencia en la inspiración. Su verdadero nombre era pereza, descuido, amor por la improvisación, facilidad. Delirio e inspiración se transformaron en sinónimos de locura y enfermedad. El acto poético era trabajo y disciplina; escribir: «luchar contra la corriente». No es exagerado ver en estas ideas un abusivo traslado de ciertas nociones de la moral burguesa al campo de la estética. Uno de los méritos mayores del surrealismo es haber denunciado la raíz moral de esta estética de comerciantes. En efecto, la inspiración no tiene relación alguna con nociones tan mezquinas como las de *facilidad* y *dificultad, pereza* y *trabajo, descuido* y *técnica,* que esconden la de *premio* y *castigo:* el «duro pago al contado» con que la burguesía, según Marx, ha sustituido las antiguas relaciones humanas. El valor de una obra no se mide por el trabajo que le haya costado a su autor.

Hay que decir, por otra parte, que la creación poética exige un trastorno total de nuestras perspectivas cotidianas: la feliz facilidad de la inspiración brota de un abismo. El decir del poeta se inicia como silencio, esterilidad y sequía. Es una carencia y una sed, antes de ser una plenitud y un acuerdo, y después, es una carencia aún mayor, pues el poema se desprende del poeta y deja de pertenecerle. Antes y después del poema no hay nada ni nadie en torno; estamos a solas con nosotros, y apenas comenzamos a escribir, ese «nosotros», ese yo, también desaparece y se hunde. Inclinado sobre el papel, el poeta se despeña en sí mismo. Así, la creación poética es irreductible a las ideas de *ganancia* y *pérdida, esfuerzo* y *premio.* Todo es ganancia en la poesía. Todo es pérdida. Pero la presión de la moralidad burguesa hizo que los poetas afectasen taparse las orejas ante la antigua voz del numen. El mismo Baudelaire insinúa el elogio del trabajo, ¡él, que escribió tanto sobre los páramos de la esterilidad y los paraísos de la pereza! Mas el desvío de críticos y creadores no cegó el manar de la inspiración. Y la voz poética continuó siendo un desafío y un problema.

Uno de los rasgos de la edad moderna consiste en la creación de divinidades abstractas. Los profetas reprochaban a los judíos sus caídas en la idolatría. Podría hacerse el reproche contrario a los modernos: todo tiende a desencarnarse. Los ídolos modernos no tienen cuerpo ni forma: son ideas, conceptos, fuerzas. El lugar de Dios y de la antigua naturaleza poblada de dioses y demonios lo ocupan ahora seres sin rostro: la Raza, la Clase, el Inconsciente (individual o colectivo), el Genio de los pueblos, la Herencia. La inspiración puede explicarse con facilidad acudiendo a cualquiera de estas ideas. El poeta es un médium por cuyo intermedio se expresan, en cifra, el Sexo, el Clima, la Historia o algún otro sucedáneo de los antiguos dioses y demonios. No pretendo negar el valor de estas ideas. Pero son insuficientes; en todas ellas campea una limitación que nos permite rechazarlas en conjunto: su exclusivismo, su querer explicar el todo por la parte. Además, en todas es evidente su incapacidad para asir y explicar el hecho esencial y decisivo: ¿cómo se transforman esas fuerzas o realidades determinantes en palabras?, ¿cómo se hacen palabra, ritmo e imagen la libido, la raza, la clase o el momento histórico? Para los psicoanalistas la creación poética es una sublimación; entonces, ¿por qué en unos casos esa sublimación se vuelve poema y en otros no? Freud confiesa su ignorancia y habla de una misteriosa «facultad artística». Es claro que escamotea el problema, pues se limita a dar un nombre nuevo a una realidad enigmática y sobre la cual ignoramos lo esencial. Para explicar las diferencias entre las palabras del poeta y las del simple neurótico habría que recurrir a una clasificación de los subconscientes: uno sería el del común de los mortales y otro el de los artistas. No es eso todo: en el pensamiento no dirigido —o sea, en el sueño o fantaseo— el fluir de imágenes y palabras no carece de sentido:

> Está demostrado que es inexacto que nos entreguemos a un curso de representaciones carentes de finalidad [...] al cesar las nociones de finalidad que conocemos

> se imponen en seguida otras desconocidas —inconscientes, como decimos con expresión impropia—, las cuales mantienen determinada la marcha de las representaciones ajenas a nuestra voluntad. No puede elaborarse un pensamiento sin nociones de finalidad [...][1]

Aquí Freud pone el dedo en la llaga. La noción de *finalidad* es indispensable aun en los procesos inconscientes. Sólo que, habiendo dividido al ser humano en diversas capas: conciencia, subconsciencia, etc., concibe dos finalidades distintas: una racional, en la que participa nuestra voluntad; otra, ajena a nosotros, «inconsciente» o ignorada por el hombre, puramente instintiva. En realidad, Freud transfiere la noción de *finalidad* a la libido y al instinto, pero omite la explicación fundamental y decisiva: ¿cuál es el sentido de esa finalidad instintiva? La finalidad «inconsciente» no es tal finalidad, pues carece de objeto y de sentido: es un puro apetito, una mecánica natural. No es esto todo. La noción de *fin* implica un cierto darse cuenta y un conocimiento, todo lo oscuro que se quiera, de aquello que se pretende alcanzar. La noción de *fin* exige la de conciencia. El psicoanálisis, en todas sus ramas, ha sido hasta ahora impotente para contestar satisfactoriamente a estas preguntas. Y aun para planteárselas correctamente.

Algo semejante puede decirse de la concepción del poeta como «vocero» o «expresión» de la historia: ¿de qué manera las «fuerzas históricas» se transforman en imágenes y «dictan» al poeta sus palabras? Nadie niega la interrelación que supone todo vivir histórico: el hombre es un nudo de fuerzas interpersonales. La voz del poeta es siempre social y común, aun en el caso del mayor hermetismo. Pero, según ocurre con el psicoanálisis, no se ve claro cómo esa «marcha de la historia» o de la «economía», esos «fines históricos» —ajenos a la voluntad humana como los «fines» de la libido— pueden ser realmente fines sin pasar por la conciencia. Por lo demás, nadie «está en la historia», como si ésta fuese una «cosa» y nosotros, frente a ella, otra: todos somos historia y entre todos la hacemos. El poema no es el eco de la sociedad, sino que es, al mismo tiempo, su criatura y su hacedor, según ocurre con el resto de las actividades humanas. En fin, ni el Sexo, ni el Inconsciente, ni la Historia son realidades meramente externas, objetos, poderes o sustancias que obran sobre nosotros. El mundo no está fuera de nosotros; ni, en rigor, dentro.

1 Sigmund Freud, *La interpretación de los sueños.*

Si la inspiración es una «voz» que el hombre oye en su propia conciencia, ¿no será mejor interrogar a esa conciencia, que es la única que la ha escuchado y que constituye su ámbito propio?

Para el intelectual —y, también, para el hombre común— la inspiración es un problema, una superstición o un hecho que se resiste a las explicaciones de la ciencia moderna. En cualquier caso, puede alzarse de hombros y borrar de su espíritu el asunto, como quien sacude su traje del polvo del camino. En cambio los poetas deben afrontarla y vivir el conflicto. La historia de la poesía moderna es la del continuo desgarramiento del poeta, dividido entre la moderna concepción del mundo y la presencia a veces intolerable de la inspiración. Los primeros que padecen este conflicto son los románticos alemanes. Asimismo, son los que lo afrontan con mayor lucidez y plenitud y los únicos —hasta el movimiento surrealista— que no se limitan a sufrirlo sino que intentan trascenderlo. Descendientes, por una parte, de la Ilustración y, por la otra, del *Sturm und Drang*, viven entre la espada del Imperio napoleónico y la reacción de la Santa Alianza, perdidos, por decirlo así, en un callejón sin salida. En ellos los contrarios pelean sin cesar.

La inspiración, tenazmente mantenida por estos poetas y pensadores es inconciliable con el subjetivismo e idealismo que, con no menor encarnizamiento, predica el romanticismo. La misma violencia de la disyuntiva provoca la audacia y temeridad de las tentativas que pretenden resolverla. Cuando Novalis proclama que «destruir el principio de contradicción es quizá la tarea más alta de la lógica superior», ¿no alude, en su forma más general, a la necesidad de suprimir la dualidad entre sujeto y objeto que desgarra al hombre moderno y así resolver de una vez por todas el problema de la inspiración? Sólo que la supresión del principio de contradicción —a través, por ejemplo, de un «regreso a la unidad»— implica también la destrucción de la inspiración, es decir, de esa dualidad del poeta que recibe y del poder que dicta. Por eso, Novalis afirma que la unidad se rompe apenas se conquista. La contradicción nace de la identidad, en un proceso sin fin. El hombre es pluralidad y diálogo, sin cesar acordándose y reuniéndose consigo mismo, mas también sin cesar dividiéndose. Nuestra voz es muchas voces. Nuestras voces son una sola voz. El poeta es, al mismo tiempo, el objeto y el sujeto de la creación poética: es la oreja que escucha y la mano que escribe lo que dicta su propia voz. «Soñar y no soñar simultáneamente: operación del genio.» Y del mismo modo: la pasividad receptora del poeta exige una actividad en la que se sustenta esa pasividad. Novalis expresa esta paradoja en una frase memorable: «La actividad es facultad de recibir». El sueño del poeta exige, en una capa más profunda, la vigilia, y ésta, a su vez, entraña el abandonarse al sueño. ¿En qué consiste, entonces, la creación poética? El poeta, nos dice Novalis, «no hace, pero hace que se pueda hacer». La sentencia es relampagueante, y describe de modo justo el fenómeno. Pero, ¿quién es ese «se» que supone el segundo «hace»? ¿A quién deja «hacer» el poeta? Novalis no nos lo dice claramente. En ocasiones, el que «hace» es el Espíritu, el Pueblo, la Idea o cualquier otro poder con mayúscula. Otras, es el poeta mismo. Hay que detenerse en esta segunda explicación.

Para los románticos el hombre es un ser poético. En la naturaleza humana hay una suerte de facultad innata —el poeta, decía Baudelaire, «nace con experiencia»— que nos lleva a poetizar. Esta facultad es análoga a la disposición divinizante que nos permite la percepción de lo santo: la facultad poetizante es una categoría *a priori*. La explicación no es distinta de la que acude al «sentimiento de dependencia» para fundar la divinidad en la subjetividad del creyente. La analogía con el pensamiento teológico protestante no es accidental. Ninguno de estos poetas separó enteramente lo poético de lo religioso y muchas de las conversiones de los románticos alemanes fueron consecuencia de su concepción poética de la religión tanto como de su concepción religiosa de la poesía. Una y otra vez Novalis afirma que la poesía es algo así como religión en estado silvestre, y que la religión no es sino poesía práctica, poesía vivida y hecha acto. La categoría de lo poético, por tanto, no es sino uno de los nombres de lo sagrado. No es necesario repetir aquí lo dicho en el capítulo anterior: lo realmente distintivo de la experiencia religiosa no consiste tanto en la revelación de nuestra condición original cuanto en la interpretación de esa revelación. Además, la operación poética es inseparable de la palabra. Poetizar consiste, en primer término, en nombrar. La palabra distingue la actividad poética de cualquier otra. Poetizar es crear con palabras: hacer poemas. Lo poético no es algo dado, que esté en el hombre desde su nacimiento, sino algo que el hombre hace y que, recíprocamente, hace al hombre. Lo poético es una posibilidad, no una categoría *a priori* ni una facultad innata. Pero es una posibilidad que nosotros mismos nos creamos. Al nombrar, al crear con palabras, creamos eso mismo que nombramos y que antes no existía sino como amenaza, vacío y caos. Cuando el poeta afirma que ignora «qué es lo que va a escribir» quiere decir que aún no sabe cómo se llama eso que su poema va a nombrar y que, hasta que sea nombrado, sólo se presenta bajo la forma de silencio ininteligible. Lector y poeta se crean al crear ese poema que sólo existe por ellos y para que ellos de veras existan. De ahí que no haya estados poéticos, como no hay palabras poéticas. Lo propio de la poesía consiste en ser una continua creación y de este modo arrojarnos de nosotros mismos, desalojarnos y llevarnos hacia nuestras posibilidades más extremas.

Ni la angustia, ni la exaltación amorosa, ni la alegría o el entusiasmo son estados poéticos en sí, porque lo poético en sí no existe. Son situaciones que, por su mismo carácter extremo, hacen que el mundo y todo lo que nos rodea, incluyendo el muerto lenguaje cotidiano, se derrumben. No nos queda entonces sino el silencio o la imagen. Y esa imagen es una creación, algo que no estaba en el sentimiento original, algo que nosotros hemos creado para nombrar lo innombrable y decir lo indecible. Por eso todo poema vive a expensas de su creador. Una vez escrito el poema, aquello que él era antes del poema y que lo llevó a la creación —eso, indecible: amor, alegría, angustia, aburrimiento, nostalgia de otro estado, soledad, ira— se ha resuelto en imagen: ha sido nombrado y es poema, palabra transparente. Después de la creación, el poeta se queda solo; son otros, los lectores, quienes ahora van a crearse a sí mismos al recrear el poema. La experiencia se repite, sólo que a la inversa: la imagen se abre ante el lector y le muestra su abismo traslúcido. El lector se inclina y se despeña. Y al caer —o al ascender, al penetrar por las salas de la imagen y abandonarse al fluir del poema— se desprende de sí mismo para internarse en «otro sí mismo» hasta entonces desconocido o ignorado. El lector, como el poeta, se vuelve imagen: algo que se proyecta y se desprende de sí y va al encuentro de lo innombrable. En ambos casos lo poético no es algo que está fuera, en el poema, ni dentro, en nosotros, sino algo que hacemos y que nos hace. Podría, pues, modificarse la sentencia de Novalis: el poema no hace, pero hace que se pueda hacer. Y el que hace es el hombre, el creador. Lo poético no está en el hombre como algo dado, ni el poetizar consiste en sacar de nosotros lo poético, como si se tratase de «algo» que «alguien» depositó en nuestro interior o con lo cual nacimos. La conciencia del poeta no es una caverna en donde yace lo poético como un tesoro escondido. Frente al poema futuro el poeta está desnudo y pobre de palabras. Antes de la creación el poeta, como tal, no existe. Ni después. Es poeta gracias al poema. El poeta es una creación del poema tanto como éste de aquél.

El conflicto se prolonga a lo largo del siglo XIX. Se prolonga, se agrava y, al mismo tiempo, se vela y confunde. La contradicción es más aguda y mayor la conciencia del desgarramiento; menor, la lucidez para afrontarla y la valentía para resolverla. Víctimas, testigos y cómplices de la inspiración, ninguno de los grandes poetas del siglo XIX posee la claridad de Novalis. Todos ellos se debaten en una contradicción sin salida. Renunciar a la inspiración era renunciar a la poesía misma, es decir, al único hecho que justificaba su presencia sobre la tierra; afirmar su existencia era un acto incompatible con la idea que tenían de sí mismos y del mundo. De ahí que, con frecuencia, estos poetas rechacen y condenen al mundo. Sin duda, desde un punto de vista moral, los ataques de Baudelaire, el desdén de Mallarmé, las críticas de Poe poseen plena justificación: el mundo que les tocó vivir era abominable. (Nosotros lo sabemos bien, porque esos tiempos son el origen inmediato del horror sin paralelo de nuestra época.) Mas no basta con negar o condenar el mundo; nadie puede escapar de su mundo y esa negación y condena son también maneras de vivirlo sin trascenderlo, es decir, de padecerlo pasivamente. Nada más penetrante, nada más iluminador sobre los misterios de la operación poética, sus páramos y sus paraísos, que las descripciones de Baudelaire, Coleridge o Mallarmé. Y al mismo tiempo, nada menos claro que las explicaciones e hipótesis con que pretenden conciliar la noción de *inspiración* con la idea moderna del mundo. Léase cualquiera de los textos capitales de la poética moderna (la *Filosofía de la composición* de Poe, por ejemplo), para comprobar su desconcertante y contradictoria lucidez y ceguera. El contraste con los textos antiguos es revelador. Para los poetas del pasado la inspiración era algo natural, precisamente porque lo sobrenatural formaba parte de su mundo.

Un espíritu tan dueño de sí como Dante relata con sencillez y simplicidad que en el sueño el Amor le dicta e inspira sus poemas, y añade que esa revelación acaece a ciertas horas y dentro de circunstancias que hacen inequívoca y cierta de toda certidumbre la intervención de poderes superiores: «Al decir esas palabras desapareció y se interrumpió mi sueño. Y después, al volver sobre esta Visión, descubrí que la había experimentado a la novena hora del día; por lo que, aun antes de salir de mi aposento, resolví componer esa balada en la que cumpliría el mandato de mi Señor (el Amor), y entonces hice la balada que comienza así».[1] El valor de la cifra nueve posee para Dante un valor análogo al del núme-

[1] *Vita nuova*, XII.

ro siete para Nerval.[1] Mas para el primero la repetición del nueve posee un sentido claro, aunque misterioso y sagrado, que no hace sino iluminar con más pura luz el carácter excepcional de su amor y la significación salvadora de Beatriz; para Nerval se trata de un número ambiguo, ora funesto, ora benéfico y sobre cuyo verdadero sentido es imposible decidirse. Dante acepta la revelación y se sirve de ella para descubrirnos los arcanos del cielo y del infierno; Nerval se sobrecoge fascinado, y no pretende tanto comunicarnos sus visiones como saber qué es la revelación: «Resolví fijar mi sueño y descubrir su secreto. ¿Por qué no, me dije, forzar al fin estas puertas místicas, armado con toda mi voluntad para dominar mis sensaciones en lugar de soportarlas? ¿No es posible vencer esta quimera atractiva y temible, imponer una regla a los espíritus que se burlan de nuestra razón?» Para Dante la inspiración es un misterio sobrenatural que el poeta acepta con recogimiento, humildad y veneración. Para Nerval es una catástrofe y un misterio que nos provoca y reta. Un misterio que hay que desvelar. El tránsito entre «misterio por descifrar» y «problema por resolver» es insensible y lo harán los sucesores de Nerval.

La necesidad de reflexionar e inclinarse sobre la creación poética, para arrancarle su secreto, sólo puede explicarse como una consecuencia de la edad moderna. Mejor dicho, en esa actitud consiste la modernidad. Y la desazón de los poetas reside en su incapacidad para explicarse, como hombres modernos y dentro de nuestra concepción del mundo, ese extraño fenómeno que parece negarnos y negar los fundamentos de la edad moderna: ahí, en el seno de la conciencia, en el yo, pilar del mundo, única roca que no se disgrega, aparece de pronto un elemento extraño y que destruye la identidad de la conciencia. Era necesario que nuestra concepción del mundo se tambalease, esto es, que la edad moderna entrase en crisis, para que pudiese plantearse de un modo cabal el problema de la inspiración. En la historia de la poesía ese momento se llama el surrealismo.

El surrealismo se presenta como una radical tentativa por suprimir el duelo entre sujeto y objeto, forma que asume para nosotros lo que llamamos realidad. Para los antiguos el mundo existía con la misma plenitud

[1] Dante señala que a la edad de nueve años encuentra por primera vez a su amada; que tras otros nueve, precisamente a las nueve horas, la vuelve a ver; que las visiones ocurren a las nueve de la mañana o de la noche; que Beatriz muere el año noventa del siglo XIII, esto es, en un año que es nueve veces el número diez, cifra santa. Nerval, en diversos pasajes de *Aurélia*, subraya la importancia del siete en su vida.

que la conciencia y sus relaciones eran claras y naturales. Para nosotros su existencia asume la forma de disputa encarnizada: por una parte, el mundo se evapora y se convierte en imagen de la conciencia; por la otra, la conciencia es un reflejo del mundo. La empresa surrealista es un ataque contra el mundo moderno porque pretende suprimir la contienda entre sujeto y objeto. Heredero del romanticismo, se propone llevar a cabo esa tarea que Novalis asignaba a «la lógica superior»: destruir la «vieja antinomia» que nos desgarra. Los románticos niegan la realidad —cáscara fantasmal de un mundo ayer henchido de vida— en provecho del sujeto. El surrealismo acomete también contra el objeto. El mismo ácido que disuelve al objeto disgrega al sujeto. No hay yo, no hay creador, sino una suerte de fuerza poética que sopla donde quiere y produce imágenes gratuitas e inexplicables.

La poesía la podemos hacer entre todos porque el acto poético es, por naturaleza, involuntario y se produce siempre como negación del sujeto. La misión del poeta consiste en atraer esa fuerza poética y convertirse en un cable de alta tensión que permita la descarga de imágenes. Sujeto y objeto se disuelven en beneficio de la inspiración. El «objeto surrealista» se volatiliza: es una cama que es un océano que es una cueva que es una ratonera que es un espejo que es la boca de Kali. El sujeto desaparece también: el poeta se transforma en poema, lugar de encuentro entre dos palabras o dos realidades. De este modo el surrealismo pretende romper, en sus dos términos, la contradicción y el solipsismo. Decidido a cortar por lo sano, se cierra todas las salidas: ni mundo ni conciencia. Tampoco conciencia del mundo o mundo en la conciencia. No hay escape, excepto el vuelo por el techo: la imaginación. La inspiración se manifiesta o actualiza en imágenes. Por la inspiración, imaginamos. Y al imaginar, disolvemos sujeto y objeto, nos disolvemos nosotros mismos y suprimimos la contradicción.

A diferencia de los poetas anteriores, que se limitan a sufrirla, el surrealismo esgrime la inspiración como un arma. Así, la transforman en idea y teoría. El surrealismo no es una poesía sino una poética y aún más, y más decisivamente, una visión del mundo. Revelación exterior, la inspiración rompe el dédalo subjetivista: es algo que nos asalta apenas la conciencia cabecea, algo que irrumpe por una puerta que sólo se abre cuando se cierran las de la vigilia. Revelación interior, hace tambalear nuestra creencia en la unidad e identidad de esa misma conciencia: no hay yo y dentro de cada uno de nosotros pelean varias voces. La idea surrealista de la inspiración se presenta como una destrucción de nuestra visión del mundo, ya que denuncia como meros fantasmas los dos términos que la constituyen. Al mismo tiempo, postula una nueva visión del mundo, en la que precisamente la inspiración ocupa el lugar central. La visión surrealista del mundo se funda en la actividad, conjuntamente disociadora y recreadora, de la inspiración. El surrealismo se propone hacer un mundo poético, fundar una sociedad en la que el lugar central de Dios o la razón sea ocupado por la inspiración. Así, la verdadera originalidad del surrealismo consiste no solamente en haber hecho de la inspiración una idea sino, más radicalmente, una *idea del mundo*. Gracias a esta transmutación, la inspiración deja de ser un misterio indescifrable, una vana superstición o una anomalía y se vuelve una idea que no está en contradicción con nuestras concepciones fundamentales. Con esto no se quiere decir que la inspiración haya cambiado de naturaleza, sino que por primera vez nuestra idea de la inspiración no choca con el resto de nuestras creencias.

Todos los grandes poetas anteriores al surrealismo se habían inclinado sobre la inspiración, pretendiendo arrancarle su secreto —y este rasgo los distingue de los poetas barrocos, renacentistas y medievales—, pero ninguno de ellos pudo insertar plenamente la inspiración dentro de la imagen que del mundo y de sí mismo se hace el hombre moderno. Había en todos residuos de las edades anteriores. Y más: para ellos la inspiración era regresar al pasado: hacerse medieval, griego, salvaje. El goticismo de los románticos, el arcaísmo general de la poesía moderna y, en fin, la figura del poeta como un desterrado en el seno de la ciudad parten de esa imposibilidad de aclimatar la inspiración. El surrealismo hace cesar la oposición y el destierro al afirmar la inspiración como una idea del mundo, sin postular su dependencia de un factor externo: Dios, Naturaleza, Historia, Raza, etc. La inspiración es algo que se da en el hombre, se confunde con su ser mismo y sólo puede explicarse por el hombre. Tal es el punto de partida del *Primer manifiesto*. Y en esto radica la originalidad, poco señalada hasta ahora, de la actitud de Breton y sus amigos.

Durante el «periodo de investigación» del movimiento —época del automatismo, la autohipnosis, los sueños provocados y los juegos colectivos—, los poetas adoptan una actitud doble ante la inspiración: la sufren, pero también la observan. Los más valerosos no vacilan en romper amarras para ir a buscarla a esos parajes de donde pocos vuelven. La actividad surrealista denunció la penuria de muchas de nuestras concepciones —señaladamente aquella que consiste en ver en toda obra humana un fruto de la «voluntad»— y mostró la sospechosa frecuencia con que intervienen las «distracciones», las «casualidades» y los «descuidos» en los grandes descubrimientos. Con una fascinación que no excluye la lucidez, Breton ha tratado de desentrañar el misterioso mecanismo de lo que llama «azar objetivo», sitio de encuentro entre el hombre y lo *otro,* campo de elección de la *otredad.* Mujer, imagen, ley matemática o biológica, todas esas Américas brotan en mitad del océano, cuando buscamos otra cosa o cuando hemos cesado de buscar. ¿Cómo y por qué se producen estos encuentros? Sabemos que hay un campo magnético, un punto de intersección y eso es todo. Sabemos que la «otra voz» se cuela por los huecos que desampara la vigilancia de la atención, pero ¿de dónde viene y por qué nos deja de manera tan repentina como su misma llegada? A pesar del trabajo experimental del surrealismo, Breton confiesa que «seguimos tan poco informados como antes acerca del origen de esta voz». Digamos, de paso, que sí sabemos algo: cada vez que oímos la «voz», cada vez que se produce el encuentro inesperado, parece que nos oímos a nosotros mismos y vemos lo que ya habíamos visto. Nos parece regresar, volver a oír, recordar. A reserva de volver sobre esta sensación de ya sabido, de ya oído y ya conocido que nos da la irrupción de la *otredad,* subrayemos que la confesión de ignorancia de Breton es preciosa entre todas: revela la íntima resistencia del autor de *Nadja* a la interpretación puramente psicológica de la inspiración. Y esto nos lleva a tratar de manera más concreta el tema de la inspiración de los surrealistas.

Desde el romanticismo, el yo del poeta había crecido en proporción directa al angostamiento del mundo poético. El poeta se sentía dueño de su poema con la misma naturalidad —y con la misma ausencia de legalidad— que el propietario de los productos de su suelo o de su fábrica. En respuesta al individualismo y al racionalismo que los preceden, los surrealistas acentúan el carácter inconsciente, involuntario y colectivo de toda creación. Inspiración y dictado del inconsciente se vuelven sinónimos: lo propiamente poético reside en los elementos inconscientes que, sin quererlo el poeta, se revelan en su poema. La poesía es pensamiento no-dirigido. Para romper el dualismo de sujeto y objeto, Breton acude a Freud: lo poético es revelación del inconsciente y, por tanto, no es nunca deliberado. Pero el problema que desvela a Breton es un falso problema, según ya lo había visto Novalis: abandonarse al murmullo del inconsciente exige un acto voluntario; la pasividad entraña una actividad sobre la que la primera se apoya. No me parece abusivo descomponer la palabra *pre-meditación* para mostrar que se trata de un acto anterior a toda meditación en el que interviene algo que también podríamos llamar *pre-reflexión.* La crítica de Heidegger al maquinal e irreflexivo «ocuparse de útiles» —en el que la referencia última, la pre-ocupación radical del hombre: la muerte, no desaparece sino que, encubierta, sigue siendo el fundamento de toda ocupación— es perfectamente aplicable a la doctrina surrealista de la inspiración. Las revelaciones del inconsciente implican una suerte de conciencia de esas revelaciones. Sólo por un acto libre y voluntario salen a la luz esas revelaciones, del mismo modo que la censura del ego entraña un saber previo de lo que va a ser censurado. Al reprimir ciertos deseos o impulsos lo hacemos a través de una voluntad que se enmascara y se disfraza, y por eso la volvemos «inconsciente», para que no nos comprometa. En el momento de la liberación de ese «inconsciente», la operación se repite, sólo que a la inversa: la voluntad vuelve a intervenir y a escoger, ahora escondida bajo la máscara de la pasividad. En uno y en otro caso interviene la conciencia; en uno y en otro hay una decisión, ya para hacer inconsciente aquello que nos ofende, ya para sacarlo a la luz. Esta decisión no brota de una facultad separada, voluntad o razón, sino que es la totalidad misma del ser la que se expresa en ella. La pre-meditación es el rasgo determinante del acto de crear y la que lo hace posible. Sin pre-meditación no hay inspiración o revelación de la *otredad.* Pero la pre-meditación es anterior a la voluntad, al querer o a cualquiera otra inclinación, consciente o inconsciente, del ánimo. Pues todo querer y desear, según ha mostrado Heidegger, tienen su raíz y fundamento en el ser mismo del hombre, que es ya y desde que nace un querer ser, una avidez permanente de ser, un continuo pre-ser-se. Y así, no es en el inconsciente ni en la conciencia, entendidas como «partes» o «compuestos» del hombre, ni tampoco en el impulso, en la pasividad o en el estar alerta, en donde podemos encontrar la fuente de inspiración, porque todos ellos están fundados en el ser del hombre.

Breton siempre tuvo presente la insuficiencia de la explicación psicológica y aun en sus momentos de mayor adhesión a las ideas de Freud cuidó de reiterar que la inspiración era un fenómeno inexplicable para el psicoanálisis. La duda sobre las posibilidades de real comprensión que ofrece la psicología lo ha llevado a aventurarse en hipótesis ocultistas. Ahora bien, el ocultismo nos puede auxiliar sólo en la medida en que deja de serlo, es decir, cuando se hace revelación y nos muestra lo que oculta. Si la inspiración es un misterio, las explicaciones ocultistas la hacen doblemente misteriosa. El ocultismo se arroga, exactamente como la inspiración, el ser una revelación de la *otredad;* por tanto, es incompetente para explicarla, excepto por analogía. Si nos interesa saber qué es la inspiración, no basta con decir que es algo como la revelación que proclaman los ocultistas, ya que tampoco sabemos en qué consiste esa revelación. Por otra parte, no deja de ser reveladora la insistencia con que Breton acude a la posibilidad de una explicación oculta o sobrenatural. Esa insistencia delata su creciente insatisfacción ante la explicación psicológica tanto como la persistencia del fenómeno de la *otredad.* Y así, no es tanto la idea de la inspiración lo que resulta valedero en Breton, cuanto el haber hecho de la inspiración una idea del mundo. Aunque no acierte a darnos una descripción del fenómeno, tampoco lo oculta ni lo reduce a un mero mecanismo psicológico. Por ese tener en vilo a la *otredad,* la doctrina surrealista no termina en una sumaria, y a fin de cuentas superficial, afirmación psicológica sino que se abre en una interrogación. El surrealismo no sólo aclimató la inspiración entre nosotros como idea del mundo, sino que, por la misma y confesada insuficiencia de la explicación psicológica adoptada, hizo visible el centro mismo del problema: la *otredad.* En ella y no en la ausencia de pre-meditación radica acaso la respuesta.

Las dificultades que han experimentado espíritus como Novalis y Breton residen quizá en su concepción del hombre como algo dado, es decir, como dueño de una naturaleza: la creación poética es una operación durante la cual el poeta saca o extrae de su interior ciertas palabras. O, si se utiliza la hipótesis contraria, del fondo del poeta, en ciertos momentos privilegiados, brotan las palabras. Ahora bien, no hay tal fondo; el hombre no es una cosa y menos aún una cosa estática, inmóvil, en cuyas profundidades yacen estrellas y serpientes, joyas y animales viscosos. Flecha tendida, rasgando siempre el aire, siempre adelante de sí, precipitándose más allá de sí mismo, disparado, exhalado, el hombre sin cesar avanza y cae, y a cada paso es *otro* y él mismo. La *otredad* está en el hombre mismo. Desde esta perspectiva de incesante muerte y resurrección, de unidad que se resuelve en *otredad* para recomponerse en una nueva unidad, acaso sea posible penetrar en el enigma de la «otra voz».

He aquí al poeta frente al papel. Es igual que tenga plan o no, que haya meditado largamente sobre lo que va a escribir o que su conciencia esté tan vacía y en blanco como el papel inmaculado que alternativamente lo atrae y lo repele. El acto de escribir entraña, como primer movimiento, un desprenderse del mundo, algo así como arrojarse al vacío. Ya está solo el poeta. Todo lo que era hace un instante su mundo cotidiano y sus preocupaciones habituales, desaparece. Si el poeta de verdad quiere escribir y no cumplir una vaga ceremonia literaria, su acto lo lleva a separarse del mundo y a ponerlo todo —sin excluirse a él mismo— en entredicho. Pueden surgir entonces dos posibilidades: todo se evapora y desvanece, pierde peso, flota y acaba por disolverse, o bien, todo se cierra y se torna agresivamente objeto sin sentido, materia inasible e impenetrable a la luz de la significación. El mundo se abre: es un abismo, un inmenso bostezo; el mundo —la mesa, la pared, el vaso, los rostros recordados— se cierra y se convierte en un muro sin fisuras. En ambos casos, el poeta se queda solo, sin mundo en que apoyarse. Es la hora de crear de nuevo el mundo y volver a nombrar con palabras esa amenazante vaciedad exterior: mesa, árbol, labios, astros, nada. Pero las palabras también se han evaporado, también se han fugado. Nos rodea el silencio anterior a la palabra. O la otra cara del silencio: el murmullo insensato e intraducible, *the sound and the fury*, el parloteo, el ruido que no dice nada, que sólo dice: nada. Al quedarse sin mundo, el poeta se ha quedado sin palabras. Quizá, en este instante, retrocede y da marcha atrás: quiere recordar el lenguaje, sacar de su interior todo lo que aprendió, aquellas hermosas palabras con las que, un momento antes, se abría paso en el mundo y que eran como llaves que le abrían todas las puertas. Pero ya no hay atrás, ya no hay interior. El poeta lanzado hacia adelante, tenso y atento, está literalmente fuera de sí. Y como él mismo, las palabras están más allá, siempre más allá, deshechas apenas las roza. Lanzado fuera de sí, nunca podrá ser uno con las palabras, uno con el mundo, uno consigo mismo. *Siempre es más allá*. Las palabras no están en parte alguna, no son algo dado, que nos espera. Hay que crearlas, hay que inventarlas, como cada día nos creamos y creamos al mundo. ¿Cómo inventar las palabras? Nada sale de nada. Incluso si el poeta pudiese crear de la nada, ¿qué sentido tendría hablar de «inventar un lenguaje»? El lenguaje es, por naturaleza, diálogo. El lenguaje es social y siempre implica, por lo menos, dos: el que habla y el que oye. Así, la palabra que inventa el poeta —esa que, por un instante que es todos los instantes, se había evaporado o se había convertido en objeto impenetrable— es la de todos los días. El poeta no la saca de sí. Tampoco le viene del exterior. No hay exterior ni interior, como no hay un mundo frente a nosotros: desde que somos, somos en el mundo y el mundo es uno de los constituyentes de nuestro ser. Y otro tanto ocurre con las palabras: no están ni dentro ni fuera, sino que son nosotros mismos, forman parte de nuestro ser. Son nuestro propio ser. Y por ser parte de nosotros, son ajenas, son de los otros: son una de las formas de nuestra *otredad* constitutiva. Cuando el poeta se siente desprendido del mundo y todo, hasta el lenguaje mismo se le fuga y deshace, él mismo se fuga y se aniquila. Y en el segundo momento, cuando decide hacerle frente al silencio o al caos ruidoso y ensordecedor, y tartamudea y trata de inventar un lenguaje, él mismo es quien se inventa y da el salto mortal y renace y es otro. Para ser él mismo debe ser otro. Y lo mismo sucede con su lenguaje: es suyo por ser de los otros. Para hacerlo de veras suyo, recurre a la imagen, al adjetivo, al ritmo, es decir, a todo aquello que lo hace distinto. Así, sus palabras son suyas y no lo son. El poeta no escucha una voz extraña, su voz y su palabra son las extrañas: son las palabras y las voces del mundo, a las que él da nuevo sentido. Y no sólo sus palabras y su voz son extrañas; él mismo, su ser entero, es algo sin cesar ajeno, algo que siempre está siendo otro. La palabra poética es revelación de nuestra condición original porque por ella el hombre efectivamente se nombra otro, y así él es, al mismo tiempo, este y aquel, él mismo y el otro.

El poema transparenta nuestra condición porque en su seno la palabra se vuelve algo exclusivo del poeta, sin dejar por eso de ser el mundo, esto es, sin dejar de ser palabra. De ahí que la palabra poética sea personal e instantánea —cifra del instante de la creación— tanto como histórica. Por ser cifra instantánea y personal, todos los poemas dicen lo mismo. Revelan un acto que sin cesar se repite: el de la incesante destrucción y creación del hombre, su lenguaje y su mundo, el de la permanente *otredad* en que consiste ser hombre. Mas también, por ser histórica, por ser palabra en común, cada poema dice algo distinto y único: San Juan no dice lo mismo que Homero o Racine; cada uno alude a su mundo, cada uno recrea su mundo.

La inspiración es una manifestación de la *otredad* constitutiva del hombre. No está adentro, en nuestro interior, ni atrás, como algo que de pronto surgiera del limo del pasado, sino que está, por decirlo así, adelante: es algo (o mejor: alguien) que nos llama a ser nosotros mismos. Y ese alguien es nuestro ser mismo. Y en verdad la inspiración no está en ninguna parte, simplemente *no* está, ni es algo: es una aspiración, un ir, un movimiento hacia adelante: hacia eso que somos nosotros mismos. Así, la creación poética es ejercicio de nuestra libertad, de nuestra decisión de ser. Esta libertad, según se ha dicho muchas veces, es el acto por el cual vamos más allá de nosotros mismos, para ser más plenamente. Libertad y trascendencia son expresiones, movimientos de la temporalidad. La inspiración, la«otra voz», la *otredad,* son, en su esencia, la temporalidad manando, manifestándose sin cesar. Inspiración, *otredad,* libertad y temporalidad son trascendencia. Pero son trascendencia, movimiento del ser ¿hacia qué? Hacia nosotros mismos. Cuando Baudelaire sostiene que la más «alta y filosófica de nuestras facultades es la imaginación», afirma una verdad que, en otras palabras, puede decirse así: por la imaginación —es decir, por nuestra capacidad, inherente a nuestra temporalidad esencial, para convertir en imágenes la continua avidez de encarnar de esa misma temporalidad— podemos salir de nosotros mismos, *ir más allá de nosotros al encuentro de nosotros.* En su primer movimiento la inspiración es aquello por lo cual dejamos de ser nosotros; en su segundo movimiento, este salir de nosotros es un ser nosotros más totalmente. La verdad de los mitos y de las imágenes poéticas —tan manifiestamente mentirosos— reside en esta dialéctica de salida y regreso, de *otredad* y unidad.

El hombre imanta el mundo. Por él y para él, todos los seres y objetos que lo rodean se impregnan de sentido: tienen un nombre. Todo apunta hacia el hombre. Pero el hombre ¿hacia dónde apunta? Él no lo sabe a ciencia cierta. Quiere ser otro, su ser lo lleva siempre a ir más allá de sí. Y el hombre pierde pie a cada instante, a cada paso se despeña y tropieza con ese otro que se imagina ser y que se le escapa de entre las manos. Empédocles afirmaba que había sido hombre y mujer, roca y, «en el Salado, pez mudo». No es el único. Todos los días oímos frases de este tenor: cuando Fulano se exalta es «irreconocible», se «vuelve otra persona». Nuestro nombre ampara también a un extraño, del que nada sabemos excepto que es nosotros mismos. El hombre es temporalidad y cambio, y la *otredad* constituye su manera propia de ser. El hombre se realiza o cumple cuando se hace otro. Al hacerse otro se recobra, reconquista su ser original, anterior a la caída o despeño en el mundo, anterior a la escisión en yo y *otro.*

Lo distintivo del hombre no consiste tanto en ser un ente de palabras cuanto en esta posibilidad que tiene de ser *otro.* Y porque puede ser otro es ente de palabras. Ellas son uno de los medios que posee para hacerse otro. Sólo que esta posibilidad poética sólo se realiza si damos el salto mortal, es decir, si efectivamente salimos de nosotros mismos y nos entregamos y perdemos en lo *otro.* Ahí, en pleno salto, el hombre, suspendido en el abismo, entre el esto y el aquello, por un instante fulgurante es esto y aquello, lo que fue y lo que será, vida y muerte, en un serse que es un pleno ser, una plenitud presente. El hombre ya es todo lo que quería ser: roca, mujer, ave, los otros hombres y los otros seres. Es imagen, nupcias de los contrarios, poema diciéndose a sí mismo. Es, en fin, la imagen del hombre encarnado en el hombre.

La voz poética, la «otra voz», es mi voz. El ser del hombre contiene ya a ese otro que quiere ser. «La amada —dice Machado— es una con el amante, no al término del proceso erótico, *sino en su principio.*» La amada está ya en nuestro ser, como sed y *otredad*. Ser es erotismo. La inspiración es esa voz extraña que saca al hombre de sí mismo para ser todo lo que es, todo lo que desea: otro cuerpo, otro ser. La voz del deseo es la voz misma del ser, porque el ser no es sino deseo de ser. Más allá, fuera de mí, en la espesura verde y oro, entre las ramas trémulas, canta lo desconocido. Me llama. Mas lo desconocido es entrañable *y por eso sí sabemos, con un saber de recuerdo, de dónde viene y adónde va la voz poética.* Yo ya estuve aquí. La roca natal guarda todavía las huellas de mis pisadas. El mar me conoce. Ese astro un día ardió en mi diestra. Conozco tus ojos, el peso de tus trenzas, la temperatura de tu mejilla, los caminos que conducen a tu silencio. Tus pensamientos son transparentes. En ellos veo mi imagen confundida con la tuya mil veces mil hasta llegar a la incandescencia. Por ti soy una imagen, por ti soy otro, por ti soy. Todos los hombres son este hombre que es otro y yo mismo. Yo es tú. Y también él y nosotros y vosotros y esto y aquello. Los pronombres de nuestros lenguajes son modulaciones, inflexiones de otro pronombre secreto, indecible, que los sustenta a todos, origen del lenguaje, fin y límite del poema. Los idiomas son metáforas de ese pronombre original que soy yo y los otros, mi voz y la otra voz, todos los hombres y cada uno. La inspiración es lanzarse a ser, sí, pero también y sobre todo es recordar y volver a ser. *Volver al Ser.*

Poesía e historia

LA CONSAGRACIÓN DEL INSTANTE

En páginas anteriores se intentó distinguir el acto poético de otras experiencias colindantes. Ahora se hace necesario mostrar cómo ese acto irreductible se inserta en el mundo. Aunque la poesía no es religión, ni magia, ni pensamiento, para realizarse como poema se apoya siempre en algo ajeno a ella. Ajeno, mas sin lo cual no podría encarnar. El poema es poesía y, además, otra cosa. Y este *además* no es algo postizo o añadido, sino un constituyente de su ser. Un poema puro sería aquel en el que las palabras abandonasen sus significados particulares y sus referencias a esto o aquello, para significar sólo el acto de poetizar —exigencia que acarrearía su desaparición, pues las palabras no son sino significados de esto y aquello, es decir, de objetos relativos e históricos. Un poema puro no podría estar hecho de palabras y sería, literalmente, indecible. Al mismo tiempo, un poema que no luchase contra la naturaleza de las palabras, obligándolas a ir más allá de sí mismas y de sus significados relativos, un poema que no intentase hacerlas decir lo indecible, se quedaría en simple manipulación verbal. Lo que caracteriza al poema es su necesaria dependencia de la palabra tanto como su lucha por trascenderla. Esta circunstancia permite una investigación sobre su naturaleza como algo único e irreductible y, simultáneamente, considerarlo como una expresión social inseparable de otras manifestaciones históricas. El poema, ser de palabras, va más allá de las palabras y la historia no agota el sentido del poema; pero el poema no tendría sentido —y ni siquiera existencia— sin la historia, sin la comunidad que lo alimenta y a la que alimenta.

Las palabras del poeta, justamente por ser palabras, son suyas y ajenas. Por una parte, son históricas: pertenecen a un pueblo y a un momento del habla de ese pueblo: son algo fechable. Por la otra, son anteriores a toda fecha: son un comienzo absoluto. Sin el conjunto de circunstancias que llamamos Grecia no existirían la *Ilíada* ni la *Odisea;* pero sin esos poemas tampoco habría existido la realidad histórica que fue Grecia. El poema es un tejido de palabras perfectamente fechables y un acto anterior a todas las fechas: el acto original con el que principia toda historia social o individual; expresión de una sociedad y, simultáneamente, fundamento de esa sociedad, condición de su existencia. Sin palabra común no hay poema; sin palabra poética, tampoco hay sociedad, Estado, Iglesia o comunidad alguna. La palabra poética es histórica en dos sentidos complementarios, inseparables y contradictorios: en el de constituir un producto social y en el de ser una condición previa a la existencia de toda sociedad.

El lenguaje que alimenta al poema no es, al fin de cuentas, sino historia, nombre de esto o aquello, referencia y significación que alude a un mundo histórico cerrado y cuyo sentido se agota con el de su personaje central: un hombre o un grupo de hombres. Al mismo tiempo, todo ese conjunto de palabras, objetos, circunstancias y hombres que constituyen una historia arranca de un principio, esto es, de una palabra que lo funda y le otorga sentido. Ese principio no es histórico ni es algo que pertenezca al pasado sino que siempre está presente y dispuesto a encarnar. Lo que nos cuenta Homero no es un pasado fechable y, en rigor, ni siquiera es pasado: es una categoría temporal que flota, por decirlo así, sobre el tiempo, con avidez siempre de presente. Es algo que vuelve a acontecer apenas unos labios pronuncian los viejos hexámetros, algo que siempre está comenzando y que no cesa de manifestarse. La historia es el lugar de encarnación de la palabra poética.

El poema es mediación entre una experiencia original y un conjunto de actos y experiencias posteriores, que sólo adquieren coherencia y sentido con referencia a esa primera experiencia que el poema consagra. Y esto es aplicable tanto al poema épico como al lírico y dramático. En todos ellos el tiempo cronológico —la palabra común, la circunstancia social o individual— sufre una transformación decisiva: cesa de fluir, deja de ser sucesión, instante que viene después y antes de otros idénticos, y se convierte en comienzo de otra cosa. El poema traza una raya que separa al instante privilegiado de la corriente temporal: en ese aquí y en ese ahora principia algo: un amor, un acto heroico, una visión de la divinidad, un momentáneo asombro ante aquel árbol o ante la frente de Diana, lisa como una muralla pulida. Ese instante está ungido con una luz especial: ha sido consagrado por la poesía, en el sentido mejor de la palabra *consagración.* A la inversa de lo que ocurre con los axiomas de los matemáticos, las verdades de los físicos o las ideas de los filósofos, el poema no abstrae la experiencia: ese tiempo está vivo, es un instante henchido de toda su particularidad irreductible y es perpetuamente susceptible de repetirse en otro instante, de re-engendrarse e iluminar con su luz nuevos instantes, nuevas experiencias. Los amores de Safo, y Safo misma, son irrepetibles y pertenecen a la historia; pero su poema está vivo, es un fragmento temporal que, gracias al ritmo, puede re-encarnar indefinidamente. Y hago mal en llamarlo fragmento, pues es un mundo completo en sí mismo, tiempo único, arquetípico, que ya no es pasado ni futuro sino presente. Y esta virtud de ser ya para siempre presente, por obra de la cual el poema se escapa de la sucesión y de la historia, lo ata más inexorablemente a la historia. Si es presente, sólo existe en este ahora y aquí de su presencia entre los hombres. Para ser presente el poema necesita hacerse presente entre los hombres, encarnar en la historia. Como toda creación humana, el poema es un producto histórico, hijo de un tiempo y un lugar; pero también es algo que trasciende lo histórico y se sitúa en un tiempo anterior a toda historia, en el principio del principio. Antes de la historia, pero no fuera de ella. Antes, por ser realidad arquetípica, imposible de fechar, comienzo absoluto, tiempo total y autosuficiente. Dentro de la historia —y más: historia— porque sólo vive encarnado, re-engendrándose, repitiéndose en el instante de la comunión poética. Sin la historia —sin los hombres, que son el origen, la sustancia y el fin de la historia— el poema no podría nacer ni encarnar, y sin el poema tampoco habría historia, porque no habría origen ni comienzo.

Puede concluirse que el poema es histórico de dos maneras: la primera, como producto social; la segunda, como creación que trasciende lo histórico pero que, para ser efectivamente, necesita encarnar de nuevo en la historia y repetirse entre los hombres. Y esta segunda manera le viene de ser una categoría temporal especial: un tiempo que es siempre presente, un presente potencial y que no puede realmente realizarse sino haciéndose presente de una manera concreta en un ahora y un aquí determinados. El poema es tiempo arquetípico, y, por serlo, es tiempo que encarna en la experiencia concreta de un pueblo, un grupo o una secta. Esta posibilidad de encarnar entre los hombres lo hace manantial, fuente: el poema da de beber el agua de un perpetuo presente que es, asimismo, el más remoto pasado y el futuro más inmediato. La segunda manera de ser histórico del poema es, por tanto, polémica y contradictoria: aquello que lo hace único y separa del resto de las obras humanas es su transmutar el tiempo sin abstraerlo, y esa misma operación lo lleva, para cumplirse plenamente, a regresar al tiempo.

Vistas desde el exterior, las relaciones entre poema e historia no presentan fisura alguna: el poema es un producto social. Incluso cuando reina la discordia entre sociedad y poesía —según ocurre en nuestra época— y la primera condena al destierro a la segunda, el poema no escapa a la historia: continúa siendo, en su misma soledad, un testimonio histórico. A una sociedad desgarrada corresponde una poesía como la nuestra. A lo largo de los siglos, por otra parte, Estados e Iglesias confiscan para sus fines la voz poética. Casi nunca se trata de un acto de violencia: los poetas coinciden con esos fines y no vacilan en consagrar con su palabra las empresas, experiencias e instituciones de su época. Sin duda San Juan de la Cruz creía servir a su fe —y en efecto la servía— con sus poemas, pero ¿podemos reducir el infinito hechizo de su poesía a las explicaciones teológicas que nos da en sus comentarios? Bashō no habría escrito lo que escribió si no hubiese vivido en el siglo XVII japonés; pero no es necesario creer en la iluminación que predica el budismo Zen para abismarse en la flor inmóvil que son los tres versos de su haikú. La ambivalencia del poema no proviene de la historia, entendida como una realidad unitaria y total que engloba todas las obras, sino que es consecuencia de la naturaleza dual del poema. El conflicto no está en la historia sino en la entraña del poema y consiste en el doble movimiento de la operación poética: transmutación del tiempo histórico en arquetípico y encarnación de un arquetipo en un ahora determinado e histórico. Este doble movimiento constituye la manera propia y paradójica de ser de la poesía. Su modo de ser histórico es polémico. Afirmación de aquello mismo que niega: el tiempo y la sucesión.

La poesía no se siente: se dice. O mejor: la manera propia de sentir la poesía es decirla. Ahora bien, todo decir es siempre un decir de algo, un hablar de esto y aquello. El decir poético no difiere en esto de las otras maneras de hablar. El poeta habla de las cosas que son suyas y de su mundo, aun cuando nos hable de otros mundos: las imágenes nocturnas están hechas de fragmentos de las diurnas, recreadas conforme a otra ley. El poeta no escapa a la historia, incluso cuando la niega o la ignora. Sus experiencias más secretas o personales se transforman en palabras sociales, históricas. Al mismo tiempo, y con esas mismas palabras, el poeta dice otra cosa: revela al hombre. Esa revelación es el significado último de todo poema y casi nunca está dicha de manera explícita, sino que es el fundamento de todo decir poético. En las imágenes y ritmos se transparenta, más o menos acusadamente, una revelación que no se refiere ya a aquello que dicen las palabras, sino a algo anterior y en lo que se apoyan todas las palabras del poema: la condición última del hombre, ese movimiento que lo lanza sin cesar adelante, conquistando siempre nuevos territorios que apenas tocados se vuelven ceniza, en un renacer y remorir y renacer continuos. Pero esta revelación que nos hacen los poetas encarna siempre en el poema y, más precisamente, en las palabras concretas y determinadas de este o aquel poema. De otro modo no habría posibilidad de comunión poética: para que las palabras nos hablen de esa «otra cosa» de que habla todo poema es necesario que también nos hablen de esto y aquello.

La discordia latente en todo poema es una condición de su naturaleza y no se da como desgarradura. El poema es unidad que sólo logra constituirse por la plena fusión de los contrarios. No son dos mundos extraños los que pelean en su interior: el poema está en lucha consigo mismo. Por eso está vivo. Y de esta continua querella —que se manifiesta como unidad superior, como lisa y compacta superficie— procede también lo que se ha llamado la peligrosidad de la poesía. Aunque comulgue en el altar social y comparta con entera buena fe las creencias de su época, el poeta es un ser aparte, un heterodoxo por fatalidad congénita: siempre dice *otra cosa,* incluso cuando dice las mismas cosas que el resto de los hombres de su comunidad. La desconfianza de los Estados y las Iglesias ante la poesía nace no sólo del natural imperialismo de estos poderes: la índole misma del decir poético provoca el recelo. No es tanto aquello que dice el poeta, sino lo que va implícito en su decir, su dualidad última e irreductible, lo que otorga a sus palabras un gusto de liberación. La frecuente acusación que se hace a los poetas de ser ligeros, distraídos, ausentes, nunca del todo en este mundo, proviene del carácter de su decir. La palabra poética jamás es completamente de este mundo: siempre nos lleva más allá, a otras tierras, a otros cielos, a otras verdades. La poesía parece escapar a la ley de gravedad de la historia porque su palabra nunca es enteramente histórica. Nunca la imagen quiere decir esto o aquello. Más bien sucede lo contrario, según se ha visto: la imagen dice esto y aquello al mismo tiempo. Y aun: esto es aquello.

La condición dual de la palabra poética no es distinta a la de la naturaleza del hombre, ser temporal y relativo pero lanzado siempre a lo absoluto. Ese conflicto crea la historia. Desde esta perspectiva, el hombre no es mero suceder, simple temporalidad. Si la esencia de la historia consistiese sólo en el suceder un instante a otro, un hombre a otro, una civilización a otra, el cambio se resolvería en uniformidad, y la historia sería naturaleza. En efecto, cualesquiera que sean sus diferencias específicas, un pino es igual a otro pino, un perro es igual a otro perro; con la historia ocurre lo contrario: cualesquiera que sean sus características comunes, un hombre es irreductible a otro hombre, un instante histórico a otro instante. Y lo que hace instante al instante, tiempo al tiempo, es el hombre que se funde con ellos para hacerlos únicos y absolutos. La historia es gesta, acto heroico, conjunto de instantes significativos porque el hombre hace de cada instante algo autosuficiente y separa así al hoy del ayer. En cada instante quiere realizarse como totalidad y cada una de sus horas es monumento de una eternidad momentánea. Para escapar de su condición temporal no tiene más remedio que hundirse más plenamente en el tiempo. La única manera que tiene de vencerlo es fundirse con él. No alcanza la vida eterna, pero crea un instante único e irrepetible y así da origen a la historia. Su condición lo lleva a ser otro; sólo siéndolo puede ser él mismo plenamente. Es como el Grifón mítico de que habla el canto XXXI del Purgatorio: «Sin cesar de ser él mismo se transforma en su imagen».

La experiencia poética no es otra cosa que revelación de la condición humana, esto es, de ese trascenderse sin cesar en el que reside precisamente su libertad esencial. Si la libertad es movimiento del ser, trascenderse continuo del hombre, ese movimiento deberá estar referido siempre a algo. Y así es: es un apuntar hacia un valor o una experiencia determinada. La poesía no escapa a esta ley, como manifestación de la temporalidad que es. En efecto, lo característico de la operación poética es el decir, y todo decir es decir de algo. ¿Y qué puede ser ese algo? En primer término, ese algo es histórico y fechable: aquello de que efectivamente habla el poeta, trátese de sus amores con Galatea, del sitio de Troya, de la muerte de Hamlet, del sabor del vino una tarde o del color de una nube sobre el mar. El poeta consagra siempre una experiencia histórica, que puede ser personal, social o ambas cosas a un tiempo. Pero al hablarnos de todos esos sucesos, sentimientos, experiencias y personas, el poeta nos habla de *otra cosa:* de lo que está haciendo, de lo que se está siendo frente a nosotros y en nosotros. Nos habla del poema mismo, del acto de crear y nombrar. Y más: nos lleva a repetir, a recrear su poema, a nombrar aquello que nombra, y al hacerlo, nos revela lo que somos. No quiero decir que el poeta haga poesía de la poesía —o que en su decir sobre esto o aquello de pronto se desvíe y se ponga a hablar sobre su propio decir— sino que, al recrear sus palabras, nosotros también revivimos su aventura y ejercitamos esa libertad en la que se manifiesta nuestra condición. También nosotros nos fundimos con el instante para traspasarlo mejor, también, para ser nosotros mismos, *somos otros.* La experiencia descrita en los capítulos anteriores la repite el lector. Esta repetición no es idéntica, por supuesto. Y precisamente por no serlo, es valedera. Es muy posible que el lector no comprenda con entera rectitud lo que dice el poema: hace muchos años o siglos fue escrito y la lengua viva ha variado; o fue compuesto en una región alejada, donde se habla de un modo distinto. Nada de esto importa. Si la comunión poética se realiza de veras, quiero decir, si el poema guarda aún intactos sus poderes de revelación y si el lector penetra efectivamente en su ámbito eléctrico, se produce una re-creación. Como toda re-creación, el poema del lector no es el doble exacto del escrito por el poeta. Pero si no es idéntico por lo que toca al esto y al aquello, sí lo es en cuanto al acto mismo de la creación: el lector recrea el instante y se crea a sí mismo.

El poema es una obra siempre inacabada, siempre dispuesta a ser completada y vivida por un lector nuevo. La novedad de los grandes poetas de la Antigüedad proviene de su capacidad para ser otros sin dejar de ser ellos mismos. Así, aquello de que habla el poeta (el esto y el aquello: la rosa, la muerte, la tarde soleada, el asalto a las murallas, la reunión de los estandartes) se convierte, para el lector, en eso que está implícito en todo decir poético y que es el núcleo de la palabra poética: la revelación de nuestra condición y su reconciliación consigo misma. Esta revelación no es un saber de algo o sobre algo, pues entonces la poesía sería filosofía. Es un efectivo volver a ser aquello que el poeta revela que somos; por eso no se produce como un juicio: es un acto inexplicable excepto por sí mismo y que nunca asume una forma abstracta. No es una explicación de nuestra condición, sino una experiencia en la que nuestra condición, ella misma, se revela o manifiesta. Y por eso también está indisolublemente ligada a un decir concreto sobre esto o aquello. La experiencia poética —original o derivada de la lectura— no nos enseña ni nos dice nada sobre la libertad: es la libertad misma desplegándose para alcanzar algo y así realizar, por un instante, al hombre. La infinita diversidad de poemas que registra la historia procede del carácter concreto de la experiencia poética, que es experiencia de esto y aquello; pero esta diversidad también es unidad, porque en todos estos y aquellos se hace presente la condición humana. Nuestra condición consiste en no identificarse con nada de aquello en que encarna, sí, pero también en no existir sino encarnando en lo que no es ella misma.

El carácter personal de la lírica parece ajustarse más a estas ideas que la épica o la dramática. Épica y teatro son formas en las cuales el hombre se reconoce como colectividad o comunidad, en tanto que en la lírica se ve como individuo. De ahí que se piense que en las dos primeras la palabra común —el decir sobre esto o aquello— ocupa todo el espacio y no deja lugar para que la «otra voz» se manifieste. El poeta épico no habla de sí mismo, ni de su experiencia: habla de otros y su decir no tolera ambigüedad alguna. La objetividad de lo que cuenta lo vuelve impersonal. Las palabras del teatro y de la épica coinciden enteramente con las de su comunidad y no es fácil —excepto en el caso de un teatro polémico, como el de Eurípides o el moderno— que revelen verdades distintas o contrarias a las de su mundo histórico. La forma épica —y, en menor grado, la dramática— no ofrecen posibilidad de decir cosas distintas de las que expresamente dicen; la libertad interior que, al desplegarse, permite la revelación de la condición paradójica del hombre, no se da en ellas; por tanto, no se establece ese conflicto entre historia y poesía que más arriba se ha tratado de describir y que parecía constituir la esencia del poema. La coincidencia entre historia y poesía, entre palabra común y palabra poética, es tan perfecta que no deja resquicio alguno por donde puede colarse una verdad que no sea histórica. Es indispensable examinar esta opinión, que contradice en parte todo lo dicho.

Épica y teatro son ante todo obras con héroes, protagonistas o personajes. No es aventurado afirmar que precisamente en los héroes —acaso con mayor plenitud que en el monólogo del poeta lírico— se da esa revelación de la libertad que hace de la poesía, simultánea e indisolublemente, algo que es histórico y que, siéndolo, niega y trasciende la historia. Y más: ese conflicto o nudo de contradicciones que es todo poema se manifiesta con mayor y más entera objetividad en la épica y la tragedia. En ellas, a la inversa de lo que sucede en la lírica, el conflicto deja de ser algo latente, jamás explícito del todo y se desnuda y muestra con toda crudeza. La tragedia y la comedia muestran en forma objetiva el conflicto entre los hombres y el destino y, así, la lucha entre poesía e historia. La épica, por su parte, es la expresión de un pueblo como conciencia colectiva, pero también lo es de algo anterior a la historia de esa comunidad: los héroes, los fundadores. Aquiles está antes, no después, de Grecia. En fin, en los personajes del teatro y de la epopeya encarna el misterio de la libertad y por ellos habla la «otra voz».

Todo poema, cualquiera que sea su índole: lírica, épica o dramática, manifiesta una manera peculiar de ser histórico; mas para asir realmente esta singularidad no basta con enunciarla en la forma abstracta en que hasta ahora lo hemos hecho sino acercarnos al poema en su realidad histórica y ver de manera más concreta cuál es su función dentro de una sociedad dada. Así, los capítulos que siguen tendrán por tema la tragedia y la épica griegas, la novela, y la poesía lírica de la edad moderna. No es casual la elección de épocas y géneros. En los héroes del mito griego y, en otro sentido, en los del teatro español e isabelino, es posible percibir las relaciones entre la palabra poética y la social, la historia y el hombre. En todos ellos el tema central es la libertad humana. La novela, por su parte, según se ha dicho muchas veces, es la épica moderna; asimismo, es una anomalía dentro del género épico y de ahí que merezca una meditación especial. Finalmente, la poesía moderna constituye, como la novela, otra excepción: por primera vez en la historia la poesía deja de servir a otros poderes y quiere rehacer el mundo a su imagen. Sin duda los poemas de Baudelaire no son esencialmente distintos, en la medida en que son poemas, a los de Li Po, Dante o Safo. Lo mismo puede decirse del resto de los poetas modernos, en cuanto creadores de poemas. Pero la actitud de estos poetas —y la de la sociedad que los rodea— es radicalmente diferente a la de los antiguos. En todos ellos, con mayor o menor énfasis, el poeta se alía al teórico, el creador al profeta, el artista al revolucionario o al sacerdote de una nueva fe. Todos se sienten seres aparte de la sociedad y algunos se consideran fundadores de una historia y de un hombre nuevos. De ahí que, para los fines de este trabajo, se les estudie más bien en este aspecto que como simples creadores de poemas.

Antes de inclinarnos sobre el significado del héroe, parece necesario preguntarse en dónde se ha dado con mayor pureza el carácter heroico. Hasta hace poco, todos hubieran contestado sin vacilar: Grecia. Pero cada día se descubren más y más textos épicos, pertenecientes a todos los pueblos, desde la epopeya de *Gilgamesh* hasta la leyenda de Quetzalcóatl, que entre nosotros ha reconstruido el padre Ángel María Garibay K. Estos descubrimientos obligan a justificar nuestra elección. Cualesquiera que sean las relaciones entre poesía épica, dramática y lírica, es evidente que las primeras se distinguen de la última por su carácter objetivo. La épica cuenta; la dramática presenta. Y presenta de bulto. Ambas, además, no tienen por objeto al hombre individual sino a la colectividad o al héroe que la encarna. Por otra parte, teatro y épica se distinguen entre sí por lo siguiente: en la épica, el pueblo se ve como origen y como futuro, es decir, como un destino unitario, al que la acción heroica ha dotado de un sentido particular (ser digno de los héroes es continuarlos, prolongarlos, asegurar un futuro a ese pasado que siempre se presenta a nuestros ojos como un modelo); en el teatro, la sociedad no se ve como un todo sino desgarrada por dentro, en lucha consigo misma. En general, toda épica representa a una sociedad aristocrática y cerrada; el teatro —por lo menos en sus formas más altas: la comedia política y la tragedia— exige como atmósfera la democracia, esto es, el diálogo: en el teatro la sociedad dialoga consigo misma. Y así, mientras sólo en momentos aislados los héroes épicos son problemáticos, los del teatro lo son continuamente, salvo en el instante en que la crisis se desenlaza. Sabemos lo que hará el héroe épico, pero el personaje dramático se ofrece como varias posibilidades de acción, entre las que tiene que escoger. Estas diferencias revelan que hay una suerte de filialidad entre épica y teatro. El héroe épico parece que está destinado a reflexionar sobre sí mismo en el teatro, y de ahí que Aristóteles afirme que los poetas dramáticos toman sus mitos —esto es, sus argumentos o asuntos— de la materia épica. La epopeya crea a los héroes como seres de una sola pieza; la poesía dramática recoge esos caracteres y los vuelve, por decirlo así, sobre sí mismos: los hace transparentes, para que nos contemplemos en sus abismos y contradicciones. Por eso el carácter heroico sólo puede estudiarse plenamente si el héroe épico es también héroe dramático, es decir, en aquella tradición poética que hace de la primitiva materia épica objeto de examen y diálogo.

No es muy seguro que todas las grandes civilizaciones posean una épica, en el sentido de las grandes epopeyas indoeuropeas. *El libro de los cantos,* en China, y el *Manyoshu,* en el Japón, son recopilaciones predominantemente líricas. En otros casos, una gran poesía dramática desdeña su tradición épica: Corneille y Racine buscaron héroes fuera de la materia épica francesa. Esta circunstancia no hace menos franceses a sus personajes, pero sí revela una ruptura en la historia espiritual de Francia. el «gran siglo» da la espalda a la tradición medieval y la elección de temas hispanos y griegos revela que esa sociedad había decidido cambiar sus modelos y arquetipos heroicos por otros. Ahora bien, si concebimos el teatro como el diálogo de la sociedad consigo misma, como un examen de sus fundamentos, no deja de ser sintomático que en el teatro francés el Cid y Aquiles suplanten a Rolando, y Agamenón a Carlomagno.

Si el mito épico constituye la sustancia de la creación dramática, debe haber una necesaria relación de filialidad entre épica y teatro, según acontece entre griegos, españoles e ingleses. En la epopeya el héroe aparece como unidad de destino; en el teatro, como conciencia y examen de ese mismo destino. Pero la problematicidad del héroe trágico sólo puede desplegarse ahí donde el diálogo se cumple efectiva y libremente, es decir, en el seno de una sociedad en donde la teología no constituye el monopolio de una burocracia eclesiástica y, por otra parte, ahí donde la actividad política consiste sobre todo en el libre intercambio de opiniones. Todo nos lleva a estudiar el carácter heroico en Grecia, porque sólo entre los griegos la épica es la materia prima de la teología y sólo entre ellos la democracia permitió que los personajes trágicos reviviesen como conflictos teatrales los supuestos teológicos que animaban a los héroes de la epopeya. Así pues, sin negar otras epopeyas ni un teatro como el Nô japonés, es evidente que Grecia debe ser el centro de nuestra reflexión sobre la figura del héroe. Sólo entre los griegos —y en esto radica el carácter excepcional de su cultura— se dan todas las condiciones que permiten el pleno despliegue del carácter heroico: los héroes épicos son también héroes trágicos; la reflexión que sobre sí mismo hace el héroe trágico no está limitada por una coacción eclesiástica o filosófica, y, en fin, esa reflexión se refiere a los fundamentos mismos del hombre y del mundo, porque en Grecia la épica es, simultáneamente, teogonía y cosmogonía y constituye el sustento común del pensamiento filosófico y de la religión popular. La reflexión del héroe trágico y su conflicto mismo son de orden religioso, político y filosófico. El tema único del teatro griego es el *sacrilegio,* o sea: la libertad, sus límites y sus penas. La concepción griega de la lucha entre la justicia cósmica y la voluntad humana, su armonía final y los conflictos que desgarran el alma de los héroes, constituye una revelación del ser y, así, del hombre mismo. Un hombre que no está fuera del cosmos, como un extraño huésped de la tierra, según ocurre en la idea del hombre que nos presenta la filosofía moderna; tampoco un hombre inmerso en el cosmos, como uno de sus ciegos componentes, mero reflejo de la dinámica de la naturaleza o de la voluntad de los dioses.

Para el griego, el hombre forma parte del cosmos, pero su relación con el todo se funda en su libertad. En esta ambivalencia reside el carácter trágico del ser humano. Ningún otro pueblo ha acometido, con semejante osadía y grandeza, la revelación de la condición humana.

EL MUNDO HEROICO

Lo que distingue a los héroes griegos de todos los otros es no ser simples herramientas en las manos de un dios, como sucede con Arjuna. El tema de Homero no es tanto la guerra de Troya o el regreso de Odiseo como el destino de los héroes. Ese destino está enlazado con el de los dioses y con la salud misma del cosmos, de modo que es un tema religioso. Y aquí surge otro de los rasgos distintivos de la poesía épica griega: el ser una religión. Homero es la Biblia helena. Pero es una religión apenas dogmática. Burckhardt señala que la originalidad de la religión griega reside en ser libre creación de poetas y no especulación de una clerecía. Y el ser creación poética libre, y no dogma de una Iglesia, permitió después la crítica y favoreció el nacimiento del pensamiento filosófico. Mas antes de analizar en qué consiste la visión del mundo que nos ofrece la epopeya y el lugar de los héroes en ese mundo, conviene precisar el significado del culto a los héroes entre los griegos.

La antigua Grecia conoce dos religiones: la de los dioses y la de los muertos. La primera adora divinidades naturales y puede simbolizarse en la figura solar de Zeus; la segunda es un culto a los señores en cuya figura la comunidad entera se reconoce y cuya mejor representación es Agamenón.[1] Ambos cultos sufren transformaciones decisivas. La civilización egea se disgrega; la micenia se extiende y trasplanta parcialmente al Asia Menor, mientras se extingue en el continente. En las colonias asiáticas la religión de los dioses se fortifica, en tanto que el culto a los muertos languidece, ligado como estaba a la tumba local o doméstica. Se debilita, pero no muere: los antepasados regios dejan su morada terrestre, rompen los lazos mágicos que los atan al suelo e ingresan en el reino del mito. Los héroes ya no son los muertos localizados en una tumba y se convierten en figuras míticas en las que el pueblo desterrado ve su pasado como algo lejano y entrañable al mismo tiempo. El mito, por otra parte, se desprende

[1] Dejo intencionalmente de lado la religión minoica, con su Gran Diosa y sus cultos agrarios y subterráneos.

del himno religioso y de la plegaria y, tomando como materia propia a los héroes, se convierte en la sustancia de la epopeya.[1] La victoria de la religión de los dioses no produjo un libro canónico como la Biblia o los Vedas. La libertad que el poeta épico se podía tomar con los héroes, gracias a la desaparición de las tumbas, se ejerció también en la pintura de los dioses. Roto el lazo sagrado entre el espíritu de la tumba y el hombre, el héroe-dios, el «señor», se humaniza. Para el mito el héroe es un semidios, un hijo de dioses, lo cual no es del todo inexacto, pues ya se ha visto que se trata de un dios humanizado, una figura libre ya del poder terrible de la sangre y el suelo. Esta humanización produce, por contagio, la del dios olímpico. Así, Homero es tanto un fin como un principio. Fin de una larga evolución religiosa que culmina con el triunfo de la religión olímpica y la derrota del culto a los muertos. Principio de una nueva sociedad aristocrática y caballeresca, a la que los poemas homéricos otorgan una religión, un ideal de vida y una ética. Esa religión es la olímpica; esas ideas y esa ética son el culto a los héroes, al hombre divino en el que confluyen y luchan los dos mundos: el natural y el sobrenatural. Desde su nacimiento la figura del héroe ofrece la imagen de un nudo en el que se atan fuerzas contrarias. Su esencia es el conflicto entre dos mundos. Toda la tragedia late ya en la concepción épica del héroe.

Para entender con claridad en qué consiste el conflicto del héroe es menester formarse una idea del mundo en que se mueve. Según Jaeger «lo que caracteriza el espíritu griego, y es desconocido de los pueblos anteriores, es la clara conciencia de una *legalidad inmanente* de las cosas».[2] Esta idea tiene dos vertientes: la concepción dinámica de un todo, animado por leyes, impulsos y ritmos cósmicos, y la noción del hombre como parte activa de esa totalidad. La idea de la legalidad cósmica y la de la responsabilidad del hombre en esa legalidad, como uno de sus componentes activos, no deja de ser contradictoria. En ella se encuentra la raíz de lo heroico y, más tarde, la conciencia de lo trágico. La epopeya no postula esta concepción como un problema, pues Homero «concibe a Até y a Moira de un modo estrictamente religioso, como fuerzas divinas que el hombre puede apenas resistir. Sin embargo, aparece el hombre, especialmente en el canto noveno de la *Ilíada*, si no dueño de su destino por lo

[1] Raffaele Pettazzoni, *La Religion dans la Grèce antique*, París, 1953.

[2] Werner Jaeger, *Paideia*, 5ª ed., FCE, México, 1962. Esta afirmación de Jaeger es discutible. La legalidad cósmica aparece en la poesía védica, entre los chinos, los antiguos mexicanos, etc. Lo que no aparece en esas civilizaciones es el conflicto trágico.

menos como un coautor inconsciente».[1] Los griegos insertan al hombre dentro del movimiento general de la naturaleza y de ahí arranca el conflicto y el valor ejemplar de lo heroico. Este conflicto no es de orden moral, en el sentido moderno de la palabra: «las fuerzas morales son tan reales como las físicas [...] y los últimos límites de la ética para Homero son, como para los griegos en general, leyes del ser, no convenciones del puro deber».

Epopeya y filosofía naturalista se nutren de una misma concepción del ser. La idea de una legalidad universal se expresa con mayor nitidez aún en el célebre fragmento de Anaximandro: «Las cosas tienen que cumplir la pena y sufrir la expiación que se deben recíprocamente por su injusticia, según los decretos del Tiempo». No se trata de una anticipación a la concepción científica de la naturaleza, con sus leyes de causa y efecto, sino de una visión del ser como un cosmos no sin semejanza con el mundo político de Solón, regido por la justicia.[2] Tanto la justicia política como la cósmica no son propiamente leyes que estén sobre la naturaleza de las cosas, sino que las cosas mismas en su mutuo movimiento, en su engendrarse y entredevorarse, son las que producen la justicia. Así, ésta se identifica con el orden cósmico, con el movimiento natural del ser y con el movimiento político de la ciudad y su libre juego de intereses y pasiones, cada uno castigando los excesos del otro. Una vez más: justicia y orden son categorías del ser. Y su otro nombre, se me ocurre, es armonía, movimiento o danza concertada tanto como choque rítmico de contrarios.

El mundo de los héroes y de los dioses no es distinto del de los hombres: es un cosmos, un todo viviente en el que el movimiento se llama justicia, orden, destino. El nacer y el morir son las dos notas extremas de este concierto o armonía viviente y entre ambas aparecen la figura peligrosa del hombre. Peligrosa porque en él confluyen los dos mundos. Por eso es fácil víctima de la *hybris,* que es el pecado por excelencia contra la salud política y cósmica. La cólera de Aquiles, el orgullo de Agamenón, la envidia de Ayax son manifestaciones de la *hybris* y de su poder destructor. Por razón misma de la naturaleza total de esta concepción, la salud individual está en relación directa con la cósmica, y la enfermedad o la locura del héroe contagian al universo entero y ponen en peligro al cielo y a la tierra. El ostracismo es una medida de higiene pública; la destrucción del héroe que se excede y va más allá de las normas, un remedio para

[1] *Idem.*

[2] Werner Jaeger, *La teología de los primeros filósofos griegos,* FCE, México, 1952.

restablecer la salud cósmica. Ahora bien, no se comprende enteramente en qué consiste el pecado de desmesura si se concibe la medida como un límite impuesto desde fuera. La mesura es el espacio real que cada quien ocupa conforme a su naturaleza. Ir más allá de sí es transgredir tanto los límites de nuestro ser como violar los de los otros hombres y entes. Cada vez que rompemos la mesura herimos al cosmos entero. Sobre este modelo armónico se edifica la constitución política de las ciudades, la vida social tanto como la individual, y en él se funda la tragedia. Toda la historia de la cultura griega puede verse como su desarrollo.

En la sentencia de Anaximandro —las cosas expían sus propios excesos— ya está en germen toda la visión polémica del ser de Heráclito: el universo está en tensión, como la cuerda del arco o las de la lira. El mundo «cambiando, reposa». Pero Heráclito no sólo concibe el ser como devenir —idea en cierto modo implícita ya en la concepción de la épica— sino que hace del hombre el lugar de encuentro de la guerra cósmica. El hombre es polémico porque en él todas las fuerzas terrestres y divinas se dan cita y pelean. Conciencia y libertad —aunque Heráclito no emplea estas palabras— son sus atributos. Llegar a la comprensión del ser es también llegar a la comprensión del hombre. Su misterio consiste en ser una rueda del orden cósmico, un acorde del gran concierto y, asimismo, en ser libertad. Dolor es desarmonía; conciencia, acorde con el ritmo del ser. El misterio del destino consiste en que también es libertad. Sin ella no se cumple.

A la inversa de la epopeya, la tragedia es hija de la Grecia continental. La gran creación individualista de la Grecia asiática —la elegía— se transforma en la madre patria en formas colectivas, según se advierte en la poesía coral espartana. La tragedia recibe una doble herencia: la tradición lírica elegiaca y la poesía aristocrática de la épica. El origen de la tragedia, como es sabido, es popular y agrario. Gracias a las reformas de la época de Pisístrato, las clases populares se elevan y a este ascenso social corresponde también el ingreso de los cultos populares —la religión de Dionisos y Deméter— a la *polis* cerrada y aristocrática. Pero del mismo modo que la emigración al Asia Menor acarreó la transformación del culto a los muertos en religión de los héroes, al triunfo popular corresponde «una evolución religiosa paralela en el sentido de las formas olímpicas tradicionales: las clases inferiores las hacen suyas como un signo y una consagración».[1] La pantomima dionisíaca se transforma en culto de la *polis*. La sustancia

[1] R. Pettazzoni, *La Religion dans la Grèce antique.*

de la tragedia no es el mito agrario sino la tradición heroica de la epopeya. El coro campesino cambia de tono y de contenido y se transforma en vehículo del arte más alto y de la más libre y apasionada meditación sobre la suerte del hombre. El mito heroico, que funda a Grecia en la epopeya, se transforma en diálogo: la tragedia y la comedia son un diálogo de Grecia consigo misma y con los fundamentos de su ser.

Esquilo concibe el destino como una fuerza sobrehumana y sobredivina, pero en la cual la voluntad del hombre participa. El dolor, la desdicha y la catástrofe son, en el sentido recto de la palabra, penas que se infligen al hombre por traspasar la mesura, es decir, por transgredir ese límite máximo de expansión de cada ser e intentar ir más allá de sí mismo: ser dios o demonio. Más allá de la mesura, espacio sobre el que cada uno puede desplegarse, brotan la discordancia, el desorden y el caos. Esquilo acepta con entereza la violencia vengativa del destino; mas su piedad es viril, y se rebela contra la suerte del hombre. Ver en el teatro de Esquilo la triste y sombría victoria del destino es olvidar lo que llama Jaeger «la tensión problemática» del soldado de Salamina. Esa tensión se alivia cuando el dolor se transforma en conciencia del destino. Entonces el hombre accede a la visión de la legalidad cósmica y su desdicha aparece como una parte de la armonía universal. Pagada su penalidad, el hombre se reconcilia con el todo. Pero Esquilo no nos da una solución, ni una receta moral o filosófica. Estamos ante un misterio que no aciertan a desvelar del todo sus palabras, pues si es justo que el hombre pague, los gritos de Prometeo en la escena final de la tragedia contradicen esta creencia: «Éter que haces girar la luz común para todos, viéndome estás cuán sin justicia padezco». Este grito no admite consuelo: es un dardo clavado en el corazón de ese cosmos justo. Nadie puede extraerlo porque simboliza la condición trágica del hombre.

También para Sófocles la acción trágica no implica sólo la soberanía del Destino sino la activa participación del hombre en el cumplimiento de la justicia cósmica. La resignación es innoble si no se transforma en conciencia del dolor. Y por el dolor se llega a la visión trágica, que dice «sí a la esfinge cuyo misterio ningún mortal es capaz de resolver».[1] La tragedia no predica la resignación inconsciente, sino la voluntaria aceptación del Destino. En él y frente a él se afina el temple humano y sólo en ese «Sí» la libertad humana se reconcilia con la fatalidad exterior. Gracias a la acep-

[1] W. Jaeger, *Paideia.*

tación trágica del héroe, el coro puede decir a Edipo: «Los dioses que te hirieron, te levantarán de nuevo». En estas palabras de Sófocles hay una respuesta al grito de Prometeo: apenas el Destino se hace conciencia, se transforma y cesa la pena. Ni Esquilo ni Sófocles niegan que el Destino sea la expresión de la legalidad inmanente de las cosas, pero ambos quieren insertar al hombre dentro de esa ley universal sin sacrificar su conciencia. Sófocles acentúa el carácter redentor, por decirlo así, de la conciencia, a la que concibe como la intuición superior de las fuerzas que rigen el cosmos, y la luz de esa comprensión ilumina los ciegos pasos de Edipo en Colona. Una y otra vez el genio griego afirma que el hombre es algo más que un «instrumento» en las manos de un dios. ¿Cómo conciliar esta afirmación con la del Destino? Este problema nunca fue resuelto del todo y en él reside precisamente lo que se llama conflicto trágico. Se trata de dos términos incompatibles y que, sin embargo, se complementan y gracias a los cuales el hombre es hombre y el mundo es mundo. Lo trágico reside en la afirmación mutua e igualmente absoluta de los contrarios. Si el hombre no fuese culpable, el Destino no lo destrozaría; pero esa culpa no disminuye sino engrandece a Prometeo, Antígona y Edipo. Por ellos y en ellos el Ser se cumple y no regresa el caos. La conciencia del Destino es lo único que puede librarnos de su peso atroz y darnos una vislumbre de la armonía universal. Libertad y Destino son términos opuestos y complementarios. Su misterio pertenece a la naturaleza misma de las cosas. El pesimismo griego es de orden distinto al cristiano.

Eurípides es el primero que se atreve abiertamente a preguntarse sobre la santidad y justicia de la legalidad cósmica. Al hacerlo, abandona el campo del Ser y se traslada al de la crítica moral. La culpa deja de ser una maldición objetiva y se convierte en un concepto subjetivo y psicológico. El Destino es loco, caprichoso e injusto, nos dicen los héroes de Eurípides. Esquilo había proferido quejas semejantes, pero su obra no es una defensa filosófica de los derechos del hombre, ni una crítica de los dioses, sino la expresión de la condición humana como manifestación de la legalidad cósmica. Apenas se niega la justicia del Destino, pierde también justificación el dolor y el caos regresa. El hombre, ante la invasión del azar, no puede hacer nada sino refugiarse en sí mismo o crearse una ciudad ideal. El estoicismo, el misticismo personal y la utopía política son salidas de un mundo que ha perdido su legalidad objetiva. La grandeza de Eurípides como poeta lírico, su conocimiento de las pasiones y su penetración psicológica no compensan lo que se ha llamado su «pecado contra el mito», o sea el haber convertido en causa psicológica lo que antes fue justicia cósmica. Al romper la tensión trágica, abrió la puerta al relativismo y a la psicología y minó los fundamentos de la idea del ser. ¿Pero no será mucho olvidar que, asimismo, Eurípides afirma la inocencia del hombre? Esa inocencia, a la inversa de lo que ocurre con Esquilo, no se postula frente a la legalidad y santidad del Destino sino como un alegato ante la irracionalidad y locura de ese mismo Destino. La respuesta que da Eurípides a la pregunta que se habían hecho Esquilo y Sófocles tiene así dos caras: niega la santidad del Destino y sostiene la inocencia del hombre. Su negación rompe el conflicto trágico, pues no es lo mismo ser víctima del ciego azar o de la pasión que de una justicia cósmica; su afirmación, en cambio, sí es eminentemente trágica: el hombre es inocente porque su culpa no es suya realmente. Eurípides recoge la antigua noción de *culpa objetiva,* la contrasta con las ideas de responsabilidad subjetiva y afirma la inocencia última del hombre. Esta afirmación es trágica, porque en ella también hay un conflicto que nada, excepto la conciencia superior de nuestra condición, resuelve. Pagamos y expiamos, porque siendo inocentes somos culpables.

En los tres grandes poetas trágicos se transparenta un conflicto que no admite solución, excepto suprimiendo uno de los dos términos antagónicos: Destino o conciencia humana. En ese conflicto la «otra voz», reveladora de la condición humana fundamental, se manifiesta con una plenitud y una hondura que hacen, a mi juicio, que sea la tragedia la más alta creación poética del hombre. El hombre es Destino, fatalidad, naturaleza, historia, azar, apetito o como quiera llamársele a esa condición que lo lleva más allá de sí y de sus límites; pero, además, el hombre es conciencia de sí. En esta contradicción reside el misterio de su ser, su carácter polémico y aquello que lo distingue del resto de los entes. Pero la grandeza de la tragedia no consiste en haber llegado a esta concepción sino en haberla vivido realmente y en haber encarnado la contradicción insoluble de los dos términos. Los héroes trágicos —aun en los momentos de mayor locura y extravío— no pierden la conciencia y no dejan de preguntarse sobre las razones últimas de su condición: ¿somos realmente libres?; ¿somos culpables?; esos dioses que tan sin piedad nos hieren ¿son justos o injustos; existen realmente?; ¿hay otras leyes —como dice Sófocles— superiores a los caprichos de la divinidad? La tragedia griega es una pregunta sobre los fundamentos mismos del Ser: ¿el Destino es santo?, ¿el hombre es culpable?, ¿cuál es el sentido de la palabra *justicia*? Estas interrogaciones no poseían un carácter retórico, pues se referían a los supuestos mismos de la sociedad griega y ponían en tela de juicio todo el sistema de valores en que se edificaba la *polis.*

Ni Calderón ni Shakespeare se hicieron nunca preguntas parecidas, preguntas acaso sin respuesta. Las acciones más santas y los sacrilegios más atroces son examinados sin piedad por los poetas trágicos, para mostrarnos el verso y el anverso de cada acto. Al librar a Tebas de la Esfinge, Edipo se pierde; al matar a su madre, Orestes restablece el orden cósmico. La tragedia es una vasta meditación sobre el sacrilegio y un examen de su valor ambiguo: salva y condena, condena y salva. Todos los héroes se pierden porque violan un límite sagrado: el de su propio ser, y el orden vuelve a reinar si una nueva violación —divina o humana, de la divinidad ofendida o del héroe vengador— restaura el equilibrio. Nada iguala la audacia con que los poetas trágicos examinan las convenciones más generalmente aceptadas como santas por su pueblo. Sólo en la libertad puede nacer un arte cuyo tema único es el sacrilegio, como en la tragedia, o la salud política, como en la comedia aristofanesca. La ausencia de un dogma eclesiástico y de una clerecía guardiana de las verdades tradicionales, por una parte, y el clima de la democracia ateniense, por la otra, explican la soberana libertad que los poetas se tomaron con el mito heroico. Mas no basta la libertad sin la valentía del espíritu y la intrepidez de la mirada. El teatro griego ofrece una visión pesimista del hombre, pero también es una crítica de los dioses. Su pesimismo abarca el cosmos entero. La libertad de la tragedia no rehúye la fatalidad sino que se prueba en ella. Los griegos nunca se hicieron ilusiones y, como ha dicho Nietzsche, la tragedia sólo fue posible gracias a su salud psíquica. Aquel que ha conocido la victoria como los griegos la conocieron después de Salamina y Maratón, aquel que *ha descubierto la geometría y se sabe mortal,* aquel que ha probado la extrema tensión de su ser y conoce sus límites, ése, y sólo ése, tiene el temple trágico.

Los griegos son los primeros que han visto que el Destino exige para cumplirse la acción de la libertad. El Destino se apoya en la libertad de los hombres; o mejor dicho: la libertad es la dimensión humana del Destino. Sin los hombres, el Destino no se cumple y la armonía cósmica se rompe. Para los griegos el hombre no es «una pasión inútil», porque la libertad es una de las caras del Destino. Sin acción humana no habría fatalidad ni armonía ni salud cósmica, y el mundo se vendría abajo. La tragedia es una imagen del cosmos y del hombre. En ella cada elemento vive en función de su contrario. Y hay un momento en que los contrarios se funden, no para producir una ilusoria síntesis, sino en un acto trágico, en un nudo que nada desata excepto la catástrofe. Todos los actos trágicos, todos los conflictos, pueden reducirse a esto: la libertad es una condición de la necesidad. En esto reside la originalidad de la Tragedia y a esto podría reducirse la revelación que nos entrega. Para el griego la vida no es sueño, ni pesadilla, ni sombra, sino gesta, acto en el que la libertad y el Destino forman un nudo indisoluble. Ese nudo es el hombre. En él se atan las leyes humanas, las divinas y las no escritas que rigen a entrambas. El hombre es el fiel de la balanza, la piedra angular del orden cósmico, y su libertad impide el regreso del caos original. (Recordemos el verso de Hölderlin, el único entre los modernos que, hasta Nietzsche, ha sabido recoger la herencia griega: el hombre es el guardián de la creación y su misión consiste en impedir la vuelta del caos.) Sobre la libertad humana se apoya el Destino, forma visible del ritmo universal, manifestación de una Justicia que no es premio y castigo, bien y mal, sino acorde cósmico. Y el hombre, el mortal, la criatura que envejece y se enferma, sujeto a los desvaríos de la pasión y a la mudanza de las opiniones, es el único ser libre, precisamente por ser el sujeto elegido por el Destino. Esa elección exige su aceptación. Y por eso sus crímenes hacen temblar al universo y sus acciones restablecen el curso de la vida. Por él anda el mundo.

Nuestro teatro también se alimenta de una tradición épica y de este hecho arrancan su vitalidad y originalidad. Esta tradición es doble: por una parte, el tesoro de romances y leyendas medievales; por la otra, lo que llamaríamos la épica cristiana: las vidas de los santos y los mártires. Pero esta materia heroica no podía ser libremente recreada y puesta a prueba por los poetas dramáticos. La monarquía por derecho divino y el dogma católico no son comparables al culto a la *polis* y a la religión olímpica. Aunque Menéndez y Pelayo señala que durante esos siglos España era un «pueblo de teólogos» y una «democracia frailuna», los límites que el Estado y la Iglesia imponían al pensamiento creador eran bastante estrechos. Cuando Lope recoge un tema de siglos anteriores, como el de *Fuenteovejuna*, resuelve el conflicto de acuerdo con las ideas de su época y exalta al monarca como árbitro supremo en la disputa de villanos y señores feudales. La obra no toca al orden establecido, sino más bien tiende a fortalecerlo. Lo mismo ocurre en *Peribáñez y el comendador de Ocaña, El mejor alcalde, el rey, El alcalde de Zalamea* y otros dramas. De todos modos vale la pena señalar que en todos ellos resplandece el célebre «Del rey abajo, ninguno», frase en la que puede condensarse la concepción política de la España medieval. Y aun el culto al monarca continúa la tradición del *Cid:* «Dios, qué buen vassallo, si oviesse buen señor!». El mejor ejemplo de esta actitud es *La estrella de Sevilla,* hermoso fresco en el que don Busto Talavera prolonga la figura del hidalgo tal como lo había imaginado la poesía épica. Todo hombre está atado por una doble fidelidad: a su señor y a su honra. Cuando esta pareja de fidelidades se vuelve incompatible, brota el drama. Así, nuestro teatro es rico en conflictos violentos y sus héroes se revuelven con fiereza dentro de los inexorables límites del honor y la fidelidad al monarca. El choque de caracteres, el arrebato de las pasiones y el estrago que causa en las almas la tiranía de las normas inflexibles de la honra, producen situaciones extremas en las que el hombre parece tocar sus últimas posibilidades. Sin embargo, en todas esas obras echamos de menos la valentía de las preguntas sobre el destino y el misterio de la condición humana que se hacen los héroes griegos. A diferencia de griegos e ingleses, los poetas dramáticos españoles poseen un repertorio de respuestas hechas, aplicables a todas las situaciones humanas. Hay ciertas preguntas —aquellas, precisamente, que se refieren al hombre y a su puesto en el cosmos— que nuestros poetas no se hacían o para las que tenían ya listas las contestaciones que da la teología católica.

Lo mismo debe decirse de la comedia: es de enredo o es crítica de costumbres, nunca comedia política como en Aristófanes o sátira social como en Ben Jonson. La verdadera comedia española es una suerte de ballet poético, en el que la velocidad de la acción, lo intrincado de las situaciones y el donaire del diálogo hacen del espectáculo una deslumbrante función de juegos de artificio. Pero hay una porción del teatro español —sin duda la más original y, al mismo tiempo, la más universal— que tiene por tema central la libertad del hombre y la gracia de Dios. En obras como *La vida es sueño, El mágico prodigioso* o *El condenado por desconfiado,* el teatro español funde una concepción dramática nacional con la defensa e ilustración de la doctrina católica del libre albedrío. Y aquí debe decirse que nuestro teatro es el único en Occidente que merece realmente el adjetivo de filosófico, al menos hasta Goethe. Frente a Calderón, el pensamiento de Racine o el de Shakespeare es mero balbuceo. Mas lo sorprendente no es la riqueza del pensamiento filosófico de Calderón o Mira de Amescua —pues entonces sólo serían apreciados como filósofos— sino que lograsen transmutar todos esos conceptos en imágenes poéticas y en acción dramática. No menos asombrosa era la pasión con que los espectadores seguían aquellas largas tiradas barrocas sobre la libertad, la gracia y el pecado. Como en Atenas, en los corrales españoles se creaba esa comunidad entre poetas y público sin la cual no es posible la existencia de un gran teatro. Aquel público no estaba muy versado en «la exacta comprensión de las leyes naturales y en las ciencias basadas en el cálculo» —dice Menéndez y Pelayo—, pero en cambio «nutría su entendimiento y apacentaba su fantasía en la teología dogmática y en la filosofía, que no eran patrimonio de gente curtida en las aulas sino alimento cotidiano del vulgo». Para el espectador moderno el lenguaje de Calderón o Tirso de Molina resulta ininteligible. Y no sólo porque nuestro español es pobrísimo: la escasez de palabras es hija de la penuria intelectual. El lugar que ocupaban aquellas ideas sobre la gracia y el libre albedrío, la predestinación, el amor y la fe lo ocupan ahora vagas nociones de orden periodístico, extraídas de los manuales de divulgación científica.

El tema central de nuestra poesía dramática es el destino del alma; en esto radica su grandeza y lo que la hace comparable a la tragedia griega. Sólo que para Esquilo o Eurípides se trata de un problema que no tenía más respuesta que aquella que el poeta lograse darle, mientras que nuestros dramaturgos se sirven de un dogma que no admite enmienda. Aplican recetas, adoctrinan, discuten, prueban y ganan con brillo sus tesis. Su arte merecería el calificativo de «teatro de propaganda», si no fuera porque sus autores nunca confundieron la convicción intelectual con el bajo proselitismo de nuestra época. Ninguno de ellos rebajó sus concepciones hasta transformarlas en fórmulas mágicas, ni tampoco las simplificó para «ponerlas al alcance de las masas». Lope, que no se avergonzaba de escribir para el vulgo, habría enrojecido el escuchar a los poetas que ahora hablan para el pueblo. La propaganda comercial todavía no era el modelo retórico predilecto de políticos y escritores al «servicio de la humanidad». Nuestros poetas se dirigían a sus semejantes, esto es, a seres dotados de razón y dueños de albedrío. Su mismo catolicismo les impedía considerarlos como instrumentos o cosas. En cambio, el principio que rige la propaganda —y que sus beneficiarios han tomado de los métodos comerciales de la burguesía— hace caso omiso de razón y libertad: el hombre es un complejo de reacciones que hay que estimular o neutralizar, según las circunstancias.

Para nuestros grandes autores la libertad es una gracia de Dios. Postulan así un misterio terrible y no sin analogías con el conflicto de la tragedia griega. Ellos también se mueven entre dos términos incompatibles: si existe una Providencia, ¿cómo puede ser libre el hombre?, y, por otra parte, ¿cuál puede ser el sentido de la libertad humana, si no está referida a Dios? La libertad es lo que distingue al hombre de los brutos, de modo que su esencia es el libre albedrío; pues bien, si el acto libre lleva al hombre a realizar su esencia, ¿cómo ese acto podrá ser contrario a Dios, en quien esencia y existencia, acto y potencia, se resuelven en unidad? La respuesta, como entre los griegos, es paradójica. Cuando Segismundo obedece a su voz interior, se convierte en prisionero de las estrellas, es decir, de su naturaleza selvática. Afirmar su naturaleza implica así no ser más, sino ser menos y, literalmente, perder el ser, perderse. Pero apenas se niega a sí mismo y pone freno a su ser, se salva. La verdadera libertad se ejerce sometiéndonos a Dios. Esta negación es también una afirmación y se parece al «Sí» con que Edipo y Antígona contestan al Destino. Hay, sin embargo, una diferencia capital: la libertad de los héroes españoles consiste en decirle «No» a la naturaleza humana; la afirmación del Destino, en cambio, es también una afirmación del ser trágico del hombre. Aunque el misterio de la libertad como dádiva de Dios es tan impenetrable como el del Destino que sólo se cumple en la libertad del héroe, sus consecuencias son distintas. En el «Sí» del griego, el hombre se sobrepasa, estira la cuerda del arco de su voluntad hasta su límite extremo y así participa en el concierto cósmico. Nuestro teatro proclama la nadería del hombre; el griego, su condición heroica. La libertad de Segismundo no es la justicia cósmica cumpliéndose como acto de conciencia sino la Providencia reflejándose a sí misma. El hombre no es un nudo de fuerzas contrarias sino un escenario ocupado por dos actores: Dios y el Diablo. Libertad vencedora de los astros, como dicen los hermosos versos de Calderón, mas también libertad que consiste en negar a aquel que la ejercita. El héroe, en el sentido griego, desaparece. No hay tragedia sino auto sacramental o drama sacro.

La doctrina del libre albedrío y la de la predestinación son un laberinto teológico a cuya salida nos esperan la nada o el ser. Esto lo sintieron, con alma y cuerpo, nuestros autores y su público. En ningún teatro —salvo en el griego y en el Nô japonés— hay relámpagos metafísicos tan vivos. La brevedad de su esplendor no nos impide vislumbrar lo que llaman los abismos del ser. El tema central del teatro teológico español es, como en el griego, el sacrilegio. Pero, no sin razón, la crítica ha señalado que nuestros autores no sobresalen en la creación de caracteres. Todo teatro de ideas ofrece la misma debilidad, y quizá el genio de los poetas españoles consiste, precisamente, en que hayan logrado crear con temas tan abstractos caracteres humanos y no meros fantoches. Caracteres, tipos, seres de sangre y fuego cuyo arrebatado transcurrir por la escena corre siempre parejas con el viento y la centella, pero no héroes en el sentido de Edipo y Prometeo, Orestes y Antígona. Dios ha deshabitado al hombre. La vida es un sueño y los hombres los fantasmas de ese sueño.

Lisarda, la protagonista central de *El esclavo del demonio,* es uno de esos temperamentos femeninos que abundan en el teatro isabelino y que Sade redescubriría y llevaría hasta extremos atroces, pero que son excepcionales dentro de nuestra tradición dramática. Poseída por su genio temible y hermoso como una catástrofe en la que el fuego fuese el actor principal, concibe el proyecto de matar a su padre y a su hermana. Una vez frente a sus víctimas, la gracia —esa gracia enigmática que en vano buscan otros— desciende y detiene el brazo homicida. Si se compara este episodio con la actitud de los hermanos incestuosos en *'Tis Pitty She's a Whore,* puede medirse todo lo que separa al teatro español del inglés. Mira de Amescua se sirve de Lisarda para probar su tesis, y las pasiones de su heroína tienen una resonancia teológica. Los protagonistas de John Ford son una realidad que irrumpe, y la matanza con que termina su drama es algo así como el final estallido de un volcán. A la inversa de Mira de Amescua, el poeta inglés concibe la pasión como algo sagrado. Nada más revelador de esta consagración de la naturaleza como una fuerza divina que las palabras de Giovanni ante los consejos de su confesor y padre espiritual:

Shall a peevish sound,
A customary form, from man to man,
Of brother and of sister, be a bar
'Twixt my perpetual happiness and me?
Say that we had one father; say one womb—
Curse to my joys!— gave both us life and birth;
Are We not therefore each to other bound
So much the more by nature? by the links
Of Blood, of reason? nay, if you will have't,
Even of religion, to be ever one,
One soul, one flesh, one love, one heart, one all?

El lugar que ocupan Dios y el libre albedrío en el teatro español, la libertad y el Destino en el griego, lo tiene en el inglés la naturaleza humana. Mas el carácter sagrado de la naturaleza no proviene de Dios ni de la legalidad cósmica, sino de ser una fuerza que se ha rebelado contra esos antiguos poderes. Tamerlán, Macbeth, Fausto y el mismo Hamlet pertenecen a una raza blasfema, que no tiene más ley que sus pasiones y deseos. Y esa ley es terrible porque es la de una naturaleza que ha abandonado a Dios y se ha consagrado y ungido a sí misma. Los isabelinos acaban de descubrir al hombre. La marea de sus pasiones arroja a Dios de la escena. A semejanza del Destino de los antiguos y del Dios de los españoles, la naturaleza es una divinidad ambigua:

> O, nature! What hadst thou to do in hell
> When thou didst bower the spirit of a friend
> In mortal paradise of such sweet flesh?

La queja de la joven Julieta la pueden repetir la duquesa de Malfi y el viejo Lear, pero no Antígona ni Agamenón. La ambigüedad del hombre y su naturaleza es de orden distinto a la de las divinidades antiguas. A Segismundo y a Edipo no los engañan hombre o mujer alguno, sino los dioses. De ahí que su queja posea una resonancia sobrehumana. Los héroes de Shakespeare y Webster están solos, en el sentido más radical de la palabra, porque sus gritos se pierden en el vacío: Dios y el Destino han deshabitado sus cielos. Con la desaparición de los dioses el cosmos pierde coherencia e irrumpe el azar. La necesidad griega y la gracia divina de los españoles son misterios impenetrables pero dueños de una lógica secreta. Apenas el acontecer humano pierde sus antiguas referencias sagradas, se convierte en una sucesión de hechos sin sentido y que también pierden conexión entre sí. El hombre se vuelve juguete del azar. Es verdad que Romeo y Julieta son víctimas del odio de sus familias y el drama podría explicarse como una consecuencia de las rivalidades de casta. Pero también es cierto que habrían podido salvarse de no intervenir una serie de circunstancias que ningún poder, excepto la casualidad, ha congregado. En el mundo de Shakespeare, el azar reemplaza a la necesidad. Al mismo tiempo, *inocencia* y *culpa* se convierten en palabras sin valor. El equilibrio dialéctico se rompe, la tensión trágica se afloja. A pesar de sus pasiones devastadoras y de sus gritos que hacen temblar la tierra, los personajes del teatro isabelino no son héroes. Hay algo pueril en todos ellos. Pueril y bárbaro. Violentos o dulces, cándidos o pérfidos, valerosos o cobardes, son un montón de huesos, sangre y nervios destinados a aplacar por un instante el apetito de una naturaleza endiosada. Saciado, el tigre se retira de la escena y deja el teatro cubierto de restos sangrientos: los hombres. ¿Y qué significación tienen todos esos despojos? La vida es un cuento contado por un idiota.

Desgarrada entre dos leyes, Antígona escoge la piedad: peca contra la ley de la ciudad para restablecer el equilibrio de la balanza divina. Orestes no retrocede ante el matricidio para cumplir con la justicia y echar a andar de nuevo al mundo, paralizado por el crimen de Clitemnestra. La armonía universal se cumple en la libertad del hombre. La libertad es el fundamento del ser. Si el hombre renuncia a la libertad, irrumpe el caos y el ser se pierde. En el mundo de Shakespeare asistimos al regreso del caos. Desaparecen los límites entre las cosas y los seres, el crimen puede ser virtud, y la inocencia, culpa. La pérdida de la legalidad hace vacilar al mundo. La realidad es un sueño, una pesadilla. Andamos otra vez entre fantasmas.

El teatro español se alimenta de la tradición épica española y de la teología. El inglés también se apoya en una crónica nacional y cerca de la tercera parte de la obra de Shakespeare está compuesta por los dramas históricos. Además, como señala Pound, para Shakespeare y sus contemporáneos la unidad de Europa todavía era una realidad, y de ahí que, libremente, como quien dispone de un bien común, se inspiren en temas y obras italianas, danesas o españolas.[1] La visión del mundo de los poetas isabelinos revela de modo aún más profundo la relación de filialidad entre el pensamiento europeo renacentista y el teatro inglés. La sustancia del pensamiento de Marlowe, Shakespeare, Ford, Webster o Jonson es una libre interpretación de Montaigne y Maquiavelo. El individualismo de un Macbeth o de un Fausto son el reflejo de las condiciones de esos tiempos, pero entre esas condiciones se encuentra, precisamente, el pensamiento de la época. «Apenas es necesario subrayar —dice Eliot— con qué facilidad, en una época como aquélla, la actitud senequista de orgullo, la cínica de Maquiavelo y la escéptica de Montaigne pudieron fundirse en el individualismo isabelino.» Lo que fue para los trágicos griegos la teología de

[1] La literatura europea es un todo, y las diversas literaturas nacionales que la componen sólo son comprensibles plenamente dentro de ese todo. Sobre la concepción de la poesía occidental como una «unidad de sentido», véase la obra de Ernst Robert Curtius, *Literatura europea y Edad Media latina*, FCE, México, 1955.

Homero y la filosofía, para los españoles la neoescolástica, fue para los isabelinos el pensamiento de Montaigne. Europa da a los poetas ingleses una filosofía, concebida no tanto como un conjunto de doctrinas cuanto como una manera de entender el mundo y el hombre. Esa filosofía no era dogmática sino fluida y admitía variaciones, enmiendas y soluciones inéditas, circunstancia que no deja de tener semejanza con la actitud de los griegos ante el mito.

El teatro francés no transforma una materia épica nacional, ni se vuelve sobre una teología o una filosofía para ponerla a prueba en la acción dramática. No examina los fundamentos en que se apoya la sociedad francesa, ni se remonta a sus orígenes épicos ni es una defensa o una crítica de los principios que alimentan a Francia. Es verdad que la actitud de Corneille y Molière, frente a las obras y los temas españoles e italianos, no fue distinta de la de los isabelinos, pero el modelo grecolatino termina por sustituir a la más libre e inmediata tradición europea. La imagen de la unidad europea es reemplazada por la figura abstracta de una Grecia ideal. Así pues, se trata de un clasicismo externo: el teatro francés no reproduce la evolución de la tragedia griega —recreación de un héroe épico y libre meditación sobre una teología nacional— sino que la escoge como un modelo estético. Las leyes que rigen las tragedias de Racine son primordialmente leyes estéticas: el teatro es un espacio ideal en donde se mueven, conforme a un ritmo determinado, los personajes. La humanidad que nos entrega es muy singular: nada más humano que sus personajes, ni, asimismo, nada menos humano. El hombre de Racine ha sufrido una suerte de operación quirúrgica, que si lo ha hecho más puro y abstracto —de modo que todos podemos reconocernos en él— también le ha cercenado esa dimensión misteriosa que lo hace escapar de su propia humanidad y lo pone en relación con los mundos inferiores y superiores.

El teatro de Racine —y en esto se acerca al isabelino— es un teatro de caracteres y situaciones. La situación —o sea: la complicada malla de circunstancias y relaciones dentro de las que se mueven los protagonistas— sustituye a Dios y a la necesidad. El carácter, la reacción individual frente a una situación dada, ocupa el lugar de la libertad. En este sentido Shakespeare y Racine son absolutamente modernos. Pero el universo de Shakespeare es el de las pasiones en rebelión. Y esa misma rebelión le otorga un carácter luciferino, es decir, sagrado. En el teatro de Racine las pasiones son terribles, mas nunca tienen un tono sobrehumano. Sus personajes se mueven en una atmósfera pura y vacía, de la que no sólo ha desaparecido toda idea de cosmos y divinidad, sino incluso cualquier particularidad concreta. Las referencias a este mundo o al otro han sido suprimidas. Los hombres son víctimas de sus pasiones, pero nada se nos dice sobre el origen último de esas pasiones. Los héroes de Racine viven suspendidos en un espacio abstracto, que no roza el mundo animal ni el sobrenatural. Su psicología es absolutamente humana y de ahí arranca precisamente su inhumanidad: el hombre siempre es, además de hombre, otra cosa: ángel, demonio, bestia, dios, fatalidad, historia —algo impuro, ajeno, *otro*. Las situaciones de Racine son ideales, en el sentido en que es ideal, gratuito, estético, un juego de ajedrez. Producto del entrecruzamiento de circunstancias y caracteres, la fatalidad posee una tonalidad estética; es un juego del que se han excluido de antemano la ambigüedad divina y el capricho del azar. El caos ha sido expulsado de nuevo, sólo que no para entronizar al destino, sino en beneficio de una geometría de las pasiones. Racine nos ofrece una imagen transparente del hombre, pero esa misma transparencia disuelve la zona ambigua, oscura, verdadera boca de sombras, por la que entrevemos ese más allá que es todo hombre.

Los románticos intentaron reanudar la tradición española e inglesa. Su empresa estaba destinada al fracaso; Hegel decía que el teatro romántico no lo podían escribir los alemanes, porque ya lo habían escrito Shakespeare y los españoles. El gran mito fáustico de Goethe es una suerte de inmenso monólogo del espíritu occidental reflejándose interminablemente en sus propias creaciones: todo es espejo. El poeta alemán luchó toda su vida contra ese subjetivismo, y su culto a «las madres» —eco de los misterios antiguos— es una tentativa por recobrar la divinidad de la totalidad natural. Los poetas dramáticos que lo suceden extreman el subjetivismo. Los personajes de Kleist viven en un mundo en el que la realidad se ha vuelto atroz, porque el sueño y la subjetividad no pueden penetrar en ella: son prisioneros cuya única puerta de salida es la muerte; Grabbe corroe los fundamentos hasta entonces sagrados de la sociedad y crea héroes que conspiran contra la salud del mundo. Ni Shakespeare, ni Racine ni Calderón pusieron en entredicho al mundo; los románticos lo condenan y su teatro es un acta de acusación. La relación del poeta con la historia varía radicalmente.

Es verdad que no todo el teatro moderno condena el mundo en nombre de la subjetividad. Lo mismo debe decirse de la novela. Pero cuando no lo condenan, lo niegan y disuelven en un juego de espejos. Del mismo modo que la poesía lírica se vuelve poesía de la poesía en Hölderlin, el teatro se desdobla y se transforma en una vertiginosa representación de sí mismo. Aunque esos juegos de reflejos culminan en Strindberg, Synge y Pirandello, se inician en el Renacimiento: Cervantes hace novela de la novela, Shakespeare crítica del teatro en el teatro, Velázquez se pinta pintando. El artista se inclina sobre su obra y no ve en ella sino su propio rostro que, atónito, lo contempla. Los héroes modernos son tan ambiguos como la realidad que los sustenta. Este movimiento culmina en Pirandello, tal vez el poeta dramático que ha llevado más lejos la revelación de la *irrealidad* del hombre. Para los antiguos el mundo reposaba sobre sólidos pilares; nadie ponía en duda las apariencias porque nadie dudaba de la realidad. En la edad moderna aparece el humor, que disocia las apariencias y vuelve real lo irreal, irreal lo real. El arte «realista» por excelencia, la novela, pone en entredicho la realidad de la llamada realidad. La poesía del pasado consagra a los héroes, llámense éstos Prometeo o Segismundo, Andrómaca o Romeo. La novela moderna los examina y los niega, hasta cuando se apiada de ellos.

AMBIGÜEDAD DE LA NOVELA

Se ha dicho muchas veces que el rasgo distintivo de la edad moderna —esta que expira ahora, ante nuestros ojos— consiste en fundar el mundo en el hombre. Y la piedra, el cimiento en el que se asienta la fábrica del universo, es la conciencia. Cierto, no toda la filosofía moderna comparte esta idea. Pero incluso en la que podría parecer más alejada de estas tendencias, la conciencia aparece como la conquista última y más alta de la historia. Aunque Marx no funda al mundo en la conciencia, hace de la historia una larga marcha a cuyo término el hombre enajenado al fin será dueño de sí mismo, es decir, de su propia conciencia. Entonces la conciencia dejará de estar determinada por las leyes de producción y se habrá dado el salto de la «necesidad a la libertad», según la conocida frase de Engels. Apenas el hombre sea el señor y no la víctima de las relaciones históricas, la existencia social estará determinada por la conciencia y no a la inversa, como ahora.

No deja de ser extraño, por otra parte, que las ciencias más objetivas y rigurosas se hayan desarrollado sin obstáculos dentro de estas convicciones intelectuales. La extrañeza desaparece si se advierte que, a diferencia de la antigua concepción griega de la ciencia, la de la época moderna no es tanto una versión ingenua de la naturaleza —o sea una visión del mundo natural tal cual lo vemos— como una creación de las condiciones objetivas que permitan la verificación de ciertos fenómenos. Para los griegos la naturaleza era sobre todo una realidad visible: aquello que ven los ojos; para nosotros, un nudo de reacciones y estímulos, una invisible red de relaciones. La ciencia moderna escoge y aísla parcelas de realidad y realiza sus experiencias sólo cuando ha creado ciertas condiciones favorables a la observación. En cierto modo, la ciencia inventa la realidad sobre la cual opera. La misión final que Marx asigna a la especie humana al final del dédalo de la historia —la autonomía de la conciencia y su posibilidad casi demiúrgica de crear la existencia y modificarla— el hombre moderno la ha realizado en determinados territorios de la realidad. También para el pensamiento científico moderno la realidad objetiva es una imagen de la conciencia y el más perfecto de sus productos.

Ya se postule la conciencia como el fundamento del universo, o se afirme que no podemos operar sobre la realidad exterior si no la reducimos previamente a dato en la conciencia o, finalmente, se conciba la historia como una progresiva liberación de la conciencia de aquello que la determina y enajena, la posición del hombre moderno ante el cosmos y ante sí mismo es radicalmente distinta de la que asumió en el pasado. La revolución de Copérnico mostró que el hombre no era el centro del universo ni el rey de la creación. El hombre quedó huérfano y destronado, mas en aptitud de rehacer su morada terrestre. Como es sabido, la primera consecuencia de esta actitud fue la desaparición de nociones que eran la justificación de la vida y el fundamento de la historia. Me refiero a ese complejo sistema de creencias que, para simplificar, se conoce como lo sagrado, lo divino o lo trascendente. Este cambio no se dio solamente en la esfera de las ideas —si es que puede hablarse de ideas desencarnadas o puras— sino en la zona menos precisa, pero mucho más activa, de las convicciones intelectuales. Fue un cambio histórico y, aún más, un cambio revolucionario, pues consistió en la sustitución de un mundo de valores por otro. Ahora bien, toda revolución aspira a fundar un orden nuevo en principios ciertos e inconmovibles, que tienden a ocupar el sitio de las divinidades desplazadas. Toda revolución es, al mismo tiempo, una profanación y una consagración.

El movimiento revolucionario es una profanación porque echa abajo las viejas imágenes; mas esta degradación se acompaña siempre por una consagración de lo que hasta entonces había sido considerado profano: la revolución consagra el sacrilegio. Los grandes reformadores han sido considerados sacrílegos porque efectivamente profanaron los misterios sagrados, los desnudaron y los exhibieron como engaños o como verdades incompletas. Y simultáneamente consagraron verdades que hasta entonces habían sido ignoradas o reputadas profanas. Buda denuncia como ilusoria la metafísica de los Upanishad: el yo no existe y el *atman* es un engañoso juego de reflejos; Cristo rompe el judaísmo y ofrece la salvación a todos los hombres; Lao-tsé se burla de las virtudes confucianas y las convierte en crímenes, mientras santifica lo que sus adversarios consideraban pecado. Toda revolución es la consagración de un sacrilegio, que se convierte en un nuevo principio sagrado.

La revolución moderna ostenta un rasgo que la hace única en la historia: su impotencia para consagrar los principios en que se funda. En efecto, desde el Renacimiento —y especialmente a partir de la Revolución francesa, que consuma el triunfo de la modernidad— se han erigido mitos y religiones seculares que se desmoronan apenas les toca el aire vivo de la historia. Parece innecesario recordar los fracasos de la religión de la humanidad o de la ciencia. Y como al sacrilegio no sucedió la consagración de nuevos principios, se produjo un vacío en la conciencia. Ese vacío se llama el espíritu laico. El espíritu laico o la neutralidad. Ahora bien, «ahí donde mueren los dioses, nacen los fantasmas». Nuestros fantasmas son abstractos e implacables. La patria deja de ser una comunidad, una tierra, algo concreto y palpable, y se convierte en una idea a la que todos los valores humanos se sacrifican: la nación. Al antiguo señor —tirano o clemente, pero al que siempre se puede asesinar— sucede el Estado, inmortal como una idea, eficaz como una máquina, impersonal como ellas y contra el que no valen las súplicas ni el puñal porque nada lo apiada ni lo mata. Al mismo tiempo el culto a la técnica gana las almas y reemplaza a las antiguas creencias mágicas. Pero la magia se funda en un doble principio: el universo es un todo en movimiento, presidido por el ritmo, y el hombre está en relación viviente con ese todo. Todo cambia porque todo se comunica. La metamorfosis es la expresión de esta vasta comunidad vital de la que el hombre es uno de los términos. Podemos cambiar, ser piedras o astros, si conocemos la palabra justa que abre las puertas de la analogía. El hombre mágico está en comunicación constante con el universo, forma parte de una totalidad en la que se reconoce y sobre la que puede obrar. El hombre moderno se sirve de la técnica como su antepasado de las fórmulas mágicas, sin que ésta, por lo demás, le abra puerta alguna. Al contrario, le cierra toda posibilidad de contacto con la naturaleza y con sus semejantes: la naturaleza se ha convertido en un complejo sistema de relaciones causales en el que las cualidades desaparecen y se transforman en puras cantidades, y sus semejantes han dejado de ser personas y son utensilios, instrumentos. La relación del hombre con la naturaleza y con su prójimo no es esencialmente distinta de la que mantiene con su automóvil, su teléfono o su máquina de escribir. En fin, la credulidad más grosera —según se ve en los mitos políticos— es la otra cara del espíritu positivo. Nadie tiene fe, pero todos se hacen ilusiones. Sólo que las ilusiones se evaporan y no queda entonces sino el vacío: nihilismo y chabacanería. La historia del espíritu laico o burgués podría intitularse, como la serie de Balzac: *Las ilusiones perdidas*.

La revolución burguesa proclamó los derechos del hombre, pero al mismo tiempo los pisoteó en nombre de la propiedad privada y del libre comercio; declaró sacrosanta la libertad, mas la sometió a las combinaciones del dinero, y afirmó la soberanía de los pueblos y la igualdad de los hombres, mientras conquistaba el planeta, reducía a la esclavitud viejos imperios y establecía en Asia, África y América los horrores del régimen colonial. La suerte final de los ideales burgueses no es excepcional. Imperios e Iglesias reclutan sus funcionarios y oficiales entre los viejos revolucionarios y sus hijos. Así, el verdadero problema no reside en la fatal degradación de los principios, ni en su confiscación, para uso propio, por una clase o un grupo, sino en la naturaleza misma de esos principios. ¿Cómo puede ser el hombre el fundamento del mundo si es el ser que es, por esencia, cambio, perpetuo llegar a ser que jamás se alcanza a sí mismo y que cesa de transformarse sólo para morir? ¿Cómo escapar o trascender la contradicción que lleva en su seno el espíritu crítico y, por tanto, todos los movimientos revolucionarios modernos? Sólo, acaso, una revolución que se fundase en el principio original de toda revolución: el cambio. Sólo un movimiento que se volviese sobre sí mismo, para hacer la «revolución de la revolución», podría impedir, la fatal caída en el terror cesáreo o en la mistificación burguesa. Una revolución así haría imposible la transformación del espíritu crítico en ortodoxia eclesiástica, del instante revolucionario en fecha santa, del dirigente en César y del héroe muerto en momia divinizada. Pero esa revolución se destruiría sin cesar a sí misma y, llevada a su extremo, sería la negación del principio mismo que la mueve. El nihilismo sería su resultado final. Así, lo que distingue la revolución de la edad moderna de las antiguas no es tanto ni exclusivamente la corrupción de los primitivos ideales, ni la degradación de sus principios liberadores en nuevos instrumentos de opresión, cuanto la imposibilidad de consagrar al hombre como fundamento de la sociedad. Y esta imposibilidad de consagración se debe a la índole misma del instrumento empleado para derribar a los antiguos poderes: el espíritu crítico, la duda racional.

La crítica racional ha sido siempre un instrumento de liberación, personal o social. Buda se presenta como un crítico de la tradición y pide a sus oyentes que no acepten sus palabras sin antes haberlas examinado. Sólo que el budismo —al menos en su forma primitiva— no pretende explicar los fundamentos del mundo, sino ofrecernos una vía de escape. De ahí la reticencia de Gautama ante ciertas preguntas: «La vida religiosa no depende del dogma de la eternidad del cosmos o de su carácter perecedero [...] Cualquiera que sea nuestra opinión sobre estos asuntos, la verdad es que nacemos, morimos, envejecemos y sufrimos miseria, pena y desesperación». La doctrina tiende a la extinción del dolor y el mal. Su crítica posee una función precisa: iluminar al hombre, limpiarlo de la ilusión del yo y del deseo. El pensamiento moderno, por el contrario, ve en la razón crítica su fundamento. A las creaciones de la religión opone las construcciones de la razón; sus paraísos no están fuera del tiempo, en la otra vida o en ese instante de iluminación que niega a la corriente temporal, sino en el tiempo mismo, en el suceder histórico: son utopías sociales. En tanto que el mito se sitúa fuera de la historia, la utopía es una promesa que tiende a realizarse aquí, entre nosotros, y en un tiempo determinado: el futuro. Pero las utopías, como hijas del espíritu racional, están sujetas a la crítica racional. Una sociedad que se define a sí misma como racional —o que tiende a serlo— tiene que ser crítica e inestable, pues la razón es ante todo crítica y examen. De ahí que la distancia entre los principios y la realidad —presente en toda sociedad— se convierta en nosotros en una verdadera e insuperable contradicción. El Estado liberal se funda en la libertad de examen y en el ejercicio de espíritu crítico; negar esos principios sería negar su legitimidad histórica y su existencia misma. Nada lo justifica sino ellos. Al mismo tiempo, la realidad es que el Estado y la clase dirigente no vacilan en acudir a la fuerza cada vez que ese espíritu de examen hace vacilar el orden social. De ahí que las palabras cambien de sentido y se vuelvan ambiguas: la represión se hace en nombre de la libertad de examen. En las sociedades antiguas el ejercicio del poder no entrañaba hipocresía alguna, pues sus fundamentos nunca estuvieron a discusión; en cambio, el fundamento del poder moderno es precisamente la posibilidad de discutirlo. Tal es el origen de la doblez y del sentimiento de ilegitimidad que tiñe la conciencia burguesa. Los títulos del burgués para dirigir a la sociedad no son claros; son el fruto de una prestidigitación, de un rápido cambio de manos. La crítica que le sirvió para destronar a la monarquía y a la nobleza le sirve ahora para ocupar su sitio. Es un usurpador. Como una llaga secreta que nada cicatriza, la sociedad moderna porta en sí un principio que la niega y del que no puede renegar sin renegar de sí misma y destruirse. La crítica es su alimento y su veneno.

Al iniciar esta tercera parte de nuestro estudio se apuntó que la función más inmediata de la poesía, lo que podría llamarse su función histórica, consiste en la consagración o transmutación de un instante, personal o colectivo, en arquetipo. En este sentido, la palabra poética funda los pueblos. Sin épica no hay sociedad posible, porque no existe sociedad sin héroes en que reconocerse. Jacob Burckhardt fue uno de los primeros en advertir que la épica de la sociedad moderna es la novela. Pero se detuvo en esta afirmación y no penetró en la contradicción que encierra llamar épica a un género ambiguo, en el que caben desde la confesión y la autobiografía hasta el ensayo filosófico.

El carácter singular de la novela proviene, en primer término, de su lenguaje. ¿Es prosa? Si se piensa en las epopeyas, evidentemente sí lo es. Apenas se la compara con los géneros clásicos de la prosa —el ensayo, el discurso, el tratado, la epístola o la historia— se percibe que no obedece a las mismas leyes. En el capítulo consagrado al verso y la prosa se observó que el prosista lucha contra la seducción del ritmo. Su obra es una batalla constante contra el carácter rítmico del lenguaje. El filósofo ordena las ideas conforme a un orden racional; el historiador narra los hechos con el mismo rigor lineal. El novelista no demuestra ni cuenta: recrea un mundo. Aunque su oficio es relatar un suceso —y en este sentido se parece al historiador— no le interesa contar lo que pasó, sino revivir un instante o una serie de instantes, recrear un mundo. Por eso acude a los poderes rítmicos del lenguaje y a las virtudes trasmutadoras de la imagen. Su obra entera es una imagen. Así, por una parte, imagina, poetiza; por la otra, describe lugares, hechos y almas. Colinda con la poesía y con la historia, con la imagen y la geografía, el mito y la psicología. Ritmo y examen de conciencia, crítica e imagen, la novela es ambigua. Su esencial impureza brota de su constante oscilación entre la prosa y la poesía, el concepto y el mito. Ambigüedad e impureza le vienen de ser el género épico de una sociedad fundada en el análisis y la razón, esto es, en la prosa.

El héroe épico es un arquetipo, un modelo. Como arquetipos, Aquiles o Sigfrido son invulnerables; como hombres, están sujetos a la suerte de todo mortal; hay siempre una hendidura secreta en el cuerpo o en el alma del héroe por la que penetran la muerte o la derrota. El talón de Aquiles es el sello de su mortalidad, la marca de su naturaleza humana. Y cuando cae, herido por la fatalidad, recobra su naturaleza divina: la acción heroica es la reconquista de la divinidad. En el héroe pelean dos mundos, el sobrenatural y el humano, pero esa lucha no implica ambigüedad alguna. Se trata de dos principios que se disputan un alma y uno de ellos acabará por vencer al otro. En la novela no hay nada parecido. Razón y locura en don Quijote, vanidad y amor en Rastignac, avaricia y generosidad en Benigna forman una sola tela. No se sabe nunca dónde terminan los celos y empieza el amor para Swann. Por eso ninguno de estos personajes puede ser realmente un arquetipo, en el sentido en que lo son Aquiles, el Cid o Rolando. Épica de héroes que razonan y dudan, épica de héroes dudosos, de los que ignoramos si son locos o cuerdos, santos o demonios. Muchos son escépticos, otros francamente rebeldes y antisociales y todos en abierta o secreta lucha con su mundo. Épica de una sociedad en lucha consigo misma.

Ni Aquiles ni el Cid dudan de las ideas, creencias e instituciones de su mundo. Los héroes de la epopeya están bien plantados en su universo y por eso sus relaciones con su sociedad son las naturales de la planta con la tierra que le es propia. Arjuna no pone en tela de juicio el orden cósmico ni las jerarquías sociales, Rolando es todo fidelidad a su señor. El héroe épico nunca es rebelde y el acto heroico generalmente tiende a restablecer el orden ancestral, violado por una falta mítica. Tal es el sentido del regreso de Odiseo o, en la tragedia, el de la venganza de Orestes. La justicia es sinónimo del orden natural. En cambio, la duda del héroe novelesco sobre sí mismo también se proyecta sobre la realidad que lo sustenta. ¿Son molinos o son gigantes lo que ven don Quijote y Sancho? Ninguna de las dos posibilidades es la verdadera, parece decirnos Cervantes: son gigantes y son molinos. El realismo de la novela es una crítica de la realidad y hasta una sospecha de que sea tan irreal como los sueños y las fantasías de don Quijote. ¿Odette era lesbiana, Gilberta decía la verdad, Matilde amaba a Julian Sorel, Smerdiakov mató al viejo Karamazov? ¿En dónde está la realidad y qué clase de extraño realismo es el de todos estos novelistas? El mundo que rodea a estos héroes es tan ambiguo como ellos mismos.

El tránsito del ideal épico al novelístico puede observarse muy bien en Ariosto y Cervantes. Orlando no es sólo una extemporánea tentativa de poema épico: asimismo es una burla del ideal caballeresco. La perfección de las estrofas, el brillo de las imágenes y lo descomunal de la invención contribuyen a subrayar el tono grotesco. El idealismo de Ariosto es un irrealismo. La verdadera épica es realista: aunque Aquiles hable con dioses y Odiseo baje al infierno, nadie duda de su realidad. Esa realidad está hecha de la mezcla de lo mítico y lo humano, de modo que el tránsito de lo cotidiano a lo maravilloso es insensible: nada más natural que Diomedes hiera a Afrodita en la batalla. En Ariosto todo es irreal. Y como se trata de sentimientos y hechos sublimes, su irrealidad misma los vuelve grotescos. Lo sublime grotesco está cerca del humor, pero no es aún el humor. Ni Homero ni Virgilio lo conocieron; Ariosto parece presentirlo, pero sólo nace con Cervantes. Por obra del humor, Cervantes es el Homero de la sociedad moderna. Para Hegel la ironía consiste en insertar la subjetividad en el orden de la objetividad; se puede añadir que se trata de una subjetividad crítica. Así, los más desaforados personajes de Cervantes poseen una cierta dosis de conciencia de su situación, y esa conciencia es crítica. Ante ella, la realidad vacila, aunque sin ceder del todo: los molinos son gigantes un instante, para luego ser molinos con mayor fuerza y aplomo. El humor vuelve ambiguo lo que toca: es un implícito juicio sobre la realidad y sus valores, una suerte de suspensión provisional, que los hace oscilar entre el ser y el no ser. El mundo de Ariosto es descaradamente irreal y lo mismo ocurre con sus personajes. En la obra de Cervantes hay una continua comunicación entre realidad y fantasía, locura y sentido común. La realidad castellana, con su sola presencia, hace de don Quijote un esperpento, un personaje irreal; pero de pronto Sancho duda y no sabe ya si Aldonza es Dulcinea o la labradora que él conoce, si Clavileño es un corcel o un pedazo de madera. La realidad castellana es la que ahora vacila y parece inexistente. La desarmonía entre don Quijote y su mundo no se resuelve, como en la épica tradicional, por el triunfo de uno de los principios sino por su fusión. Esa fusión es el humor, la ironía. La ironía y el humor son la gran invención del espíritu moderno. Son el equivalente del conflicto trágico y por eso nuestras grandes novelas resisten la cercanía del teatro griego. La fusión de la ironía es una síntesis provisional, que impide todo desenlace efectivo. El conflicto novelístico no puede dar nacimiento a un arte trágico.

Épica de una sociedad que se funda en la crítica, la novela es un juicio implícito sobre esa misma sociedad. En primer lugar, según se ha visto, es una pregunta acerca de la realidad de la realidad. Esta pregunta —que no tiene respuesta posible, porque su mismo planteamiento excluye toda contestación—: es un ácido que corroe todo el orden social. Aunque el mundo feudal no sale bien parado en la novela de Cervantes, tampoco su época merece la absolución. En *Rojo y negro,* hay una evidente nostalgia por el mundo heroico y en nombre de esa nostalgia Julian Sorel condena la realidad que lo rodea; mas la figura de Matilde ¿no es también una condenación del pasado? La oposición entre el mundo novelístico y el de la poesía antigua se precisa con mayor claridad en Balzac. Su obra es una réplica a la *Divina Comedia.* Como ésta, la *Comedia humana* posee su infierno, su paraíso, su purgatorio y hasta su limbo. Pero el poema de Dante es un canto y así termina: como una alabanza a la creación. Difícilmente puede decirse algo semejante de la obra de Balzac. Descripción, análisis, historia de una clase que asciende, relato de sus crímenes, de sus pasiones y de sus secretas renunciaciones, la *Comedia humana* participa de la enciclopedia y de la epopeya, de la creación mítica y de la patología, de la crónica y del ensayo histórico, injerto de inspiración e investigación científica, de utopía y crítica. Es una historia mítica, un mito que ha escogido las formas de la historia para encarnar y que termina en un juicio. Un Juicio Final, en el que la sociedad se condena a sí misma y a sus principios. Un siglo más tarde, en las últimas páginas de otra novela, cuando el narrador asiste a una reunión en casa del Príncipe de Guermantes, Proust repite el gesto y vuelve a condenar a la sociedad que había pretendido revivir y contar. La novela es una épica que se vuelve contra sí misma y que se niega de una manera triple: como lenguaje poético, mordido por la prosa; como creación de héroes y mundos, a los que el humor y el análisis vuelven ambiguos, y como canto, pues aquello que su palabra tiende a consagrar y exaltar se convierte en objeto de análisis y a fin de cuentas en condena sin apelación.

Nada más natural que haya sido Francia el lugar de elección de la novela. El francés es el más analítico de los idiomas actuales y en ese país el espíritu moderno encarna con mayor precisión y claridad que en otros. En el resto de Europa parece que la historia ha procedido a saltos, rupturas e interrupciones; en Francia, al menos desde el siglo XVII hasta el primer cuarto del XX, todo parece que fue hecho a su hora: la Academia prepara la Enciclopedia, ésta la Revolución, la Revolución el Imperio, y así sucesivamente. España, Italia, Alemania y la misma Inglaterra no poseen una historia tan fluida y coherente. Esta impresión, por lo demás, sin duda es ilusoria y depende de la peculiar perspectiva histórica de nuestra época. Pero si es ilusorio ver en la historia de Francia el modelo de la evolución de la moderna sociedad occidental, no lo es considerar la novelística francesa como un verdadero arquetipo. Cierto, ¿cómo olvidar a Cervantes y a Pérez Galdós, a Dickens y a Melville, a Tolstói y a Dostoyevski? Mas ningún país ni lengua alguna cuentan con tal sucesión ininterrumpida de grandes novelistas, de Laclos a Proust. La sociedad francesa se ve en esas creaciones y, alternativamente, se diviniza y se examina. Se canta, pero también se juzga y se condena.

La crisis de la sociedad moderna —que es crisis de los principios de nuestro mundo— se ha manifestado en la novela como un regreso al poema. El movimiento iniciado por Cervantes se repite ahora, aunque en sentido inverso, en Joyce, Proust y Kafka. Cervantes desprende la novela del poema épico burlesco; su mundo es indeciso, como el del alba y de ahí el carácter alucinante de la realidad que nos ofrece. Su prosa colinda a veces con el verso, no sólo porque con cierta frecuencia incurre en endecasílabos y octosílabos, sino por el empleo deliberado de un lenguaje poético. Su obsesión por la poesía se revela sobre todo en la limpidez del lenguaje de *Los trabajos de Persiles y Segismunda,* que él consideraba como la más perfecta de sus obras y en la que abundan trozos que son verdaderos poemas. A medida que son mayores las conquistas del espíritu de análisis, la novela abandona el lenguaje de la poesía y se acerca al de la prosa. Pero la crítica está destinada a refutarse a sí misma. La prosa se niega como prosa. El autor de *Madame Bovary* es también el de *Salambó* y de la *Leyenda de San Julián el Hospitalario.* Los triunfos de la razón son también sus derrotas, según se ve en Tolstói, Dostoyevski, Swift o Henry James. Desde principios de siglo la novela tiende a ser poema de nuevo. No es necesario subrayar el carácter poemático de la obra de Proust, con su ritmo lento y sus imágenes provocadas por una memoria cuyo funcionamiento no deja de tener analogías con la inspiración poética. Tampoco es menester detenerse en la experiencia de Joyce, que hace recobrar a la palabra su autonomía para que rompa el hilo del pensamiento discursivo. El mundo de Kafka es una Comedia infernal, donde la Predestinación desempeña el mismo papel que la Gracia en el teatro de Calderón. No sé si D. H. Lawrence y Faulkner son grandes novelistas, pero estoy seguro de que pertenecen a la raza de los poetas. Este regreso al poema es más visible aún en escritores germanos, como Ernst Jünger. En otras obras no es tanto la invasión de la marea rítmica lo decisivo sino la reconquista de la temperatura heroica. Los héroes de Malraux dudan en plena acción —pero no quisieran dudar. Hay una frase de *La condición humana* que escandalizaba a Trotski: «el marxismo no es una filosofía sino un destino». En ella veo el germen de un teatro futuro pues condensa las contradicciones del espíritu moderno y de la historia que vivimos.

Las mismas tendencias pueden observarse en el teatro contemporáneo. Desde el ocaso del romanticismo, el teatro había caído en la órbita de gravitación de la prosa e Ibsen representa el apogeo de esta dirección. Pero con Strindberg la poesía regresa —y de una manera terrible y fulminante. El último gran dramaturgo de la estirpe crítica fue Shaw y no deja de ser significativo que sus sucesores se llamen Synge, Yeats y Eliot. En ellos, como en García Lorca, el ritmo poético vence a la prosa y el teatro vuelve a ser poesía. En fin, los dos dramaturgos centrales de este periodo, Paul Claudel y Bertolt Brecht, son ante todo y sobre todo poetas. No deja de ser aleccionador que estos dos nombres aparezcan juntos, de una manera casi involuntaria, cuando se piensa en el teatro moderno. Vivos, todo los oponía: estética, filosofía, creencias y destino personal. Y sin embargo, cada uno a su manera niega el mundo moderno; los dos buscan y encuentran en la tradición del Extremo Oriente un sistema de signos que les servirá para transformar el neutro escenario de nuestro teatro en un espacio significativo; ambos, en fin, en sus obras mejores, han logrado esa fusión entre la idea y el acto, la persona y la palabra, en que consiste el carácter *ejemplar* del gran teatro. Pues el teatro es la prueba del acto por la palabra y de ésta por aquél; quiero decir: es la objetivación del lenguaje en acciones y, asimismo, lo contrario: la palabra ilumina el acto, lo vuelve lúcido, hace reflexionar a la historia. En suma, la lucha entre prosa y poesía, consagración y análisis, canto y crítica, latente desde el nacimiento de la sociedad moderna, se resuelve por el triunfo de la poesía. Y esto es verdad aun en Brecht: el famoso «distanciamiento» no tiende a disolver nuestro juicio sobre la realidad de lo que ocurre en el escenario sino que nos invita a unirnos u oponernos a la acción. Pero la victoria de la poesía es la señal de la extinción de la edad moderna. El teatro y la novela contemporánea no cantan un nacimiento sino unos funerales: el de su mundo y el de las formas que engendró.

La poesía es revelación de la condición humana y consagración de una experiencia histórica concreta. La novela y el teatro modernos se apoyan en su época, incluso cuando la niegan. Al negarla, la consagran. El destino de la lírica ha sido distinto. Muertas las antiguas deidades y la misma realidad objetiva negada por la conciencia, el poema no tiene nada que cantar, excepto su propio ser. El poeta canta al canto. Mas el canto es comunicación. Al monólogo no puede suceder sino el silencio, o una aventura entre todas desesperada y extrema: la poesía no encarnará ya en la palabra sino en la vida. La palabra poética no consagrará a la historia, sino que será historia, vida.

EL VERBO DESENCARNADO

La novela y el teatro son formas que permiten un compromiso entre el espíritu crítico y el poético. La primera, además, lo exige; su esencia consiste precisamente en ser un compromiso. En cambio, la poesía lírica canta pasiones y experiencias irreductibles al análisis y que constituyen un gasto y un derroche. Exaltar el amor entraña una provocación, un desafío al mundo moderno, pues es algo que escapa al análisis y que constituye una excepción inclasificable; de ahí el extraño prestigio del adulterio durante la edad moderna: si para los antiguos era un crimen o un hecho sin importancia, en el siglo XIX se convierte en un reto a la sociedad, una rebelión y un acto consagrado por la luz ambigua de lo maldito. (Asistimos ahora al fenómeno contrario: la boga del erotismo suprime sus poderes de destrucción y creación. Tránsito del pecado a la diversión anónima...) El sueño, la divagación, el juego de los ritmos, el fantaseo, también son experiencias que alteran sin posible compensación la economía del espíritu y enturbian el juicio. Para el burgués, la poesía es una distracción —¿pero a quién distrae, si no es a unos cuantos extravagantes?— o es una actividad peligrosa, y el poeta, un *clown* inofensivo —aunque dispendioso— o un loco y un criminal en potencia. La inspiración es superchería o enfermedad y es posible clasificar las imágenes poéticas —curiosa confusión que dura todavía— como productos de las enfermedades mentales.

Los «poetas malditos» no son una creación del romanticismo: son el fruto de una sociedad que expulsa aquello que no puede asimilar. La poesía ni ilumina ni divierte al burgués. Por eso destierra al poeta y lo transforma en un parásito o en un vagabundo. De ahí también que los poetas no vivan, por primera vez en la historia, de su trabajo. Su labor no vale nada y este *no vale nada* se traduce precisamente en un *no ganar nada.* El poeta debe buscar otra ocupación —desde la diplomacia hasta la estafa— o perecer de hambre. Esta situación se confunde con el nacimiento de la sociedad moderna: el primer poeta «loco» fue Tasso; el primer «criminal» Villon. Los Siglos de Oro españoles están poblados de poetasmendigos y la época isabelina de líricosrufianes. Góngora mendigó toda su vida, hizo trampas en el juego y acabó sitiado por los acreedores; Lope acudió a la tercería; en la vejez de Cervantes hay un penoso incidente en el que aparecen con luz equívoca mujeres de su familia; Mira de Amescua, canónigo en Granada y dramaturgo en Madrid, cobraba por un empleo que no desempeñaba; Quevedo, con varia fortuna, se entregó a la política;[1] Alarcón se refugió en la alta burocracia... Marlowe fue asesinado en una oscura intriga después de haber sido acusado de ateísmo y libertinaje; Jonson fue poeta laureado y recibía, amén de una suma de dinero, una barrica anual de vino: ambas insuficientes; Donne cambió de casaca y así logró ascender a deán de San Pablo... En el siglo XIX la situación social de los poetas empeora. Desaparecen los mecenas y sus ingresos disminuyen, con excepciones como la de Hugo. La poesía no se cotiza, no es un valor que puede transformarse en dinero como la pintura. Las «tiradas de lujo» no han sido tanto una manifestación del espíritu de secta de la nueva poesía como un recurso para vender más caros, en razón del poco número de ejemplares, libros que de todos modos el gran público no ha de comprar. El *Manifiesto comunista* afirma que «la burguesía ha convertido al médico, al abogado, al sacerdote, al poeta y al hombre de ciencia en servidores pagados». Esto es verdad, con una excepción: la burguesía cerró sus cajas de caudales a los poetas. Ni criados, ni bufones: parias, fantasmas, vagos.

Esta descripción sería incompleta si se omitiese que la oposición entre el espíritu moderno y la poesía se inicia como un acuerdo. Con la misma decisión del pensamiento filosófico, la poesía intenta fundar la palabra poética en el hombre mismo. El poeta no ve en sus imágenes la revelación de un poder extraño. A diferencia de las sagradas escrituras, la escritura poética es la revelación de sí mismo que el hombre se hace a sí mismo. De esta circunstancia procede que la poesía moderna sea también teoría de la poesía. Movido por la necesidad de fundar su actividad en principios que la filosofía le rehúsa y la teología sólo le concede en parte, el poeta se desdobla en crítico. Coleridge es uno de los primeros en inclinarse sobre la creación poética, para preguntarle qué significa o dice realmente el poema. Para el poeta inglés la imaginación es el don más alto del hombre y en su forma primordial «la facultad original de toda percepción huma-

[1] Sobre Quevedo, político realista, véase el ensayo de Raimundo Lida, «Cartas de Quevedo», publicado en el número 1 de *Cuadernos Americanos*, México, 1953.

na». Esta concepción se inspira en la de Kant. Según la interpretación que ha hecho Heidegger de la *Crítica de la razón pura:* la «imaginación trascendental» es la raíz de la sensibilidad y del entendimiento y la que hace posible el juicio... La imaginación despliega o proyecta los objetos y sin ella no habría ni percepción ni juicio; o mejor: como manifestación de la temporalidad que es, se despliega y presenta los objetos a la sensibilidad y al entendimiento. Sin esta operación —en la que consiste propiamente lo que llamamos «imaginar»— sería imposible la percepción.[1] Razón e imaginación («trascendental» o «primordial») no son facultades opuestas: la segunda es el fundamento de la primera y lo que permite percibir y juzgar al hombre. Coleridge, además, en una segunda acepción de la palabra, concibe la imaginación no sólo como un órgano del conocimiento sino como la facultad de expresarlo en símbolos y mitos. En este segundo sentido el saber que nos entrega la imaginación, no es realmente un conocimiento: es el saber supremo, «it's a form of Being, or indeed it is the only Knowledge that truly is, and all other Science is real only as it is symbolical of this».[2] Imaginación y razón, en su origen una y la misma cosa, terminan por fundirse en una evidencia que es indecible excepto por medio de una representación simbólica: el mito. En suma, la imaginación es, primordialmente, un órgano de conocimiento, puesto que es la condición necesaria de toda percepción, y, además, es una facultad que expresa, mediante mitos y símbolos, el saber más alto.

Poesía y filosofía culminan en el mito. La experiencia poética y la filosófica se confunden con la religión. Pero la religión no es una revelación, sino un estado de ánimo, una suerte de acuerdo último del ser del hombre con el ser del universo. Dios es una sustancia pura, sobre la que la razón nada puede decir, excepto que es indecible: «the divine truths of religion should have been revealed to us in the form of poetry; and that at all times poets, not the slaves of any particular sectarian opinion, should have joined to support all those delicate sentiments of the heart».[3] Religión es poesía, y sus verdades, más allá de toda opinión sectaria, son verdades poéticas: símbolos o mitos. Coleridge despoja a la religión de su cualidad constitutiva: el ser revelación de un poder divino, y la reduce a la intuición de una verdad absoluta, que el hombre expresa a través de formas míticas y poéticas. Por otra parte, la religión *is the poetry of Mankind.*

[1] Martin Heidegger, *Kant y el problema de la metafísica*, FCE, México, 1954.

[2] *On Method*, Essay XI.

[3] *Biographia Literaria*.

Así, funda la verdad poético-religiosa en el hombre y la convierte en una forma histórica. Pues la frase «la religión es la poesía de la humanidad» quiere decir efectivamente: la forma que tiene la poesía de encarnar en los hombres, y hacerse rito e historia, es la religión. En esta idea, común a todos los grandes poetas de la edad moderna, se encuentra la raíz de la oposición entre poesía y modernidad. La poesía se proclama como un principio rival del espíritu crítico y como el único que puede sustituir los antiguos principios sagrados. La poesía se concibe como el principio original sobre el que, como manifestaciones secundarias e históricas, cuando no como superposiciones tiránicas y máscaras encubridoras, descansan las verdades de la religión. De ahí que el poeta no pueda sino ver con buenos ojos la crítica que hace el espíritu racional de la religión. Pero apenas ese mismo espíritu crítico se proclama sucesor de la religión, lo condena.

Sin duda las reflexiones anteriores simplifican con exceso el problema. Ya se sabe que la realidad es más rica que nuestros esquemas intelectuales. Sin embargo, reducida a lo esencial, no es otra la posición del romanticismo alemán, desde Hölderlin y, a partir de ese momento, de todos los poetas europeos, llámense Hugo o Baudelaire, Shelley o Wordsworth. No es inútil repetir, por otra parte, que todos estos poetas coinciden en algún momento con la revolución del espíritu crítico. No podía ser de otro modo, pues ya se ha visto que la empresa poética coincide lateralmente con la revolucionaria. La misión del poeta consiste en ser la voz de ese movimiento que dice «No» a Dios y a sus jerarcas y «Sí» a los hombres. Las Escrituras del mundo nuevo serán las palabras del poeta revelando a un hombre libre de dioses y señores, ya sin intermediarios frente a la muerte y a la vida. La sociedad revolucionaria es inseparable de la sociedad fundada en la palabra poética. No es extraño por eso que la Revolución francesa suscitase una inmensa expectación en todos los espíritus y que conquistase la simpatía de los poetas alemanes e ingleses. Cierto, a la esperanza sucede la hostilidad; pero más tarde —amortiguado o justificado el doble escándalo del terror revolucionario y del cesarismo napoleónico— los herederos de los primeros románticos vuelven a identificar poesía y revolución. Para Shelley el poeta moderno ocupará su antiguo lugar, usurpado por el sacerdote, y volverá a ser la voz de una sociedad sin monarcas. Heine reclama para su tumba la espada del guerrero. Todos ven en la gran rebelión del espíritu crítico el prólogo de un acontecimiento aún más decisivo: el advenimiento de una sociedad fundada en la palabra poética. Novalis advierte que «la religión no es sino poesía práctica», esto es, poesía encarnada y vivida. Más osado que Coleridge, el poeta alemán afirma: «La poesía es la religión original de la humanidad». Restablecer la palabra original, misión del poeta, equivale a restablecer la religión original, anterior a los dogmas de las Iglesias y los Estados.

La actitud de William Blake ilustra de un modo insuperable la dirección de la poesía y el lugar que ocupa al iniciarse nuestra época. Blake no escatima sus ataques y sarcasmos contra los profetas del siglo de las luces y especialmente contra el espíritu volteriano. Sólo que, con el mismo furor, no cesa de burlarse del cristianismo oficial. La palabra del poeta es la palabra original, anterior a las Biblias y Evangelios: «El genio poético es el hombre verdadero [...] las religiones de todas las naciones se derivan de diferentes recepciones del genio poético [...] los Testamentos judío y cristiano derivan originalmente del genio poético».[1] El hombre y el Cristo de Blake son el reverso de los que nos proponen las religiones oficiales. El hombre original es inocente y cada uno de nosotros lleva en sí a un Adán. Cristo mismo es Adán. Los diez mandamientos son invención del Demonio:

Was Jesus chaste? or did he
Give any lessons of chastity?
The morning plush'd a fiery red:
Mary was found in adulterous bed.
. . . .
Good and Evil are no more,
Sinai's trumpets, cease to roar!

La misión del poeta es restablecer la palabra original, desviada por los sacerdotes y los filósofos. «Las prisiones están hechas con las piedras de la Ley; los burdeles, con los ladrillos de la Religión.» Blake canta la Revolución americana y la francesa, que rompen las prisiones y sacan a Dios de las iglesias. Pero la sociedad que profetiza la palabra del poeta no puede confundirse con la utopía política. La razón crea cárceles más oscuras que la teología. El enemigo del hombre se llama Urizen (la Razón), el «dios de los sistemas», el prisionero de sí mismo. La verdad no procede de la razón, sino de la percepción poética, es decir, de la imaginación. El órgano natural del conocimiento no son los sentidos ni el raciocinio; am-

[1] *All Religions are One*, 1778.

bos son limitados y en verdad contrarios a nuestra esencia última, que es deseo infinito: «Menos que todo, no puede satisfacer al hombre». El hombre es imaginación y deseo:

> Abstinence sows sand all over
> The suddy lambs and flaming hair,
> But desire gratified
> Plants fruits of life and beauty there.

Por obra de la imaginación el hombre sacia su infinito deseo y se convierte él mismo en ser infinito. El hombre es una imagen, pero una imagen en la que él mismo encarna. El éxtasis amoroso es esa encarnación del hombre en su imagen: uno con el objeto de su deseo, es uno consigo mismo. Por tanto, la verdadera historia del hombre es la de sus imágenes: la mitología. Blake nos cuenta en sus libros proféticos la historia del hombre en imágenes míticas. Una historia en marcha que está sucediendo ahora mismo, en este instante y que desemboca en la fundación de una nueva Jerusalén. Los grandes poemas de Blake no son sino la historia de la imaginación, esto es, de los avatares del Adán primordial. Historia mítica: escritura sagrada: escritura de fundación. Revelación del pasado original, que desvela el tiempo arquetípico, anterior a los tiempos. Escritura de fundación y profecía: lo que fue, será y está siendo desde toda la eternidad. ¿Y qué nos profetizan estas sagradas escrituras poéticas? El advenimiento de un hombre que ha recobrado su naturaleza original y que así ha vencido a la ley de gravedad del pecado. Aligerado de la culpa, el hombre de Blake vuela, tiene mil ojos, fuego en la cabellera, besa lo que toca, incendia lo que piensa. Ya es imagen, ya es acto. Deseo y realización son lo mismo. Cristo y Adán se reconcilian, Urizen se redime. Cristo no es «el eterno ladrón de energías» sino la energía misma, tensa y disparada hacia el acto. La imaginación hecha deseo; el deseo hecho acto: «Energía, delicia eterna». El poeta limpia de errores los libros sagrados y escribe inocencia ahí donde se leía pecado, libertad donde estaba escrito autoridad, instante donde se había grabado eternidad. El hombre es libre, deseo e imaginación son sus alas, el cielo está al alcance de la mano y se llama fruta, flor, nube, mujer, acto. «La eternidad está enamorada de las obras del tiempo.» El reino que profetiza Blake es el de la poesía. El poeta vuelve a ser Vate y su vaticinio proclama la fundación de una ciudad cuya primera piedra es la palabra poética. La sociedad poética, la nueva Jerusalem, se perfila por primera vez, desprendida de los dogmas de la religión y de la utopía de los filósofos. La poesía entra en acción.

El romanticismo alemán proclama ambiciones semejantes. En la revista *Athenäum*, que sirvió de órgano a los primeros románticos, Friedrich von Schlegel define así su programa:

> La poesía romántica no es sólo una filosofía universal progresista. Su fin no consiste sólo en reunir todas las diversas formas de poesía y restablecer la comunicación entre poesía, filosofía y retórica. También debe mezclar y fundir poesía y prosa, inspiración y crítica, poesía natural y poesía artificial, vivificar y socializar la poesía, hacer poética la vida y la sociedad, poetizar el espíritu, llenar y saturar las formas artísticas de una sustancia propia y diversa y animar el todo con la ironía.

Las tendencias del grupo de Jena encuentran en Novalis la voz más clara y el pensamiento más recto y audaz, unidos a la autenticidad del gran poeta. La religión de la noche y de la muerte de los *Himnos*, los impresionantes *Fragmentos* —cada uno como un trozo de piedra estelar, en la que estuviesen grabados los signos de la universal analogía y las correspondencias que enlazan al hombre con el cosmos—, la búsqueda de una Edad Media perdida, la resurrección del mito del poeta como una figura triple en la que se alían el caballero andante, el enamorado y el vidente, forman un astro de muchas facetas. Una de ellas es un proyecto de reforma histórica: la creación de una nueva Europa, hecha de la alianza de catolicismo y espíritu germánico. En el famoso ensayo *Europa y la cristiandad* —escrito en 1799, el año de la caída del Directorio— Novalis propone un retorno al catolicismo medieval. Pero no se trata de un regreso a Roma, sino de algo nuevo, aunque inspirado en la universalidad romana. La universalidad de Novalis no es una forma vacía; el espíritu germánico será su sustancia, pues la Edad Media está viva e intacta en las profundidades del alma popular germana. ¿Y qué es la Edad Media sino la profecía, el sueño del espíritu romántico? El espíritu romántico: la poesía. Historia y poesía se funden. Un gran Concilio de la Paz reconciliará la libertad con el Papado, la razón filosófica con la imaginación. Nuevamente, y por vías inesperadas, la poesía entra en la historia.

El sueño de Novalis es un inquietante anuncio de otras y más feroces ideologías. Mas la misma inquietud, si se ha de ser justo, deben provocarnos ciertos discursos de Saint-Just, otro joven puro, que son también una profecía de las futuras hazañas del espíritu geométrico. La actitud de Novalis, por otra parte, refleja una doble crisis, personal e histórica, imposible de analizar aquí. Baste decir que la Revolución francesa puso entre la espada y la pared a los mejores espíritus alemanes, como lo hizo con los españoles.[1] El grupo de Jena, tras un momento de seducción y no sin desgarramiento, reniega de muchas de sus concepciones del primer momento. Algunos se echan en brazos de la Santa Alianza, se acogen a la Iglesia católica o a los príncipes y el resto penetra en la gran noche romántica de la muerte. Estas oscilaciones son la contrapartida de las crisis y convulsiones revolucionarias, desde el Terror hasta el Thermidor y su final culminación en la aventura de Bonaparte. Es imposible entender la reacción romántica si se olvidan las circunstancias históricas. Defender a Alemania de las invasiones napoleónicas era combatir contra la opresión extranjera, pero también fortificar el absolutismo interior. Dilema insoluble para la mayoría de los románticos. Como ha dicho Marx: «La lucha contra Napoleón fue una regeneración acompañada de una reacción». Nosotros, contemporáneos de la Revolución de 1917 y de los Procesos de Moscú, podemos comprender mejor que nadie las alternativas del drama romántico.

La concepción de Novalis se presenta como una tentativa por insertar la poesía en el centro de la historia. La sociedad se convertirá en comunidad poética y, más precisamente, en poema viviente. La forma de relación entre los hombres dejará de ser la de señor y siervo, patrono y criado, para convertirse en comunión poética. Novalis prevé comunidades dedicadas a producir colectivamente poesía. Esta comunión es, ante todo, un penetrar en la muerte, la gran madre, porque sólo la muerte —que es la noche, la enfermedad y el cristianismo, pero también el abrazo erótico, el festín en donde la «roca se hace carne»— nos dará acceso a la salud, a la vida y al sol. La comunión de Novalis es una reconciliación de las dos mitades de la esfera. En la noche de la muerte, que es asimismo la del amor, Cristo y Dionisos son uno. Hay un punto magnético donde las grandes corrientes poéticas se cruzan: en un poema como *El pan y el vino*, la visión de Hölderlin, poeta solar, roza por un momento la del *Himno V* de Novalis, poeta de la noche. En los *Himnos* arde un sol secreto, sol de poesía, uva negra de resurrección, astro cubierto de una armadura negra.

[1] Nadie, entre nosotros, ha retratado mejor la ambigüedad de ese momento que Pérez Galdós, en las dos primeras series de los *Episodios nacionales*. Gabriel Araceli y Salvador Monsalud combaten todavía en cada español e hispanoamericano.

Y no es casual la irrupción de esa imagen del sol como un caballero que lleva armas y penacho enlutados, porque la comunión de Novalis es una cena mística y heroica en que los comensales son caballeros que también son poetas. Y el pan que se reparte en ese banquete es el pan solar de la poesía. «Beberemos ese vino de luz, seremos astros», dice el *Himno*. Comunión en la poesía, la cena del romanticismo alemán es una rima o respuesta a la Jerusalén de Blake. En ambas visiones descendemos al origen de los tiempos, en busca del hombre original, el Adán que es Cristo. En ambas, la mujer —que es el «alimento corporal más elevado»— es mediación, puerta de acceso a la otra orilla, allá donde las dos mitades pactan y el hombre es uno con sus imágenes.

Desde su nacimiento la poesía moderna se presenta como una empresa autónoma y a contracorriente. Incapaz de pactar con el espíritu crítico, tampoco logra encontrar asidero en las Iglesias. Es revelador que para Novalis el triunfo del cristianismo no entrañe la negación, sino la absorción, de las religiones precristianas. En la noche romántica «todo es delicia, todo es poema eterno y el sol que nos ilumina es la faz augusta de Dios». La noche es sol. Y lo más sorprendente es que esta victoria solar de Cristo se cumple no antes sino después de la era científica, esto es, en la edad romántica: en el presente. El Cristo histórico que predicó en Galilea evidentemente no es el mismo que la deidad noche-sol que invocan los *Himnos*. Lo mismo ocurre con la Virgen, que asimismo es Perséfona y Sophie, la novia del poeta, la muerte que es vida. El nuevo catolicismo de Novalis es, al pie de la letra, nuevo y distinto del histórico, y también es más antiguo porque convoca las divinidades que adoraron los paganos. Desde esta perspectiva se ilumina con otro sentido el ensayo *Europa y la cristiandad;* la poesía, una vez más, ostenta una doble faz: es la más revolucionaria de las revoluciones y, simultáneamente, la más conservadora de las revelaciones, porque no consiste sino en restablecer la palabra original. La actitud de los otros grandes precursores —Hölderlin, Blake, Nerval— es aún más neta: su Cristo es Dionisos, Luzbel, Orfeo.

La raíz de la ruptura entre poesía moderna y religión es de índole distinta a la que enfrenta el espíritu poético con el racional, pero sus consecuencias son semejantes: también las Iglesias, como la burguesía, expulsan a los poetas. La oposición entre las escrituras poéticas y las sagradas es de tal naturaleza que todas las alianzas de la poesía moderna con las religiones establecidas terminan siempre en escándalo. Nada menos ortodoxo que el cristianismo de un Blake o de un Novalis; nada más sospechoso que el de un Baudelaire; nada más alejado de la religión oficial que las visiones de un Shelley, un Rimbaud o un Mallarmé, para no hablar de aquel que hizo de ruptura y negación el canto fúnebre más acerado del siglo: Isidoro Ducasse.[1]

No es necesario seguir los episodios de la sinuosa y subterránea marcha del movimiento poético del siglo pasado, oscilante siempre entre los dos polos de Revolución y Religión. Cada adhesión termina en ruptura; cada conversión, en escándalo. Monnerot ha comparado la historia de la poesía moderna con la de las sectas gnósticas y con la de los adeptos de la tradición oculta. Esto es verdad en dos sentidos. Es innegable la influencia del gnosticismo y de la filosofía hermética en poetas como Nerval, Hugo, Mallarmé, para no hablar de los poetas de este siglo: Yeats, Byron, Rilke, Breton. Por otra parte, cada poeta crea a su alrededor pequeños círculos de iniciados, de modo que sin exageración puede hablarse de una sociedad secreta de la poesía. La influencia de estos grupos ha sido inmensa y ha logrado transformar la sensibilidad de nuestra época. Desde este punto de vista no es falso afirmar que la poesía moderna ha encarnado en la historia, no a plena luz, sino como un misterio nocturno y un rito clandestino. Una atmósfera de conspiración y de ceremonia subterránea rodea el culto de la poesía.

Condenado a vivir en el subsuelo de la historia, la soledad define al poeta moderno. Aunque ningún decreto lo obligue a dejar su tierra, es un desterrado. En cierto sentido, Dante jamás abandonó Florencia, pues la sociedad antigua siempre guardó un sitio para el poeta. Los vínculos con su ciudad no se rompieron: se transformaron, pero la relación continuó viva y dinámica. Ser enemigo del Estado, perder ciertos derechos cívicos, estar sujeto a la venganza o a la justicia de la ciudad natal, es algo muy distinto a carecer de identidad personal. En el segundo caso la persona desaparece, se convierte en un fantasma. El poeta moderno no tiene lugar en la sociedad porque, efectivamente, no es «nadie». Esto no es una metáfora: la poesía no existe para la burguesía ni para las masas contemporáneas. El ejercicio de la poesía puede ser una distracción o una enfermedad, nunca una profesión: el poeta no trabaja ni produce. Por eso los poemas no valen nada: no son productos susceptibles de intercambio mercantil. El esfuerzo que se gasta en su creación no puede reducirse al

[1] Sobre el caso de Whitman, véase el Apéndice 3, p. 265 y ss.

valor trabajo. La circulación comercial es la forma más activa y total de intercambio que conoce nuestra sociedad y la única que produce valor. Como la poesía no es algo que pueda ingresar en el intercambio de bienes mercantiles, no es realmente un valor. Y si no es un valor, no tiene existencia real dentro de nuestro mundo. La volatilización se opera en dos sentidos: aquello de que habla el poeta no es real —y no es real, primordialmente, porque no puede ser reducido a mercancía—, y además la creación poética no es una ocupación, un trabajo o actividad definida, ya que no es posible remunerarla. De ahí que el poeta no tenga *status* social. La polémica sobre el «realismo» se iluminaría con otra luz si aquellos que atacan a la poesía moderna por su desdén de la «realidad social» se diesen cuenta de que no hacen sino reproducir la actitud de la burguesía. La poesía moderna no habla de «cosas reales» porque previamente se ha decidido abolir toda una parte de la realidad: precisamente aquella que, desde el nacimiento de los tiempos, ha sido el manantial de la poesía. «Lo admirable de lo fantástico —dice Breton— es que no es fantástico sino real.» Nadie se reconoce en la poesía moderna porque hemos sido mutilados y ya se nos ha olvidado cómo éramos antes de esta operación quirúrgica. En un mundo de cojos, aquel que habla de que hay seres con dos piernas es un visionario, un hombre que se evade de la realidad. Al reducir el mundo a los datos de la conciencia y todas las obras al valor trabajo-mercancía, automáticamente se expulsó de la esfera de la realidad al poeta y a sus obras.

A medida que el poeta se desvanece como existencia social y se hace más rara la circulación a plena luz de sus obras, aumenta su contacto con eso que, a falta de expresión mejor, llamaremos la mitad perdida del hombre. Todas las empresas del arte moderno se dirigen a restablecer el diálogo con esa mitad. El auge de la poesía popular, el recurso al sueño y al delirio, el empleo de la analogía como llave del universo, las tentativas por recobrar el lenguaje original, la vuelta a los mitos, el descenso a la noche, el amor por las artes de los primitivos, todo es búsqueda del hombre perdido. Fantasma en una ciudad de piedra y dinero, desposeído de su existencia concreta e histórica, el poeta se cruza de brazos y vislumbra que todos hemos sido arrancados de algo y lanzados al vacío: a la historia, al tiempo. La situación de destierro, de sí mismo y de sus semejantes, lleva al poeta a adivinar que sólo si se toca el punto extremo de la condición solitaria cesará la condena. Porque allí donde parece que ya no hay nada ni nadie, en la frontera última, aparece el *otro*, aparecemos *todos*. El hombre solo, arrojado a esta noche que no sabemos si es la de la vida o la de la muerte, inerme, perdidos todos los asideros, descendiendo interminablemente, es el hombre original, el hombre real, la mitad perdida. El hombre original es todos los hombres.

La tentativa más desesperada y total por romper el cerco y hacer de la poesía un bien común se produjo ahí donde las condiciones objetivas se habían hecho críticas: Europa, después de la primera Guerra Mundial. Entre todas las aventuras de ese momento, la más lúcida y ambiciosa fue el surrealismo. Examinarlo será dar cuenta, en su forma más extremada y radical, de las pretensiones de la poesía contemporánea.

El programa surrealista —transformar la vida en poesía y operar así una revolución decisiva en los espíritus, las costumbres y la vida social— no es distinto al proyecto de Friedrich von Schlegel y sus amigos: hacer poética la vida y la sociedad. Para lograrlo, unos y otros apelan a la subjetividad: la disgregación de la realidad objetiva, primer paso para su poetización, será obra de la inserción del sujeto en el objeto. La «ironía» romántica y el «humor» surrealista se dan la mano.

El amor y la mujer ocupan en ambos movimientos un lugar central: la plena libertad erótica se alía a la creencia en el amor único. La mujer abre las puertas de la noche y de la verdad; la unión amorosa es una de las experiencias más altas del hombre y en ella el hombre toca las dos vertientes del ser: la muerte y la vida, la noche y el día. Las heroínas románticas, hermosas y terribles como esa maravillosa Karoline von Günderode, reencarnan en mujeres como Leonora Carrington. Las vicisitudes políticas son también parecidas: entre la reacción bonapartista y la Santa Alianza, Schlegel se entrega a Metternich y otros se refugian en el catolicismo; en dirección opuesta pero no menos negadora de su pasado, frente al mundo burgués y la reacción estalinista, poetas como Aragon y Éluard abrazan esta última. Los otros se dispersan (hasta que el campo de concentración o el manicomio se los tragan: Desnos y Artaud), continúan solos su aventura, acción y creación, como René Char, o persisten, como Breton y Péret, en busca de una vía que concilie poesía y revolución.

No menos notables son las diferencias. Entre los surrealistas es menos aguda y amplia la mirada metafísica; incluso en Breton —el único con vocación realmente filosófica— la visión es parcial y desgarrada. La atmósfera que envuelve a los románticos es la filosofía alemana; al surrealismo, la poesía de Apollinaire, el arte contemporáneo, Freud y Marx.

En cambio, la conciencia histórica de los surrealistas es más clara y profunda y su relación con el mundo más directa y arrojada. Los románticos terminan negando la historia y refugiándose en el sueño; los surrealistas no abandonan la partida —incluso si esto significa, según ocurre con Aragon, someter la palabra a las necesidades de la acción. Diferencias y semejanzas se funden en una circunstancia común: ambos movimientos son una protesta contra la esterilidad espiritual del espíritu geométrico, coinciden con revoluciones que se transforman en dictaduras cesáreas o burocráticas y, en fin, constituyen tentativas por trascender razón y religión y fundar así un nuevo sagrado. Frente a crisis históricas semejantes son simultáneamente crepúsculo y alba. El primero delata la común insuficiencia del absolutismo y del espíritu jacobino; el segundo, el nihilismo último del capitalismo y los peligros del bolchevismo burocrático. No logran una síntesis, pero en plena tormenta histórica levantan la bandera de la poesía y el amor.

Como los románticos, los surrealistas atacan las nociones de *objeto* y *sujeto*. No es útil detenerse en la descripción de su actitud, expuesta ya en otro capítulo. Sí lo es, en cambio, subrayar que la afirmación de la inspiración como una manifestación del inconsciente y las tentativas por crear colectivamente poemas implican una socialización de la creación poética. La inspiración es un bien común; basta con cerrar los ojos para que fluyan las imágenes; todos somos poetas y *sí* hay que pedirle peras al olmo. Blake había dicho: «all men are alike in the poetic genius». El surrealismo trata de mostrarlo acudiendo al sueño, al dictado del inconsciente y a la colectivización de la palabra. La poesía hermética de Mallarmé y Valéry —y la concepción del poeta como un elegido y un ser aparte— sufren una terrible embestida: todos podemos ser poetas. «Devolvemos el talento que se nos presta. Habladme del talento de ese metro de platino, de ese espejo, de esa puerta [...] Nosotros no tenemos talento», dice Breton en el *Primer manifiesto*. La destrucción del sujeto implica la del objeto. El surrealismo pone en entredicho las obras. Toda obra es una aproximación, una tentativa por alcanzar algo. Pero ahí donde la poesía está al alcance de todos, son superfluos los poemas y los cuadros. Todos los podemos hacer. Y más: todos podemos ser poemas. Vivir en poesía es ser poemas, ser imágenes. La socialización de la inspiración conduce a la desaparición de las obras poéticas, disueltas en la vida. El surrealismo no se propone tanto la creación de poemas como la transformación de los hombres en poemas vivientes.

Entre los medios destinados a consumar la abolición de la antinomia *poeta* y *poesía, poema* y *lector, tú* y *yo*, el de mayor radicalismo es la escritura automática. Destruida la cáscara del yo, rotos los tabiques de la conciencia, poseído por la otra voz que sube de lo hondo como un agua que emerge, el hombre regresa a aquello de que fue separado cuando nació la conciencia. La escritura automática es el primer paso para restaurar la edad de oro, en la que pensamiento y palabra, fruto y labios, deseo y acto son sinónimos. La «lógica superior» que pedía Novalis es la escritura automática: yo es tú, esto es aquello. La unidad de los contrarios es un estado en el que cesa el conocimiento, porque se ha fundido el que conoce con aquello que es conocido: el hombre es un surtidor de evidencias.

La práctica de la escritura automática se enfrenta con varias dificultades. En primer término, es una actividad que se realiza en dirección contraria a todas las nociones vigentes en nuestro mundo; ataca, señaladamente, uno de los fundamentos de la moral corriente: el valor del esfuerzo. Por otra parte, la pasividad que exige el automatismo poético implica una decisión violenta: la voluntad de no intervenir. La tensión que se produce es insoportable y sólo unos cuantos logran llegar, si es que llegan, a ese estado de pasiva actividad. La escritura automática no está al alcance de todos. Y aun diré que su *práctica efectiva es imposible*, ya que supone la identidad entre el ser del hombre individual y la palabra, que es siempre social. Precisamente el equívoco del lenguaje reside en esa oposición. El lenguaje es simbólico porque trata de poner en relación dos realidades heterogéneas: el hombre y las cosas que nombra. La relación es doblemente imperfecta porque el lenguaje es un sistema de símbolos que, por una parte, reduce a equivalencias la heterogeneidad de cada cosa concreta y, por la otra, constriñe al hombre individual a servirse de símbolos generales. La poesía, precisamente, se propone encontrar una equivalencia (eso es la metáfora) en la que no desaparezcan ni las cosas en su particularidad concreta ni el hombre individual. La escritura automática es un método para alcanzar un estado de perfecta coincidencia entre las cosas, el hombre y el lenguaje; si ese estado se alcanzase, consistiría en una abolición de la distancia entre el lenguaje y las cosas y entre el primero y el hombre. Pero esa distancia es la que engendra el lenguaje; si la distancia desaparece, el lenguaje se evapora. O dicho de otro modo: el estado al que aspira la escritura automática no es la palabra sino el silencio. No niego la espontaneidad ni el automatismo: son partes constitutivas de la pre-meditación o inspiración. El lenguaje *nos dice* —a condición de que lo digamos... Nuestro juicio sobre esta idea será menos severo si la insertamos dentro de la perspectiva histórica del surrealismo. El automatismo es otro nombre de esa recuperación de la conciencia enajenada que postula el movimiento revolucionario. En una sociedad comunista, el trabajo se transformaría poco a poco en arte; la producción de cosas sería también la creación de obras. Y a medida que la conciencia determinase a la existencia, todos seríamos poetas porque nuestros actos serían creaciones. La noche que es un «eterno poema» sería una realidad cotidiana y a pleno sol.

Ahora, tras la segunda Guerra Mundial y los años tensos que la han seguido, puede verse con mayor claridad en qué consistió el fracaso revolucionario del surrealismo. Ninguno de los movimientos revolucionarios del pasado había adoptado la forma cerrada del Partido Comunista; ninguna de las escuelas poéticas anteriores se había presentado como un grupo tan compacto y militante. El surrealismo no sólo se proclamó la voz poética de la Revolución, sino que identificó a ésta con la poesía. La nueva sociedad comunista sería una sociedad surrealista, en la que la poesía circularía por la vida social como una fuerza perpetuamente creadora. Pero en la realidad histórica esa nueva sociedad había ya engendrado sus mitos, sus imágenes y un nuevo sagrado. Antes de que naciese el culto a los jefes, ya habían surgido los guardianes de los libros santos y una casta de teólogos e inquisidores. Finalmente, la nueva sociedad empezó a parecerse demasiado a las antiguas y muchos de sus actos recordaban no sólo el terror del Tribunal de Salud Pública sino las hazañas de los Faraones. Sin embargo, la transformación del Estado obrero de Lenin en inmensa y eficaz burocracia precipitó la ruptura, pero no fue su causa. Con Trotski en el poder las dificultades no habrían sido del todo diferentes. Basta leer *Literatura y revolución* para darse cuenta de que la libertad del arte también tenía para Trotski ciertos límites; si el artista los traspasa, el Estado revolucionario tiene el deber de cogerlo por los hombros y sacudirlo.[1] El compromiso era imposible, por las mismas razones que habían impedido a los poetas del siglo pasado toda unión permanente con la Iglesia, el Estado liberal o la burguesía.

A partir de esta ruptura, el surrealismo vuelve a ser lo que fueron los antiguos círculos poéticos: una sociedad semisecreta. Es cierto que Bre-

[1] Años más tarde, ya en el exilio, Trotski modificó sus puntos de vista y afirmó que el único régimen posible para el artista sería el del anarquismo, la libertad absoluta, independientemente de las circunstancias por las que atraviese el Estado revolucionario. Pero estas afirmaciones provienen de un hombre en la oposición.

ton no ha cesado de afirmar la identidad última del movimiento revolucionario y el poético, mas su acción en el campo de la realidad ha sido esporádica y no ha llegado a influir en la vida política. Al mismo tiempo, no sería justo olvidar que, más allá de este fracaso histórico, la sensibilidad de nuestra época y sus imágenes —singularmente el triángulo incandescente que forman la libertad, el amor y la poesía— son en gran medida una creación del surrealismo y de su influencia sobre la mayor parte de los poetas contemporáneos. Por lo demás, el surrealismo no es una supervivencia de la primera posguerra, ni un objeto arqueológico. En realidad, es la única tendencia que ha logrado llegar viva a la mitad del siglo, después de atravesar una guerra y una crisis espiritual sin paralelo. Lo que distingue al romanticismo y al surrealismo del resto de los movimientos literarios modernos es su poder de transformación y su capacidad para atravesar, subterráneamente, la superficie histórica y reaparecer de nuevo. No se puede enterrar al surrealismo porque no es una idea sino una dirección del espíritu humano. La decadencia innegable del estilo poético surrealista, transformado en receta, es la de una forma de arte determinada y no afecta esencialmente a sus poderes últimos. El surrealismo puede crear nuevos estilos, fertilizar los viejos o, incluso, prescindir de toda forma y convertirse en un método de búsqueda interior. Ahora bien, independientemente de lo que reserve el porvenir a este grupo y a sus ideas, es evidente que la soledad sigue siendo la nota dominante de la poesía actual. La escritura automática, la edad de oro, la noche que es un festín eterno, el mundo de Shelley y Novalis, de Blake y Hölderlin, no está al alcance de los hombres. La poesía no ha encarnado en la historia, la experiencia poética es un estado de excepción y el único camino que le queda al poeta es el antiguo de la creación de poemas, cuadros y novelas. Sólo que este volver al poema no es un simple retorno, ni una restauración. Cervantes no reniega de don Quijote: asume su locura, no la vende por unas migajas de sentido común. El poema futuro, para ser de veras poema, deberá partir de la gran experiencia romántica. ¿Las preguntas que desde hace siglo y medio se hacen los más grandes poetas tienen una respuesta?

EPÍLOGO

Los signos en rotación

La historia de la poesía moderna es la de una desmesura. Todos sus grandes protagonistas, después de trazar un signo breve y enigmático, se han estrellado contra la roca. El astro negro de Lautréamont rige el destino de nuestros más altos poetas. Pero este siglo y medio ha sido tan rico en infortunios como en obras: el fracaso de la aventura poética es la cara opaca de la esfera; la otra está hecha de la luz de los poemas modernos. Así, la interrogación sobre las posibilidades de encarnación de la poesía no es una pregunta sobre el poema sino sobre la historia: ¿es quimera pensar en una sociedad que reconcilie al poema y al acto, que sea palabra viva y palabra vivida, creación de la comunidad y comunidad creadora? Este libro no se propuso contestar a esta pregunta: su tema fue una reflexión sobre el poema. No obstante, la imperiosa naturalidad con que aparece al principio y al fin de la meditación, ¿no es un indicio de su carácter central? Esa pregunta es la pregunta. Desde el alba de la edad moderna, el poeta se la hace sin cesar —y por eso escribe, y la Historia, también sin cesar, la rechaza —contesta con *otra cosa.* Yo no intentaré responderla. No podría. Tampoco puedo quedarme callado. Aventuro algo que es más que una opinión y menos que una certidumbre: una creencia. Es una creencia alimentada por lo incierto y que en nada se funda sino en su negación. Busco en la realidad ese punto de inserción de la poesía que es también un punto de intersección, centro fijo y vibrante donde se anulan y renacen sin tregua las contradicciones. Corazón-manantial.

La pregunta contiene dos términos antagónicos y complementarios: no hay poesía sin sociedad, pero la manera de ser social de la poesía es contradictoria: afirma y niega simultáneamente al habla, que es palabra social; no hay sociedad sin poesía, pero la sociedad no puede realizarse nunca como poesía, nunca es poética. A veces los dos términos aspiran a desvincularse. No pueden. Una sociedad sin poesía carecería de lenguaje:

todos dirían la misma cosa o ninguno hablaría, sociedad trashumana en la que todos serían uno o cada uno sería un todo autosuficiente. Una poesía sin sociedad sería un poema sin autor, sin lector y, en rigor, sin palabras. Condenados a una perpetua conjunción que se resuelve en instantánea discordia, los dos términos buscan una conversión mutua: poetizar la vida social, socializar la palabra poética. Transformación de la sociedad en comunidad creadora, en poema vivo; y del poema en vida social, en imagen encarnada.

Una comunidad creadora sería aquella sociedad universal en la que las relaciones entre los hombres, lejos de ser una imposición de la necesidad exterior, fuesen como un tejido vivo, hecho de la fatalidad de cada uno al enlazarse con la libertad de todos. Esa sociedad sería libre porque, dueña de sí, nada excepto ella misma podría determinarla, y solidaria porque la actividad humana no consistiría, como hoy ocurre, en la dominación de unos sobre otros (o en la rebelión contra ese dominio), sino que buscaría el reconocimiento de cada uno por sus iguales o, más bien, por sus semejantes. La idea cardinal del movimiento revolucionario de la era moderna es la creación de una sociedad universal que, al abolir las opresiones, despliegue simultáneamente la identidad o semejanza original de todos los hombres y la radical diferencia o singularidad de cada uno. El pensamiento poético no ha sido ajeno a las vicisitudes y conflictos de esta empresa literalmente sobrehumana. La gesta de la poesía de Occidente, desde el romanticismo alemán, ha sido la de sus rupturas y reconciliaciones con el movimiento revolucionario. En un momento o en otro, todos nuestros grandes poetas han creído que en la sociedad revolucionaria, comunista o libertaria, el poema cesaría de ser ese núcleo de contradicciones que al mismo tiempo niega y afirma la historia. En la nueva sociedad la poesía sería al fin *práctica.*

La conversión de la sociedad en comunidad y la del poema en poesía práctica no están a la vista. Lo contrario es lo cierto: cada día parecen más lejanas. Las previsiones del pensamiento revolucionario no se han cumplido o se han realizado de una manera que es una afrenta a las supuestas leyes de la historia. Ya es un lugar común insistir sobre la palpable discordia entre la teoría y la realidad. No tengo más remedio que repetir, sin ninguna alegría, *for the sake of the argument,* algunos hechos conocidos por todos: la ausencia de revoluciones en los países que Marx llamaba civilizados y que hoy se llaman industriales o desarrollados; la existencia de regímenes revolucionarios que han abolido la propiedad privada de los medios de producción sin abolir por tanto la explotación del hombre ni las diferencias de clase, jerarquía o función; la sustitución casi total del antagonismo clásico entre proletarios y burgueses, capital y trabajo, por una doble y feroz contradicción: la oposición entre países ricos y pobres y las querellas entre Estados y grupos de Estados que se unen o separan, se alían o combaten movidos por las necesidades de la hora, la geografía y el interés nacional, independientemente de sus sistemas sociales y de las filosofías que dicen profesar. Una descripción de la superficie de la sociedad contemporánea debería comprender otros rasgos no menos turbadores: el agresivo renacimiento de los particularismos raciales, religiosos y lingüísticos al mismo tiempo que la dócil adopción de formas de pensamiento y conducta erigidas en canon universal por la propaganda comercial y política; la elevación del nivel de vida y la degradación del *nivel de la vida;* la soberanía del objeto y la deshumanización de aquellos que lo producen y lo usan; el predominio del colectivismo y la evaporación de la noción de *prójimo.* Los medios se han vuelto fines: la política económica en lugar de la economía política; la educación sexual y no el conocimiento por el erotismo; la perfección del sistema de comunicaciones y la anulación de los interlocutores; el triunfo del signo sobre el significado en las artes y, ahora, de la cosa sobre la imagen... Proceso circular: la pluralidad se resuelve en uniformidad sin suprimir la discordia entre las naciones ni la escisión en las conciencias; la vida personal, exaltada por la publicidad, se disuelve en vida anónima; la novedad diaria acaba por ser repetición y la agitación desemboca en la inmovilidad. Vamos de ningún lado a ninguna parte. «Como el movimiento en el círculo —decía Ramon Llull— así es la pena en el infierno.»

Tal vez fue Rimbaud el primer poeta que vio, en el sentido de percibir y en el de videncia, la realidad presente como la forma infernal o circular del movimiento. Su obra es una condenación de la sociedad moderna, pero su palabra final, *Une Saison en enfer,* también es una condenación de la poesía.[1] Para Rimbaud el nuevo poeta crearía un «lenguaje universal, del alma para el alma» que en lugar de ritmar la acción la anunciaría. El poeta

[1] El tema de la cronología de los escritos de Rimbaud se ha planteado, a mi juicio, de una manera unilateral. Una cosa son las fechas en que fueron escritos los poemas y otra su lugar en la obra. Tampoco se trata de un problema psicológico: es indudable que Rimbaud, al escribir *Une Saison en enfer,* creía que era su palabra última, un adiós; pero inclusive si no hubiese sido así, ese texto efectivamente es un examen y un juicio final de la experiencia poética, tal como la conciben la llamada *Lettre du voyant* e *Illuminations.* Si se piensa que los poemas de Rimbaud constituyen una obra, si son un todo y no una colección de

no se limitaría a expresar la «marcha hacia el Progreso», sino que sería *vraiment un multiplicateur de progrès.* La novedad de la poesía, dice Rimbaud, «no está en las ideas ni en las formas», sino en su capacidad de definir la *quantité d'inconnu s'éveillant en son temps dans l'âme universelle.* El poeta no se limita a descubrir el presente; despierta al futuro, conduce el presente al encuentro de lo que viene: *cet avenir sera materialiste.* La palabra poética no es menos «materialista» que el futuro que anuncia: es movimiento que engendra movimiento, acción que transmuta el mundo material. Animada por la misma energía que mueve a la historia, es profecía y consumación efectiva, en la vida real, de esa profecía. La palabra encarna, es poesía práctica. *Une Saison en enfer* condena todo esto. La alquimia del verbo es un delirio: *viellerie poétique, hallucination, sophisme de la folie.* El poeta renuncia a la palabra. No vuelve a su antigua creencia, el cristianismo, ni a los suyos; pero antes de abandonarlo todo, anuncia un singular «Noël sur la terre: le travail nouveau, la sagesse nouvelle, la fuite des tyrans et des démons, la fin de la superstition». Es el adiós al mundo viejo y a la esperanza de cambiarlo por la poesía: *Je dois enterrer mon imagination.* La crónica del infierno *se* cierra con una declaración enigmática: *Il faut être absolument moderne.* Cualquiera que sea la interpretación que se dé a esta frase, y hay muchas, es evidente que *modernidad* se opone aquí a *alquimia del verbo.* Rimbaud no exalta ya la palabra, sino la acción: *point de cantiques.* Después de *Une Saison en enfer* no se puede escribir un poema sin vencer un sentimiento de vergüenza: ¿no se trata de un acto irrisorio o, lo que es peor, no se incurre en una mentira? Quedan dos caminos, los dos intentados por Rimbaud: la acción (la industria, la revolución) o escribir ese poema final que sea también el fin de la poesía, su negación y su culminación. Se ha dicho que la poesía moderna es poema de la poesía. Tal vez esto fue verdad en la primera mitad del siglo XIX; a partir de *Une Saison en enfer* nuestros grandes poetas han hecho de la negación de la poesía la forma más alta de la poesía: sus poemas son crítica de la experiencia poética, crítica del lenguaje y el significado, crítica del poema mismo. La palabra poética se sustenta en la negación de la palabra. El círculo se ha cerrado.

Nunca como en los últimos treinta años habían parecido de tal modo incompatibles la acción revolucionaria y el ejercicio de la poesía. No obstante, algo los une. Nacidos casi al mismo tiempo, el pensamiento poético moderno y el movimiento revolucionario se encuentran, al cabo de un

---

textos dispersos, *Une Saison en enfer* es posterior a *Illuminations,* aunque algunos de éstos hayan sido escritos después.

siglo y medio de querellas y alianzas efímeras, frente al mismo paisaje: un espacio henchido de objetos, pero deshabitado de futuro. La condenación de la tentativa de la poesía por encarnar en la historia alcanza también al principal protagonista de la era moderna: el movimiento revolucionario. Son las dos caras del mismo fenómeno. Esta condenación, por lo demás, es una exaltación: nos condena a nosotros, no a la revolución ni a la poesía. Resulta muy fácil hacer ahora una crítica del pensamiento revolucionario, especialmente de su rama marxista. Sus insuficiencias y limitaciones están a la vista. ¿Se ha reparado en que son también las nuestras? Sus errores son los de la porción más osada y generosa del espíritu moderno, en su doble dirección: como crítica de la realidad social y como proyecto universal de una sociedad justa. Ni siquiera los crímenes del periodo «estaliniano» ni la degeneración progresiva del marxismo oficial, convertido en un maniqueísmo pragmatista, son algo ajeno a nosotros: son parte integrante de una misma historia. Una historia que nos engloba a todos y que entre todos hemos hecho. Aunque la sociedad que preveía Marx está lejos de ser una realidad de la historia, el marxismo ha penetrado tan profundamente en la historia que todos, de una manera u otra, a veces sin saberlo, somos marxistas. Nuestros juicios y categorías morales, nuestra idea del porvenir, nuestras opiniones sobre el presente o sobre la justicia, la paz o la guerra, todo, sin excluir nuestras negaciones del marxismo, está impregnado de marxismo. Este pensamiento es ya parte de nuestra sangre intelectual y de nuestra sensibilidad moral.

La situación contemporánea tiene cierta semejanza con la de los filósofos medievales que no tenían más instrumento para definir al Dios judeocristiano, Dios creador y personal, que las nociones de la metafísica de Aristóteles sobre el ente y el ser. (Si Dios, la idea de Dios, ha muerto, murió de muerte filosófica: la filosofía griega.) La crítica del marxismo es indispensable, pero es inseparable de la del hombre moderno y debe ser hecha con las mismas ideas críticas del marxismo. Para saber lo que está vivo y lo que está muerto en la tradición revolucionaria, la sociedad contemporánea debe examinarse a sí misma. Ya Marx había dicho que el cristianismo no pudo «hacer comprender en forma objetiva las mitologías anteriores más que realizando su propia crítica», y que «la economía burguesa no entendió las sociedades feudal, antigua y oriental hasta el momento en que la sociedad burguesa emprendió la crítica de sí misma».[1]

[1] *Introducción general a la crítica de la economía política.*

En el interior del sistema marxista, por lo demás, están los gérmenes de la destrucción creadora: la dialéctica y, sobre todo, la fuerza de abstracción, como llamaba Marx al análisis social, aplicada hoy a un sujeto real e históricamente determinado: la sociedad del siglo XX. La noción del proletariado como agente universal de la historia, la del Estado como simple expresión de la clase en el poder, la de la cultura como «reflejo» de la realidad social, todo esto, y muchas otras cosas más, desaparecerá. No la visión de una sociedad comunista. La idea de una comunidad universal en la que, por obra de la abolición de las clases y del Estado, cese la dominación de los unos sobre los otros y la moral de la autoridad y del castigo sea reemplazada por la de la libertad y la responsabilidad personal —una sociedad en la que, al desaparecer la propiedad privada, cada hombre sea propietario de sí mismo y esa «propiedad individual» sea literalmente común, compartida por todos gracias a la producción colectiva; la idea de una sociedad en la que se borre la distinción entre el trabajo y el arte— esa idea es irrenunciable. No sólo constituye la herencia del pensamiento moral y político de Occidente desde la época de la filosofía griega, sino que forma parte de nuestra naturaleza histórica. Renunciar a ella es renunciar a ser lo que ha querido ser el hombre moderno, renunciar a ser. No se trata únicamente de una moral ni de una filosofía política. El marxismo es la última tentativa del pensamiento occidental por reconciliar razón e historia. La visión de una sociedad universal comunista está ligada a otra: la historia es el lugar de encarnación de la razón; o más exactamente: el movimiento de la historia, al desplegarse, se revela como razón universal. Una y otra vez la realidad de la historia desmiente esta idea; una y otra vez buscamos un sentido a la sangrienta agitación. Estamos condenados a buscar la razón de la sinrazón. Es verdad que, si ha de surgir un nuevo pensamiento revolucionario, tendrá que absorber dos tradiciones desdeñadas por Marx y sus herederos: la libertaria y la poética, entendida esta última como experiencia de la *otredad;* no es menos cierto que ese pensamiento, como el marxismo, será crítico y creador; conocimiento que abraza a la sociedad en su realidad concreta y en su movimiento general —y la cambia. Razón activa.[1]

[1] Estas líneas fueron escritas en 1964. Hoy, veintiséis años después, el enorme fracaso histórico del marxismo leninismo es un hecho incontrovertible. Pero no ha surgido un nuevo pensamiento crítico y creador. Véase el capítulo final de *La otra voz,* pp. 515 y ss. [Nota de 1990.]

Sin duda la nueva poesía no repetirá las experiencias de los últimos cincuenta años. Son irrepetibles. Y todavía están sumergidos los mundos poéticos que esperan ser descubiertos por un adolescente cuyo rostro seguramente nunca veremos. Pero desde el exterior quizá no sea del todo temerario describir algunas de las circunstancias a que se enfrentan los nuevos poetas. Una es la pérdida de la imagen del mundo; otra, la aparición de un vocabulario universal, compuesto de signos activos: la técnica; otra más, la crisis de los significados.

En la Antigüedad el universo tenía una forma y un centro; su movimiento estaba regido por un ritmo cíclico y esa figura rítmica fue durante siglos el arquetipo de la ciudad, las leyes y las obras. El orden político y el orden del poema, las fiestas públicas y los ritos privados —y aun la discordia y las transgresiones a la regla universal— eran manifestaciones del ritmo cósmico. Después, la figura del mundo se ensanchó: el espacio se hizo infinito o transfinito; el año platónico se convirtió en sucesión lineal, inacabable, y los astros dejaron de ser la imagen de la armonía cósmica. Se desplazó el centro del mundo y Dios, las ideas y las esencias se desvanecieron. Nos quedamos solos. Cambió la figura del universo y cambió la idea que se hacía el hombre de sí mismo; no obstante, los mundos no dejaron de ser el mundo ni el hombre los hombres. Todo era un todo. Ahora el espacio se expande y disgrega; el tiempo se vuelve discontinuo; y el mundo, el todo, estalla en añicos. Dispersión del hombre, errante en un espacio que también se dispersa, errante en su propia dispersión. En un universo que se desgrana y se separa de sí, totalidad que ha dejado de ser pensable excepto como ausencia o colección de fragmentos heterogéneos, el yo también se disgrega. No es que haya perdido realidad ni que lo consideremos como una ilusión. Al contrario, su propia dispersión lo multiplica y lo fortalece. Ha perdido cohesión y ha dejado de tener un centro, pero cada partícula se concibe como un yo único, más cerrado y obstinado en sí mismo que el antiguo yo. La dispersión no es pluralidad, sino repetición: siempre el mismo yo que combate ciegamente a otro yo ciego. Propagación, pululación de lo idéntico.

El crecimiento del yo amenaza al lenguaje en su doble función: como diálogo y como monólogo. El primero se funda en la pluralidad; el segundo, en la identidad. La contradicción del diálogo consiste en que cada uno habla consigo mismo al hablar con los otros; la del monólogo en que nunca soy yo, sino otro, el que escucha lo que me digo a mí mismo. La poesía ha sido siempre una tentativa por resolver esta discordia por medio de una conversión de los términos: el yo del diálogo en el tú del monólogo. La poesía no dice: yo soy tú; dice: mi yo eres tú. La imagen poética es la *otredad.* El fenómeno moderno de la incomunicación no depende tanto de la pluralidad de sujetos cuanto de la desaparición del tú como elemento constitutivo de cada conciencia. No hablamos con los otros porque no podemos hablar con nosotros mismos. Pero la multiplicación cancerosa del yo no es el origen, sino el resultado de la pérdida de la imagen del mundo. Al sentirse solo en el mundo, el hombre antiguo descubría su propio yo y, así, el de los otros. Hoy no estamos solos en el mundo: no hay mundo. Cada sitio es el mismo sitio y ninguna parte está en todas partes. La conversión del yo en tú —imagen que comprende todas las imágenes poéticas— no puede realizarse si antes el mundo no reaparece. La imaginación poética no es invención sino descubrimiento de la presencia. Descubrir la imagen del mundo en lo que emerge como fragmento y dispersión, percibir en lo uno lo otro, será devolverle al lenguaje su virtud metafórica: darle presencia a los otros. La poesía: búsqueda de los otros, descubrimiento de la *otredad.*

Si el mundo, como imagen, se desvanece, una nueva realidad cubre a toda la tierra. La técnica es una realidad tan poderosamente real —visible, palpable, audible, ubicua— que la verdadera realidad ha dejado de ser natural o sobrenatural: la industria es nuestro paisaje, nuestro cielo y nuestro infierno. Un templo maya, una catedral medieval o un palacio barroco eran algo más que monumentos: puntos sensibles del espacio y el tiempo, observatorios privilegiados desde los cuales el hombre podía contemplar el mundo y el trasmundo como un todo. Su orientación correspondía a una visión simbólica del universo; la forma y disposición de sus partes abrían una perspectiva plural, verdadero cruce de caminos visuales: hacia arriba y abajo, hacia los cuatro puntos cardinales. Punto de vista total sobre la totalidad. Esas obras no sólo eran una visión del mundo, sino que estaban hechas a su imagen: eran una representación de la figura del universo, su copia o su símbolo. La técnica se interpone entre nosotros y el mundo, cierra toda perspectiva a la mirada: más allá de sus geometrías de hierro, vidrio o aluminio no hay rigurosamente nada, excepto lo desconocido, la región de lo informe todavía no transformada por el hombre.

La técnica no es una imagen ni una visión del mundo: no es una imagen porque no tiene por objeto representar o reproducir la realidad; no es una visión porque no concibe al mundo como figura sino como algo más o menos maleable para la voluntad humana. Para la técnica el mundo se presenta como resistencia, no como arquetipo: tiene realidad, no figura. Esa realidad no se puede reducir a ninguna imagen y es, al pie de la letra, inimaginable. El saber antiguo tenía por fin último la contemplación de la realidad, fuese presencia sensible o forma ideal; el saber de la técnica aspira a sustituir la realidad real por un universo de mecanismos. Los artefactos y utensilios del pasado estaban en el espacio; los mecanismos modernos lo alteran radicalmente. El espacio no sólo se puebla de máquinas que tienden al automatismo o que son ya autómatas sino que es un campo de fuerzas, un nudo de energías y relaciones —algo muy distinto a esa extensión o superficie más o menos estable de las antiguas cosmologías y filosofías. El tiempo de la técnica es, por una parte, ruptura de los ritmos cósmicos de las viejas civilizaciones; por la otra, aceleración y, a la postre, cancelación del tiempo cronométrico moderno. De ambas maneras es un tiempo discontinuo y vertiginoso que elude, ya que no la medida, la representación. En suma, la técnica se funda en una negación del mundo como imagen. Y habría que agregar: gracias a esa negación hay técnica. No es la técnica la que niega a la imagen del mundo; es la desaparición de la imagen lo que hace posible la técnica.

Las obras del pasado eran réplicas del arquetipo cósmico en el doble sentido de la palabra: copias del modelo universal y respuesta humana al mundo, rimas o estrofas del poema que el cosmos se dice a sí mismo. Símbolos del mundo y diálogo con el mundo: lo primero, por ser reproducción de la imagen del universo; lo segundo, por ser el punto de intersección entre el hombre y la realidad exterior. Esas obras eran un lenguaje: una visión del mundo y un puente entre el hombre y el todo que lo rodea y sostiene. Las construcciones de la técnica —fábricas, aeropuertos, plantas de energía y otros grandiosos conjuntos— son absolutamente reales pero no son presencias; no representan: son signos de la acción y no imágenes del mundo. Entre ellas y el paisaje natural que las contiene no hay diálogo ni correspondencia. No son obras sino instrumentos; su duración depende de su funcionamiento y su forma no posee más significación que la de su eficacia. Una mezquita o un arco triunfal romano son obras impregnadas de significación: duran por haber sido edificados sobre significados perdurables, no únicamente en razón de la mayor o menor resistencia de sus materiales. Inclusive las cuevas del paleolítico se nos aparecen como un texto tal vez indescifrable pero no desprovisto de sentido. Los aparatos y mecanismos de la técnica, apenas cesan de funcionar, se vuelven insignificantes: nada dicen, excepto que han dejado de servir. Así, la técnica no es propiamente un lenguaje, un sistema de significados permanentes fundado en una visión del mundo. Es un repertorio de signos dueños de significados temporales y variables: un vocabulario universal de la actividad, aplicado a la transformación de la realidad y que se organiza de esta o aquella manera ante esta o aquella resistencia. El poeta del pasado se alimentaba del lenguaje y la mitología que su sociedad y su tiempo le proponían. Ese lenguaje y esos mitos eran inseparables de la imagen del mundo de cada civilización. La universalidad de la técnica es de orden diferente a la de las antiguas religiones y filosofías: no nos ofrece una imagen del mundo sino un espacio en blanco, el mismo para todos los hombres. Sus signos no son un lenguaje: son las señales que marcan las fronteras, siempre en movimiento, entre el hombre y la realidad inexplorada. La técnica libera a la imaginación de toda mitología y la enfrenta con lo desconocido. La enfrenta a sí misma y, ante la ausencia de toda imagen del mundo, la lleva a configurarse. Esa configuración es el poema. Plantado sobre lo informe a la manera de los signos de la técnica y, como ellos, en busca de un significado sin cesar elusivo, el poema es un espacio vacío pero cargado de inminencia. No es todavía la presencia: es una parvada de signos que buscan su significado y que no significan más que ser búsqueda.

La conciencia de la historia parecía ser la gran adquisición del hombre moderno. Esa conciencia se ha convertido en pregunta sin respuesta sobre el sentido de la historia. La técnica no es una respuesta. Si lo fuese, sería negativa: la invención de armas de aniquilación total pone en entredicho toda hipótesis o teoría sobre el sentido de la historia y sobre la supuesta razón inherente a los movimientos y luchas de pueblos y clases. Pero supongamos que no se hubiesen inventado esas armas o que las potencias que las poseen decidiesen destruirlas: el pensamiento técnico, único superviviente de las filosofías del pasado, tampoco podría decirnos nada sobre el porvenir. La técnica puede prever estos o aquellos cambios y, hasta cierto punto, construir realidades futuras. En este sentido la técnica es productora de futuro. Ninguno de estos prodigios contestará a la única pregunta que se hace el hombre en tanto que ser histórico y, debo añadir, en tanto que hombre: el porqué y el para qué de los cambios. Esta pregunta contiene ya, en germen, una idea del hombre y una imagen del mundo. Es una pregunta sobre el sentido del existir humano individual y colectivo; hacerla es afirmar que la respuesta, o la ausencia de respuesta, pertenecen a esferas distintas de la técnica. Así pues, aunque la técnica inventa todos los días algo nuevo, nada puede decirnos sobre el futuro.

En cierto modo, su acción consiste en ser una incesante destrucción de futuro. En efecto, en la medida en que el futuro que construye es cada vez menos imaginable y aparece desprovisto de sentido, cesa de ser futuro: es lo desconocido que irrumpe sobre nosotros. Hemos cesado de reconocernos en el futuro.

La pérdida de la imagen del futuro, decía Ortega y Gasset, implica una mutilación del pasado. Así es: todo lo que nos parecía cargado de sentido se ofrece ahora ante nuestros ojos como una serie de esfuerzos y creaciones que son un no-sentido. La pérdida de significado afecta a las dos mitades de la esfera, a la muerte y a la vida: la muerte tiene el sentido que le da nuestro vivir, y éste tiene como significado último ser vida ante la muerte. Nada nos puede decir la técnica sobre todo esto. Su virtud filosófica consiste, por decirlo así, en su ausencia de filosofía. Tal vez no sea una desgracia: gracias a la técnica el hombre se encuentra, después de miles de años de filosofías y religiones, a la intemperie. La conciencia de la historia se ha revelado como conciencia trágica; el ahora ya no se proyecta en un futuro: es un siempre instantáneo. Escribo conciencia trágica no porque piense en un regreso a la tragedia griega sino para designar al *temple* de una nueva poesía. Historia y tragedia son términos incompatibles: para la historia nada es definitivo excepto el cambio; para la tragedia todo cambio es definitivo. Por eso los géneros propios de la sensibilidad histórica, hoy heridos de muerte, son la novela, el drama, la elegía, la comedia. El poeta moderno vivía en un tiempo que se distinguía de los otros tiempos en ser la época de la conciencia histórica; esa conciencia percibe ahora que la historia no tiene sentido o que, si lo tiene, es inaccesible para ella. Nuestro tiempo es el del fin de la historia como futuro imaginable o previsible. Reducidos a un presente que se angosta más y más, nos preguntamos: ¿adónde vamos?; en realidad deberíamos preguntarnos ¿en qué tiempos vivimos? No creo que nadie pueda responder con certeza a esta pregunta. La aceleración del suceder histórico, sobre todo a partir de la primera Guerra Mundial, y la universalidad de la técnica, que ha hecho de la tierra un espacio homogéneo, se revelan al fin como una suerte de frenética inmovilidad en un sitio que es todos los sitios. Poesía: búsqueda de un ahora y de un aquí.

La descripción anterior es incompleta e insuficiente. No tanto, quizá, para que nos impida enteramente entrever la posible dirección de la poesía venidera. En primer término: la dispersión de la imagen del mundo en fragmentos inconexos se resuelve en uniformidad y, así, en pérdida de la *otredad*. La técnica, por su parte, no nos ha dado una nueva imagen del mundo y ha hecho imposible un retorno a las viejas mitologías. Mientras dure este tiempo que es nuestro tiempo, no hay pasado ni futuro, edad de oro anterior a la historia o falansterio ulterior. El tiempo del poeta: vivir al día, y vivirlo, simultáneamente, de dos maneras contradictorias: como si fuese inacabable y como si fuese a acabar ahora mismo. Así, la imaginación no puede proponerse sino recuperar y exaltar —descubrir y proyectar— la vida concreta de hoy. Lo primero, el descubrir, designa a la experiencia poética; lo segundo, la proyección, se refiere al poema propiamente dicho y será tratado más adelante.

En cuanto a lo primero, empezaré por decir que la vida concreta es la verdadera vida, por oposición al vivir uniforme que intenta imponernos la sociedad contemporánea. Breton ha dicho: *la véritable existence est ailleurs*. Ese allá está aquí, siempre aquí y en este momento. La verdadera vida no se opone ni a la vida cotidiana ni a la heroica; es la percepción del relampagueo de la *otredad* en cualquiera de nuestros actos, sin excluir a los más nimios. Con frecuencia se engloba a estos estados bajo un nombre a mi juicio inexacto: la *experiencia espiritual*. Nada permite afirmar que se trate de algo predominantemente espiritual; nada, además, hace pensar que el espíritu sea realmente distinto a la vida corpórea y a lo que, también con inexactitud, llamamos materia. Esas experiencias son y no son excepcionales. Ningún método exterior o interior —trátese de la meditación, las drogas, el erotismo, las prácticas ascéticas o cualquier otro medio físico o mental— puede por sí solo suscitar la aparición de la *otredad*. Es un don imprevisto, un signo que la vida hace a la vida sin que el recibirlo entrañe mérito o diferencia alguna, ya sea de orden moral o espiritual. Cierto, hay situaciones propicias y temperamentos más afinados, pero aun en esto no hay regla fija. Experiencia hecha del tejido de nuestros actos diarios, la *otredad* es ante todo percepción simultánea de que somos otros sin dejar de ser lo que somos y que, sin cesar de estar en donde estamos, nuestro verdadero ser está en otra parte. Somos otra parte. En otra parte quiere decir: aquí, ahora mismo mientras hago esto o aquello. Y también: estoy solo y estoy contigo, en un no sé dónde que es siempre aquí. Contigo y aquí: ¿quién eres tú, quién soy yo, en dónde estamos cuando estamos aquí?

Irreductible, elusiva, indefinible, imprevisible y constantemente presente en nuestras vidas, la *otredad* se confunde con la religión, la poesía, el amor y otras experiencias afines. Aparece con el hombre mismo, de modo que puede decirse que si el hombre se hizo hombre por obra del trabajo, tuvo conciencia de sí gracias a la percepción de su radical *otredad:* ser y no ser lo mismo que el resto de los animales. Desde el paleolítico inferior hasta nuestros días esa revelación ha nutrido a la magia, a la religión, a la poesía, al arte y asimismo al diario imaginar y vivir de hombres y mujeres. Las civilizaciones del pasado integraron en su visión del mundo las imágenes y percepciones de la *otredad;* la sociedad contemporánea las condena en nombre de la razón, la ciencia, la moral y la salud. Las prohibiciones actuales las desvían y deforman, les dan mayor virulencia, no las suprimen. Llamaría a la *aliedad* una experiencia básica si no fuese porque consiste precisamente en lo contrario: un suspender al hombre en una suerte de vuelo inmóvil, como si las bases del mundo y las de su propio ser se hubiesen desvanecido.

Aunque se trata de una experiencia más vasta que la religiosa y que es anterior a ella según se dijo en otra parte de este libro, el pensamiento racionalista la condena con la misma decisión con que condena a la religión. Tal vez no sea inútil repetir que la crítica moderna de la religión reduce lo divino a la noción judeo-cristiana de un Dios creador, único y personal. Olvida así que hay otras concepciones de lo divino, desde el animismo primitivo hasta el ateísmo de ciertas sectas y religiones orientales. El ateísmo occidental es polémico y antirreligioso; el oriental, al ignorar la noción de un dios creador, es una contemplación de la totalidad en la que los extremos entre dios y criatura se disipan. Por lo demás, a despecho de su antideísmo, nuestro ateísmo no es menos «religioso» que nuestro deísmo; un gran poeta francés, conocido por la violencia de sus convicciones antirreligiosas me dijo una vez: «el ateísmo es un acto de fe». En esa frase, no desprovista de grandeza, hay como un eco de Tertuliano y aun de San Agustín. En fin, la idea misma de religión es una noción occidental abusivamente aplicada a las creencias de las otras civilizaciones. El *Sanâtana dharma* —que abraza a varias «religiones», algunas ateas como el sistema samkya— o el taoísmo difícilmente pueden llamarse religiones, en el sentido que se da en Occidente a esta palabra: no postulan ni una ortodoxia ni una vida ultraterrena... La experiencia de lo divino es más antigua, inmediata y original que todas las concepciones religiosas. No se agota en la idea de un Dios personal ni tampoco en la de muchos: todas las deidades emergen de lo divino y a su seno regresan.

Recordaré, por último, algo que muchas veces se ha dicho: al extirpar la noción de *divinidad* el racionalismo reduce al hombre. Nos libera de Dios pero nos encierra en un sistema aún más férreo. La imaginación humillada se venga y del cadáver de Dios brotan fetiches atroces: en Rusia y otros países, la divinización del jefe, el culto a la letra de las escrituras, la deificación del partido; entre nosotros, la idolatría del yo mismo. Ser *uno mismo* es condenarse a la mutilación pues el hombre es apetito perpetuo de ser otro. La idolatría del yo conduce a la idolatría de la propiedad; el verdadero Dios de la sociedad cristiana occidental se llama dominación sobre los otros. Concibe al mundo y los hombres como *mis* propiedades, *mis* cosas. El árido mundo actual, el infierno circular, es el espejo del hombre cercenado de su facultad poetizante. Se ha cerrado todo contacto con esos vastos territorios de la realidad que se rehúsan a la medida y a la cantidad, con todo aquello que es cualidad pura, irreductible a género y especie: la sustancia misma de la vida.

La rebelión de los poetas románticos y la de sus herederos modernos no fue tanto una protesta contra el destierro de Dios como una búsqueda de la mitad perdida, descenso a esa región que nos comunica con lo *otro*. Por esto no encontraron lugar en ninguna ortodoxia y su conversión a esta o aquella creencia nunca fue total. Detrás de Cristo o de Orfeo, de Luzbel o de María, buscaban esa realidad de realidades que llamamos lo divino o lo *otro*. La situación de los poetas contemporáneos difiere en esto radicalmente. Heidegger lo ha expresado de una manera admirable: «Llegamos tarde para los dioses y muy pronto para el ser —y agrega—: cuyo iniciado poema es el ser». El hombre es lo inacabado, aunque sea cabal en su misma inconclusión, y por eso hace poemas, imágenes en las que se realiza y se acaba sin acabarse del todo nunca. Él mismo es un poema: es el ser siempre en perpetua posibilidad de ser completamente y cumpliéndose así en su no-acabamiento. Pero nuestra situación histórica se caracteriza por el *demasiado tarde* y el *muy pronto*. Demasiado tarde: en la luz indecisa, los dioses ya desaparecidos, hundidos sus cuerpos radiantes en el horizonte que devora todas las mitologías pasadas; muy pronto: el ser, la experiencia central saliendo de nosotros mismos hacia el encuentro de su verdadera presencia. Andamos perdidos entre las cosas, nuestros pensamientos son circulares y percibimos apenas algo que emerge, sin nombre todavía.

La experiencia de la *otredad* abarca las dos notas extremas de un ritmo de separación y reunión, presente en todas las manifestaciones del ser, desde las físicas hasta las biológicas. En el hombre ese ritmo se expresa como caída, sentirse solo en un mundo extraño, y como reunión, acorde con la totalidad. Todos los hombres, sin excepción, por un instante, hemos entrevisto la experiencia de la separación y de la reunión. El día en que de verdad estuvimos enamorados y supimos que ese instante era para siempre; cuando caímos en el sinfín de nosotros mismos y el tiempo abrió sus entrañas y nos contemplamos como un rostro que se desvanece y una palabra que se anula; la tarde en que vimos el árbol aquel en medio del campo y adivinamos, aunque ya no lo recordemos, qué decían las hojas, la vibración del cielo, la reverberación del muro blanco golpeado por la luz última; una mañana, tirados en la yerba, oyendo la vida secreta de las plantas; o de noche, frente al agua entre las rocas altas. Solos o acompañados hemos visto al Ser y el Ser nos ha visto. ¿Es la *otra vida*? Es la verdadera vida, la vida de todos los días. Sobre la otra que nos prometen las religiones, nada podemos decir con certeza. Parece demasiada vanidad y engolosinamiento con nuestro propio yo pensar en la supervivencia; pero reducir toda existencia al modelo humano y terrestre revela cierta falta de imaginación ante las posibilidades del ser. Debe haber otras formas de ser y quizá morir sólo sea un tránsito. Dudo que ese tránsito pueda ser sinónimo de salvación o perdición personal. En cualquier caso, aspiro al ser al ser que cambia, no a la salvación del yo. No me preocupa la *otra vida* allá sino aquí. La experiencia de la *otredad* es, aquí mismo, la *otra vida*. La poesía no se propone consolar al hombre de la muerte sino hacerle vislumbrar que vida y muerte son inseparables: son la totalidad. Recuperar la vida concreta significa reunir la pareja vida-muerte, reconquistar lo uno en lo otro, el tú en el yo, y así descubrir la figura del mundo en la dispersión de sus fragmentos.

En la dispersión de sus fragmentos... El poema ¿no es ese espacio vibrante sobre el cual se proyecta un puñado de signos como un ideograma que fuese un surtidor de significaciones? Espacio, proyección, ideograma: estas tres palabras aluden a una operación que consiste en desplegar un lugar, un aquí, que reciba y sostenga una escritura: fragmentos que se reagrupan y buscan constituir una figura, un núcleo de significados. Al imaginar el poema como una configuración de signos sobre un espacio animado no pienso en la página del libro: pienso en las Islas Azores vistas como un archipiélago de llamas una noche de 1938, en las tiendas negras de los nómadas en los valles de Afganistán, en los hongos de los paracaídas suspendidos sobre una ciudad dormida, en un diminuto cráter de hormigas rojas en un patio urbano, en la luna que se multiplica y se anula y desaparece y reaparece sobre el pecho chorreante de la India después del monzón. Constelaciones: ideogramas. Pienso en una música nunca oída, música para los ojos, una música nunca vista. Pienso en *Un Coup de dés.*

La poesía moderna, como prosodia y escritura, se inicia con el verso libre y el poema en prosa. *Un Coup de dés* cierra ese periodo y abre otro, que apenas si comenzamos a explorar. Su significado es doble. Por una parte, es la condenación de la poesía «idealista», como *Une Saison en enfer* lo había sido de la «materialista»; si el poema de Rimbaud declara locura y sofisma la tentativa de la palabra por materializarse en la historia, el de Mallarmé proclama absurdo y nulo el intento de hacer del poema el doble ideal del universo. Por la otra, *Un Coup de dés* no implica una renuncia a la poesía; al contrario, Mallarmé ofrece su poema nada menos que como el modelo de un género nuevo. Pretensión a primera vista extraordinaria, si se piensa que es el poema de la nulidad del acto de escribir, pero que se justifica enteramente si se repara que inaugura un nuevo modo poético. La escritura poética alcanza en este texto su máxima condensación y su extrema dispersión. Al mismo tiempo es el apogeo de la página, como espacio literario, y el comienzo de otro espacio. El poema cesa de ser una sucesión lineal y escapa así a la tiranía tipográfica que nos impone una visión longitudinal del mundo, como si las imágenes y las cosas se presentasen unas detrás de otras y no, según realmente ocurre, en momentos simultáneos y en diferentes zonas de un mismo espacio o en diferentes espacios. Aunque la lectura de *Un Coup de dés* se hace de izquierda a derecha y de arriba hacia abajo, las frases tienden a configurarse en centros más o menos independientes, a la manera de sistemas solares dentro de un universo; cada racimo de frases, sin perder su relación con el todo, se crea un dominio propio en esta o aquella parte de la página, y esos distintos espacios se funden a veces en una sola superficie sobre la que brillan dos o tres palabras. La disposición tipográfica, verdadero anuncio del espacio que ha creado la técnica moderna, en particular la electrónica, es una forma que corresponde a una inspiración poética distinta. En esa inspiración reside la verdadera originalidad del poema. Mallarmé lo explicó varias veces en *Divagations* y otras notas: la novedad de *Un Coup de dés* consiste en ser un *poema crítico.*

Poema crítico: si no me equivoco, la unión de estas dos palabras contradictorias quiere decir: aquel poema que contiene su propia negación y que hace de esa negación el punto de partida del canto, a igual distancia de afirmación y negación. La poesía, concebida por Mallarmé como la única posibilidad de identificación del lenguaje con lo absoluto, de ser el absoluto, se niega a sí misma cada vez que se realiza en un poema (ningún acto, inclusive un acto puro e hipotético: sin autor, tiempo ni lugar, abolirá el azar) —salvo si el poema es simultáneamente crítica de esa tentativa. La negación de la negación anula el absurdo y disuelve el azar. El poema, el acto de arrojar los dados o pronunciar el número que suprimirá el azar (porque sus cifras coincidirán con la totalidad), es absurdo y no lo es: «devant son existence —dice uno de los borradores de *Igitur*—, la négation et l'affirmation viennent échouer. Il contient l'Absurde —l'implique, mais à l'état latent et l'empêche d'exister: ce qui permet à l'Infini d'être».[1] El poema de Mallarmé no es la obra que tanto lo desveló y que nunca escribió, aquel himno que expresaría, o mejor dicho: consumaría, la «correlación íntima entre la poesía y el universo»; pero en cierto sentido, *Un Coup de dés* la contiene.

Mallarmé se enfrenta a dos posibilidades en apariencia excluyentes (el acto y su omisión, el azar y el absoluto) y, sin suprimirlas, las resuelve en una afirmación condicional —una afirmación que sin cesar se niega y así se afirma pues se alimenta de su propia negación. La imposibilidad de escribir un poema absoluto en condiciones también absolutas, tema de *Igitur* y de la primera parte de *Un Coup de dés*, gracias a la crítica, a la negación, se convierte en la posibilidad, ahora y aquí, de escribir un poema abierto hacia el infinito. Ese poema es el único punto de vista posible, momentáneo y no obstante suficiente, de lo absoluto. El poema no niega al azar pero lo neutraliza o disuelve: *il réduit le hasard à l'Infini*. La negación de la poesía es también exaltación jubilosa del acto poético, verdadero disparo hacia el infinito: *Toute pensée émet un coup de dés*. Esos dados lanzados por el poeta, ideograma del azar, son una constelación que rueda sobre el espacio y que en cada una de sus momentáneas combinaciones dice, sin decirlo jamás enteramente, el número absoluto: *compte total en formation*. Su carrera estelar no termina sino hasta tocar *quelque point dernier qui le sacre*. Mallarmé no dice cuál es ese punto. No es temerario pensar que es un punto absoluto y relativo, último y transitorio: el de cada lector o, más exactamente, cada lectura: *compte total en formation*.

En un ensayo que es uno de los más densos y luminosos que se hayan escrito sobre este texto capital para la poesía venidera, Maurice Blan-

[1] Sigo en parte la interpretación del señor Gardner Davies (*Vers une explication rationelle du Coup de dés*, París, 1953), que ha sido uno de los primeros en advertir el sentido de afirmación que tiene el poema.

chot señala que *Un Coup de dés* contiene su propia lectura.[1] En efecto, la noción de *poema crítico* entraña la de una lectura, y Mallarmé se refirió varias veces a una escritura ideal en la que las frases y palabras se reflejarían unas a otras y, en cierto modo, se contemplarían o leerían. La lectura a que alude Blanchot no es la de un lector cualquiera, ni siquiera la de ese lector privilegiado que es el autor. Aunque Mallarmé, a diferencia de la mayoría de los autores, no nos impone su interpretación, tampoco la deja al capricho del lector. La lectura, o lecturas, depende de la correlación e intersección de las distintas partes en cada uno de los momentos de la recitación mental o sonora. Los blancos, los paréntesis, las aposiciones, la construcción sintáctica tanto como la disposición tipográfica y, sobre todo, el tiempo verbal en que se apoya el poema, ese *Si...*, conjunción condicional que sostiene en vilo al discurso, son otras tantas maneras de crear entre frase y frase la distancia necesaria para que las palabras se reflejen. En su movimiento mismo, en su doble ritmo de contracción y expansión, de negación que se anula y se transforma en afirmación que duda de sí, el poema engendra sus sucesivas interpretaciones. No es la subjetividad sino, como diría Ortega y Gasset, la intersección de los distintos puntos de vista lo que nos da la posibilidad de una interpretación. Ninguna de ellas es definitiva, ni siquiera la última *(Toute pensée émet un coup de dés)*, frase que absorbe el azar al disparar su *tal vez* hacia el infinito, y todas, desde su perspectiva particular, son definitivas: cuenta total en perpetua formación. No hay una interpretación final de *Un Coup de dés* porque su palabra última no es una palabra final. La destrucción fue mi Beatriz, dice Mallarmé en una carta a un amigo; al final del viaje el poeta no contempla la Idea, símbolo o arquetipo del universo, sino un espacio en el que despunta una constelación: su poema. No es una imagen ni una esencia; es una cuenta en formación, un puñado de signos que se dibujan, se deshacen y vuelven a dibujarse. Así, este poema que niega la posibilidad de decir algo absoluto, consagración de la impotencia de la palabra, es al mismo tiempo el arquetipo del poema futuro y la afirmación plenaria de la soberanía de la palabra. No dice nada y es el lenguaje en su totalidad. Autor y lector de sí mismo, negación del acto de escribir y escritura que continuamente renace de su propia anulación.

El horizonte en que aparece la constelación errante que forman los últimos versos de *Un Coup de dés* es un espacio vacío. Y aun la misma

[1] *Le Livre à venir*, París, 1959.

constelación no tiene existencia cierta: no es una figura sino la posibilidad de llegar a serlo. Mallarmé no nos muestra nada excepto un lugar nulo y un tiempo sin sustancia: una transparencia infinita. Si se compara esta visión del mundo con la de los grandes poetas del pasado —no es necesario pensar en Dante o en Shakespeare: basta con recordar a Hölderlin o a Baudelaire— se puede percibir el cambio. El mundo, como imagen, se ha evaporado. Toda la tentativa poética se reduce a cerrar el puño para no dejar escapar esos dados que son el signo ambiguo de la palabra *tal vez*. O abrirlo, para mostrar que también ellos se han desvanecido. Ambos gestos tienen el mismo sentido. Durante toda su vida Mallarmé habló de un libro que sería el doble del cosmos. Todavía me asombra que haya dedicado tantas páginas a decirnos cómo sería ese libro y tan pocas a revelarnos su visión del mundo. El universo, confía a sus amigos y corresponsales, le parece ser un sistema de relaciones y correspondencias, idea que no es diferente a la de Baudelaire y los románticos; sin embargo, nunca explicó cómo lo veía realmente ni qué era lo que veía. La verdad es que no lo veía: el mundo había dejado de tener figura. La diferencia con Blake y sus universos henchidos de símbolos, monstruos y seres fabulosos, parecerá aún más notable si se recuerda que ambos poetas hablan en nombre de la imaginación y los dos la juzgan una potencia soberana. La diferencia no depende únicamente de la diversidad de temperamentos y sensibilidades sino de los cien años que separan a *The Marriage of Heaven and Hell* (1793) de *Un Coup de dés* (1897). El cambio de la imaginación poética depende del cambio de la imagen del mundo.

Blake ve lo invisible porque para él todo esconde una figura. El universo en su esencia es apetito de manifestación, deseo que se proyecta: la imaginación no tiene otra misión que dar forma simbólica y sensible a la energía. Mallarmé anula lo visible por un procedimiento que él llama la *transposición* y que consiste en volver imaginario todo objeto real: la imaginación reduce la realidad a idea. El mundo ya no es energía ni deseo. En verdad, nada sería sin la poesía, que le da la posibilidad de encarnar en la analogía verbal. Para Blake la realidad primordial es el mundo, que contiene todos los símbolos y arquetipos; para Mallarmé, la palabra. El universo entero se vuelve inminencia de himno; si el mundo es idea, su manera propia de existir no puede ser otra que la del lenguaje absoluto: un poema que sea el Libro de los libros. En un segundo momento de su aventura, Mallarmé comprende que ni la idea ni la palabra son absolutamente reales: la única palabra verdadera es *tal vez* y la única realidad del mundo se llama probabilidad infinita. El lenguaje se vuelve transparente como el mundo mismo y la *transposición,* que anula lo real en beneficio del lenguaje, ahora anula también a la palabra. Las nupcias entre el verbo y el universo se consuman de una manera insólita, que no es ni palabra ni silencio sino un signo que busca su significado.

Aunque el horizonte de *Un Coup de dés* no es el de la técnica —su vocabulario es todavía el del simbolismo, fundado en el *anima mundi* y en la correspondencia universal— el espacio que abre es el mismo a que se enfrenta la técnica: mundo sin imagen, realidad sin mundo e infinitamente real. Con frecuencia se acusa a Marx, no siempre con razón, de ceguera estética, lo que no impide que una de sus observaciones anticipe con extraordinaria exactitud la situación del poeta contemporáneo: el mundo moderno es «una sociedad que se desarrolla excluyendo toda relación mitológica con la naturaleza, relación que se expresa mediante mitos y que supone pues en el artista una imaginación independiente de la mitología». La imaginación libre de toda imagen del mundo —no es otra cosa una mitología— se vuelve sobre sí misma y funda su morada a la intemperie: un ahora y un aquí sin nadie. A diferencia de los poetas del pasado, Mallarmé no nos presenta una visión del mundo; tampoco nos dice una palabra acerca de lo que significa o no significa ser hombre. El *legado* a que expresamente se refiere *Un Coup de dés* —sin legatario expreso: *à quelqu'un ambigu*— es una forma, y más, es la forma misma de la posibilidad: un poema cerrado al mundo pero abierto al espacio sin nombre. Un ahora en perpetua rotación, un mediodía nocturno —y un aquí desierto. Poblarlo: tentación del poeta por venir. Nuestro legado no es la palabra de Mallarmé sino el espacio que abre su palabra.

La desaparición de la imagen del mundo agrandó la del poeta: la verdadera realidad no estaba fuera sino dentro, en su cabeza o en su corazón. La muerte de los mitos engendró el suyo: su figura creció tanto que sus obras mismas tuvieron un valor accesorio y derivado, pruebas de su genio más que de la existencia del universo. El método de Mallarmé, la destrucción creadora o *transposición,* pero sobre todo el surrealismo, arruinaron para siempre la idea del poeta como un ser de excepción. El surrealismo no negó la inspiración, estado de excepción: afirmó que es un bien común. La poesía no exige ningún talento especial sino una suerte de intrepidez espiritual, un desprendimiento que es también una des-envoltura. Una y otra vez Breton ha afirmado su fe en la potencia creadora del lenguaje, que es superior a la de cualquier ingenio personal, por eminente que sea. Por lo demás, el movimiento general de la literatura contemporánea, de Joyce y cummings a las experiencias de Queneau y a las combinaciones de la electrónica, tiende a restablecer la soberanía del lenguaje sobre el autor. La figura del poeta corre la misma suerte que la imagen del mundo: es una noción que paulatinamente se evapora. Su imagen, no su realidad. La utilización de las máquinas, el empleo de las drogas para alcanzar ciertos estados de excepción *(misérable miracle* los llama Michaux y, asimismo, *paix dans les brisements),* la intervención del azar matemático y de otros procedimientos combinatorios, no son, al fin de cuentas, algo distinto a lo que se proponía la *escritura automática:* desplazar el centro de la creación y devolverle al lenguaje lo que es suyo. Una vez más: los hombres se sirven de las palabras; el poeta es su servidor. Nuestro siglo es el del retorno, por vías insospechadas, de una potencia negada o, al menos, desdeñada desde el Renacimiento: la antigua inspiración. El lenguaje crea al poeta y sólo en la medida en que las palabras nacen, mueren y renacen en su interior, él a su vez es creador. La obra poética más vasta y poderosa de la literatura moderna es quizá la de Joyce; su tema es inmenso y mínimo: la historia de la caída, velorio y resurrección de Tim Finnegan, que no es otro que el idioma inglés. Adán (todos los hombres), el inglés (todas las lenguas) y el libro mismo y su autor son una sola voz que fluye en un discurso circular: la palabra, fin y principio de toda historia. El poema devora al poeta.

Muchos de estos procedimientos expresan la tendencia crítica que adopta en nuestro tiempo toda actividad creadora. Su interés es doble: uno, de orden científico, es el de investigar en qué consiste el proceso de la creación; cómo y de qué manera se forman las frases, ritmos e imágenes del poema; otro, poético, es el de ampliar el campo de la creación, hasta ayer considerada por nuestra sociedad como un dominio individual. En este último sentido, que es el propiamente creador, esos procedimientos revelan la antigua nostalgia de una poesía hecha por todos y para todos. Pero hay que distinguir entre la tentativa por hacer del poema una creación en común y la que pretende eliminar al creador, personal o colectivo. Lo segundo delata una obsesión contemporánea: un miedo y una resignación. Una dimisión. El hombre es lenguaje porque es siempre los hombres, el que habla y el que oye. Suprimir al sujeto que habla sería consumar definitivamente el proceso de sumisión espiritual del hombre. Las relaciones humanas, ya viciadas por las diferencias de jerarquía entre los interlocutores, se modificaron sustancialmente cuando el libro sustituyó a la voz viva, impuso al oyente una sola lección y le retiró el derecho de replicar o interrogar. Si el libro redujo al oyente a la pasividad del lector, estas nuevas técnicas tienden a anular al hombre como emisor de la palabra. Desaparecidos el que habla y el que contesta, el lenguaje se anula. Nihilismo circular y que termina por destruirse a sí mismo: soberanía del ruido. En cuanto a la idea de una poesía creada por todos, me sigue pareciendo válida la reserva formulada por Benjamin Péret hace unos quince años: «la práctica de la poesía colectiva sólo es concebible en un mundo liberado de toda opresión, en el que el pensamiento poético vuelve a ser para el hombre tan natural como el agua y el sueño». Agregaré que en un mundo así tal vez fuese superflua la práctica de la poesía: ella misma sería, al fin, *poesía práctica.* En suma, la noción de un creador, personal o colectivo —algo que no es exactamente lo mismo que el autor contemporáneo— es inseparable de la obra poética. En realidad, todo poema es colectivo. En su creación interviene, tanto o más que la voluntad activa o pasiva del poeta, el lenguaje mismo de su época, no como palabra ya consumada sino en formación: como un querer decir del lenguaje mismo. Después, lo quiera o no el poeta, la prueba de la existencia de su poema es el lector o el oyente, verdadero depositario de la obra, que al leerla la recrea y le otorga su final significación.

En su origen poesía, música y danza eran un todo. La división de las artes no impidió que durante muchos siglos el verso fuese todavía, con o sin apoyo musical, canto. En Provenza los poetas componían la música de sus poemas. Ésa fue la última ocasión en que la poesía de Occidente pudo ser música sin dejar de ser palabra. Desde entonces, cada vez que se ha intentado reunir ambas artes, la poesía se pierde como palabra, disuelta en el sonido. La invención de la imprenta no fue la causa del divorcio pero la acentuó de tal modo que la poesía, en lugar de ser algo que se dice y se oye, se convirtió en algo que se escribe y se lee. Cierto, la lectura del poema es una operación particular: oímos mentalmente lo que vemos. No importa: la poesía nos entra por los ojos, no por las orejas. Además: leemos para nosotros mismos, en silencio. Tránsito del acto público al privado: la experiencia se vuelve solitaria. La imprenta, por otra parte, volvió superfluo el arte de la caligrafía y el de la ilustración e iluminación de manuscritos. Aunque la tipografía cuenta con recursos que no son inferiores a los de la pluma o el lápiz, pocas veces se ha logrado una verdadera fusión entre lo que dice el poema y su disposición tipográfica en la página. Es verdad que abundan las ediciones ilustradas; casi siempre las ilustraciones sacrifican al texto o a la inversa. La idea de representar con letras lo que ellas mismas significan ha tentado muchas veces a los poetas; el resultado ha sido desnaturalizar al dibujo y a la escritura por igual. No sé si las líneas hablen (a veces lo creo, ante ciertos dibujos); en cambio estoy seguro de que las letras de imprenta no dibujan. Quizá mi opinión sería distinta si Apollinaire, para citar al último que haya intentado dibujar con letras, en lugar de los *caligramas* hubiese inventado verdaderos ideogramas poéticos. Pero el ideograma no es dibujo ni pintura: es un signo y forma parte de un sistema de signos. Asimismo, llamar caligrafía a los trazos de algunos pintores contemporáneos es una abusiva metáfora de la crítica y una confusión. Si hay una prefiguración de escritura en esos cuadros es porque todas nuestras artes padecen nostalgia de significación —aunque sea otro el verdadero lenguaje de la pintura y otro su significado. Ninguna de estas tentativas ha puesto en peligro el reinado del blanco y negro.

Por la eliminación de la música, la caligrafía y la iluminación, la poesía se redujo hasta convertirse casi exclusivamente en un arte del entendimiento. Palabra escrita y ritmo interior: arte mental. Así, al silencio y apartamiento que exige la lectura del poema, hay que añadir la concentración. El lector se esfuerza por comprender lo que quiere decir el texto y su atención es más intensa que la del oyente o que la del lector medieval, para quien la lectura del manuscrito era igualmente contemplación de un paisaje simbólico. Al mismo tiempo, la participación del lector moderno es pasiva. Los cambios en este dominio corresponden también a los de la imagen del mundo, desde su aparición en la prehistoria hasta su eclipse contemporáneo. Palabra hablada, manuscrita, impresa: cada una de ellas exige un espacio distinto para manifestarse e implica una sociedad y una mitología diferentes. El ideograma y la caligrafía coloreada son verdaderas representaciones sensibles de la imagen del mundo; la letra de imprenta corresponde al triunfo del principio de causalidad y a una concepción lineal de la historia. Es una abstracción y refleja el paulatino ocaso del mundo como imagen. El hombre no ve al mundo: lo piensa. Hoy la situación ha cambiado de nuevo: volvemos a oír al mundo, aunque aún no podamos verlo. Gracias a los nuevos medios de reproducción sonora de la palabra, la voz y el oído recobran su antiguo puesto. Algunos enuncian el fin de la era de la imprenta. No lo creo. Pero la letra dejará de ocupar un lugar central en la vida de los hombres. El espacio que la sustentaba ya no es esa superficie plana y homogénea de la física clásica, en la que se depositaban o colocaban todas las cosas, desde los astros hasta las palabras. El espacio ha perdido, por decirlo así, su pasividad: no es aquello que contiene las cosas sino que, en perpetuo movimiento, altera su transcurrir e interviene activamente en sus transformaciones. Es el agente de las mutaciones, es energía. En el pasado, era el sustento natural del ritmo verbal y de la música; su representación visual era la página, o cualquier otra superficie plana, sobre la que se deslizaba, horizontal y verticalmente, la doble estructura de la melodía y la armonía. Hoy el espacio se mueve, se incorpora y se vuelve rítmico. Así, la reaparición de la palabra hablada no implica una vuelta al pasado: el espacio es otro, más vasto y, sobre todo, en dispersión. A espacio en movimiento, palabra en rotación; a espacio plural, una nueva frase que sea como un delta verbal, como un mundo que estalla en pleno cielo. Palabra a la intemperie, por los espacios exteriores e interiores: nebulosa contenida en una pulsación, parpadeo de un sol.

El cambio afecta a la página y a la estructura. El periodismo, la publicidad, el cine y otros medios de reproducción visual han transformado la escritura, que había sido casi totalmente estereotipada por la tipografía. Tal como lo había previsto Mallarmé y gracias sobre todo a Apollinaire, que comprendió admirablemente —aun en sus extravíos— la dirección de la época, la poesía moderna ha hecho suyos muchos de estos procedimientos. La página, que no es sino la representación del espacio real en donde se despliega la palabra, se convierte en una extensión animada, en perpetua comunicación con el ritmo del poema. Más que contener a la escritura se diría que ella misma tiende a ser escritura. Por su parte, la tipografía aspira a una suerte de orden musical, no en el sentido de música escrita sino de correspondencia visual con el movimiento del poema y las uniones y separaciones de la imagen. Al mismo tiempo, la página evoca la tela del cuadro o la hoja del álbum de dibujos, y la escritura se presenta como una figura que alude al ritmo del poema y que en cierto modo convoca al objeto que designa el texto. Al servirse de estos medios, la poesía recobra algo que había perdido y los pone de nuevo al servicio de la palabra. Pero la poesía no es música ni pintura. La música de la poesía es la del lenguaje; sus imágenes son las visiones que suscita en nosotros la palabra, no la línea ni el color. Entre la página y la escritura se establece una relación, nueva en Occidente y tradicional en las poesías del Extremo Oriente y en la arábiga, que consiste en su mutua interpenetración. El espacio se vuelve escritura: los espacios en blanco (que representan al silencio, y tal vez por eso mismo), dicen algo que no dicen los signos. La escritura proyecta una totalidad pero se apoya en una carencia: no es música ni es silencio y se alimenta de ambos. Ambivalencia de la poesía: participa de todas las artes y vive sólo si se libera de toda compañía.

Toda escritura convoca a un lector. La del poema venidero suscita la imagen de una ceremonia: juego, recitación, *pasión* (nunca espectáculo). El poema será recreado colectivamente. En ciertos momentos y sitios, la poesía puede ser vivida por todos: el arte de la fiesta aguarda su resurrección. La fiesta antigua estaba fundada en la concentración o encarnación del tiempo mítico en un espacio cerrado, vuelto de pronto el centro del universo por el descenso de la divinidad. Una fiesta moderna obedecería a un principio contrario: la dispersión de la palabra en distintos espacios, y su ir y venir de uno a otro, su perpetua metamorfosis, sus bifurcaciones y multiplicaciones, su reunión final en un solo espacio y una sola frase. Ritmo hecho de un doble movimiento de separación y reunión. Pluralidad y simultaneidad; convocación y gravitación de la palabra en un aquí magnético. Así, leído en silencio por un solitario o escuchado y tal vez dicho por un grupo, el poema conjura la noción de un teatro. La palabra, la unidad rítmica: la imagen, es el personaje único de ese teatro; el escenario es una página, una plaza o un lote baldío; la acción, la continua reunión y separación del poema, héroe solitario y plural en perpetuo diálogo consigo mismo: pronombre que se dispersa en todos los pronombres y se reabsorbe en uno solo, inmenso, que no será nunca el yo de la literatura moderna. Ese pronombre es el lenguaje en su unidad contradictoria: el yo no soy tú y el tú eres mi yo.

La poesía nace en el silencio y el balbuceo, en el no poder decir, pero aspira irresistiblemente a recuperar el lenguaje como una realidad total. El poeta vuelve palabra todo lo que toca, sin excluir al silencio y a los blancos del texto. Los recientes intentos de sustituir la palabra por meros sonidos —letras y otros ruidos— son aún más desafortunados y menos ingeniosos que los caligramas: la poesía se pierde sin que la música gane. Es otra la poesía de la música y otra la música de la poesía. El poema acoge al grito, al jirón de vocablo, a la palabra gangrenada, al murmullo, al ruido y al sin sentido: no a la in-significancia. La destrucción del sentido tuvo sentido en el momento de la rebelión dadaísta y aún podría tenerlo ahora si entrañase un riesgo y no fuera una concesión más al anonimato de la publicidad. En una época en la que el sentido de las palabras se ha desvanecido, estas actividades no son diversas a las de un ejército que ametrallase cadáveres. Hoy la poesía no puede ser destrucción sino búsqueda del sentido. Nada sabemos de ese sentido porque la significación no está en lo que ahora se dice sino más allá, en un horizonte que apenas se aclara. Realidad sin rostro y que está ahí, frente a nosotros, no como un muro: como un espacio vacante. ¿Quién sabe cómo será realmente lo que viene y cuál es la imagen que se forma en un mundo que, por primera vez, tiene conciencia de ser un equilibrio inestable flotando en pleno infinito, un accidente entre las innumerables posibilidades de la energía? Escritura en un espacio cambiante, palabra en el aire o en la página, ceremonia: el poema es un conjunto de signos que buscan un significado, un ideograma que gira sobre sí mismo y alrededor de un sol que todavía no nace. La significación ha dejado de iluminar al mundo; por eso hoy tenemos realidad y no imagen. Giramos en torno a una ausencia y todos nuestros significados se anulan ante esa ausencia. En su rotación el poema emite luces que brillan y se apagan sucesivamente. El sentido de ese parpadeo no es la significación última sino la conjunción instantánea del yo y el tú. Poema: búsqueda del tú.

Los poetas del siglo pasado y de la primera mitad del que corre consagraron con la palabra a la palabra. La exaltaron inclusive al negarla. Esos poemas en los que la palabra se vuelve sobre sí misma son irrepetibles. ¿Qué o quién puede nombrar hoy la palabra? Recuperación de la *otredad*, proyección del lenguaje en un espacio despoblado de todas las mitologías, el poema asume la forma de la interrogación. No es el hombre el que pregunta: el lenguaje nos interroga. Esa pregunta nos engloba a todos. Durante más de ciento cincuenta años el poeta se sintió aparte, en ruptura con la sociedad. Cada reconciliación, con las Iglesias o los partidos, terminó en nueva ruptura o en la anulación del poeta. Amamos a Claudel o a Maiakovski no por sino a despecho de sus ortodoxias, por lo que tiene su palabra de soledad irreductible. La soledad del nuevo poeta es distinta: no está solo frente a sus contemporáneos sino frente al porvenir. Y este sentimiento de incertidumbre lo comparte con todos los hombres. Su destierro es el de todos. De un tajo se han cortado los lazos que nos unían al pasado y al futuro. Vivimos un presente fijo e interminable y, no obstante, en continuo movimiento. Presente flotante. No importa que los despojos de todas las civilizaciones se acumulen en nuestros museos; tampoco que todos los días las ciencias humanas nos enseñen algo más sobre el pasado del hombre. Esos pasados lejanos no son el nuestro: si deseamos reconocernos en ellos es porque hemos dejado de reconocernos en el que nos pertenecía. Asimismo, el futuro que se prepara no se parece al que pensó y quiso nuestra civilización. Ni siquiera podemos afirmar que tenga parecido alguno: no sólo ignoramos su figura sino que su esencia consiste en no tenerla. Situación única: por primera vez el futuro carece de forma. Antes del nacimiento de la conciencia histórica, la forma del futuro no era terrestre ni temporal: era mítica y acaecía en un tiempo fuera del tiempo. El hombre moderno hizo descender al futuro, lo arraigó en la tierra y le dio fecha: lo convirtió en historia. Ahora, al perder su sentido, la historia ha perdido su imperio sobre el futuro y también sobre el presente. Al desfigurarse el futuro, la historia cesa de justificar nuestro presente.

La pregunta que se hace el poema —¿quién es el que dice esto que digo y a quién se lo dice?— abarca al poeta y al lector. La separación del poeta ha terminado: su palabra brota de una situación común a todos. No es la palabra de una comunidad sino de una dispersión, y no funda o establece nada, salvo su interrogación. Ayer, quizá, su misión fue «dar un sentido más puro a las palabras de la tribu»; hoy es una pregunta sobre ese sentido. Esa pregunta no es una duda sino una búsqueda. Y más: es un acto de fe. No una forma sino unos signos que se proyectan en un espacio animado y que poseen múltiples significados posibles. El significado final de esos signos no lo conoce aún el poeta: está en el tiempo, el tiempo que entre todos hacemos y que a todos nos deshace. Mientras tanto, el poeta escucha. En el pasado fue el hombre de la visión. Hoy aguza el oído y percibe que el silencio mismo es voz, murmullo que busca la palabra de su encarnación. El poeta escucha lo que dice el tiempo, aun si dice: nada. Sobre la página unas cuantas palabras se reúnen o desgranan. Esa configuración es una prefiguración: inminencia de presencia.

Una imagen de Heráclito fue el punto de partida de ese libro. A su fin me sale al encuentro: la lira, que consagra al hombre y así le da un puesto en el cosmos; el arco, que lo dispara más allá de sí mismo. Toda creación poética es histórica; todo poema es apetito por negar la sucesión y fundar un reino perdurable. Si el hombre es trascendencia, ir más allá de sí, el poema es el signo más puro de ese continuo trascenderse, de ese permanente imaginarse. El hombre es imagen porque se trasciende. Quizá conciencia histórica y necesidad de trascender la historia no sean sino los nombres que ahora damos a este antiguo y perpetuo desgarramiento del ser, siempre separado de sí, siempre en busca de sí. El hombre quiere ser uno con sus creaciones, reunirse consigo mismo y con sus semejantes:

ser el mundo sin cesar de ser él mismo. Nuestra poesía es conciencia de la separación y tentativa por reunir lo que fue separado. En el poema, el ser y el deseo de ser pactan por un instante, como el fruto y los labios. Poesía, momentánea reconciliación: ayer, hoy, mañana; aquí y allá; tú, yo, él, nosotros. Todo está presente: será presencia.

[«Los signos en rotación» se publicó por primera vez en la revista *Sur* en 1965, y luego fue incorporado por el autor como epílogo a la segunda edición de *El arco y la lira.*]

APÉNDICES

1. Poesía, sociedad, Estado

Ningún prejuicio más pernicioso y bárbaro que el de atribuir al Estado poderes en la esfera de la creación artística. El poder político es estéril, porque su esencia consiste en la dominación de los hombres, cualquiera que sea la ideología que lo enmascare. Aunque nunca ha habido absoluta libertad de expresión —la libertad siempre se define frente a ciertos obstáculos y dentro de ciertos límites: somos libres frente a esto o aquello—, no sería difícil mostrar que allí donde el poder invade todas las actividades humanas, el arte languidece o se transforma en una actividad servil y maquinal. Un estilo artístico es algo vivo, una continua invención dentro de cierta dirección. Nunca impuesta desde fuera, nacida de las tendencias profundas de la sociedad, esa dirección es hasta cierto punto imprevisible, como lo es el crecimiento de las ramas del árbol. En cambio, el estilo oficial es la negación de la espontaneidad creadora: los grandes imperios tienden a uniformar el rostro cambiante del hombre y a convertirlo en una máscara indefinidamente repetida. El poder inmoviliza, fija en un solo gesto —grandioso, terrible o teatral y, al fin, simplemente monótono— la variedad de la vida. «El Estado soy yo» es una fórmula que significa la enajenación de los rostros humanos, suplantados por los rasgos pétreos de un yo abstracto que se convierte, hasta el fin de los tiempos, en el modelo de toda una sociedad. El estilo que a la manera de la melodía avanza y teje nuevas combinaciones, utilizando unos mismos elementos, se degrada en mera repetición.

Nada más urgente que desvanecer la confusión que se ha establecido entre el llamado «arte comunal» o «colectivo» y el arte oficial. Uno es el arte que se inspira en las creencias e ideales de una sociedad; otro, el arte sometido a las reglas de un poder tiránico. Diversas ideas y tendencias espirituales —el culto de la *polis*, el cristianismo, el budismo, el islam, etc.— han encarnado en Estados e imperios poderosos. Pero sería un error ver el arte gótico o románico como creaciones del Papado o la escultura de Mathura como la expresión del imperio fundado por Kanishka. El poder político puede canalizar, utilizar y —en ciertos casos— impulsar una corriente artística. Jamás puede crearla. Y más: en general su influencia resulta, a la larga, esterilizadora. El arte se nutre siempre del lenguaje social. Ese lenguaje es, asimismo y sobre todo, una visión del mundo. Como las artes, los Estados viven de ese lenguaje y hunden sus raíces en esa visión del mundo. El Papado no creó el cristianismo, sino a la inversa; el Estado liberal es hijo de la burguesía, no ésta de aquél. Los ejemplos pueden multiplicarse. Y cuando un conquistador impone su visión del mundo a un pueblo —por ejemplo: el islam en España— el Estado extranjero y toda su cultura permanecen como superposiciones ajenas hasta que el pueblo no hace suya de verdad esa concepción religiosa o política. Y sólo entonces, es decir: hasta que la nueva visión del mundo no se convierte en creencia compartida y en lenguaje común, no surgen un arte o una poesía en las que la sociedad se reconoce. Así, el Estado puede imponer una visión del mundo, impedir que broten otras y exterminar a las que le hacen sombra, pero carece de fecundidad para crear una. Y otro tanto ocurre con el arte: el Estado no lo crea, difícilmente puede impulsarlo sin corromperlo y, con más frecuencia, apenas trata de utilizarlo lo deforma, lo ahoga o lo convierte en una máscara.

El arte egipcio, el azteca, el barroco español, el del «gran siglo» francés —para citar los ejemplos más conocidos— parecen desmentir estas ideas. Todos ellos coinciden con el mediodía del poder absoluto. Así, no es extraño que muchos vean en su luz un reflejo del esplendor del Estado. Un somero examen de algunos de estos casos contribuirá a deshacer el equívoco.

Como todas las artes de las llamadas «civilizaciones ritualistas», el azteca es un arte religioso. La sociedad azteca está sumergida en la atmósfera, alternativamente sombría y luminosa, de lo sagrado. Todos los actos están impregnados de religión. El Estado mismo es expresión suya. Moctezuma es algo más que un jefe: es un sacerdote. La guerra es un rito: la representación del mito solar en el que Huitzilopochtli, el Sol invicto, armado de su *xiuhcóatl,* derrota a Coyolxauhqui y su escuadrón de estrellas, los Centzonhiznahua. Las otras actividades humanas poseen el mismo carácter: política y arte, comercio y artesanía, relaciones exteriores y familiares surgen de la matriz de lo sagrado. La vida pública y la privada son caras de una misma corriente vital, no mundos separados. Morir o nacer, ir a la guerra o a una fiesta, son hechos religiosos. Por tanto, es un grave error calificar el arte azteca de arte estatal o político. El Estado y la política no habían logrado su autonomía; el poder estaba aún teñido de religión y magia. En verdad, el arte azteca no expresa las tendencias del Estado sino las de la religión. Se dirá que se trata de un juego de palabras, ya que el carácter religioso del Estado no limita sino robustece su poder. La observación no es justa: no es lo mismo una religión que encarna en un Estado, como ocurre entre los aztecas, que un Estado que se sirve de la religión, según acontece con los romanos. La diferencia es de tal modo importante que sin ella no podría comprenderse la política azteca frente a Cortés. Y hay más: el arte azteca es, literalmente, religión. La escultura, el poema o la pintura no son «obras de arte»; tampoco son representaciones, sino encarnaciones, vivas manifestaciones de lo sagrado. Y del mismo modo: el carácter absoluto, total y totalitario del Estado mexica no es de orden político sino de índole religiosa. El Estado es religión: jefes, guerreros y simples macehuales son categorías religiosas. Las formas en que se expresa el arte azteca, tanto como las expresiones de la política, constituyen un lenguaje sagrado compartido por toda la sociedad.[1]

El contraste entre romanos y aztecas muestra las diferencias entre arte sagrado y arte oficial. El arte del Imperio aspira a lo sagrado. Mas si es natural el tránsito de lo sagrado a lo profano, de lo mítico a lo político —según se ve en la antigua Grecia o al final de la Edad Media—, no lo es el salto inverso. En realidad, no estamos ante un Estado religioso sino ante una religión de Estado. Augusto o Nerón, Marco Aurelio o Calígula, «delicias del género humano» o «monstruos coronados», son seres temidos o amados pero no son dioses. Y tampoco son divinas las imágenes con que pretenden

[1] No es esta la ocasión para examinar más de cerca la naturaleza de la sociedad azteca y desentrañar la verdadera significación de su arte. Baste apuntar que al dualismo de la religión (cultos agrarios de las antiguas poblaciones del Valle y dioses guerreros propiamente aztecas) corresponde también una organización dual de la sociedad. Sabemos, por otra parte, que casi siempre los aztecas emplearon a extranjeros vasallos como artífices y constructores. Todo esto hace sospechar que nos encontramos ante un arte y una religión que recubren, por medio de la acumulación y la superposición de elementos propios y ajenos, una escisión interior. Nada parecido nos ofrecen el arte maya de la gran época, el «olmeca» o el de Teotihuacan, en donde la unidad de las formas es libre y espontánea, no conceptual y externa, como en la Coatlicue. La línea viva y natural de los relieves de Palenque —o la severa geometría de Teotihuacan— nos hace vislumbrar una conciencia religiosa no desgarrada, una visión del mundo que ha crecido naturalmente y no por acumulación, superposición y reacomodo de elementos dispersos. O sea: el arte azteca tiende a un sincretismo, no del todo realizado, de contrarias concepciones del mundo, en tanto que el de las culturas más antiguas no es sino el desarrollo natural de una visión única y propia. Y éste es otro de los rasgos bárbaros de la sociedad azteca, frente a las antiguas civilizaciones mesoamericanas.

eternizarse. El arte imperial es un arte oficial. Aunque Virgilio tiene puestos los ojos en Homero y en la Antigüedad griega, sabe que la unidad original se ha roto para siempre. Al universo de federaciones, alianzas y rivalidades de la *polis* clásica, sucede el desierto urbano de la Metrópoli; a la religión comunal, la religión de Estado; a la antigua piedad, que comulga en los altares públicos, como en la época de Sófocles, la actitud interior de los filósofos; el rito público se vuelve función oficial y la verdadera actitud religiosa se expresa como contemplación solitaria; las sectas filosóficas y místicas se multiplican. El esplendor de la época de Augusto —y, posteriormente, el de los Antoninos— no debe hacernos olvidar que se trata de breves periodos de respiro y tregua. Pero ni la benevolencia ilustrada de unos hombres, ni la voluntad de otros —así se llamen Augusto o Trajano— pueden resucitar a los muertos. Arte oficial, en sus mejores y más altos momentos el romano es un arte de corte, dirigido a una minoría selecta. La actitud de los poetas de ese tiempo puede ejemplificarse con estos versos de Horacio:

> Odi profanum vulgus et arceo.
> Favete linguis: carmina non prius
> audita Musarum sacerdos
> Virginibus puerisque canto...

En cuanto a la literatura española de los siglos XVI y XVII y su relación con la monarquía de los Austrias: casi todas las formas artísticas de ese periodo nacen en ese momento en que España se abre a la cultura renacentista, sufre la influencia de Erasmo y participa en las tendencias que preparan la época moderna (*La Celestina,* Nebrija, Garcilaso, Vives, los hermanos Valdés, etc.). Incluso los artistas que pertenecen a lo que Valbuena Prat llama «reacción mística» y «periodo nacional», cuya nota común es la oposición al europeísmo y «modernismo» de la época del Emperador, no hacen sino desarrollar las tendencias y formas que unos años antes España se apropia. San Juan imita a Garcilaso (posiblemente a través del «Garcilaso a lo divino» de Sebastián de Córdoba); fray Luis de León cultiva exclusivamente las formas poéticas renacentistas y en su pensamiento se alían Platón y el cristianismo; Cervantes —figura entre dos épocas y ejemplo de escritor laico en una sociedad de frailes y teólogos— «recoge los fermentos erasmistas del siglo XVI»,[1] aparte de sufrir la influencia directa de la cultura

[1] Ángel Valbuena Prat, *Historia de la literatura española,* 1946.

y libre vida de Italia. El Estado y la Iglesia canalizan, limitan, podan y se sirven de esas tendencias, pero no las crean. Y si se vuelven los ojos a la creación más puramente nacional de España —el teatro— lo que asombra es, precisamente, su libertad y desenvoltura dentro de las convenciones de la época. En suma, la monarquía austriaca no creó el arte español y, en cambio, sí separó a España de la modernidad naciente.

El ejemplo francés tampoco arroja pruebas convincentes acerca de la pretendida relación de causa a efecto entre la centralización del poder político y la grandeza artística. Como en el caso de España, el «clasicismo» de la época de Luis XIV fue preparado por la extraordinaria inquietud filosófica, política y vital del siglo XVI. La libertad intelectual de Rabelais y Montaigne, el individualismo de las más altas figuras de la lírica —desde Marot y Scève hasta Jean de Sponde, Desportes y Chassignet, pasando por Ronsard y d'Aubigné—, el erotismo de Louise Labé y de los *Blasonneurs du corps féminin* son testimonio de espontaneidad, desenvoltura y libre creación. Lo mismo hay que decir de las otras artes y de la vida misma de ese siglo individualista y anárquico. Nada más lejos de un estilo oficial, impuesto por un Estado, que el arte de los Valois, que es invención, sensualidad, capricho, movimiento, apasionada y lúcida curiosidad. Esta corriente penetra el siglo XVII. Pero todo cambia apenas la monarquía se consolida. A partir de la fundación de la Academia, los poetas no se enfrentan solamente a la vigilancia de la Iglesia, sino también a la de un Estado vuelto gramático. El proceso de esterilización culmina, años después, con la revocación del Edicto de Nantes y el triunfo del partido jesuita. Solamente desde esta perspectiva adquieren verdadera significación la querella del Cid y las dificultades de Corneille, los sinsabores y amarguras de Molière, la soledad de La Fontaine y, en fin, el silencio de Racine —un silencio que merece algo más que una simple explicación psicológica y que me parece constituir un símbolo de la situación espiritual de Francia en el «gran siglo». Estos ejemplos muestran que las artes más bien deben temer que agradecer una protección que termina por suprimirlas con el pretexto de guiarlas. El «clasicismo» del Rey Sol esterilizó a Francia. Y no es exagerado sostener que el romanticismo, el realismo y el simbolismo del siglo XIX son una profunda negación del espíritu del «gran siglo» y una tentativa por reanudar la libre tradición del XVI.

La antigua Grecia revela que el arte comunal es espontáneo y libre. Es imposible comparar la *polis* ateniense con el Estado cesáreo, el Papado, la monarquía absoluta o los modernos Estados totalitarios. La autoridad suprema de Atenas es la Asamblea de ciudadanos, no un remoto grupo de burócratas apoyados en el ejército y la policía. La violencia con que la tragedia y la comedia antigua tratan los asuntos de la *polis* contribuye a explicar la actitud de Platón, que deseaba «la intervención del Estado en la libertad de la creación poética». Basta leer a los trágicos —especialmente a Eurípides— o a Aristófanes para darse cuenta de la incomparable libertad y desenfado de estos artistas. Esa libertad de expresión se fundaba en la libertad política. Y aun puede decirse que la raíz de la concepción del mundo de los griegos era la soberanía y libertad de la *polis*. «Acaso en el mismo año en que Aristófanes presenta sus *Nubes* —dice Burckhardt en su *Historia de la cultura griega*—, aparece la memoria política más vieja del mundo: *Acerca del Estado de los atenienses*». Reflexión política y creación artística viven en el mismo clima. Los pintores y escultores gozaron de parecida libertad, dentro de las limitaciones de sus oficios y de las condiciones en que se les empleaba. Los políticos de aquella época, al contrario de lo que ocurre en nuestros días, tuvieron el buen sentido de abstenerse de legislar sobre los estilos artísticos.

El arte griego participó en los debates de la ciudad porque la constitución misma de la *polis* exigía la libre opinión de los ciudadanos sobre los asuntos públicos. Un arte «político» sólo puede nacer allí donde existe la posibilidad de expresar opiniones políticas, es decir, allí donde reina la libertad de hablar y pensar. En este sentido el arte ateniense fue «político», pero no en la baja acepción contemporánea de la palabra. Léanse *Los persas* para saber lo que es tratar al adversario con ojos limpios de las deformaciones de la propaganda. Y la ferocidad de Aristófanes se ejerció siempre contra sus conciudadanos; los extremos a que recurre para ridiculizar a sus enemigos forman parte del carácter de la comedia antigua. Esta beligerancia política del arte nacía de la libertad. Y a nadie se le ocurrió perseguir a Safo porque cantase el amor en lugar de las luchas de la ciudad. Hubo que esperar hasta el sectario y mezquino siglo XX para conocer semejante vergüenza.

El arte gótico no fue obra de papas o emperadores, sino de las ciudades y las órdenes religiosas. Lo mismo puede decirse de la institución intelectual típica de la Edad Media: la Universidad. Como ella, la catedral es creación de las comunas urbanas. Se ha dicho muchas veces que esos templos expresan en su verticalidad la aspiración cristiana hacia el más allá. Hay que añadir que si la dirección del edificio tenso y como lanzado al cielo encarna el *sentido* de la sociedad medieval, su estructura revela la *composición* de esa misma sociedad. En efecto, todo está lanzado hacia arriba, hacia el cielo; pero, al mismo tiempo, cada parte del edificio posee vida propia, individualidad y carácter, sin que esa pluralidad rompa la unidad del conjunto. La disposición de la catedral parece una viva materialización de aquella sociedad en la que, frente al poder monárquico y feudal, las comunidades y corporaciones forman un complicado sistema solar de federaciones, ligas, pactos y contratos. La libre espontaneidad de las comunas, no la autoridad de papas y emperadores, otorga al arte gótico su doble movimiento: por una parte lanzado hacia arriba como una flecha; por la otra, extendido horizontalmente, albergando y cubriendo, sin oprimirlas, todas las especies, géneros e individuos de la creación. En realidad, el gran arte del Papado corresponde al periodo barroco, y su representante típico es Bernini.

Las relaciones entre el Estado y la creación artística dependen, en cada caso, de la naturaleza de la sociedad a que ambos pertenecen. Mas en términos generales —hasta donde es posible extraer conclusiones en una esfera tan amplia y contradictoria— el examen histórico corrobora que no solamente el Estado jamás ha sido creador de un arte de veras valioso sino que cada vez que intenta convertirlo en instrumento de sus fines acaba por desnaturalizarlo y degradarlo. Así, el «arte para pocos» casi siempre es la libre respuesta de un grupo de artistas que, abierta o solapadamente, se oponen a un arte oficial o a la descomposición del lenguaje social. Góngora en España, Séneca y Lucano en Roma, Mallarmé ante los filisteos del Segundo Imperio y la Tercera República, son ejemplos de artistas que, al afirmar su soledad y rehusarse al auditorio de su época, logran una comunicación que es la más alta a que puede aspirar un creador: la de la posteridad. Gracias a ellos el lenguaje, en lugar de dispersarse en jerga o petrificarse en fórmula, se concentra y adquiere conciencia de sí mismo y de sus poderes de liberación.

Su hermetismo —jamás del todo impenetrable, sino siempre abierto al que quiera arriesgarse tras la muralla ondulante y erizada de las palabras— es parecido al de la semilla. Encerrada, duerme la vida futura. Siglos después de muertos, la oscuridad de estos poetas se vuelve luz. Y su influencia es de tal modo profunda que puede llamárseles, más que poetas de poemas, poetas o creadores de poetas. En sus armas figuran siempre el fénix, la granada y la espiga eleusina.

2. Poesía y respiración

Étiemble sostiene que el placer poético acaso sea de origen fisiológico. Y más exactamente: muscular y respiratorio. Para justificar su afirmación subraya que la medida del alejandrino francés —el tiempo que tardamos en pronunciarlo— coincide con el ritmo de la respiración. Otro tanto ocurre con el endecasílabo español y con el italiano. No explica Étiemble, sin embargo, cómo y por qué también nos producen placer versos de medidas más cortas o más largas. Durante muchos siglos el octosílabo fue el verso nacional español, y todavía después de la reforma de Garcilaso, las ocho sílabas del romance siguen siendo recurso constante de poetas de nuestra lengua. ¿Puede negarse el placer con que escuchamos y decimos nuestro viejo octosílabo?, ¿y los largos versos de Whitman?, ¿y el verso blanco de los isabelinos? La medida parece más bien depender del ritmo del lenguaje común —esto es, de la música de la conversación, según ha mostrado Eliot en un ensayo muy conocido— que de la fisiología. La medida del verso se encuentra ya en germen en la de la frase. El ritmo verbal es histórico y la velocidad, lentitud o tonalidades que adquiere el idioma en este o aquel momento, en esta o aquella boca, tienden a cristalizar luego en el ritmo poético. El «ritmo de la época» es algo más que una expresión figurada y podría hacerse una suerte de historia de cada nación —y de cada hombre— a partir de su ritmo vital. Ese ritmo —el tiempo de la acción, del pensamiento y de la vida social— es también y sobre todo ritmo verbal.

La velocidad vertiginosa y alada de Lope de Vega se convierte en Calderón en majestuoso, enfático paseo por el idioma; la poesía de Huidobro es una serie de disparos verbales, según conviene a su temperamento y al de la generación de la primera posguerra, que acababa de descubrir la velocidad mecánica; el ritmo del verso de César Vallejo procede del lenguaje peruano... El placer poético es placer verbal y está fundado en el idioma de una época, una generación y una comunidad.

No niego que existe una relación indudable entre la respiración y el verso: todo hecho espiritual es también físico. Pero esa relación no es la única ni la determinante, pues de serlo realmente sólo habría versos de una misma medida en todos los idiomas. Todos sabemos que mientras los japoneses no practican sino los metros cortos —cinco y siete sílabas—, árabes y hebreos prefieren los largos. Recitar versos es un ejercicio respiratorio, pero es un ejercicio que no termina en sí mismo. Respirar bien, plena, profundamente, no es sólo una práctica de higiene ni un deporte, sino una manera de unirnos al mundo y participar en el ritmo universal. Recitar versos es como danzar con el movimiento general de nuestro cuerpo y de la naturaleza. El principio de analogía o correspondencia desempeña aquí una función decisiva. Recitar fue —y sigue siendo— un rito. Aspiramos y respiramos el mundo, con el mundo, en un acto que es ejercicio respiratorio, ritmo, imagen y sentido en unidad inseparable. Respirar es un acto poético porque es un acto de comunión. En ella, y no en la fisiología, reside lo que Étiemble llama «el placer poético».

El mismo crítico señala que para André Spire —teórico del verso libre francés— el placer poético se reduce a una suerte de gimnasia, en la que intervienen los labios, la lengua y otros músculos de la boca y la garganta. Según esta ingeniosa doctrina, cada idioma exige para ser hablado de una serie de movimientos musculares. Los versos nos producen placer porque provocan y suscitan movimientos agradables de los músculos. Esto explica que ciertos versos «suenan bien» mientras que otros, con el mismo número de sílabas, no «suenan»; para que el verso sea hermoso las palabras deben estar colocadas en la frase de tal manera que sea fácil el esfuerzo que requiere su pronunciación. Como en el caso del corredor de obstáculos, el recitador salta de palabra en palabra y el placer que se extrae de esta carrera, hecha de vueltas y saltos en un laberinto que irrita y adula los sentidos, no es de género distinto al del luchador o al del nadador. Todo lo dicho antes sobre la poesía como respiración es aplicable a estas ideas: el ritmo no es sonido aislado, ni mera significación, ni placer muscular sino todo junto, en unidad indisoluble.

3. Whitman, poeta de América

Walt Whitman es el único gran poeta moderno que no parece experimentar inconformidad frente a su mundo. Y ni siquiera soledad; su monólogo es un inmenso coro. Sin duda hay, por lo menos, dos personas en él: el poeta público y la persona privada, que oculta sus verdaderas inclinaciones eróticas. Pero su máscara —el poeta de la democracia— es algo más que una máscara: es su verdadero rostro. A pesar de ciertas interpretaciones recientes, en él coinciden plenamente el sueño poético y el histórico. No hay ruptura entre sus creencias y la realidad social. Y este hecho es superior —quiero decir, más ancho y significativo— a toda circunstancia psicológica. Ahora bien, la singularidad de la poesía de Whitman en el mundo moderno no puede explicarse sino en función de otra, aún mayor, que la engloba: la de América.

En un libro,[1] que es un modelo en su género, Edmundo O'Gorman ha demostrado que nuestro continente nunca fue descubierto. En efecto, no es posible descubrir algo inexistente y América, antes de su llamado «descubrimiento», no existía. Más que del descubrimiento de América, habría que hablar de su invención. Si América es una creación del espíritu europeo, empieza a perfilarse entre la niebla del mar siglos antes de los viajes de Colón. Y lo que descubren los europeos cuando tocan estas tierras es su propio sueño histórico. Reyes ha dedicado páginas admirables a este tema: América es una súbita encarnación de una utopía europea. El sueño se hace realidad, presente; América es un presente: un regalo, un don de la historia. Pero es un presente abierto, un ahora que está teñido de mañana. La presencia y el presente de América son un futuro; nuestro continente es la tierra, por naturaleza propia, que no existe por sí, sino como algo que se crea y se inventa. Su ser, su realidad o sustancia, con-

[1] *La idea del descubrimiento de América*, México, 1951.

siste en ser siempre futuro, historia que no se justifica en lo pasado, sino en lo venidero. Lo que nos funda no es lo que fue América, sino lo que será. América no fue, y *es sólo si es utopía*, historia en marcha hacia una edad de oro.

Quizá esto no sea del todo exacto si se piensa en el periodo colonial de la América española y portuguesa. Pero es revelador que apenas los criollos americanos adquieren conciencia de sí mismos y se oponen a los españoles, redescubren el carácter utópico de América y hacen suyas las utopías francesas. Todos ellos ven en la revolución de independencia un retorno a los principios originales, un volver a lo que realmente es América. La revolución de independencia es una rectificación de la historia americana y, por tanto, es el restablecimiento de la realidad original. El carácter excepcional y verdaderamente paradójico de esta restauración aparece claro si se advierte que consiste en una restauración del futuro. Por gracia de los principios revolucionarios franceses, América vuelve a ser lo que fue al nacer: no un pasado, sino un futuro, un sueño. El sueño de Europa, el lugar de elección, espacial y temporal, de todo aquello que la realidad europea no podía ser sino negándose a sí misma y a su pasado. América es el sueño de Europa, libre ya de la historia europea, libre del peso de la tradición. Una vez resuelto el problema de la independencia, la naturaleza abstracta y utópica de la América liberal vuelve a revelarse en episodios como la Intervención francesa en México. Ni Juárez ni sus soldados pensaron nunca —según señala Cosío Villegas— que luchaban contra Francia, sino contra una usurpación francesa. La verdadera Francia era ideal y universal y, más que una nación, era una idea, una filosofía. Cuesta dice, con cierta razón, que la guerra contra los franceses debe verse como una «guerra civil». Fue necesaria la Revolución de México para que el país despertase de este sueño filosófico —que, por otra parte, encubría una realidad histórica apenas tocada por la Independencia, la Reforma y la Dictadura— y se encontrase a sí mismo, no ya como un futuro abstracto sino como un origen en el que había que buscar los tres tiempos: nuestro pasado, nuestro presente y nuestro futuro. El acento histórico cambió de tiempo, y en esto consiste la verdadera significación espiritual de la Revolución mexicana.

El carácter utópico de América es aún más neto en la porción sajona del continente. Ahí no existían complejas culturas indígenas, ni el catolicismo levantó sus vastas construcciones intemporales: América era —si algo era— geografía, espacio puro, abierto a la acción humana. Carente de sustancia histórica —clases antiguas, viejas instituciones, creencias y leyes heredadas— la realidad no presentaba más obstáculos que los naturales. Los hombres no luchaban contra la historia, sino contra la naturaleza. Y ahí donde se presentaba un obstáculo histórico —por ejemplo: las sociedades indígenas— se le borraba de la historia y, reducido a mero hecho natural, se actuaba en consecuencia. La actitud norteamericana puede condensarse así: todo aquello que no participa de la naturaleza utópica de América no pertenece propiamente a la historia; es un hecho natural y, por tanto, no existe; o sólo existe como obstáculo inerte, no como conciencia ajena. El mal está fuera: forma parte del mundo natural —como los indios, los ríos, las montañas y otros obstáculos que hay que domesticar o destruir— o es una realidad intrusa (el pasado inglés, el catolicismo español, la monarquía, etc.). La revolución de independencia de los Estados Unidos es la expulsión de los elementos intrusos, ajenos a la esencia americana. Si la realidad de América es ser constante invención de sí misma, todo lo que de alguna manera se muestre irreductible o inasimilable no es americano. En otras partes el futuro es atributo del hombre: por ser hombres, tenemos futuro; en la América sajona del siglo pasado, el proceso se invierte y el futuro determina al hombre: somos hombres porque somos futuro. Y todo aquel que no tiene futuro no es hombre. Así, la realidad no ofrece resquicio alguno para que aparezcan la contradicción, la ambigüedad o el conflicto.

Whitman puede cantar con toda confianza e inocencia la democracia en marcha porque la utopía americana se confunde y es indistinguible de la realidad americana. La poesía de Whitman es un gran sueño profético, pero es un sueño dentro de otro sueño, una profecía dentro de otra aún más vasta y que la alimenta. América se sueña en la poesía de Whitman porque ella misma es sueño. Y se sueña como realidad concreta, casi física, con sus hombres, sus ríos, sus ciudades y sus montañas. Toda esa enorme masa de realidad se mueve con ligereza, como si no pesara, y, en verdad, carece de peso histórico: es el futuro que está encarnando. La realidad que canta Whitman es utópica. Y con esto no quiero decir que sea irreal o que sólo exista como idea, sino que su esencia, aquella que la mueve, justifica y da sentido a su marcha, gravedad a sus movimientos, es el futuro. Sueño dentro de un sueño, la poesía de Whitman es realista sólo por esto: su sueño es el sueño de la realidad misma, que no tiene otra sustancia que la de inventarse y soñarse. «Cuando soñamos que soñamos —dice Novalis—, está próximo el despertar.» Whitman nunca tuvo conciencia de que soñaba y siempre se creyó un poeta realista. Y lo fue, pero sólo en cuanto a que la realidad que cantó no era algo dado, sino una sustancia atravesada de parte a parte por el futuro. América se sueña en Whitman porque ella misma era sueño, creación pura. Antes y después de Whitman hemos tenido otros sueños poéticos. Todos ellos —llámese el soñador Poe o Darío, Melville o Dickinson— son más bien tentativas por escapar de la pesadilla americana.

RECAPITULACIONES

El poema es inexplicable, no ininteligible.

Poema es lenguaje rítmico —no lenguaje ritmado (canto) ni mero ritmo verbal (propiedad general del habla, sin excluir la prosa).

Ritmo es relación de alteridad y semejanza: este sonido *no* es aquel, este sonido es *como* aquel.

El ritmo es la metáfora original y contiene a todas las otras. Dice: la sucesión es repetición, el tiempo es no-tiempo.

Lírico, épico o dramático, el poema es sucesión y repetición, fecha y rito. El *happening* también es poema (teatro) y rito (fiesta) pero carece de un elemento esencial: el ritmo, la reencarnación del instante. Una y otra vez repetimos los endecasílabos de Góngora y los monosílabos con que termina el *Altazor* de Huidobro; una y otra vez Swann escucha la sonata de Vinteuil, Agamenón inmola a Ifigenia, Segismundo descubre que sueña despierto —el *happening* sucede sólo una vez.

El instante se disuelve en la sucesión anónima de los otros instantes. Para *salvarlo* debemos *convertirlo* en ritmo. El *happening* abre otra posibilidad: el instante que no se repite. Por definición, ese instante no puede ser sino el último: el *happening* es una alegoría de la muerte.

El circo romano es la prefiguración y la crítica del *happening*. La prefiguración: en un *happening* coherente con sus postulados todos los actores deberían morir; la crítica: la representación del instante último exigiría la extirpación de la especie humana. El único acontecimiento *irrepetible*: el fin del mundo.

Entre el circo romano y el *happening:* la corrida de toros. El riesgo, pero asimismo el estilo.

El poema hecho de una sola sílaba no es menos complejo que la *Divina Comedia* o *El paraíso perdido*. El *sutra* Satasahasrika expone la doctrina en cien mil estrofas; el Eksaksari en una sílaba: *a*. En el sonido de esa vocal se condensa todo el lenguaje, todas las significaciones y, simultáneamente, la final ausencia de significación del lenguaje y del mundo.

Comprender un poema quiere decir, en primer término, *oírlo*.

Las palabras entran por el oído, aparecen ante los ojos, desaparecen en la contemplación. Toda lectura de un poema tiende a provocar el silencio.

Leer un poema es oírlo con los ojos; oírlo es verlo con los oídos.

Al leer o escuchar un poema, no olemos; saboreamos o tocamos las palabras. Todas esas sensaciones son imágenes mentales. Para sentir un poema hay que comprenderlo; para comprenderlo: oírlo, verlo, contemplarlo —convertirlo en eco, sombra, nada. Comprensión es ejercicio espiritual.

Duchamp decía: si un objeto de tres dimensiones proyecta una sombra de dos dimensiones, deberíamos imaginar ese objeto desconocido de cuatro dimensiones cuya sombra somos. Por mi parte me fascina la búsqueda del objeto de una dimensión que no arroja sombra alguna.

Cada lector es otro poeta; cada poema, otro poema.

En perpetuo cambio, la poesía no avanza.

En el discurso una frase prepara a la otra; es un encadenamiento con un principio y un fin. En el poema la primera frase contiene a la última y la última evoca a la primera. La poesía es nuestro único recurso contra el tiempo rectilíneo —contra el progreso.

La moral del escritor no está en sus temas ni en sus propósitos sino en su conducta frente al lenguaje.

En poesía la técnica se llama moral: no es una manipulación sino una pasión y un ascetismo.

El falso poeta habla de sí mismo, casi siempre en nombre de los otros. El verdadero poeta habla con los otros al hablar consigo mismo.

La oposición entre obra cerrada y obra abierta no es absoluta. Para consumarse, el poema hermético necesita la intervención de un lector que lo descifre. El poema abierto implica, asimismo, una estructura mínima: un punto de partida o, como dicen los budistas: un «apoyo» para la meditación. En el primer caso, el lector *abre* el poema; en el segundo, lo completa, lo *cierra*.

La página en blanco o cubierta únicamente de signos de puntuación es como una jaula sin pájaro. La verdadera obra abierta es aquella que *cierra* la puerta: el lector, al abrirla, deja escapar al pájaro, al poema.

Abrir el poema en busca de *esto* y encontrar *aquello* —siempre otra cosa.

Abierto o cerrado, el poema exige la abolición del poeta que lo escribe y el nacimiento del poeta que lo lee.

La poesía es lucha perpetua contra la significación. Dos extremos: el poema abarca todos los significados, es el significado de todas las significaciones; el poema niega toda significación al lenguaje. En la época moderna la primera tentativa es la de Mallarmé; la segunda, la de Dadá. Un lenguaje más allá del lenguaje o la destrucción del lenguaje por medio del lenguaje.

Dadá fracasó porque creyó que la derrota del lenguaje sería el triunfo del poeta. El surrealismo afirmó la supremacía del lenguaje sobre el poeta. Toca a los poetas jóvenes borrar la distinción entre creador y lector: descubrir el punto de *encuentro* entre el que habla y el que oye.

Desde la disgregación del catolicismo medieval, el arte se separó de la sociedad. Pronto se convirtió en una religión individual y en el culto privado de unas sectas. Nació la «obra de arte» y la idea correlativa de «contemplación estética». Kant y todo lo demás. La época que comienza acabará por fin con las «obras» y disolverá la contemplación en el *acto*. No un arte nuevo: un nuevo ritual, una fiesta, la invención de una forma de *pasión* que será una repartición del tiempo, el espacio y el lenguaje.

Cumplir a Nietzsche, llevar hasta su límite la negación. Al final nos espera el juego: la fiesta, la consumación de la obra, su encarnación momentánea y su dispersión.

Llevar hasta su límite la negación. Allá nos espera la contemplación; la desencarnación del lenguaje, la transparencia.

Lo que nos propone el budismo es el fin de las relaciones, la abolición de las dialécticas —un silencio que no es la disolución sino la *resolución* del lenguaje.

El poema debe provocar al lector: obligarlo a oír —a oírse.

Oírse: o irse. ¿A dónde?

La actividad poética nace de la desesperación ante la impotencia de la palabra y culmina en el reconocimiento de la omnipotencia del silencio.

No es poeta aquel que no haya sentido la tentación de destruir el lenguaje o de crear otro, aquel que no haya experimentado la fascinación de la no-significación y la no menos aterradora de la significación indecible.

Entre el grito y el callar, entre el significado que es todos los significados y la ausencia de significación, el poema se levanta. ¿Qué dice ese delgado chorro de palabras? Dice que no dice nada que no hayan ya dicho el silencio y la gritería. Y al decirlo, cesan el ruido y el silencio. Precaria victoria, amenazada siempre por las palabras que no dicen nada, por el silencio que dice: nada.

Creer en la eternidad del poema sería tanto como creer en la eternidad del lenguaje. Hay que rendirse a la evidencia: los lenguajes nacen y mueren, todos los significados un día dejan de tener significado. ¿Y este dejar de tener significado no es el significado de la significación? Hay que rendirse a la evidencia...

Triunfo de la palabra: el poema es como esos desnudos femeninos de la pintura alemana que simbolizan la victoria de la muerte. Monumentos vivos, gloriosos, de la corrupción de la carne.

La poesía y la matemática son los dos polos extremos del lenguaje. Más allá de ellos no hay nada —el territorio de lo indecible; entre ellos, el territorio inmenso, pero finito, de la conversación.

Enamorado del silencio, el poeta no tiene más remedio que hablar.

La palabra se apoya en un silencio *anterior* al habla —un presentimiento de lenguaje. El silencio, *después* de la palabra, reposa en un lenguaje —es un silencio cifrado. El poema es el tránsito entre uno y otro silencio —entre el querer decir y el callar que funde querer y decir.

Más allá de la sorpresa y de la repetición: ———

Delhi, 1966

[Estas «Recapitulaciones» fueron publicadas por primera vez en *Corriente alterna*, Siglo XXI, México, 1967.]

LA NUEVA ANALOGÍA: POESÍA Y TECNOLOGÍA

En 1964 escribí medio centenar de páginas que llamé *Los signos en rotación*.[1] El editor anunció el folleto como un «manifiesto poético». No sé si realmente lo haya sido. Sé, en cambio, que fue una tentativa por esclarecer la *manifestación* de la poesía en nuestro siglo, su aparición como un signo errante en un tiempo también errante: este tiempo que acaba y ese tiempo, aún sin nombre, que ahora comienza. Vi a la poesía como una configuración de signos. Y la figura que trazaba era la de la dispersión. Poema: ideograma de un mundo que busca su sentido, su orientación, no en un punto fijo sino en la rotación de los puntos y en la movilidad de los signos. Lo que sigue es la prolongación y la crítica de aquellas reflexiones.

Todas las sociedades poseen lo que comúnmente se llama una «imagen del mundo». Esa imagen hunde sus raíces en la estructura inconsciente de la sociedad y la nutre una concepción particular del tiempo. La función cardinal del tiempo en la formación de la imagen del mundo se debe a lo siguiente: los hombres no lo vemos nunca como mero suceder sino como un proceso intencional, dotado de una dirección y apuntando hacia un fin. Los actos y las palabras de los hombres están hechos de tiempo, son tiempo: son un *hacia* esto o aquello, cualquiera que sea la realidad que designen el esto o el aquello, sin excluir a la misma nada. El tiempo es el depositario del sentido. El poeta dice lo que dice el tiempo, inclusive cuando lo contradice: nombra el transcurrir, vuelve palabra a la sucesión. La imagen del mundo se repliega en la idea del tiempo y ésta se despliega en el poema. Poesía es tiempo desvelado: el enigma del mundo convertido en enigmática transparencia. Cada civilización ha tenido una visión distinta del tiempo; algunas lo han pensado como eterno retorno, otras

[1] Son ahora el capítulo final de *El arco y la lira*. (El editor fue el poeta H. Murena, *Sur*, Buenos Aires.)

como eternidad inmóvil, otras como vacuidad sin fechas o como línea recta o espiral. Año platónico, circular y perfecto a la manera del movimiento de los cuerpos celestes o tiempo apocalíptico, en línea recta, de los cristianos; tiempo ilusorio del hindú, molino de las reencarnaciones o tiempo infinito, progreso continuo del siglo XIX. Cada una de estas ideas ha encarnado en esas imágenes que llamamos poemas —un nombre que designa a un objeto verbal sin forma fija y en perpetuo cambio, de la invocación mágica del primitivo a las novelas contemporáneas. Pues bien, la poesía se enfrenta ahora a la pérdida de la imagen del mundo. Por eso aparece como una configuración de signos en dispersión: imagen de un mundo sin imagen.

La época moderna se inició como una crítica de todas las mitologías, sin excluir a la cristiana. Esto último no es extraño: el cristianismo rompió el tiempo circular de la antigüedad grecorromana y postuló un tiempo rectilíneo y finito, con un principio y un fin: la Caída y el Juicio Universal. El tiempo moderno es el hijo del tiempo cristiano. El hijo y la negación: es un tiempo en línea recta e irreversible pero carece de comienzo y no tendrá fin, no ha sido creado ni será destruido. Su protagonista no es el alma caída sino la evolución de la especie humana y su verdadero nombre es historia. El fundamento de la modernidad es una paradoja doble: por una parte, el sentido no reside ni en el pasado ni en la eternidad sino en el futuro y de ahí que la historia se llame asimismo progreso; por la otra, el tiempo no reposa en ninguna revelación divina ni en ningún principio inconmovible: lo concebimos como un proceso que se niega sin cesar y así se transforma. El fundamento del tiempo es la crítica de sí mismo, su división y separación constantes; su forma de manifestación no es la repetición de una verdad eterna o de un arquetipo: el cambio es su sustancia. Mejor dicho: nuestro tiempo carece de sustancia, y más: su acción es la crítica de todo sustancialismo. Por esto el lugar de la Redención lo ocupa la Revolución. Un nuevo tiempo es una nueva mitología: las grandes creaciones de la modernidad, de Cervantes a Joyce y de Velázquez a Marcel Duchamp, son distintas versiones del mito de la crítica.

Ahora la técnica completa de una manera más total la empresa de la crítica, ya que la suya incluye a la crítica misma y a su idea del tiempo. La tierra y el cielo que la filosofía había despoblado de dioses se cubren paulatinamente con las formidables construcciones de la técnica. Sólo que esas obras no representan nada y, en rigor, nada dicen. Las iglesias románicas, las estupas budistas y las pirámides mesoamericanas se asentaban sobre una idea del tiempo, y sus formas eran una representación del mundo: la arquitectura como doble simbólico del cosmos. El palacio barroco fue el monólogo de la línea curva que se rompe y se rehace, el monólogo del placer y de la muerte, de la presencia que es ausencia; el templo hindú fue una vegetación sexual de piedra, la cópula de los elementos, el diálogo entre *lingam* y *yoni*... ¿Qué dicen nuestros hangares, estaciones de ferrocarril, edificios de oficinas, fábricas y monumentos públicos? No dicen: son funciones, no significaciones. Son centros de energía, monumentos de la voluntad, signos que irradian poder, no sentido. Las obras antiguas eran una representación de la realidad, la real y la imaginaria; las de la técnica son una operación sobre la realidad. Para la técnica el mundo no es ni una imagen sensible de la idea ni un modelo cósmico: es un obstáculo que debemos vencer y modificar. El mundo como imagen desaparece y en su lugar se levantan las realidades de la técnica, frágiles a pesar de su solidez ya que están condenadas a ser negadas por nuevas realidades.

La destrucción de la imagen del mundo es la primera consecuencia de la técnica. La segunda es la aceleración del tiempo histórico. Esta aceleración culmina, al fin de cuentas, en una negación del cambio, si entendemos por cambio a un proceso evolutivo que implica progreso y continua renovación. El tiempo de la técnica acelera la entropía: la civilización de la era industrial ha producido en un siglo más desechos y materia muerta que todas las otras civilizaciones juntas, desde la revolución del Neolítico. Así, ataca en su centro mismo la idea del tiempo elaborada por la era moderna: al exagerarla, la reduce al absurdo. La técnica no sólo es una crítica radical de la idea del cambio como progreso sino que también pone un límite, un hasta aquí, a la idea correlativa de tiempo sin fin. El tiempo de la historia era prácticamente infinito, al menos para la medida humana. Se pensaba que pasarían milenios de milenios antes de que el planeta se enfriase definitivamente; por tanto, el hombre podría cumplir holgadamente su ciclo de evolución, alcanzar el poder y la sabiduría e incluso apoderarse del secreto para vencer a la segunda ley de la termodinámica. La ciencia contemporánea no corrobora esas ilusiones: el mundo puede acabarse el día menos pensado. El tiempo tiene un fin y ese fin será imprevisto; vivimos en un mundo inestable: el cambio ya no es sinónimo de progreso sino de repentina extinción.

La astronomía actual se refiere con frecuencia a catástrofes estelares e introduce así la idea de accidente en una esfera que parecía el modelo mismo del orden. Pero no es necesario acudir a los ejemplos de la astronomía; hay uno al alcance de la mano y más popular y convincente: el arma atómica. Su existencia constituye por sí sola un argumento que literalmente volatiliza a la idea del progreso, sea en su versión de evolución gradual o de salto revolucionario. Es verdad que hasta ahora hemos logrado conjurar a la hecatombe. No importa: basta con que exista esa posibilidad para que nuestra idea del tiempo pierda su consistencia. Si la bomba no ha destruido al mundo, ha destruido a nuestra idea del mundo. La crítica de la mitología emprendida por la filosofía desde el Renacimiento se transforma en la crítica de la filosofía: el tiempo puede consumirse en una llamarada que disolvería por igual a la dialéctica del espíritu y a la evolución de las especies, a la república de los iguales y a la torre del superhombre, al monólogo de la fenomenología y al de la filosofía analítica. Redescubrimos un sentimiento que acompañó siempre a los aztecas, a los hindúes y a los cristianos del año mil. La técnica comienza por ser una negación de la imagen del mundo y termina por ser una imagen de la destrucción del mundo.

Las relaciones entre la técnica y la poesía son de un orden particular: por una parte la poesía tiende a utilizar, como todas las otras artes, los recursos de la técnica, especialmente en la esfera de los medios de comunicación: radio, televisión, discos, cinematografía, etc.; por la otra, debe enfrentarse a la negación de la imagen del mundo. En el primer caso, la poesía se apoya en la técnica; en el segundo, se opone a ella. Esa oposición es complementaria y en la segunda parte de estas reflexiones me ocuparé de ella. Ahora debo referirme al tema de la utilización poética de los nuevos medios técnicos. Comenzaré por distinguir dos momentos en el proceso poético: la elaboración del poema y su recepción por un lector o un oyente. Digo que son momentos de un proceso porque el poema jamás se presenta como una realidad independiente; ningún texto poético tiene existencia *per se:* el lector otorga realidad al poema. En este sentido, el poeta no es sino el primer lector de su poema, el primer autor.

Nada se opone a que el poeta se sirva de un *computer* para escoger y combinar las palabras que han de componer su poema. El *computer* no suprime al poeta como no lo suprimen ni los diccionarios de la rima ni los tratados de retórica. El poema del *computer* es el resultado de un procedimiento mecánico no sin analogía con las operaciones mentales y verbales que debía realizar un cortesano del siglo XVII para escribir un soneto o de un japonés del mismo siglo para componer, con un grupo de amigos, esos poemas colectivos llamados *haikai no renga.* Los trabajos y experimentos de Margaret Masterman en la Cambridge Language Research Unit muestran algo que las antiguas retóricas daban por supuesto: para componer un poema necesitamos un modelo sintáctico, un vocabulario para «llenarlo» y un conjunto de reglas para escoger y combinar los términos del vocabulario. El procedimiento empleado por Margaret Masterman y Robin Mckinnon Wood para producir series de haikú no es esencialmente distinto al que utilizan con el mismo objeto, desde hace varios siglos, miles y miles de japoneses. Los resultados son también parecidos: agradables, de vez en cuando sorprendentes y al final monótonos. Provisto del modelo sintáctico y el vocabulario adecuados, un *computer* puede cambiar una carta de agradecimiento en una carta de injurias; la misma operación, sólo que como un ejercicio de destrucción del lenguaje como sistema de significación, fue realizada hace un siglo por Lautréamont. La «corrección» de las máximas y pensamientos de Pascal y Vauvenargues fue simultáneamente una violación del lenguaje y una refutación de sus poderes. La poesía interviene en el momento en que la memoria impersonal —el vocabulario del *computer* o del diccionario— se cruza con nuestra memoria personal: suspensión de las reglas e irrupción de lo inesperado e imprevisible. Quiebra del procedimiento, fin de la receta: la poesía es *siempre* una alteración, una desviación lingüística. Una desviación creadora y que produce un orden nuevo y distinto.

El texto redactado por el *computer* o los aficionados al haikai es intercanjeable por otro texto; el poema auténtico no es intercanjeable. Lo mismo en la esfera de la poesía que en la de la música y la pintura, cada obra es única. Y lo es porque en algún momento de su elaboración intervino el gesto del artista, su decisión de interrumpir y cambiar el previsible desarrollo del juego estético. Es dudoso que ese gesto sea enteramente voluntario —cada artista, cada hombre, está movido por su fatalidad— pero no lo es su sentido liberador y sus consecuencias. Es una subversión que es asimismo una conversión: la confección de un objeto verbal o plástico se transforma en la creación de una obra. Cierto, ahora vemos con recelo la noción misma de «obra de arte», sobre todo después de Marcel Duchamp y de sus *ready-made.* El gesto de Duchamp fue también una subversión sólo que, a diferencia de los otros artistas, no tenía por objeto la *conversión* del objeto sino su *reversión:* un acto crítico destinado a mostrar la inanidad de las obras de arte *en tanto que objetos.* El gesto no podía ser sino contradictorio y de ahí la fascinación que ejerce sobre nosotros: al desvalorizar a la obra de arte como objeto, Duchamp revalorizó al arte como gesto, como decisión. Así, tal vez contra lo que él mismo se proponía, los *ready-made* dejaron de ser objetos anónimos para transformarse, ya que no en obras de arte, en *signos* de la decisión soberana de un artista.

Apenas si vale la pena detenerse en la utilización de los nuevos medios de comunicación en la transmisión de la poesía. Esos medios hacen posible, como todos sabemos, la vuelta a la poesía oral, la combinación de palabra escrita y palabra hablada, el regreso de la poesía como fiesta, ceremonia, juego y acto colectivo. En su origen la poesía fue palabra hablada y oída por una colectividad. Poco a poco el signo escrito desplazó a la voz humana y el lector individual al grupo: la poesía se convirtió en una experiencia solitaria. Ahora volvemos otra vez a la palabra hablada y nos reunimos para escuchar a los poetas; más y más, en lugar de leer poemas, los oímos —y los oímos reunidos en grupo. Cierto, incluso en los momentos de apogeo del libro y de la palabra impresa, el poema fue siempre una arquitectura de sonidos/sentidos. En esto coinciden todos los grandes poetas de todas las civilizaciones, sin excluir a los chinos: la poesía es palabra hablada.

La superficie sobre la que se inscriben los signos, sean éstos caracteres fonéticos o ideogramas, es el equivalente o, mejor dicho, la manifestación del tiempo que, simultáneamente, sostiene y consume la arquitectura verbal que es el poema. Esa arquitectura, por ser sonido, es tiempo, y de ahí que, literalmente, el poema se haga y se deshaga frente a nosotros. Aquello que sostiene al poema es aquello mismo que lo devora: la sustancia de que está hecho es tiempo. La página y el rollo chino de escritura son móviles porque son metáforas del tiempo: espacio en movimiento que, como si fuese tiempo, se niega constantemente a sí mismo y así se reproduce. Temporalización de la página: el signo escrito no reposa sobre un espacio fijo, como en el caso de la pintura, sino sobre una superficie que, por ser una imagen del tiempo, *transcurre*. Por eso Mallarmé ve en la disposición tipográfica de *Un Coup de dés* una partitura, es decir, una configuración de signos que, al leer, *oímos*. Toda lectura de un poema, cualesquiera que sean los signos en que esté escrito, consiste en *hablar y oír con los ojos*. Una recitación silenciosa que es igualmente una visión: al leer, oímos y, al oír, vemos. Así, lo que distingue a la actitud contemporánea de la que privaba todavía hace unos quince o veinte años no es la primacía de la palabra hablada sobre el signo escrito sino que la experiencia vuelve a ser física, corporal: hoy la palabra nos entra por los oídos, toma cuerpo, encarna. No es menos revelador que la recepción de poemas tienda a convertirse en un acto colectivo: al desplazamiento del libro por los otros medios de comunicación y del signo escrito por la voz corresponden la corporeización de la palabra y su encarnación colectiva.

Todos los cambios a que he aludido subrayan los valores de la palabra hablada en detrimento del signo escrito. En este sentido, la situación en Francia, con el énfasis que ponen poetas y críticos en la noción de *escritura,* es singular. La poesía moderna nació en ese país y ahí alcanzó sus más coherentes y rigurosas formulaciones. No quiero decir, naturalmente, que los poetas franceses hayan sido los únicos en aliar la práctica a la reflexión crítica sino que el movimiento poético moderno, en tanto que movimiento, se desplegó en Francia con un radicalismo y una amplitud que no tienen paralelo en inglés, español, ruso o alemán. No obstante, precisamente en el momento en que los poetas norteamericanos y los latinoamericanos cargamos el acento, respectivamente, en el *speech* y el *habla* (ambos términos no corresponden enteramente al francés *parole*), los jóvenes franceses, con aisladas excepciones, insisten en la supremacía del signo escrito. Lo más extraño es que Mallarmé —lo cito porque su figura ocupa ahora el lugar central que tenía Rimbaud para la generación anterior— concibió siempre a la poesía como un arte verbal y temporal: una elocución. De ahí que viese al poema como el gemelo de la música y la danza: teatro de la palabra. De ahí también la función capital de la tipografía en ese espacio en movimiento que es la página: por una parte, la escritura es (como) una partitura; por la otra, al reanudar las relaciones entre los valores visuales y los verbales que la imprenta había abolido casi del todo, la nueva tipografía inauguró otro tipo de libro. La mutación del libro en un objeto que, más que contener poemas, los emite, no es sino un aspecto de la mutación general y se inscribe dentro de la corporeización de la palabra que caracteriza a la poesía contemporánea.

El cambio de posición de la escritura explica asimismo la aparición del poema visual. Apollinaire veía sus *calligrammes* como «une précision typographique à l'époque où la thypographie termine brillamment sa carrière; à l'aurore des moyens nouveaux de reproduction que sont le cinéma et le phonographe». Aunque los nuevos medios no acabaron ni acabarán con la tipografía, sí la han cambiado radicalmente. Para comprobarlo basta con recordar las composiciones de los futuristas rusos o la utilización de ideogramas y pictogramas por Pound. Esta tendencia culmina en la poesía concreta y, como en el caso de la poesía hablada, se resuelve en un desprendimiento: el poema abandona el libro. Texto visual o texto hablado, el poema se separa del libro y se transforma en un objeto sonoro y/o plástico independiente. Repetiré, una vez más, que la línea escrita, inclusive la del poema concreto, es una metáfora del habla. Al revés de lo que ocurre con la pintura, arte silencioso, el silencio de la página nos deja escuchar la escritura. No es eso todo: también será posible combinar la lectura y la audición, el signo escrito y el sonido, el día en que alguien se decida al fin a utilizar plenamente los recursos de la cinematografía y de la televisión. La pantalla es una página múltiple que engendra otras páginas: muro, columna o estela. Inmenso lienzo único sobre el que podría inscribirse un texto en un movimiento análogo, aunque inverso, al de un rollo chino que se despliega.

Concluyo: la técnica cambia a la poesía y la cambiará más y más. No podía ser de otro modo: su intervención afecta tanto a la trasmisión y recepción de poemas como a los métodos para componerlos. Pero esos cambios, por más profundos que nos parezcan, no la desnaturalizan. Al contrario, la devuelven a su origen, a lo que fue al principio: palabra hablada, compartida por un grupo.

El tema de la oposición complementaria entre la técnica y la poesía reclama un análisis diferente. Al comenzar estas reflexiones dije que las obras de la técnica, a pesar de su agresiva realidad, carecen realmente de sentido: no son significados, son funciones. Aunque la técnica ha cambiado al mundo, no nos ha dado una imagen del mundo. Cierto, su misión no es ésa: su misión es transformar al mundo; pero la acción de la técnica hubiera sido imposible sin la previa destrucción de la antigua imagen del mundo. La edad moderna hizo la crítica de las mitologías: la tierra dejó de ser santa y, limpia de dioses, se abrió a la acción de la técnica; ahora, a su vez, la técnica destruye la imagen que la edad moderna se había hecho del mundo. Hija de la idea del progreso, la técnica nos hace dudar del significado de esa palabra: ¿no es sinónimo de crisis, angustia, violencia, opresión y quizá muerte? El tiempo concebido como historia y ésta como progreso sin fin, se acaban. De Washington a Moscú, los paraísos futuros se han convertido en un presente horrible que nos hace dudar sobre el mañana.

Pensar que el mundo se puede acabar en cualquier momento y perder la fe en el futuro son rasgos no-modernos que niegan los presupuestos que fundaron a la edad moderna en el siglo XVIII. Se trata de una negación que es igualmente un redescubrimiento del saber central de las antiguas civilizaciones. La pérdida del futuro nos acerca a maneras de ser y de sentir que parecían extintas. El cristianismo dio un alma inmortal a cada hombre; aunque la edad moderna nos la arrebató, nos prometió en cambio la inmortalidad de la especie humana, la inmortalidad de la historia y del progreso. Hoy nos desvela la misma duda que al azteca al final de cada ciclo de 52 años: ¿saldrá de nuevo el sol o esta noche será la última? Sin embargo, hay una diferencia: los antiguos temían que la cólera o el capricho de sus dioses destruyese al mundo, pero su fatalidad era cíclica; para nosotros la imagen de la catástrofe cósmica asume la forma a un tiempo atroz y grotesca del Accidente. Vivimos el tiempo del azteca y vivimos un tiempo que nadie antes de nosotros había previsto y soñado. Un tiempo que es, simultánea y contradictoriamente, el tiempo de la destrucción total y el de la ciencia de la información. Por lo primero, nuestra situación psíquica es análoga, hasta cierto punto, a la de otras sociedades del pasado; por lo segundo, el universo empieza a configurarse como un sistema de correspondencias semejante, también hasta cierto punto, al de la antigua analogía. Para aclarar y desarrollar mi idea, comenzaré por una breve comparación entre el sistema analógico del cristianismo medieval y la ironía moderna.

La alegoría fue el modo predominante que asumió la comunicación poética durante el apogeo del cristianismo. La novela ha sido la forma de predilección de la edad moderna. La alegoría es una de las expresiones del pensamiento analógico. Reposa en el principio: esto es como aquello y de esta semejanza deduce o descubre otras semejanzas hasta convertir al universo en un tejido de relaciones y equivalencias. La alegoría, como su nombre lo indica, es un discurso en el que al hablar de esto se habla también de lo otro. La analogía es el nexo. El crítico Charles A. Singleton ha mostrado que la *Comedia* de Dante es una alegoría de alegorías: el prólogo del poema es una alegoría del viaje del poeta por los tres mundos, que a su vez es la alegoría de las peregrinaciones del alma caída y de su final conversión. El código de referencia de estas alegorías circulares es el libro del Éxodo. El mismo Dante, en una carta a Can Grande, lo declara: «si atendemos a lo que dice la letra, el sentido es la huida de Egipto de los hijos de Israel en tiempos de Moisés; en el sentido alegórico, es la redención de Cristo; en el moral, la conversión del alma».[1] La historia sagrada es el puente entre dos realidades: el viaje del poeta al otro mundo y las pruebas

[1] Citada por Charles A. Singleton, *In Exita Israel de Aegipto.*

del alma antes de contemplar a la divinidad. Pero el libro del Éxodo pertenece al Antiguo Testamento, y de ahí que la alegoría encierre otra más: los Evangelios. La pasión de Cristo es el nexo entre la antigua palabra y la nueva, el eslabón que cierra el círculo.

La historia de la humanidad se concreta en la historia de Israel, que es una alegoría de otra que las comprende a todas: la Redención. La correspondencia entre todas estas realidades es verbal: el mensaje del poeta, la *Comedia,* se descifra en otro mensaje, el libro del Éxodo, que a su vez se explicita en otro: el Evangelio de Cristo. Este circuito es una réplica de la teoría de la información. Si los valores y los significados son diferentes, no lo es el sistema de transformación simbólica y de comunicación de los símbolos. Un equivalente dentro de la ciencia contemporánea sería el siguiente: la estructura lingüística es una alegoría de la estructura subatómica y ambas se reflejan en el código genético. En el caso de la *Comedia* hay dos series: una es verbal y la otra no verbal. La primera está formada por la *Comedia* misma, el libro del Éxodo y los Evangelios; la segunda por las vicisitudes del alma errante, la huida de Egipto y la historia de la humanidad desde la caída de Adán. Las dos series se reflejan en el viaje del poeta al otro mundo, es decir, en su poema. La correspondencia entre la palabra y la realidad no verbal es perfecta.

Con la *Comedia,* la sociedad cristiana nos ofrece su obra más acabada y plena. Con el *Don Quijote* aparece la primera gran obra del mundo moderno. El tema de la novela de Cervantes también es el alma humana, sólo que ya no es el del alma caída sino enajenada. El héroe es un loco, no un pecador. Está fuera de la suerte general del hombre puesto que ha perdido el albedrío. Don Quijote no encarna a la historia humana; es su excepción. Es ejemplar de un modo irónico, por negación: no es como el resto de los hombres. La correspondencia se interrumpe o, más exactamente, asume la forma de la interrupción. El vagabundeo del hidalgo manchego no es una alegoría de las peregrinaciones del pueblo escogido sino de un hombre extraviado y solitario. Virgilio y Beatriz guían a Dante; nadie guía a don Quijote, y su compañero de andanzas no es un vidente sino el miope sentido común. El círculo concéntrico es el modelo del viaje del poeta; el cabalgar del loco no obedece a ninguna geometría y ni siquiera a la geografía: es un ir y venir sin rumbo y durante el cual las posadas se transforman en castillos y los jardines en corrales. La peregrinación del florentino es un descenso y un ascenso; la del español es una sucesión de tropiezos y descalabros. La visión final de Dante es la de la divinidad; la de don Quijote es un regreso a sí mismo, a la realidad sin grandeza del hidalgo pobretón. En un caso, contemplación de la realidad suprema y conversión; en el otro, reconocimiento de nuestra insignificancia y resignación a ser lo que se es. Dante ve a la verdad y a la vida; don Quijote recobra la cordura y se enfrenta a la muerte.

La analogía es la expresión de la correspondencia entre el mundo celeste y el terrestre: aunque la realidad del segundo sea subsidiaria y reflejo de la del primero, es realidad. La ironía opera en dirección inversa: subraya que hay un abismo entre lo real y lo imaginario. No contenta con descubrir la escisión entre la palabra y la realidad, la ironía siembra la duda en el ánimo: no sabemos que sea realmente lo real, si lo que ven nuestros ojos o lo que proyecta nuestra imaginación. El Paraíso y el Infierno son reales, como lo son Florencia y Roma; la atroz y pelada realidad de Castilla es un espejismo, un encantamiento de hechiceros. Hay una continua oscilación entre lo real y lo irreal: los molinos son gigantes y un instante después son molinos. Esta oscilación no produce ninguna conversión: los personajes están condenados a ser lo que son. Por eso son infieles a sus modelos: Aldonza no es Dulcinea, don Quijote no es Amadís. No obstante, tampoco el hidalgo Quijano es enteramente el bueno de Quijano: es don Quijote —y no lo es. Los hombres no son menos problemáticos que las cosas. Otro tanto sucede con el lenguaje: el de Dante es el de la poesía; el de Cervantes oscila entre el poema y la prosa. Esta ambigüedad caracteriza a toda la novela moderna: es poesía y crítica de la poesía, épica y burla de la epopeya. Realidad problemática, héroes problemáticos y lenguaje problemático: el mito de la crítica comienza a configurarse. La correspondencia se rompe y la ironía sustituye a la analogía. La clave de la *Comedia* es el libro del Éxodo; la de la novela de Cervantes, los libros de caballería. El primero es la palabra sagrada, el modelo universal y eterno; los segundos son obras de diversión y pasatiempo, no una alegoría de la historia del hombre sino el relato de su insensata aventura. El lenguaje ya no es la clave del mundo: es una palabra vana, loca. ¿O es al revés: la locura es la del mundo y don Quijote es la palabra racional que anda disfrazada de locura por los caminos? Cervantes sonríe y calla: ironía y desengaño.

La ruptura de la analogía es el comienzo de la subjetividad. El hombre entra en escena, desaloja a la divinidad y se enfrenta a la no significación del mundo. Doble imperfección: las palabras han dejado de representar a la verdadera realidad de las cosas, y las cosas se han vuelto opacas, mudas.

El hombre debe dar la cara a una realidad cerrada sobre sí misma, incomunicada e incomunicable. La negación de la no significación del mundo, su transformación en sentido, es la historia de la edad moderna. Esa historia también podría llamarse como una novela de caballería: *Las hazañas de la subjetividad o la conquista del mundo por la negación del mundo.* Para restablecer la unidad entre las cosas y la palabra no hubo más remedio que anular a uno de los términos. La disyuntiva se presentó así: don Quijote no está loco: condenación del mundo; o el lenguaje del hidalgo es desvarío: expulsión de don Quijote. La primera solución implicaba la renuncia al mundo, sólo que ¿en nombre de qué principio o de qué realidad natural o sobrenatural? Los libros santos de don Quijote no eran los de la Biblia sino unos cuentos en los que la fantasía aparece como sinrazón. La edad moderna escogió la segunda solución y por eso don Quijote muere en su lecho, curado de locura y devuelto a la realidad de Alonso Quijano. Al expulsar a don Quijote, paradigma del lenguaje como irrealidad, se desterró a lo que llamamos imaginación, poesía, palabra sagrada, voz de otro mundo. Estos nombres tienen un reverso: incoherencia, enajenación, demencia. La poesía sufrió sentencia de destierro; la locura, de encierro. Como las fronteras entre una y otra se volvieron muy tenues, a veces también se encerró a los poetas y otras se les trató como locos inofensivos.

A la escisión de la palabra —una mitad racional y la otra irracional— correspondió la escisión de la realidad no verbal. La subjetividad sustituyó al Dios cristiano pero los hombres son criaturas corporales, no espíritus. Por el mismo procedimiento de negación parcial, la subjetividad suprimió esa mitad que significativamente designa la expresión «partes bajas del hombre»: sus órganos genitales. La mutilación de la realidad fue también lingüística, ya que es imposible reducir el amor a la sexualidad. El erotismo es un juego, una representación en la que la imaginación y el lenguaje desempeñan un papel no menos cardinal que las sensaciones. No es un acto animal: es la ceremonia de un acto animal, su transfiguración. El erotismo se contempla en la sexualidad, pero ésta no puede contemplarse en el erotismo. Si se contemplase, no se reconocería... Cada negación de la subjetividad significó la supresión de una realidad reputada irracional y, en consecuencia, condenada a la irrealidad. La irracionalidad podía ser absoluta o parcial, constitucional o pasajera. Así se crearon zonas crepusculares, habitadas por semirrealidades: la poesía, la mujer, el homosexual, los proletarios, los pueblos coloniales, las razas de color. Todos esos purgatorios e infiernos vivieron en ebullición clandestina. Un día, en el siglo XX, el mundo subterráneo estalló. Esa explosión aún no termina y su resplandor ilumina la agonía de la edad moderna.

Las negaciones sucesivas de la subjetividad fueron otras tantas tentativas por anular la escisión entre la palabra y el mundo, es decir, fueron la búsqueda de un principio universal suficiente e invulnerable a la crítica. Ese principio fue la crítica misma: la sustancia y el fundamento del mundo es el cambio, y la forma más perfecta del cambio es la crítica. La negación se volvió creadora: el sentido reside en la subjetividad. No recordaré todos los episodios de esta historia pero mencionaré algunos que me parecen significativos. El primero es el de Kant. El filósofo se enfrentó a un problema que no era esencialmente distinto al de Cervantes: entre los nombres y la realidad hay un espacio abismal, y aquel que lo traspasa se precipita en el vacío, se vuelve loco. El remedio contra la fascinación del abismo se llama, en términos estéticos, ironía; en términos racionales, filosofía. Ambos son una *sagesse* heroica, un caminar sobre una cuerda suspendida en el vacío. En la obra de Kant la realidad noumenal, la realidad real, es el equivalente de los castillos de don Quijote. Es una región inaccesible a la razón: la «cosa en sí» está guardada por cuatro encantadores, cuatro antinomias, que enloquecen a los filósofos como el sabio Merlín al desdichado Durandarte.

Para Kant la dialéctica era la lógica de las ilusiones. Pero la resignación no es la virtud de los filósofos y Hegel transforma la lógica de las ilusiones en el método destructor de las antinomias y productor de las verdades. Cada concepto, dice, es una antinomia porque encierra una contradicción, sólo que esa negatividad es positiva ya que contiene a su propia negación. Por la dialéctica, «el ser se contempla en el otro», que lo niega. En esa negación se afirma y conoce como ser: es lo que no es el otro. Por la negación el hombre se apropia de la «cosa en sí» y la vuelve idea, utensilio, creación, historia: le da sentido. La historia es un momento del Espíritu y el hombre es el transmisor del sentido. Marx da otro paso. Hegel concebía los utensilios y el trabajo como conceptos encarnados, negaciones convertidas en actos; Marx afirma que el concepto es trabajo abstraído: la historia no es la proyección del concepto sino del trabajo social. La tarea de acabar con la «cosa en sí» y transformarla en sentido no incumbe al concepto sino a la industria: al trabajo y a los trabajadores. De nuevo: el hombre es el dador del sentido y, de nuevo, lo es en la medida en que es historia. Así, sea idealista o materialista, el pensamiento de la modernidad sostiene que el sentido reside en el hombre y el de éste en la historia. El puente mágico entre la palabra y las cosas, el principio que sustituyó a la antigua analogía, fue la historia. Hegel lo dijo con pasmosa claridad: la dialéctica es la cura de la escisión. La negación que es la afirmación cicatriza a la antigua herida.

Las otras filosofías del siglo XIX conducen, por caminos distintos, a afirmaciones semejantes: el sentido de la evolución es el hombre o, para decirlo con mayor fidelidad al pensamiento de Darwin: el hombre es ese momento de la evolución en la que ésta al fin tiene conciencia de sí misma. Transformación (deformación) de una teoría científica en una creencia sobre la historia: la evolución natural se vuelve sinónimo de progreso y ese progreso se mide por la distancia que separa al hombre de los animales y al civilizado del salvaje. Nietzsche fue la voz disidente: frente a la idea del tiempo y de la historia como avance sin fin, proclamó el eterno retorno; al anunciar la muerte de Dios, reveló el carácter insensato del universo y de su pretendido rey, el hombre. Como el poeta Nietzsche era también un filósofo, no resistió a la doble tentación, poética y filosófica, de la profecía y vaticinó la aparición del «nihilista acabado» o perfecto, una figura en la que el ser insensato y el sentido vacío de ser al fin disolverían su oposición: el superhombre. Evolución, revolución o subversión: en estas tres palabras se condensó la nueva sabiduría.

El reinado de la subjetividad se había iniciado como crítica de los profetas; en su apogeo se transformó en profecía y anunció el advenimiento de tres acontecimientos diferentes pero de sentido similar: la república de los iguales, el progreso infinito y el reino del superhombre. Todas estas profecías son críticas, quiero decir: son proyecciones del espíritu crítico y, además, su realización exige la intervención activa de la crítica. En efecto, la revolución proletaria, la selección de las especies y la subversión de los valores son operaciones de orden crítico: niegan esto para afirmar aquello. La diferencia con la Antigüedad es impresionante: la analogía funda por la unión o correspondencia de los contrarios; la crítica, por la eliminación de uno de los términos. Pero aquello que eliminamos por la violencia de la razón o del poder, reaparece fatalmente y asume la forma de la crítica de la crítica. La época que ahora comienza es la de la revuelta de las realidades suprimidas. Vivimos una vuelta de los tiempos.

La vuelta de los tiempos, la revuelta universal que ahora vivimos, comenzó primero en el arte. Desde su nacimiento el arte moderno fue un arte crítico; su realismo, teñido de pasión, no fue tanto un retrato como una crítica de la realidad. Pero desde el simbolismo, sin cesar en su crítica del mundo y de los hombres, los poetas y los novelistas introducen en sus obras la crítica del lenguaje, la crítica de la poesía. No se trata, como se ha dicho, de una destrucción del lenguaje sino de una operación tendiente a revelar el revés del lenguaje, el otro lado de los signos. Lo mismo sucede con las otras artes y no es necesario recordar las sucesivas reversiones a que han sido sometidas la música, la pintura y la escultura. No obstante, por ilustrar con claridad mis observaciones, citaré un ejemplo. Al recorrer, la primavera pasada, las salas de la exhibición retrospectiva de Richard Hamilton en la Tate Gallery, me sorprendió y fascinó la obsesión del artista con lo que un crítico llama *negative reversal*. En una de sus obras, por medio de signos superpuestos en delgadas hojas de vidrio, Hamilton hace pasar al espectador de lo que llamamos «frente» a lo que llamamos «reverso». Un juego plástico y poético no indigno de Lewis Carroll. No es un azar que el nombre de Carroll haya aparecido, espontáneamente, al hablar de pintura. Toda la pintura moderna es, simultáneamente, un lenguaje y una crítica de ese lenguaje. El cuadro es un sistema de relaciones, valores y signos, y cada cuadro es una investigación y una crítica de sí mismo. El arte moderno es una crítica de la significación y una tentativa por mostrar el reverso *de los signos*.

En los últimos años dos movimientos han sacudido a Occidente: la revuelta del cuerpo y la rebelión de los jóvenes. Ambas corresponden, por su filiación y su significación, a la revuelta del arte. Por su filiación: las dos son expresiones —mejor dicho: explosiones— de una corriente subterránea que nace con William Blake y los románticos ingleses y alemanes, se manifiesta en el siglo XIX en la obra de algunos poetas como Rimbaud y Lautréamont, estalla en el surrealismo y ahora, mezclada a otras corrientes, se extiende a todo el planeta. Por su significación: ambos movimientos, especialmente la revuelta del cuerpo, tienden a volver al revés los signos que definen a nuestra civilización: cuerpo y alma, presente y futuro, placer y trabajo, imaginación y realidad. Me serviré de nuevo del ejemplo de Dante para mostrar en qué consiste esta operación. En el mundo de Dante el tiempo —pasado, presente y futuro— desemboca en la eternidad. Así, en uno de los pasajes más impresionantes del Infierno, Farinata degli Uberti confía al poeta que después del Juicio Final los condenados perderán su único privilegio: la doble vista. La razón: no podrán predecir el futuro porque ya no habrá futuro. Idea aterradora, impensable para los modernos: la historia, la moral y la política de Occidente, desde que se inició la edad moderna, se fundan en una supervaloración del futuro. La civilización del progreso ha situado sus geométricos paraísos no en el otro mundo sino en el mañana. El tiempo del progreso, la técnica y el trabajo, es el futuro; el tiempo del cuerpo, el tiempo del amor y el de la poesía, es el ahora. Uno es ahorro y el otro gasto. La revuelta del cuerpo —debería decir: su resurrección— ha desalojado al futuro. Cambio de signos: cambio de tiempos.

En el poema de Dante el descenso al mundo subterráneo precede al ascenso al paraíso; nosotros sabemos que ningún paraíso nos espera, ni al fin de la historia ni en el otro mundo. Al subir y al bajar transitamos por un presente que se desvanece, inminencia que se disipa. Muchos se preguntarán si es posible edificar algo sobre las perpetuas arenas movedizas del presente. ¿Por qué no? La civilización china se construyó a la imagen de un pasado mítico y no menos imaginario que la eternidad del cristianismo medieval o los futuros del siglo XIX. Todos los tiempos son, no irreales, sino intocables: nadie tocará el mañana, nadie toca el ahora. Cada civilización es una metáfora del tiempo, una versión del cambio. La preeminencia del ahora podría, quizá, reconciliarnos con una realidad que la religión del progreso ha tratado de esconder y disfrazar: la muerte. El tiempo del amor es el tiempo del cuerpo pero la visión del cuerpo que amamos es también visión de su muerte (de otra manera no lo amaríamos). El cuerpo deseado y el cuerpo deseante se saben cuerpos mortales; en el ahora del amor está, por su misma intensidad, presente el saber de la muerte. ¿Por qué no imaginar una civilización en la que los hombres, capaces al fin de afrontar sin temor su mortalidad, celebren la conjunción vida/muerte no como dos principios enemigos sino como una sola realidad? Metáfora del cambio, el ahora disuelve al pasado y al futuro y así se disuelve a sí mismo. Disolución del tiempo, no en una eternidad incomensurable sino en una vivacidad igualmente sin medida.

Cada época escoge su propia definición del hombre. Creo que la de nuestro tiempo es ésta: el hombre es un emisor de símbolos. Entre esos símbolos hay dos que son el principio y el fin del lenguaje humano, su plenitud y su disolución: el abrazo de los cuerpos y la metáfora poética. En el primero: unión de la sensación y de la imagen, el fragmento aprehendido como cifra de la totalidad y la totalidad repartida en las caricias que transforman a los cuerpos en un surtidor de correspondencias instantáneas. En la segunda: fusión del sonido y del sentido, nupcias de lo inteligible y lo sensible. La metáfora poética y el abrazo erótico son ejemplos de ese momento de coincidencia casi perfecta entre un símbolo y otro que llamamos analogía y cuyo verdadero nombre es felicidad. Ese momento es apenas un anuncio, un presentimiento de otros momentos más raros y totales: contemplación, liberación, plenitud, vacuidad... Todos estos estados, desde los más accesibles y frecuentes hasta los más difíciles y completos, tienen en común el abandonarse, el confiarse a la corriente: el don del yo y, en los casos extremos, su abolición. Dure un siglo o lo que dura un parpadeo, ese instante es inconmensurable. Es el único paraíso abierto a todos los hombres, a condición de que se olviden de sí mismos. Es el momento de la gran abstracción y de la gran distracción: somos el centelleo de un vidrio roto tocado por la luz meridiana, la vibración de un follaje oscuro al pasar por el campo, el crujir de la madera en una noche de frío. Somos bien poca cosa y, no obstante, la totalidad nos mece, somos un signo que alguien hace a alguien, somos el canal de trasmisión: por nosotros fluyen los lenguajes y nuestro cuerpo los traduce a otros lenguajes. Las puertas se abren de par en par: el hombre regresa. El universo de símbolos es también un universo sensible. El bosque de las significaciones es el lugar de la reconciliación.

Delhi, mayo de 1967

[3rd. Herbert Read Lecture, Londres, The Institute of Contemporary Arts, 1970. Una primera versión de este texto es de 1967 (discurso de ingreso a El Colegio Nacional, México, D. F.); se publicó en *El signo y el garabato,* Joaquín Mortiz, México, 1973.]

Segunda parte

LOS HIJOS DEL LIMO

Del romanticismo a la vanguardia

Prefacio

En un libro publicado hace más de quince años, *El arco y la lira* (México, 1956), intenté responder a tres preguntas sobre la poesía: el decir poético, el poema ¿es irreductible a todo otro decir? ¿Qué dicen los poemas? ¿Cómo se comunican los poemas? La materia de este libro es una prolongación de la respuesta que intenté dar a la tercera pregunta. Un poema es un objeto hecho del lenguaje, los ritmos, las creencias y las obsesiones de este o aquel poeta y de esta o aquella sociedad. Es el producto de una historia y de una sociedad, pero su manera de ser histórico es contradictoria. El poema es una máquina que produce, incluso sin que el poeta se lo proponga, anti-historia. La operación poética consiste en una inversión y conversión del fluir temporal; el poema no detiene el tiempo: lo contradice y lo transfigura. Lo mismo en un soneto barroco que en una epopeya popular o en una fábula, el tiempo pasa de otra manera que en la historia o en lo que llamamos vida real. La contradicción entre historia y poesía pertenece a todas las sociedades pero sólo en la edad moderna se manifiesta de una manera explícita. El sentimiento y la conciencia de la discordia entre sociedad y poesía se ha convertido, desde el romanticismo, en el tema central, muchas veces secreto, de nuestra poesía. En este libro he procurado describir, desde la perspectiva de un poeta hispanoamericano, el movimiento poético moderno y sus relaciones contradictorias con lo que llamamos «modernidad».

A despecho de las diferencias de lenguas y culturas nacionales, la poesía moderna de Occidente es una. Apenas si vale la pena aclarar que el término *Occidente* abarca también a las tradiciones poéticas angloamericanas y latinoamericanas (en sus tres ramas: la española, la portuguesa y la francesa). Para ilustrar la unidad de la poesía moderna escogí los episodios más salientes, a mi entender, de su historia: su nacimiento con los románticos ingleses y alemanes, sus metamorfosis en el simbolismo francés y el modernismo hispanoamericano, su culminación y fin en las vanguardias del siglo XX. Desde su origen la poesía moderna ha sido una reacción frente, hacia y contra la modernidad: la Ilustración, la razón crítica, el liberalismo, el positivismo y el marxismo. De ahí la ambigüedad de sus relaciones —casi siempre iniciadas por una adhesión entusiasta seguida por un brusco rompimiento— con los movimientos revolucionarios de la modernidad, desde la Revolución francesa a la rusa. En su disputa con el racionalismo moderno, los poetas redescubren una tradición tan antigua como el hombre mismo y que, transmitida por el neoplatonismo renacentista y las sectas y corrientes herméticas y ocultistas de los siglos XVI y XVII, atraviesa el siglo XVIII, penetra en el XIX y llega hasta nuestros días. Me refiero a la analogía, a la visión del universo como un sistema de correspondencias y a la visión del lenguaje como el doble del universo.

La analogía de los románticos y los simbolistas está roída por la ironía, es decir, por la conciencia de la modernidad y de su crítica del cristianismo y las otras religiones. La ironía se transforma, en el siglo XX, en el *humor* —negro, verde o morado. Analogía e ironía enfrentan al poeta con el racionalismo y el progresismo de la era moderna pero también, y con la misma violencia, lo oponen al cristianismo. El tema de la poesía moderna es doble: por una parte es un diálogo contradictorio con y contra las revoluciones modernas y las religiones cristianas; por la otra, en el interior de la poesía y de cada obra poética, es un diálogo entre analogía e ironía. El contexto donde se despliega este doble diálogo es otro diálogo: la poesía moderna puede verse como la historia de las relaciones contradictorias, hechas de fascinación y repulsión, entre las lenguas románicas y las germánicas, entre la tradición central del clasicismo grecolatino y la tradición de lo particular y lo bizarro representada por el romanticismo, entre la versificación silábica y la acentual.

En el siglo XX las vanguardias dibujan las mismas figuras que en el siglo anterior, sólo que en sentido inverso: el *modernism* de los poetas angloamericanos es una tentativa de regreso a la tradición central de Occidente —precisamente lo contrario de lo que habían sido el romanticismo inglés y alemán—, mientras que el surrealismo francés extrema las tendencias del romanticismo alemán. El periodo propiamente contemporáneo es el del fin de la vanguardia y, con ella, de lo que desde fines del siglo XVIII se ha llamado *arte moderno*. Lo que está en entredicho, en la segunda mitad de nuestro siglo, no es la noción de *arte*, sino la noción de *modernidad*. En las últimas páginas de este libro aludo al tema de la poesía que comienza después de la vanguardia. Esas páginas se unen a *Los signos en rotación,* una suerte de manifiesto poético que publiqué en 1965 y que ha sido incorporado como epílogo a *El arco y la lira.* El texto de este libro es, modificado y ampliado, el de las conferencias que di en la Universidad de Harvard (Charles Eliot Norton Lectures) el primer semestre de 1972.

OCTAVIO PAZ
Cambridge, Mass., a 28 de junio de 1972

Mais l'oracle invoqué pour jamais dut se taire;
Un seul pouvait au monde expliquer ce mystère:
—Celui qui donna l'âme aux enfants du limon.

GÉRARD DE NERVAL, *Chimères,*
«Le Christ aux Oliviers», V

La tradición de la ruptura

El tema de este libro es la tradición moderna de la poesía. La expresión no sólo significa que hay una poesía moderna sino que lo *moderno* es una tradición. Una tradición hecha de interrupciones y en la que cada ruptura es un comienzo. Se entiende por tradición la transmisión de una generación a otra de noticias, leyendas, historias, creencias, costumbres, formas literarias y artísticas, ideas, estilos; por tanto, cualquier interrupción en la transmisión equivale a quebrantar la tradición. Si la ruptura es destrucción del vínculo que nos une al pasado, negación de la continuidad entre una generación y otra, ¿puede llamarse tradición a aquello que rompe el vínculo e interrumpe la continuidad? Y hay más: inclusive si se aceptase que la negación de la tradición a la larga podría, por la repetición del acto a través de generaciones de iconoclastas, constituir una tradición, ¿cómo llegaría a serlo realmente sin negarse a sí misma, quiero decir, sin afirmar en un momento dado, no la interrupción, sino la continuidad? La tradición de la ruptura implica no sólo la negación de la tradición sino también de la ruptura... La contradicción subsiste si en lugar de las palabras *interrupción* o *ruptura* empleamos otra que se oponga con menos violencia a las ideas de transmisión y de continuidad. Por ejemplo: la tradición moderna. Si lo tradicional es por excelencia lo antiguo, ¿cómo puede lo moderno ser tradicional? Si tradición significa continuidad del pasado en el presente, ¿cómo puede hablarse de una tradición sin pasado y que consiste en la exaltación de aquello que lo niega: la pura actualidad?

A pesar de la contradicción que entraña, y a veces con plena conciencia de ella, como en el caso de las reflexiones de Baudelaire en *L'Art romantique,* desde principios del siglo pasado se habla de la modernidad como de una tradición y se piensa que la ruptura es la forma privilegiada del cambio. Al decir que la modernidad es una tradición cometo una leve inexactitud: debería haber dicho, *otra* tradición. La modernidad es una tradición polémica que desaloja a la tradición imperante, cualquiera que ésta sea; pero la desaloja sólo para, un instante después, ceder el sitio a otra tradición que, a su vez, es otra manifestación momentánea de la actualidad. La modernidad nunca es ella misma: siempre es *otra*. Lo moderno no se caracteriza únicamente por su novedad, sino por su heterogeneidad. Tradición heterogénea o de lo heterogéneo, la modernidad está condenada a la pluralidad: la antigua tradición era siempre la misma, la moderna es siempre distinta. La primera postula la unidad entre el pasado y el hoy; la segunda, no contenta con subrayar las diferencias entre ambos, afirma que ese pasado no es uno sino plural. Tradición de lo moderno: heterogeneidad, pluralidad de pasados, extrañeza radical. Ni lo moderno es la continuidad del pasado en el presente ni el hoy es el hijo del ayer: son su ruptura, su negación. Lo moderno es autosuficiente: cada vez que aparece, funda su propia tradición. Un ejemplo reciente de esta manera de pensar es el libro que publicó hace algunos años el crítico norteamericano Harold Rosenberg: *The Tradition of the New.* Aunque lo nuevo no sea exactamente lo moderno —hay novedades que no son modernas—, el título del libro de Rosenberg expresa con saludable y lúcida insolencia la paradoja que ha fundado al arte y a la poesía de nuestro tiempo. Una paradoja que es, simultáneamente, el principio intelectual que los justifica y que los niega, su alimento y su veneno. El arte y la poesía de nuestro tiempo viven de modernidad y mueren por ella.

En la historia de la poesía de Occidente el culto a lo nuevo, el amor por las novedades, aparece con una regularidad que no me atrevo a llamar cíclica pero que tampoco es casual. Hay épocas en que el ideal estético consiste en la imitación de los antiguos; hay otras en que se exalta a la novedad y a la sorpresa. Apenas si es necesario recordar, como ejemplo de lo segundo, a los poetas «metafísicos» ingleses y a los barrocos españoles. Unos y otros practicaron con igual entusiasmo lo que podría llamarse la estética de la sorpresa. *Novedad* y *sorpresa* son términos afines, no equivalentes. Los conceptos, metáforas, agudezas y otras combinaciones verbales del poema barroco están destinados a provocar el asombro: lo nuevo es nuevo si es lo inesperado. La novedad del siglo XVII no era crítica ni entrañaba la negación de la tradición. Al contrario, afirmaba su continuidad; Gracián dice que los modernos son más agudos que los antiguos, no que son distintos. Se entusiasma ante ciertas obras de sus contemporáneos no porque sus autores hayan negado el estilo antiguo, sino porque ofrecen nuevas y sorprendentes combinaciones de los mismos elementos.

Ni Góngora ni Gracián fueron revolucionarios, en el sentido que ahora damos a esta palabra; no se propusieron cambiar los ideales de belleza de su época, aunque Góngora los haya efectivamente cambiado: novedad para ellos no era sinónimo de cambio, sino de asombro. Para encontrar esta extraña alianza entre la estética de la sorpresa y la de la negación, hay que llegar al final del siglo XVIII, es decir, al principio de la edad moderna. Desde su nacimiento, la modernidad es una pasión crítica y así es una doble negación, como crítica y como pasión, tanto de las geometrías clásicas como de los laberintos barrocos. Pasión vertiginosa, pues culmina en la negación de sí misma: la modernidad es una suerte de autodestrucción creadora. Desde hace dos siglos la imaginación poética eleva sus arquitecturas sobre un terreno minado por la crítica. Y lo hace a sabiendas de que está minado... Lo que distingue a nuestra modernidad de las de otras épocas no es la celebración de lo nuevo y sorprendente, aunque también eso cuente, sino el ser una ruptura: crítica del pasado inmediato, interrupción de la continuidad. El arte moderno no sólo es el hijo de la edad crítica sino que también es el crítico de sí mismo.

Dije que lo nuevo no es exactamente lo moderno, salvo si es portador de la doble carga explosiva: ser negación del pasado y ser afirmación de algo distinto. Ese algo ha cambiado de nombre y de forma en el curso de los últimos siglos —de la *sensibilidad* de los prerrománticos a la *metaironía* de Duchamp—, pero siempre ha sido aquello que es ajeno y extraño a la tradición reinante, la heterogeneidad que irrumpe en el presente y tuerce su curso en dirección inesperada. No sólo es lo diferente sino lo que se opone a los gustos tradicionales: extrañeza polémica, oposición activa. Lo nuevo nos seduce no por nuevo sino por distinto, y lo distinto es la negación, el cuchillo que parte en dos al tiempo: antes y ahora.

Lo viejo de milenios también puede acceder a la modernidad: basta con que se presente como una negación de la tradición y que nos proponga otra. Ungido por los mismos poderes polémicos que lo nuevo, lo antiquísimo no es un pasado: es un comienzo. La pasión contradictoria lo resucita, lo anima y lo convierte en nuestro contemporáneo. En el arte y en la literatura de la época moderna hay una persistente corriente arcaizante que va de la poesía popular germánica de Herder a la poesía china desenterrada por Pound, y del Oriente de Delacroix al arte de Oceanía amado por Breton. Todos esos objetos, trátese de pinturas y esculturas o de poemas, tienen en común lo siguiente: cualquiera que sea la civilización a que pertenezcan, su aparición en nuestro horizonte estético significó una ruptura, un cambio. Esas novedades centenarias o milenarias han interrumpido una vez y otra vez nuestra tradición, al grado de que la historia del arte moderno de Occidente es también la de las resurrecciones de las artes de muchas civilizaciones desaparecidas. Manifestaciones de la estética de la sorpresa y de sus poderes de contagio, pero sobre todo encarnaciones momentáneas de la negación crítica, los productos del arte arcaico y de las civilizaciones lejanas se inscriben con naturalidad en la tradición de la ruptura. Son una de las máscaras que ostenta la modernidad.

La tradición moderna borra las oposiciones entre lo antiguo y lo contemporáneo y entre lo distante y lo próximo. El ácido que disuelve todas esas oposiciones es la crítica. Sólo que la palabra *crítica* posee demasiadas resonancias intelectuales y de ahí que prefiera acoplarla con otra palabra: *pasión.* La unión de pasión y crítica subraya el carácter paradójico de nuestro culto a lo moderno. Pasión crítica: amor inmoderado, pasional, por la crítica y sus precisos mecanismos de desconstrucción, pero también crítica enamorada de su objeto, crítica apasionada por aquello mismo que niega. Enamorada de sí misma y siempre en guerra consigo misma, no afirma nada permanente ni se funda en ningún principio: la negación de todos los principios, el cambio perpetuo, es su principio. Una crítica así no puede sino culminar en un amor pasional por la manifestación más pura e inmediata del cambio: el ahora. Un presente único, distinto a todos los otros. El sentido singular de este culto por el presente se nos escapará si no advertimos que se funda en una curiosa concepción del tiempo. Curiosa porque antes de la edad moderna no aparece sino aislada y excepcionalmente: para los antiguos el ahora repite al ayer, para los modernos es su negación. En un caso, el tiempo es visto y sentido como una regularidad, como un proceso en el que las variaciones y las excepciones son realmente variaciones y excepciones de la regla; en el otro, el proceso es un tejido de irregularidades porque la variación y la excepción son la regla. Para nosotros el tiempo no es la repetición de instantes o siglos idénticos: cada siglo y cada instante es único, distinto, *otro.*

La tradición de lo moderno encierra una paradoja mayor que la que deja entrever la contradicción entre lo antiguo y lo nuevo, lo moderno y lo tradicional. La oposición entre el pasado y el presente literalmente se evapora, porque el tiempo transcurre con tal celeridad, que las distinciones entre los diversos tiempos —pasado, presente, futuro— se borran o, al menos, se vuelven instantáneas, imperceptibles e insignificantes. Podemos hablar de tradición moderna sin que nos parezca incurrir en contradicción porque la era moderna ha limado, hasta desvanecerlo casi del todo, el antagonismo entre lo antiguo y lo actual, lo nuevo y lo tradicional. La aceleración del tiempo no sólo vuelve ociosas las distinciones entre lo que ya pasó y lo que está pasando sino que anula las diferencias entre vejez y juventud. Nuestra época ha exaltado a la juventud y sus valores con tal frenesí que ha hecho de ese culto, ya que no una religión, una superstición; sin embargo, nunca se había envejecido tanto y tan pronto como ahora. Nuestras colecciones de arte, nuestras antologías de poesía y nuestras bibliotecas están llenas de estilos, movimientos, cuadros, esculturas, novelas y poemas prematuramente envejecidos.

Doble y vertiginosa sensación: lo que acaba de ocurrir pertenece ya al mundo de lo infinitamente lejano y, al mismo tiempo, la antigüedad milenaria está infinitamente cerca... Puede concluirse de todo esto que la tradición moderna, y las ideas e imágenes contradictorias que suscita esta expresión, no son sino la consecuencia de un fenómeno aún más turbador: la época moderna es la de la aceleración del tiempo histórico. No digo, naturalmente, que hoy pasen más rápidamente los años y los días, sino que pasan más cosas en ellos. Pasan más cosas y todas pasan casi al mismo tiempo, no una detrás de otra, sino simultáneamente. Aceleración es fusión: todos los tiempos y todos los espacios confluyen en un aquí y un ahora.

No faltará quien se pregunte si realmente la historia transcurre más de prisa que antes. Confieso que yo no podría responder a esta pregunta y creo que nadie podría hacerlo con entera certeza. No sería imposible que la aceleración del tiempo histórico fuese una ilusión; quizá los cambios y convulsiones que a veces nos angustian y otras nos maravillan sean mucho menos profundos y decisivos de lo que pensamos. Por ejemplo, la Revolución soviética nos pareció una ruptura de tal modo radical entre el pasado y el futuro, que un libro de viaje a Rusia se llamó, si no recuerdo mal, *Visita al porvenir.* Hoy, medio siglo después de ese acontecimiento en el que vimos algo así como la encarnación fulgurante del futuro, lo que sorprende al estudioso o al simple viajero es la persistencia de los rasgos tradicionales de la vieja Rusia. El famoso libro de John Reed en que cuenta los días eléctricos de 1917 nos parece que describe un pasado remoto, en tanto que el del marqués de Coustine, que tiene por tema el mundo burocrático y policiaco del zarismo, resulta actual en más de un aspecto. El ejemplo de la Revolución mexicana también nos incita a dudar de la pretendida aceleración de la historia; fue un inmenso sacudimiento que tuvo por objeto modernizar al país y, no obstante, lo notable del México contemporáneo es precisamente la presencia de maneras de pensar y de sentir que pertenecen a la época virreinal y aun al mundo prehispánico. Lo mismo puede decirse en materia de arte y de literatura: durante el último siglo y medio se han sucedido los cambios y las revoluciones estéticas, pero ¿cómo no advertir que esa sucesión de rupturas es asimismo una continuidad? El tema de este libro es mostrar que un mismo principio inspira a los románticos alemanes e ingleses, a los simbolistas franceses y a la vanguardia cosmopolita de la primera mitad del siglo XX. Un ejemplo entre muchos: en varias ocasiones Friedrich von Schlegel define al amor, la poesía y la ironía de los románticos en términos no muy alejados de los que, un siglo después, emplearía André Breton al hablar del erotismo, la imaginación y el humor de los surrealistas. ¿Influencias, coincidencias? Ni lo uno ni lo otro: persistencia de ciertas maneras de pensar, ver y sentir.

Nuestras dudas crecen y se fortalecen si, en lugar de acudir a ejemplos del pasado reciente, interrogamos a épocas distantes o a civilizaciones distintas a la nuestra. En sus estudios de mitología comparada, Georges Dumézil ha mostrado la existencia de una «ideología» común a todos los pueblos indoeuropeos, de la India y el Irán al mundo celta y germánico, que resistió y aún resiste la doble erosión del aislamiento geográfico e histórico. Separados por miles de kilómetros y de años, los pueblos indoeuropeos todavía conservan restos de una concepción tripartita del mundo. Estoy convencido de que algo semejante ocurre con los pueblos del área mongoloide, tanto asiáticos como americanos. Ese mundo está en espera de un Dumézil que muestre su profunda unidad. Desde antes de Benjamin Lee Whorf, el primero en formular de una manera sistemática el contraste entre las estructuras mentales subyacentes de los europeos y las de los hopi, varios investigadores habían reparado en la existencia y la persistencia de una visión cuatripartita del mundo común a los indios americanos. No obstante, tal vez las oposiciones entre las civilizaciones recubren una secreta unidad: la del hombre. Tal vez las diferencias culturales e históricas son la obra de un autor único y que cambia poco. La naturaleza humana no es una ilusión: es el invariante que produce los cambios y la diversidad de culturas, historias, religiones, artes.

Las reflexiones anteriores podrían llevarnos a sostener que la aceleración de la historia es ilusoria o, más probablemente, que los cambios afectan a la superficie sin alterar la realidad profunda. Los acontecimientos se suceden unos a otros y la impetuosidad del oleaje histórico nos oculta el paisaje submarino de valles y montañas inmóviles que lo sustenta. Entonces, ¿en qué sentido podemos hablar de tradición moderna? Aunque la aceleración de la historia puede ser ilusoria o real —sobre esto la duda es lícita—, podemos decir con cierta confianza que la sociedad que ha inventado la expresión *la tradición moderna* es una sociedad singular. Esa frase encierra algo más que una contradicción lógica y lingüística: es la expresión de la condición dramática de nuestra civilización que busca su fundamento, no en el pasado ni en ningún principio inconmovible, sino en el cambio. Creamos que las estructuras sociales cambian muy lentamente y que las estructuras mentales son invariantes, o seamos creyentes en la historia y sus incesantes transformaciones, hay algo innegable: nuestra imagen del tiempo ha cambiado. Basta comparar nuestra idea del tiempo con la de un cristiano del siglo XII para advertir inmediatamente la diferencia.

Al cambiar nuestra imagen del tiempo, cambió nuestra relación con la tradición. Mejor dicho, porque cambió nuestra idea del tiempo, tuvimos conciencia de la tradición. Los pueblos tradicionalistas viven inmersos en su pasado sin interrogarlo; más que tener conciencia de sus tradiciones, viven con ellas y en ellas. Aquel que sabe que pertenece a una tradición se sabe ya, implícitamente, distinto de ella, y ese saber lo lleva, tarde o temprano, a interrogarla y, a veces, a negarla. La crítica de la tradición se inicia como conciencia de pertenecer a una tradición. Nuestro tiempo se distingue de otras épocas y sociedades por la imagen que nos hacemos del transcurrir: nuestra conciencia de la historia. Aparece ahora con mayor claridad el significado de lo que llamamos *la tradición moderna:* es una expresión de nuestra conciencia histórica. Por una parte, es una crítica del pasado, una crítica de la tradición; por la otra, es una tentativa, repetida una y otra vez a lo largo de los dos últimos siglos, por fundar una tradición en el único principio inmune a la crítica, ya que se confunde con ella misma: el cambio, la historia.

La relación entre los tres tiempos —pasado, presente y futuro— es distinta en cada civilización. Para las sociedades primitivas el arquetipo temporal, el modelo del presente y del futuro, es el pasado. No el pasado reciente, sino un pasado inmemorial que está más allá de todos los pasados, en el origen del origen. Como si fuese un manantial, este pasado de pasados fluye continuamente, desemboca en el presente y, confundido con él, es la única actualidad que de verdad cuenta. La vida social no es histórica, sino ritual; no está hecha de cambios sucesivos, sino que consiste en la repetición rítmica del pasado intemporal. El pasado es un arquetipo y el presente debe ajustarse a ese modelo inmutable; además, ese pasado está presente siempre, ya que regresa en el rito y en la fiesta. Así, tanto por ser un modelo continuamente imitado cuanto porque el rito periódicamente lo actualiza, el pasado defiende a la sociedad del cambio. Doble carácter de ese pasado: es un tiempo inmutable, impermeable a los cambios; no es lo que pasó una vez, sino lo que está pasando siempre: es un presente. De una y otra manera, el pasado arquetípico escapa al accidente y a la contingencia; aunque es tiempo, es asimismo la negación del tiempo: disuelve las contradicciones entre lo que pasó ayer y lo que pasa ahora, suprime las diferencias y hace triunfar la regularidad y la identidad. Insensible al cambio, es por excelencia la norma: las cosas deben pasar tal como pasaron en ese pasado inmemorial.

Nada más opuesto a nuestra concepción del tiempo que la de los primitivos: para nosotros el tiempo es el portador del cambio, para ellos es el agente que lo suprime. Más que una categoría temporal, el pasado arquetípico del primitivo es una realidad que está más allá del tiempo: es el principio original. Todas las sociedades, excepto la nuestra, han imaginado un más allá en el que el tiempo reposa, por decirlo así, reconciliado consigo mismo: ya no cambia porque, vuelto inmóvil transparencia, ha cesado de fluir o porque, aunque fluye sin cesar, es siempre idéntico a sí mismo. Extraño triunfo del principio de identidad: desaparecen las contradicciones porque el tiempo perfecto es atemporal. Para los primitivos, el modelo atemporal no está después, sino antes, no en el fin de los tiempos, sino en el comienzo del comienzo. No es aquel estado al que ha de acceder el cristiano, sea para salvarse o para perderse, en la consumación del tiempo: es aquello que debemos imitar desde el principio.

La sociedad primitiva ve con horror las inevitables variaciones que implica el paso del tiempo; lejos de ser considerados benéficos, esos cambios son nefastos: lo que llamamos historia es para los primitivos falta, caída. Las civilizaciones del Oriente y del Mediterráneo, lo mismo que las de la América precolombina, vieron con la misma desconfianza a la historia, pero no la negaron tan radicalmente. Para todas ellas el pasado de los primitivos, siempre inmóvil y siempre presente, se despliega en círculos y en espirales: las edades del mundo. Sorprendente transformación del pasado atemporal: transcurre, está sujeto al cambio y, en una palabra, se temporaliza. El pasado se anima, es la semilla primordial que germina, crece, se agota y muere —para renacer de nuevo. El modelo sigue siendo el pasado anterior a todos los tiempos, la edad feliz del principio regida por la armonía entre el cielo y la tierra. Es un pasado que posee las mismas propiedades de las plantas y los seres vivos; es una sustancia animada, algo que cambia y, sobre todo, algo que nace y muere. La historia es una degradación del tiempo original, un lento pero inexorable proceso de decadencia que culmina en la muerte.

El remedio contra el cambio y la extinción es la recurrencia: el pasado es un tiempo que reaparece y que nos espera al fin de cada ciclo. El pasado es una edad venidera. Así, el futuro nos ofrece una doble imagen: es el fin de los tiempos y es su recomienzo, es la degradación del pasado arquetípico y es su resurrección. El fin del ciclo es la restauración del pasado original —y el comienzo de la inevitable degradación. La diferencia entre esta concepción y las de los cristianos y los modernos es notable: para los cristianos el tiempo perfecto es la eternidad: una abolición del tiempo, una anulación de la historia; para los modernos la perfección no puede estar en otra parte, si está en alguna, que en el futuro. Otra diferencia: nuestro futuro es por definición aquello que no se parece ni al pasado ni al presente: es la región de lo inesperado, mientras que el futuro de los antiguos mediterráneos y de los orientales desemboca siempre en el pasado. El tiempo cíclico transcurre, es historia; igualmente es una reiteración que, cada vez que se repite, niega al transcurrir y a la historia.

El tiempo primordial modelo de todos los tiempos, la era de la concordia entre el hombre y la naturaleza y entre el hombre y los hombres, se llama en Occidente la edad de oro. Para otras civilizaciones —la china, la mesoamericana— no fue ese metal, sino el jade, el símbolo de la armonía entre la sociedad humana y la sociedad natural. En el jade se condensa el perpetuo reverdecer de la naturaleza como en el oro presenciamos una suerte de materialización de la luz solar. Jade y oro son símbolos dobles, como todo lo que expresa las sucesivas muertes y resurrecciones del tiempo cíclico. En una fase el tiempo se condensa y se transmuta en materia dura y preciosa, como si quisiese escapar del cambio y sus degradaciones; en la otra, piedra y metal se ablandan, el tiempo se disgrega y corrompe vuelto excremento y pudrición vegetal y animal. Pero la fase de la desintegración y putrefacción es también la de la resurrección y la fertilidad: los antiguos mexicanos colocaban sobre la boca de los muertos una cuenta de jade.

La ambigüedad del oro y del jade refleja la ambigüedad del tiempo cíclico: el arquetipo temporal está en el tiempo y adopta la forma de un pasado que regresa —sólo que regresa para alejarse nuevamente. Verde o dorada, la edad dichosa es un tiempo de acuerdo, una conjunción de los tiempos, que dura sólo un momento. Es un verdadero acorde: a la prodigiosa condensación del tiempo en una gota de jade o una espiga de oro, suceden la dispersión y la corrupción. La recurrencia nos preserva de los cambios de la historia sólo para someternos a ellos más duramente: dejan de ser un accidente, una caída o una falta, para convertirse en los momentos sucesivos de un proceso inexorable. Ni los dioses escapan al ciclo. Quetzalcóatl desaparece por el mismo sitio por el que se pierden las divinidades que Nerval invoca en vano: ese lugar, dice el poema náhuatl, «donde el agua del mar se junta con la del cielo», ese horizonte donde el alba es crepúsculo.

¿No hay manera de salir del círculo del tiempo? Desde los albores de su civilización, los indios imaginaron un más allá que no es propiamente tiempo, sino su negación: el ser inmóvil igual a sí mismo siempre *(brahmán)* o la vacuidad igualmente inmóvil (Nirvana). Brahmán nunca cambia y sobre él nada se puede decir excepto que es; sobre Nirvana tampoco nada se puede decir, ni siquiera que no es. En uno y otro caso: realidad más allá del tiempo y del lenguaje. Realidad que no admite más nombres que los de la negación universal: no es esto ni aquello ni lo de más allá. No es esto ni aquello y, no obstante, es. La civilización india no rompe el tiempo cíclico: sin negar su realidad empírica, lo disuelve y lo convierte en una fantasmagoría insustancial. La crítica del tiempo reduce el cambio a una ilusión y así no es sino otra manera, quizá la más radical, de oponerse a la historia. El pasado atemporal del primitivo se temporaliza, encarna y se vuelve tiempo cíclico en las grandes civilizaciones de Oriente y del Mediterráneo; la India disipa los ciclos: son literalmente el sueño de Brahma. Cada vez que el dios despierta, el sueño se disipa. Me espanta la duración de ese sueño; según los indios, esta edad que vivimos ahora, caracterizada por la injusta posesión de riquezas, durará 432 000 años. Y más me espanta saber que el dios está condenado, cada vez que despierta, a volverse a dormir y a soñar el mismo sueño. Ese enorme sueño circular, irreal para el que lo sueña pero real para el soñado, es monótono: inflexible repetición de las mismas abominaciones. El peligro de este radicalismo metafísico es que tampoco el hombre escapa a su negación. Entre la historia con sus ciclos irreales y una realidad sin color, sabor ni atributos: ¿qué le queda al hombre? Una y otra son inhabitables.[1]

El indio disipó los ciclos; el cristiano los rompió: todo sucede sólo una vez. Antes de alcanzar la iluminación, Gautama recuerda sus vidas pasadas y ve, en otros universos y en otras edades cósmicas, a otros Gautamas disolverse en la vacuidad; Cristo vino a la tierra sólo una vez. El mundo en que se propagó el cristianismo estaba poseído por el sentimiento de su irremediable decadencia y los hombres tenían la convicción de que vivían el fin de un ciclo. A veces esta idea se expresaba en términos casi cristianos: «Los elementos terrestres se disolverán y todo será destruido para que todo sea creado de nuevo en su primera inocencia». La primera parte de esta frase de Séneca corresponde a lo que creían y esperaban los cristianos: el próximo fin del mundo. Una de las razones del crecido número de conversiones a la nueva religión fue la creencia en la inminencia del fin; el cristianismo ofrecía una respuesta a la amenaza que se cernía sobre los hombres. ¿Se habrían convertido tantos si hubiesen sabido que el mundo duraría varios milenios más? San Agustín pensaba que la primera época de la humanidad, de la caída de Adán al sacrificio de Cristo, había durado un poco menos de seis mil años y que la segunda época, la nuestra, sería la última y no duraría sino unos cuantos siglos.

La creencia en la cercanía del fin requería una doctrina que respondiese con mayor calor a los temores y a los deseos de los hombres. El tiempo circular de los filósofos paganos entrañaba la vuelta de una edad de oro pero esa regeneración universal, aparte de ser sólo una tregua en el inexorable movimiento hacia la decadencia, no era estrictamente sinónimo de salvación individual. El cristianismo prometía una salvación personal, y así su advenimiento produjo un cambio esencial: el protagonista del drama cósmico ya no fue el mundo, sino el hombre. Mejor dicho: cada uno de los hombres. El centro de gravedad de la historia cambió: el tiempo circular de los paganos era infinito e impersonal, el tiempo cristiano fue finito y personal.

San Agustín refuta la idea de los ciclos. Le parece absurdo que las almas racionales no recuerden haber vivido todas esas vidas de que hablan los filósofos paganos. Aún más absurdo le parece postular simultáneamente la sabiduría y el eterno retorno: «¿cómo el alma inmortal que ha alcanzado la sabiduría puede estar sometida a esas incesantes migracio-

[1] Véase el Apéndice 1, pp. 435-436.

nes entre una beatitud ilusoria y una desdicha real?»[1] El dibujo que traza el tiempo circular es demoniaco y hará decir más tarde a Ramon Llull: «Así es la pena en el infierno, como el movimiento en el círculo». Finito y personal, el tiempo cristiano es irreversible; no es verdad, dice San Agustín, que por ciclos sin cuento el filósofo Platón esté condenado a enseñar en una escuela de Atenas llamada la Academia a los mismos discípulos las mismas doctrinas: «sólo una vez Cristo murió por nuestros pecados, resucitó entre los muertos y no morirá más». Al romper los ciclos e introducir la idea de un tiempo finito a irreversible, el cristianismo acentuó la heterogeneidad del tiempo; quiero decir: puso de manifiesto esa propiedad que lo hace romper consigo mismo, dividirse y separarse, ser otro siempre distinto. La caída de Adán significa la ruptura del paradisiaco presente eterno: el comienzo de la sucesión es el comienzo de la escisión. El tiempo en su continuo dividirse no hace sino repetir la escisión original, la ruptura del principio: la división del presente eterno e idéntico a sí mismo en un ayer, un hoy y un mañana, cada uno distinto, único. Ese continuo cambio es la marca de la imperfección, la señal de la Caída. Finitud, irreversibilidad y heterogeneidad son manifestaciones de la imperfección: cada minuto es único y distinto porque está separado, escindido de la unidad. Historia es sinónimo de caída.

A la heterogeneidad del tiempo histórico se opone la unidad del tiempo que está después de los tiempos: en la eternidad cesan las contradicciones, todo se ha reconciliado consigo mismo y en esa reconciliación cada cosa alcanza su perfección inalterable, su primera y final unidad. El regreso del eterno presente, después del Juicio Final, es la muerte del cambio —la muerte de la muerte. La afirmación ontológica de la eternidad cristiana no es menos aterradora que la negación de la India, como puede verse en un pasaje de la *Divina Comedia.* En uno de los primeros círculos del Infierno, en el tercero, donde padecen los glotones en un lago excremencial, Dante se encuentra con un paisano suyo, un pobre hombre, Ciacco (el Puerquito).[2] El condenado, tras de profetizar nuevas calamidades civiles en Florencia —los réprobos poseen el don de la doble vista— y pedir al poeta que cuando regrese a su tierra recuerde a la gente su memoria, se hunde en las aguas inmundas. «No volverá a salir —dice Virgilio— hasta que suene la trompeta angélica», anuncio del Juicio Final. Dante pregunta a su guía si, después de la «gran sentencia», la pena de ese pobre será

[1] San Agustín, *De civitate Dei.*

[2] *Divina Comedia,* Infierno, canto IV.

mayor o más ligera. Y Virgilio responde con impecable lógica: sufrirá más porque, a mayor perfección, mayor goce o mayor dolor. Al fin de los tiempos cada cosa y cada ser serán más totalmente lo que son: la plenitud del goce en el paraíso corresponde exactamente y punto por punto a la plenitud del dolor en el infierno.

Pasado atemporal del primitivo, tiempo cíclico, vacuidad budista, anulación de los contrarios en *brahmán* o en la eternidad cristiana: el abanico de las concepciones del tiempo es inmenso, pero toda esa prodigiosa variedad puede reducirse a un principio único. Todos esos arquetipos, por más distintos que sean, tienen en común lo siguiente: son tentativas por anular o, al menos, minimizar los cambios. A la pluralidad del tiempo real, oponen la unidad de un tiempo ideal o arquetípico; a la heterogeneidad en que se manifiesta la sucesión temporal, la identidad de un tiempo más allá del tiempo, igual a sí mismo siempre. En un extremo, las tentativas más radicales, como la vacuidad budista o la ontología cristiana, postulan concepciones en las que la alteridad y la contradicción inherentes al paso del tiempo desaparecen del todo, en beneficio de un tiempo sin tiempo. En el otro extremo, los arquetipos temporales se inclinan por la conciliación de los contrarios sin suprimirlos enteramente, ya sea por la conjunción de los tiempos en un pasado inmemorial que se hace presente sin cesar o por la idea de los ciclos o edades del mundo. Nuestra época rompe bruscamente con todas estas maneras de pensar. Heredera del tiempo lineal e irreversible del cristianismo, se opone como éste a todas las concepciones cíclicas; asimismo, niega el arquetipo cristiano y afirma otro que es la negación de todas las ideas e imágenes que se habían hecho los hombres del tiempo. La época moderna —ese periodo que se inicia en el siglo XVIII y que quizá llega ahora a su ocaso— es la primera que exalta el cambio y lo convierte en su fundamento. Diferencia, separación, heterogeneidad, pluralidad, novedad, evolución, desarrollo, revolución, historia: todos esos nombres se condensan en uno: futuro. No el pasado ni la eternidad, no el tiempo que es, sino el tiempo que todavía no es y que siempre está a punto de ser.

A fines del siglo XVIII un indio musulmán de aguda inteligencia, Mirza Abu Taleb Khan, visitó Inglaterra y a su regreso escribió, en persa, un libro en el que relata sus impresiones.[1] Entre las cosas que más le sorprendieron —al lado de los adelantos mecánicos, el estado de las ciencias,

[1] «The travels of Mirza Abu Taleb», en *Sources of Indian tradition,* Columbia University Press, Nueva York, 1958.

el arte de la conversación y la ligereza de las muchachas inglesas, a las que llama «cipreses terrenales que suprimen todo deseo de descansar a la sombra de los árboles del paraíso»— se encuentra la noción de *progreso:* «los ingleses tienen opiniones muy extrañas acerca de lo que es la perfección. Insisten en que es una cualidad ideal y que se funda enteramente en la comparación; dicen que la humanidad se ha levantado gradualmente del estado de salvajismo a la exaltada dignidad del filósofo Newton pero que, lejos de haber alcanzado la perfección, es posible que en edades futuras, los filósofos vean los descubrimientos de Newton con el mismo desdén con que ahora vemos el rústico estado de las artes entre los salvajes». Para Abu Taleb nuestra perfección es ideal y relativa: no tiene ni tendrá realidad y siempre será insuficiente, incompleta. Nuestra perfección no es lo que es, sino lo que será. Los antiguos veían con temor al futuro y repetían vanas fórmulas para conjurarlo; nosotros daríamos la vida por conocer su rostro radiante —un rostro que nunca veremos.

La revuelta del futuro

En todas las sociedades las generaciones tejen una tela hecha no sólo de repeticiones sino de variaciones, y en todas se produce de una manera u otra, abierta o velada, la «querella de los antiguos y los modernos». Hay tantas «modernidades» como épocas históricas. No obstante, ninguna sociedad ni época alguna se ha llamado a sí misma *moderna* —salvo la nuestra. Si la modernidad es una simple consecuencia del paso del tiempo, escoger como nombre la palabra *moderno* es resignarse de antemano a perder pronto su nombre. ¿Cómo se llamará en el futuro la época moderna? Para resistir a la erosión que todo lo borra, las otras sociedades decidieron llamarse con el nombre de un dios, una creencia o un destino: Islam, Cristianismo, Imperio del Centro... Todos estos nombres aluden a un principio inmutable o, al menos, a ideas e imágenes estables. Cada sociedad se asienta en un nombre, verdadera piedra de fundación, y en cada nombre la sociedad no sólo se define sino que se afirma frente a las otras. El nombre divide al mundo en dos: cristianos-paganos, musulmanes-infieles, civilizados-bárbaros, toltecas-chichimecas... nosotros-ellos. Nuestra sociedad también divide al mundo en dos: lo moderno-lo antiguo. Esta división no opera únicamente en el interior de la sociedad —allí asume la forma de la oposición entre lo moderno y lo tradicional—, sino en el exterior: cada vez que los europeos y sus descendientes de la América del Norte han tropezado con otras culturas y civilizaciones, las han llamado invariablemente *atrasadas*. No es la primera vez que una civilización impone sus ideas e instituciones a los otros pueblos, pero sí es la primera que, en lugar de proponer un principio atemporal, se postula como ideal universal al tiempo y a sus cambios. Para el musulmán o el cristiano la inferioridad del extraño consistía en no compartir su fe; para el griego, el chino o el tolteca, en ser un bárbaro, un chichimeca; desde el siglo XVIII el africano o el asiático es inferior por no ser moderno. Su extrañeza —su inferioridad— le viene de su «atraso». Sería inútil preguntarse: ¿atraso con relación a qué y a quién? Occidente se ha identificado con el tiempo y no hay otra modernidad que la de Occidente. Apenas si quedan bárbaros, infieles, gentiles, inmundos; mejor dicho, los nuevos paganos y perros se encuentran por millones, pero se llaman (nos llamamos) subdesarrollados... Aquí debo hacer una pequeña digresión sobre ciertos y recientes usos perversos de la palabra *subdesarrollo.*

El adjetivo *subdesarrollado* pertenece al lenguaje anémico y castrado de las Naciones Unidas. Es un eufemismo de la expresión que todos usaban hasta hace algunos años: *nación atrasada.* El vocablo no posee ningún significado preciso en los campos de la antropología y la historia: no es un término científico, sino burocrático. A pesar de su vaguedad intelectual —o tal vez a causa de ella—, es palabra predilecta de economistas y sociólogos. Al amparo de su ambigüedad se deslizan dos pseudoideas, dos supersticiones igualmente nefastas: la primera es dar por sentado que existe sólo una civilización o que las distintas civilizaciones pueden reducirse a un modelo único, la civilización occidental moderna; la otra es creer que los cambios de las sociedades y culturas son lineales, progresivos y que, en consecuencia, pueden medirse. Este segundo error es gravísimo: si efectivamente pudiésemos cuantificar y formalizar los fenómenos sociales —desde la economía hasta el arte, la religión y el erotismo—, las llamadas ciencias sociales serían ciencias como la física, la química o la biología. Todos sabemos que no es así.

La identificación entre modernidad y civilización se ha extendido de tal modo que en América Latina muchos hablan de nuestro subdesarrollo cultural. A riesgo de pesadez hay que repetir, primero, que no hay una sola y única civilización; en seguida, que en ninguna cultura el desarrollo es lineal: la historia ignora la línea recta. Shakespeare no es más «desarrollado» que Dante, ni Cervantes es un «subdesarrollado» frente a Hemingway. Es verdad que en la esfera de las ciencias hay acumulación de saber, y en ese sentido sí podría hablarse de desarrollo. Pero esa acumulación de conocimientos de ninguna manera implica que los hombres de ciencia de hoy sean más «desarrollados» que los de ayer. La historia de la ciencia, por otra parte, muestra que tampoco es exacto que los progresos en cada disciplina sean continuos y en línea recta. Se dirá que, al menos, el concepto de *desarrollo* sí se justifica cuando hablamos de la técnica y de sus consecuencias sociales. Pues bien, precisamente en este sentido el concepto me parece equívoco y peligroso. Los principios en que se funda la técnica son universales, pero no lo es su aplicación. Nosotros tenemos un ejemplo a la vista: la irreflexiva adopción de la técnica norteamericana en México ha producido un sinnúmero de desdichas y monstruosidades éticas y estéticas. Con el pretexto de acabar con nuestro subdesarrollo, en las últimas décadas hemos sido testigos de una progresiva degradación de nuestro estilo de vida y de nuestra cultura. El sufrimiento ha sido grande y las pérdidas más ciertas que las ganancias. No hay ninguna nostalgia oscurantista en lo que digo —en realidad los únicos oscurantistas son los que cultivan la superstición del progreso cueste lo que cueste. Sé que no podemos escapar y que estamos condenados al «desarrollo»: hagamos menos inhumana esa condena.

Desarrollo, progreso, modernidad: ¿cuándo empiezan los tiempos modernos? Entre todas las maneras de leer los grandes libros del pasado hay una que prefiero: la que busca en ellos, no lo que somos, sino justamente aquello que niega lo que somos. Acudiré de nuevo a Dante, maestro incomparable, por ser el más inactual de los grandes poetas de nuestra tradición. El poeta florentino y su guía recorren un inmenso campo de lápidas llameantes: es el círculo sexto del Infierno, donde arden los heréticos, los filósofos epicúreos y materialistas.[1] En una de esas tumbas encuentran a un patricio florentino, Farinata degli Uberti, que resiste con entereza el tormento del fuego. Farinata predice el destierro de Dante y después le confía que incluso el don de la doble vista le será arrebatado «cuando se cierren las puertas del futuro». Después del Juicio Final no habrá nada que predecir porque nada ocurrirá. Clausura del tiempo, fin del futuro: todo ha de ser para siempre lo que es, ya sin alteración ni cambio. Cada vez que leo este pasaje me parece que escucho no sólo la voz de otra edad sino de otro mundo. Y así es: es otro mundo el que profiere esas palabras terribles. El tema de la muerte de Dios se ha vuelto un lugar común y hasta los teólogos hablan con desenvoltura de ese tópico, pero la idea de que un día han de cerrarse las puertas del futuro... esa idea alternativamente me hace temblar y reír.

Concebimos el tiempo como un continuo transcurrir, un perpetuo ir hacia el futuro; si el futuro se cierra, el tiempo se detiene. Idea insoportable e intolerable, pues contiene una doble abominación: ofende nuestra sensibilidad moral al burlarse de nuestras esperanzas en la perfectibilidad de la especie, ofende nuestra razón al negar nuestras creencias acerca de la

[1] *Divina Comedia*, Infierno, canto x.

evolución y el progreso. En el mundo de Dante la perfección es sinónimo de realidad consumada, asentada en su ser. Sustraída al tiempo cambiante y finito de la historia, cada cosa es lo que es por los siglos de los siglos. Presente eterno que nos parece impensable e imposible: el presente es, por definición, lo instantáneo, y lo instantáneo es la forma más pura, intensa e inmediata del tiempo. Si la intensidad del instante se vuelve duración fija, estamos ante una imposibilidad lógica que es también una pesadilla. Para Dante el presente fijo de la eternidad es la plenitud de la perfección; para nosotros es una verdadera condenación, pues nos encierra en un estado que, si no es la muerte, tampoco es la vida. Reino de emparedados vivos, presos entre muros, no de ladrillo y piedra, sino de minutos congelados. Negación del existir tal como lo hemos pensado, sentido y amado: perpetua posibilidad de ser, movimiento, cambio, marcha hacia la tierra movible del futuro. Allá, en el futuro, en donde el ser es presentimiento de ser, están nuestros paraísos... Podemos decir ahora con cierta certeza que la época moderna comienza en ese momento en que el hombre se atreve a realizar un acto que habría hecho temblar y reír al mismo tiempo a Dante y a Farinata degli Uberti: abrir las puertas del futuro.

La modernidad es un concepto exclusivamente occidental que no aparece en ninguna otra civilización. La razón es simple: todas las otras civilizaciones postulan imágenes y arquetipos temporales de los que es imposible deducir, inclusive como negación, nuestra idea del tiempo. La vacuidad budista, el ser sin accidentes ni atributos del hindú, el tiempo cíclico del griego, el chino y el azteca, o el pasado arquetípico del primitivo, son concepciones que no tienen relación con nuestra idea del tiempo. La sociedad cristiana medieval imagina el tiempo histórico como un proceso finito, sucesivo e irreversible; agotado ese tiempo —o como dice el poeta: cuando se cierran las puertas del futuro—, reinará un presente eterno. En el tiempo finito de la historia, en el ahora, el hombre se juega su vida eterna. Es claro que la idea de modernidad sólo podía nacer dentro de esta concepción de un tiempo sucesivo e irreversible; es claro, asimismo, que sólo podía nacer como una crítica de la eternidad cristiana. Cierto, en otra civilización, la islámica, el arquetipo temporal es análogo al del cristianismo, pero allá, por una razón que aparecerá dentro de unos instantes, era imposible que se produjese esa crítica de la eternidad en que consiste esencialmente la modernidad.

Todas las sociedades están desgarradas por contradicciones que son simultáneamente de orden material e ideal. Esas contradicciones asumen en general la forma de conflictos intelectuales, religiosos o políticos. Por ellos viven las sociedades y por ellos mueren: son su historia. Precisamente una de las funciones del arquetipo temporal es ofrecer una solución transhistórica a esas contradicciones y así preservar a la sociedad del cambio y de la muerte. Por eso cada idea del tiempo es una metáfora hecha, no por un poeta, sino por un pueblo entero. Tránsito de la metáfora al concepto: todas las grandes imágenes colectivas del tiempo se convierten en materia de especulación de teólogos y filósofos. Y todas ellas, al pasar por el cedazo de la razón y de la crítica, tienden a aparecer como versiones más o menos acusadas de ese principio lógico que llamamos de identidad: supresión de las contradicciones, ya sea por la neutralización de los términos opuestos o por anulación de uno de ellos. A veces la disolución de los antagonismos es radical. La crítica budista aniquila los dos términos, el yo y el mundo, para erigir en su lugar a la vacuidad, un absoluto del que nada se puede decir porque está vacío de todo —incluso, dicen los Sutras Mahayanas, vacío de su vacuidad. Otras veces no hay supresión, sino conciliación y armonía de contrarios, como en la filosofía del tiempo de la antigua China. La posibilidad de que la contradicción estalle y haga estallar al sistema no sólo es un peligro de orden lógico sino vital: si la coherencia se rompe, la sociedad pierde su fundamento y se destruye. De ahí el carácter cerrado y autosuficiente de esos arquetipos, su pretensión de invulnerabilidad y su resistencia al cambio. Una sociedad puede cambiar de arquetipo, pasar del politeísmo al monoteísmo y del tiempo cíclico al tiempo finito e irreversible del islam; los arquetipos no cambian ni se transforman. Pero hay una excepción a esta regla universal: la sociedad de Occidente.

La doble herencia del monoteísmo judaico y de la filosofía pagana constituyen la dicotomía cristiana. La idea griega del ser —en cualquiera de sus versiones, de los presocráticos a los epicúreos, estoicos y neoplatónicos— es irreductible a la idea judaica de un Dios único, personal y creador del universo. Esta oposición fue el tema central de la filosofía cristiana desde los Padres de la Iglesia. Una oposición que la escolástica intentó resolver con una ontología de una sutileza extraordinaria. La modernidad es la consecuencia de esa contradicción y, en cierto modo, su resolución en sentido opuesto al de la escolástica. La disputa entre razón y revelación también desgarró al mundo árabe, pero allá la victoriosa fue la revelación: muerte de la filosofía y no, como en Occidente, muerte de Dios. El triunfo de la eternidad en el islam alteró el valor y la significación del tiempo humano: la historia fue hazaña o leyenda, no invención de los hombres. Las puertas del futuro se cerraron; la victoria del principio de identidad fue absoluta: Alá es Alá. Occidente escapó de la tautología —sólo para caer en la contradicción.

La modernidad se inicia cuando la conciencia de la oposición entre Dios y Ser, razón y revelación, se muestra como realmente insoluble. A la inversa de lo que ocurrió en el islam, entre nosotros la razón crece a expensas de la divinidad. Dios es lo Uno, no tolera la alteridad y la heterogeneidad sino como pecados de no-ser; la razón tiene la tendencia a separarse de ella misma: cada vez que se examina, se escinde; cada vez que se contempla, se descubre como otra ella misma. La razón aspira a la unidad pero, a diferencia de la divinidad, no reposa en ella ni se identifica con ella. La Trinidad, que es una evidencia divina, resulta un misterio impenetrable para la razón. Si la unidad reflexiona, se vuelve otra: se ve a sí misma como alteridad. Al fundirse con la razón, Occidente se condenó a ser siempre otro, a negarse a sí mismo para perpetuarse.

En los grandes sistemas metafísicos que la modernidad elabora en sus albores, la razón aparece como un principio suficiente: idéntica a sí misma, nada la funda sino ella misma y, por tanto, es el fundamento del mundo. Pero esos sistemas no tardan en ser sustituidos por otros en los que la razón es sobre todo crítica. Vuelta sobre sí misma, la razón deja de ser creadora de sistemas; al examinarse, traza sus límites, se juzga y, al juzgarse, consuma su autodestrucción como principio rector. Mejor dicho, en esa autodestrucción encuentra un nuevo fundamento. La razón crítica es nuestro principio rector, pero lo es de una manera singular: no edifica sistemas invulnerables a la crítica, sino que ella es la crítica de sí misma. Nos rige en la medida en que se desdobla y se constituye como objeto de análisis, duda, negación. No es un templo ni un castillo fuerte; es un espacio abierto, una plaza pública y un camino: una discusión, un método. Un camino en continuo hacerse y deshacerse, un método cuyo único principio es examinar a todos los principios. La razón crítica acentúa, por su mismo rigor, su temporalidad, su posibilidad siempre inminente de cambio y variación. Nada es permanente: la razón se identifica con la sucesión y con la alteridad. La modernidad es sinónimo de crítica y se identifica con el cambio; no es la afirmación de un principio atemporal, sino el despliegue de la razón crítica que sin cesar se interroga, se examina y se destruye para renacer de nuevo. No nos rige el principio de identidad ni sus enormes y monótonas tautologías, sino la alteridad y la contradicción, la crítica en sus vertiginosas manifestaciones. En el pasado, la crítica tenía por objeto llegar a la verdad; en la edad moderna, la verdad es crítica. El principio que funda a nuestro tiempo no es una verdad eterna, sino la verdad del cambio.

La contradicción de la sociedad cristiana fue la oposición entre razón y revelación, el ser que es pensamiento que se piensa y el dios que es persona que crea; la de la edad moderna se manifiesta en todas estas tentativas por edificar sistemas que posean la solidez de las antiguas religiones y filosofías pero que estén fundados, no en un principio atemporal, sino en el principio del cambio. Hegel llamaba a su propia filosofía: cura de la escisión. Si la modernidad es la escisión de la sociedad cristiana y si la razón crítica, nuestro fundamento, es permanente escisión de sí misma, ¿cómo curarnos de la escisión sin negarnos a nosotros mismos y negar nuestro fundamento? ¿Cómo resolver en unidad la contradicción sin suprimirla? En las otras civilizaciones, la anulación del antagonismo entre los términos contrarios era el paso previo a la afirmación unitaria. En el mundo católico, la ontología de los grados del ser ofrecía también una posibilidad de atenuar las oposiciones hasta hacerlas desaparecer casi del todo. En la edad moderna la dialéctica se arriesga a la misma empresa pero apelando a una paradoja: convierte a la negación en el puente de unión entre los términos. Pretende suprimir los antagonismos no limando, sino exasperando las oposiciones. Aunque Kant había llamado a la dialéctica «la lógica de las ilusiones», Hegel afirmó que, gracias a la negatividad del concepto, era posible eliminar el escándalo filosófico que constituía la «cosa en sí» kantiana. No es necesario tomar partido por Kant para advertir que, incluso si Hegel tuviese razón, la dialéctica disuelve las contradicciones sólo para que éstas renazcan inmediatamente. El último gran sistema filosófico de Occidente oscila entre el delirio especulativo y la razón crítica; es un pensamiento que se constituye como sistema sólo para desgarrarse. Cura de la escisión por la escisión. Modernidad: en un extremo, Hegel y sus continuadores materialistas; en el otro, la crítica de esas tentativas, de Hume a la filosofía analítica. Esta oposición es la historia de Occidente, su razón de ser. También será, un día, la razón de su muerte.

La modernidad es una separación. Empleo la palabra en su acepción más inmediata: apartarse de algo, desunirse. La modernidad se inicia como un desprendimiento de la sociedad cristiana. Fiel a su origen, es una ruptura continua, un incesante separarse de sí misma; cada generación repite el acto original que nos funda y esa repetición es simultáneamente nuestra negación y nuestra renovación. La separación nos une al movimiento original de nuestra sociedad y la desunión nos lanza al encuentro de nosotros mismos. Como si se tratase de uno de esos suplicios imaginados por Dante (pero que son para nosotros una suerte de bienaventuranza: nuestro premio por vivir en la historia), nos buscamos en la alteridad, en ella nos encontramos y luego de confundirnos con ese otro que inventamos, y que no es sino nuestro reflejo, nos apresuramos a separarnos de ese fantasma, lo dejamos atrás y corremos otra vez en busca de nosotros mismos, a la zaga de nuestra sombra. Continuo ir hacia allá, siempre allá —no sabemos dónde. Y llamamos a esto: progreso.

Nuestra idea del tiempo como cambio continuo no sólo es una ruptura del arquetipo medieval cristiano sino que es una nueva combinación de sus elementos. El tiempo finito del cristianismo se vuelve el tiempo casi infinito de la evolución natural y de la historia pero conserva dos de sus propiedades constitutivas. La primera es ser irrepetible y sucesivo. La modernidad niega al tiempo cíclico de la misma manera tajante con que San Agustín lo había negado: las cosas suceden sólo una vez, son irrepetibles. Por lo que toca al personaje del drama temporal: ya no es el alma individual, sino la colectividad entera, la especie humana. El segundo elemento: la perfección consustancial a la eternidad, se convirtió en un atributo de la historia. Así se valoró por primera vez al cambio: los seres y las cosas no alcanzan su perfección, su plena realidad, en el otro tiempo del otro mundo, sino en el tiempo de aquí —un tiempo que no es un presente eterno, sino fugaz. La historia es nuestro camino de perfección.

La modernidad cargó el acento no en la realidad real de cada hombre sino en la realidad ideal de la sociedad y de la especie. Si los actos y las obras de los hombres dejaron de tener significación religiosa individual —la salvación o la perdición del alma—, se tiñeron de una coloración supraindividual e histórica. Subversión de los valores cristianos que fue también una verdadera conversión: el tiempo humano cesa de girar en torno al sol inmóvil de la eternidad y postula una perfección no fuera, sino dentro de la historia; la especie, no el individuo, es el sujeto de la nueva perfección, y la vía que se le ofrece para realizarla no es la fusión con Dios sino la participación en la acción terrestre, histórica. Por lo primero, la perfección, atributo de la eternidad según la escolástica, se inserta en el tiempo; por lo segundo, se niega que la vida contemplativa sea el más alto ideal humano y se afirma el valor supremo de la acción temporal. No la fusión con Dios, sino con la historia: ése es el destino del hombre. El trabajo sustituye a la penitencia, el progreso a la gracia y la política a la religión.

La edad moderna se concibe a sí misma como revolucionaria. Lo es de varias maneras. La primera y más obvia es de orden semántico: la modernidad comienza por cambiar el sentido de la palabra *revolución.* A la significación original —giro de los mundos y de los astros— se yuxtapuso otra, que es ahora la más frecuente: ruptura violenta del orden antiguo y establecimiento de un orden social más justo y racional. El giro de los astros era una suerte de manifestación visible del tiempo circular; en su nueva acepción, la palabra *revolución* fue la expresión más perfecta y consumada del tiempo sucesivo, lineal e irreversible. En un caso, eterno retorno del pasado; en el otro, destrucción del pasado y construcción en su lugar de una sociedad nueva. Pero el sentido primero no desaparece enteramente, sino que, una vez más, sufre una conversión. La idea de *revolución,* en su significado moderno, representa con la máxima coherencia la concepción de la historia como cambio y progreso ineludible: si la sociedad no evoluciona y se estanca, estalla una revolución. Sin embargo, si las revoluciones son necesarias, la historia posee la necesidad del tiempo cíclico. Misterio insoluble como el de la Trinidad, pues las revoluciones son expresiones del tiempo irreversible y, por tanto, manifestaciones de la razón crítica: la libertad misma. Ambigüedad de la revolución: su rostro nos muestra los rasgos míticos del tiempo cíclico y los rasgos geométricos de la crítica, la antigüedad más antigua y la novedad más nueva.

El gran cambio revolucionario, la gran conversión, fue la del futuro. En la sociedad cristiana el porvenir estaba condenado a muerte: el triunfo del eterno presente, al otro día del Juicio Final, era asimismo el fin del futuro. La modernidad invierte los términos: si el hombre es historia y sólo en la historia se realiza; si la historia es tiempo lanzado hacia el futuro y el futuro es el lugar de elección de la perfección; si la perfección es relativa con relación al porvenir y absoluta frente al pasado..., pues entonces el futuro se convierte en el centro de la tríada temporal: es el imán del presente y la piedra de toque del pasado. Semejante al presente fijo del cristianismo, nuestro futuro es eterno. Como él, es impermeable a las vicisitudes del ahora e invulnerable a los horrores del ayer. Aunque nuestro futuro es una proyección de la historia, está por definición más allá de la historia, lejos de sus tempestades, lejos del cambio y de la sucesión. Si no es la eternidad cristiana, se parece a ella en ser aquello que está del otro lado del tiempo: nuestro futuro es simultáneamente la proyección del tiempo sucesivo y su negación. El hombre moderno se ve lanzado hacia el futuro con la misma violencia que el cristiano se veía lanzado hacia el cielo o al infierno.

La eternidad cristiana era la solución de todas las contradicciones y agonías, el fin de la historia y del tiempo. Nuestro futuro, aunque sea el depositario de la perfección, no es un lugar de reposo, no es un fin; al contrario, es un continuo comienzo, un permanente ir más allá. Nuestro futuro es un paraíso/infierno; paraíso por ser el lugar de elección del deseo, infierno por ser el lugar de la insatisfacción. Por una parte, nuestra perfección es siempre relativa, pues, como dicen con los ojos en blanco los marxistas y los otros historicistas empedernidos, una vez resueltos los conflictos actuales las contradicciones reaparecerán en niveles más y más elevados; por la otra, si pensamos que en el futuro está el fin de la historia y la resolución de sus antagonismos, nos convertimos en víctimas voluntarias de un cruel espejismo: el futuro es por definición inalcanzable e intocable. La tierra prometida de la historia es una región inaccesible y en esto se manifiesta de la manera más inmediata y desgarradora la contradicción que constituye la modernidad. La crítica que la modernidad ha hecho de la eternidad cristiana y la que hizo el cristianismo del tiempo circular de la antigüedad son aplicables a nuestro propio arquetipo temporal. La sobrevaloración del cambio entraña la sobrevaloración del futuro: un tiempo que no es.

La literatura moderna, ¿es moderna? Su modernidad es ambigua: hay un conflicto entre poesía y modernidad que se inicia con los prerrománticos y que se prolonga hasta nuestros días. Procuraré en lo que sigue describir ese conflicto, no a través de sus episodios —no soy un historiador de la literatura—, sino deteniéndome en esos momentos y en esas obras en donde la oposición se revela con mayor claridad. Acepto que mi método puede ser tachado de arbitrario; añado que esa arbitrariedad no es gratuita. Mis puntos de vista son los de un poeta hispanoamericano; no son una disertación desinteresada, sino una exploración de mis orígenes y una tentativa de autodefinición indirecta. Estas reflexiones pertenecen a ese género que Baudelaire llamaba *crítica parcial*, la única que le parecía válida.

Intenté definir a la edad moderna como una edad crítica, nacida de una negación. La negación crítica abarca también al arte y a la literatura:

los valores artísticos se separaron de los valores religiosos. La literatura conquistó su autonomía: lo poético, lo artístico y lo bello se convirtieron en valores en sí y sin referencia a otros valores. La autonomía de los valores artísticos llevó a la concepción del arte como objeto y ésta, a su vez, condujo a una doble invención: el museo y la crítica de arte. En la esfera de la literatura la modernidad se expresó como culto al «objeto» literario: poema, novela, drama. La tendencia se inicia en el Renacimiento y se acentúa en el siglo XVII, pero sólo hasta la edad moderna los poetas se dan cuenta de la naturaleza vertiginosa y contradictoria de esta idea: escribir un poema es construir una realidad aparte y autosuficiente. Se introduce así la noción de la crítica «dentro» de la creación poética. Nada más natural, en apariencia: la literatura moderna, según corresponde a una edad crítica, es una literatura crítica. Pero se trata de una modernidad que, vista de cerca, resulta paradójica: en muchas de sus obras más violentas y características —pienso en esa tradición que va de los románticos a los surrealistas— la literatura moderna es una apasionada negación de la modernidad; en otra de sus tendencias más persistentes y que abraza a la novela tanto como a la poesía lírica —pienso ahora en esa tradición que culmina en un Mallarmé y en un Joyce—, nuestra literatura es una crítica no menos apasionada y total de sí misma. Crítica del objeto de la literatura: la sociedad burguesa y sus valores; crítica de la literatura como objeto: el lenguaje y sus significados. De ambas maneras la literatura moderna se niega y, al negarse, se afirma y confirma su modernidad.

No es un azar que la poesía moderna se haya expresado en la novela antes que en la poesía lírica. La novela es el género moderno por excelencia y el que ha expresado mejor la poesía de la modernidad: la poesía de la prosa. En el caso de los prerrománticos, la modernidad de la novela se vuelve ambivalente y contradictoria, quiero decir: doble y plenamente moderna. Si la literatura moderna se inicia como una crítica de la modernidad, la figura en que encarna esta paradoja con una suerte de ejemplaridad es Rousseau. En su obra la edad que comienza —la edad del progreso, las invenciones y el desarrollo de la economía urbana— encuentra no sólo a uno de sus fundamentos sino también a su negación más encarnizada. En las novelas de Jean-Jacques y en las de sus seguidores la continua oscilación entre prosa y poesía se hace más y más violenta, no en beneficio de la primera, sino de la segunda. Prosa y poesía libran en el interior de la novela una batalla, y esa batalla es la esencia de la novela: el triunfo de la prosa convierte a la novela en documento psicológico, social o antropológico; el de la poesía la transforma en poema. En ambos casos desaparece como novela. Para ser, la novela tiene que ser al mismo tiempo prosa y poesía, sin ser enteramente ni lo uno ni lo otro. La prosa representa, en esta contradicción complementaria, el elemento moderno: la crítica, el análisis. A partir de Cervantes, la prosa parece que paulatinamente gana la partida, pero a fines del siglo XVIII, bruscamente, un temblor desdibuja la geometría racional. Una nueva potencia, la sensibilidad, trastorna las arquitecturas de la razón. ¿Nueva potencia? Más bien: antiquísima, anterior a la razón y a la misma historia. A lo nuevo y a lo moderno, a la historia y sus fechas, Rousseau y sus continuadores oponen la sensibilidad, que no es sino lo original, lo que no tiene fechas porque está antes del tiempo, en el principio.

La sensibilidad de los prerrománticos no tardará en convertirse en la pasión de los románticos. La primera es un acuerdo con el mundo natural, la segunda es la transgresión del orden social. Ambas son naturaleza, pero naturaleza humanizada: cuerpo. Aunque las pasiones corporales ocupan un lugar central en la gran literatura libertina del siglo XVIII, sólo hasta los prerrománticos y los románticos el cuerpo comienza a hablar. Y el lenguaje que habla es el lenguaje de los sueños, los símbolos y las metáforas, en una extraña alianza de lo sagrado con lo profano y de lo sublime con lo obsceno. Ese lenguaje es el de la poesía, no el de la razón. La diferencia con los escritores de la Ilustración es radical. En la obra más libre y osada de ese periodo, la del Marqués de Sade, el cuerpo no habla, aunque el único tema de este autor haya sido el cuerpo y sus singularidades y aberraciones: la que habla a través de esos cuerpos ensangrentados es la filosofía. Sade no es un autor pasional; sus delirios son racionales y su verdadera pasión es la crítica. Se exalta, no ante las posiciones de los cuerpos, sino ante el rigor y el brillo de las demostraciones. El erotismo de los otros filósofos libertinos del XVIII no tiene la desmesura del de Sade, pero no es menos frío y racional: no es una pasión, sino una filosofía. El conflicto se prolonga hasta nuestros días: D. H. Lawrence y Bertrand Russell batallaron contra el puritanismo de los anglosajones, pero sin duda a Lawrence le parecía cínica la actitud de Russell ante el cuerpo y a éste irracional la de Lawrence. La misma contradicción entre los surrealistas y los partidarios de la libertad sexual: para unos la libertad erótica es sinónimo de imaginación y pasión, para los otros significa una solución racional al problema de las relaciones físicas entre los sexos. Bataille creía que la transgresión era la condición y aun la esencia del erotismo; la nueva moral sexual cree que si se suprimen o atenúan las prohibiciones, desaparecerá o se atenuará la transgresión erótica. Blake dijo: «Los dos leemos día y noche la Biblia, pero tú lees negro donde yo leo blanco».[1]

El cristianismo persiguió a los antiguos dioses y genios de la tierra, el agua, el fuego y el aire. Convirtió a los que no pudo aniquilar: unos, cambiados en demonios, fueron precipitados al abismo y allá se les empleó en la burocracia infernal; otros ascendieron al cielo y ocuparon un puesto en las jerarquías de los ángeles. La razón crítica despobló al cielo y al infierno, pero los espíritus regresaron a la tierra, al aire, al fuego y al agua: regresaron al cuerpo de los hombres y las mujeres. Ese regreso se llama romanticismo. Sensibilidad y pasión son los nombres del ánima plural que habita las rocas, las nubes, los ríos y los cuerpos. El culto a la sensibilidad y a la pasión es un culto polémico en el que se despliega un tema dual: la exaltación de la naturaleza es tanto una crítica moral y política de la civilización como la afirmación de un tiempo anterior a la historia. Pasión y sensibilidad representan lo natural: lo genuino ante el artificio, lo simple frente a lo complejo, la originalidad real ante la falsa novedad. La superioridad de lo natural reposa en su anterioridad: el primer principio, el fundamento de la sociedad, no es el cambio ni el tiempo sucesivo de la historia, sino un tiempo anterior, igual a sí mismo siempre. La degradación de ese tiempo original, sensible y pasional, en historia, progreso y civilización se inició cuando, dice Rousseau, por primera vez un hombre cercó un pedazo de tierra, dijo: «Esto es mío» —y encontró tontos que le creyesen. La propiedad privada funda a la sociedad histórica. Ruptura del tiempo anterior a los tiempos: comienzo de la historia. Comienza la historia de la desigualdad.

La nostalgia moderna de un tiempo original y de un hombre reconciliado con la naturaleza expresa una actitud nueva. Aunque postula como los paganos la existencia de una edad de oro anterior a la historia, no inserta esa edad dentro de una visión cíclica del tiempo; el regreso a la edad feliz no será la consecuencia de la revolución de los astros, sino de la revolución de los hombres. En realidad, el pasado no regresa: los hombres, por un acto voluntario y deliberado, lo inventan e instalan en la historia. El pasado revolucionario es una forma que asume el futuro, su disfraz. La fatalidad impersonal del hado cede el sitio a un concepto nuevo, herencia directa del cristianismo: la libertad. El misterio que desvelaba

[1] *The Everlasting Gospel* [hacia 1818], en *The Complete Poetry of William Blake*, con una introducción de Robert Silliman Hillyer, Random House, Nueva York, 1941.

a San Agustín —¿cómo pueden conciliarse libertad humana y omnipotencia divina?— se transforma desde el siglo XVIII en un problema que preocupa por igual al revolucionario y al evolucionista: ¿en qué sentido la historia nos determina y hasta dónde puede el hombre torcer su curso y cambiarlo? A la paradoja de la conjugación entre necesidad y libertad, debe añadirse otra: la renovación del pacto original implica un acto de inusitada aunque justa violencia, la destrucción de la sociedad fundada en la desigualdad de los hombres. Esta destrucción es, en cierto modo, la destrucción de la historia, ya que la desigualdad se identifica con ella; no obstante, se realiza a través de un acto eminentemente histórico: la crítica convertida en acto revolucionario. El regreso al tiempo del principio, el tiempo anterior a la ruptura, entraña una ruptura. No hay más remedio que afirmar, por más sorprendente que parezca esta proposición, que sólo la modernidad puede realizar la operación de vuelta al principio original, porque sólo la edad moderna puede negarse a sí misma.

Crítica de la crítica y sus construcciones, la poesía moderna, desde los prerrománticos, busca fundarse en un principio anterior a la modernidad y antagónico a ella. Ese principio, impermeable al cambio y a la sucesión, es el comienzo del comienzo de Rousseau, pero también es el Adán de William Blake, el sueño de Jean-Paul, la analogía de Novalis, la infancia de Wordsworth, la imaginación de Coleridge. Cualquiera que sea su nombre, ese principio es la negación de la modernidad. La poesía moderna afirma que es la voz de un principio anterior a la historia, la revelación de una palabra original de fundación. La poesía es el lenguaje original de la sociedad —pasión y sensibilidad— y por eso mismo es el verdadero lenguaje de todas las revelaciones y revoluciones. Ese principio es social, revolucionario: regreso al pacto del comienzo, antes de la desigualdad; ese principio es individual y atañe a cada hombre y a cada mujer: reconquista de la inocencia original. Doble oposición, a la modernidad y al cristianismo, que es una doble confirmación tanto del tiempo histórico de la modernidad (revolución) como del tiempo mítico del cristianismo (inocencia original). En un extremo, el tema de la instauración de otra sociedad es un tema revolucionario que inserta el tiempo del principio en el futuro; en el otro extremo, el tema de la restauración de la inocencia original es un tema religioso que inserta al futuro cristiano en un pasado anterior a la Caída. La historia de la poesía moderna es la historia de las oscilaciones entre estos dos extremos: la tentación revolucionaria y la tentación religiosa.

Los hijos del limo

La historia de la poesía moderna —al menos la mitad de esa historia— es la de la fascinación que han experimentado los poetas por las construcciones de la razón crítica. Fascinar quiere decir hechizar, magnetizar, encantar; asimismo: engañar. El caso de los románticos alemanes es una ilustración de este fenómeno de vaivén en el que la repulsión sucede casi fatal e inmediatamente a la atracción. En general se les considera como un grupo católico y monárquico, enemigo de la Revolución francesa; se olvida así que casi todos ellos mostraron inicialmente entusiasmo y simpatía por el movimiento revolucionario. Su conversión al catolicismo y al absolutismo monárquico fue la consecuencia tanto de la ambigüedad del romanticismo, siempre desgarrado entre los extremos, como de la naturaleza del dilema histórico a que se enfrentó esa generación. La Revolución francesa presentaba dos caras: movimiento revolucionario, ofrecía a los pueblos europeos una visión universal del hombre y una concepción nueva de la sociedad y del Estado; movimiento nacional, prolongaba en el exterior el expansionismo francés y en el interior continuaba la política de centralización comenzada por Richelieu. Las guerras contra el Consulado y el Imperio fueron simultáneamente guerras de liberación nacional y en defensa del absolutismo monárquico. El ejemplo de España me ahorra el trabajo de una larga demostración: los liberales españoles que colaboraron con los franceses fueron fieles a sus ideas políticas pero infieles a su patria; los otros tuvieron que resignarse a confundir la causa de la independencia de España con la del indigno Fernando VII y la Iglesia.

La actitud de Hölderlin es un buen ejemplo de esta ambivalencia. Se dirá que Hölderlin no es un poeta estrictamente romántico. Pero no lo es por la misma razón por la que Blake tampoco lo es del todo: no tanto por estar cronológicamente un poco antes del romanticismo propiamente dicho, sino porque ambos lo traspasan. En los días de la Primera Coalición contra la República Francesa, el poeta alemán escribe a su hermana: «Ruega porque los revolucionarios derroten a los austriacos, pues de lo contrario el abuso de poder de los príncipes será terrible. Créeme y ora por los franceses, que son los defensores de los derechos del hombre» (19 de junio de 1792).[1] Un poco después, en 1797, escribe una oda a Bonaparte —al libertador de Italia, no al general que un poco después se convertiría, como dice con desprecio en otra carta, «en una especie de dictador». El tema de *Hyperion* es doble: el amor por Diotima y la fundación de una comunidad de hombres libres. Ambos actos son inseparables. El punto de unión entre el amor a Diotima y el amor a la libertad es la poesía. Hiperión no sólo lucha por la libertad de Grecia sino por la instauración de una sociedad libre; la construcción de esta comunidad futura implica asimismo un regreso a la poesía. La palabra poética es mediación entre lo sagrado y los hombres y así es el verdadero fundamento de la comunidad. Poesía e historia, lenguaje y sociedad, la poesía como punto de intersección entre el poder divino y la libertad humana, el poeta como guardián de la palabra que nos preserva del caos original: todas estas oposiciones anticipan los temas centrales de la poesía moderna.

El sueño de una comunidad igualitaria y libre, herencia común de Rousseau, reaparece entre los románticos alemanes, aliado como en Hölderlin al amor, sólo que ahora de una manera más violenta y acusada. Todos estos poetas ven al amor como transgresión social y exaltan a la mujer no sólo como objeto sino como sujeto erótico. Novalis habla de un comunismo poético, una sociedad en la que la producción, y no sólo la consumación, de poesía será colectiva. Friedrich von Schlegel hace la apología del amor libre en su novela *Lucinde* (1799), un libro que hoy puede parecernos ingenuo pero que Novalis quería que llevase como subtítulo: «Fantasías cínicas o diabólicas». Esa frase anticipa una de las corrientes más poderosas y persistentes de la literatura moderna: el gusto por el sacrilegio y la blasfemia, el amor por lo extraño y lo grotesco, la alianza entre lo cotidiano y lo sobrenatural. En una palabra, la ironía —la gran invención romántica. Precisamente la ironía —en el sentido de Schlegel: amor por la contradicción que es cada uno de nosotros y conciencia de esa contradicción— define admirablemente la paradoja del romanticismo alemán. Fue la primera y más osada de las revoluciones poéticas, la pri-

[1] Friedrich Hölderlin, *Oeuvres*, volumen publicado bajo la dirección de Philippe Jacottet, Gallimard, París, 1967 (Bibliothèque de la Pléiade). Incluye una selección de su correspondencia.

mera que explora los dominios subterráneos del sueño, el pensamiento inconsciente y el erotismo; la primera, asimismo, que hace de la nostalgia del pasado una estética y una política.

Todavía estudiantes en Cambridge, Robert Southey y Samuel Taylor Coleridge conciben la idea de la Pantisocracia: una sociedad comunista, libre e igualitaria, que combinaría la «inocencia de la edad patriarcal» con los «refinamientos de la Europa moderna».[1] El tema revolucionario del comunismo libertario se enlaza así al tema religioso del restablecimiento de la inocencia original. Los dos jóvenes poetas deciden embarcarse hacia América para fundar en el nuevo continente la sociedad pantisocrática, pero Coleridge cambia de opinión cuando se entera de que Southey pretendía llevar con ellos a un criado. Años más tarde, el joven Shelley, acompañado de su primera mujer, Harriette, ambos casi adolescentes, visita a Southey en su retiro del Lake District. El viejo poeta ex republicano encuentra que su joven admirador era «exactamente como yo había sido en 1794». En cambio, al contar en una carta a su amigo Thomas Hogg las impresiones de su visita, Shelley escribe: «Southey es un hombre corrompido por el mundo y contaminado por los honores y las tradiciones» (7 enero 1812).[2]

William Wordsworth visita Francia por primera vez en 1790. Al año siguiente, movido por su entusiasmo republicano —tenía apenas veintiún años y acababa de terminar sus estudios en Cambridge— vuelve a Francia y por casi dos años, primero en París y luego en Orleans, vive —convive— con los girondinos. Esta circunstancia, y la repulsión que le inspira el terror revolucionario, explican su animadversión por los jacobinos, a los que llamaba «la tribu de Moloch». Como muchos escritores del siglo XX ante la Revolución rusa, Wordsworth tomó partido por una de las facciones que se disputaban la dirección de la Revolución francesa, precisamente la facción vencida. En su gran poema autobiográfico, *The Prelude* (1805), con ese estilo hiperbólico y lleno de mayúsculas que hacen de este inmenso poeta también uno de los más pomposos de su siglo, nos cuenta que uno de los momentos más felices de su vida fue el día en que, en un pueblo de la costa donde «todo lo que veía o sentía era quietud y serenidad», oyó decir a un viajero recién desembarcado de Francia: «Robespierre ha muerto». No es menor su antipatía hacia Bonaparte, y

[1] R. J. White, ed., *Political Tracts of Wordsworth, Coleridge and Shelley*, Cambridge University Press, Cambridge, 1953.

[2] F. L. Jones, ed., *The Letters of Percy Bysshe Shelley*, Oxford University Press, Londres, 1964.

en el mismo poema refiere que, al enterarse de que había sido coronado emperador por el papa, sintió que era «el último oprobio, algo así como ver al perro que regresa a su vómito».[1]

Ante los desastres de la historia y la «degradación de la época», Wordsworth se vuelve a la infancia y a sus instantes de transparencia: el tiempo se abre en dos para que, más que ver la realidad, veamos a través de ella. Y lo que Wordsworth ve, como quizá nadie haya visto ni antes ni después de él, no es un mundo fantástico sino la realidad tal cual: el árbol, la piedra, el arroyo, cada uno asentado en sí mismo, reposando en su propia realidad, en una suerte de inmovilidad que no niega al movimiento. Bloques de tiempo vivo, espacios que fluyen lentamente bajo la mirada mental: visión del «otro tiempo» —un tiempo distinto al de la historia con sus reyes y sus pueblos en armas, sus comités revolucionarios y sus curas sanguinarios, sus guillotinas y sus horcas. El tiempo de la infancia es el tiempo de la imaginación, esa facultad que Wordsworth llama el «alma de la naturaleza» para significar que es un poder trashumano. La imaginación no está en el hombre, sino que es el espíritu del lugar y del momento; no es sólo la potencia por la que vemos la realidad visible y la oculta: también es el medio por el que la naturaleza, a través de la mirada del poeta, se mira. Por la imaginación la naturaleza nos habla y habla con ella misma.

Las vicisitudes de la pasión política de Wordsworth podrían explicarse en términos de su vida íntima: los años de su entusiasmo por la Revolución son los años de su amor por Annette (Anne Marie Vallon), una muchacha francesa a la que abandona precisamente cuando empiezan a cambiar sus opiniones políticas; los años de su creciente enemistad por los movimientos revolucionarios coinciden con los de su decisión de apartarse del mundo y vivir en el campo, acompañado de su mujer y de su hermana Dorothy. Esta mezquina explicación no empequeñece a Wordsworth, sino a nosotros. Otra interpretación, ahora de orden intelectual e histórico: su afinidad política con los girondinos; su natural repugnancia ante el terror y el espíritu de sistema de los jacobinos; sus convicciones morales y filosóficas que lo llevan a extender la reprobación protestante del universalismo papista al universalismo revolucionario; su reacción de inglés ante las tentativas de invasión de Napoleón. Esta explicación, que

[1] Ernest de Selincourt ed., *The Prelude*, Oxford University Press, Londres, 1970. Hay dos versiones del poema; la segunda es de 1850 y contiene las enmiendas y modificaciones que le hizo Wordsworth desde 1806 hasta su muerte.

combina la antipatía del liberal frente al despotismo revolucionario y la del patriota frente a las pretensiones hegemónicas de un poder extranjero, podría aplicarse también a los románticos alemanes, aunque con ciertas salvedades.

Ver el conflicto entre los primeros románticos y la Revolución francesa como un episodio de la lucha entre autoritarismo y libertad no es del todo falso, pero tampoco es enteramente cierto. No, la explicación es otra. En circunstancias históricas distintas, el fenómeno se manifiesta una y otra vez, primero a lo largo del siglo XIX y después, con mayor intensidad, en lo que va del que corre. Apenas si vale la pena recordar los casos de Esenin, Mandelstam, Pasternak y tantos otros poetas, artistas y escritores rusos; las polémicas de los surrealistas con la Tercera Internacional; la amargura de César Vallejo, dividido entre su fidelidad a la poesía y su fidelidad al Partido Comunista; las querellas en torno al «realismo socialista» y todo lo que ha seguido después. La poesía moderna ha sido y es una pasión revolucionaria, pero esa pasión ha sido desdichada. Afinidad y ruptura: no han sido los filósofos, sino los revolucionarios, los que han expulsado a los poetas de su república. La razón de la ruptura ha sido la misma que la de la afinidad: revolución y poesía son tentativas por destruir este tiempo de ahora, el tiempo de la historia que es el de la historia de la desigualdad, para instaurar *otro tiempo*. Pero el tiempo de la poesía no es el de la revolución, el tiempo fechado de la razón crítica, el futuro de las utopías: es el tiempo de antes del tiempo, el de la «vida anterior» que reaparece en la mirada del niño, el tiempo sin fechas.

La ambigüedad de la poesía frente a la razón crítica y sus encarnaciones históricas: los movimientos revolucionarios, es una cara de la medalla; la otra es la de su ambigüedad —otra vez afinidad y ruptura— ante la religión de Occidente: el cristianismo. Casi todos los grandes románticos, herederos de Rousseau y del deísmo del siglo XVIII, fueron espíritus religiosos, pero ¿cuál fue realmente la religión de Hölderlin, Blake, Coleridge, Hugo, Nerval? La misma pregunta podría hacerse a los que se declararon francamente irreligiosos. El ateísmo de Shelley es una pasión religiosa. En 1810, en otra carta a su íntimo Thomas Hogg, dice: «Oh, ardo en impaciencia esperando la disolución del cristianismo [...] Creo que es un deber de humanidad acabar con esa creencia. Si yo fuese el Anticristo y tuviese el poder de aniquilar a ese demonio para precipitarlo en su infierno nativo».[1] Lenguaje más bien curioso para un ateo y que prefigura al de Nietzsche de los últimos años.

Negación de la religión: pasión por la religión. Cada poeta inventa su propia mitología y cada una de esas mitologías es una mezcla de creencias dispares, mitos desenterrados y obsesiones personales. El Cristo de Hölderlin es una divinidad solar y, en ese enigmático poema que se llama *El único,* Jesús se convierte en el hermano de Hércules y «de aquel que unció su carro con un tiro de tigres y descendió hasta el Indo», Dionisio.[2] La Virgen de Novalis es la madre de Cristo y la Noche precristiana, su novia Sophie y la muerte. La Aurélia de Nerval es Isis, Pandora y la actriz Jenny Colon. Religiones románticas: herejías, sincretismos, apostasías, blasfemias, conversiones. La ambigüedad romántica tiene dos modos, en el sentido musical de la palabra: uno se llama ironía y consiste en insertar dentro del orden de la objetividad la negación de la subjetividad; el otro se llama angustia y consiste en dejar caer, en la plenitud del ser, una gota de nada. La ironía revela la dualidad de lo que parecía uno, la escisión de lo idéntico, el otro lado de la razón: la quiebra del principio de identidad. La angustia nos muestra que la existencia está vacía, que la vida es muerte, que el cielo es un desierto: la quiebra de la religión.

El tema de la muerte de Dios es un tema romántico. No es un tema filosófico, sino religioso. Para la razón Dios existe o no existe. En el primer caso, no puede morir, y en el segundo, ¿cómo puede morir alguien que nunca ha existido? Este razonamiento es válido solamente desde la perspectiva del monoteísmo y del tiempo sucesivo e irreversible de Occidente. La Antigüedad sabía que los dioses son mortales pero que, manifestaciones del tiempo cíclico, resucitan y regresan. En la noche los marineros escuchan una voz que recorre las costas del Mediterráneo diciendo: «Pan ha muerto», y esa voz que anuncia la muerte del dios, anuncia también su resurrección. La leyenda náhuatl nos cuenta que Quetzalcóatl abandona Tula, se inmola y se convierte en el planeta doble (Estrella de la Mañana y de la Tarde), pero que un día ha de regresar para recobrar su herencia. En cambio, Cristo vino a la tierra sólo una vez. Cada acontecimiento de la historia sagrada de los cristianos es único y no se repetirá. Si alguien dice: «Dios ha muerto», anuncia un hecho irrepetible: Dios ha muerto para siempre jamás. Dentro de la concepción del tiempo como

[1] F. L. Jones, ed., *The Letters of Percy Bysshe Shelley, op. cit.*

[2] Friedrich Hölderlin, *Poems and fragments,* edición bilingüe, trad. inglesa de Michael Hamburger, Routledge & Kegan Paul, Londres, 1966.

sucesión lineal irreversible, la muerte de Dios se vuelve un acontecimiento impensable.

La muerte de Dios abre las puertas de la contingencia y la sinrazón. La respuesta es doble: la ironía, el humor, la paradoja intelectual; también la angustia, la paradoja poética, la imagen. Ambas actitudes aparecen en todos los románticos: su predilección por lo grotesco, lo horrible, lo extraño, lo sublime irregular, la estética de los contrastes, la alianza entre risa y llanto, prosa y poesía, incredulidad y fideísmo, los cambios súbitos, las cabriolas, todo, en fin, lo que convierte a cada poeta romántico en un Ícaro, un Satanás y un payaso, no es sino respuesta al absurdo: angustia e ironía. Aunque el origen de todas estas actitudes es religioso, se trata de una religiosidad singular y contradictoria, pues consiste en la conciencia de que la religión está vacía. La religiosidad romántica es irreligión: ironía; la irreligión romántica es religiosa: angustia.

El tema de la muerte de Dios, en este sentido religioso/irreligioso, aparece por primera vez, según creo, en Jean-Paul Richter. En este gran precursor confluyen todas las tendencias y corrientes que más tarde van a desplegarse en la poesía y la novela del siglo XIX y del XX: el onirismo, el humor, la angustia, la mezcla de los géneros, la literatura fantástica aliada al realismo y éste a la especulación filosófica. El célebre *Sueño* de Jean-Paul es el sueño de la muerte de Dios y su título completo es: *Discurso de Cristo muerto en lo alto del edificio del mundo: no hay Dios.* Existe otra versión en la que, significativamente, no es Cristo, sino Shakespeare, el que anuncia la noticia.[1] Para los románticos Shakespeare era el poeta por antonomasia, como Virgilio lo fue para la Edad Media; al poner en labios del poeta inglés la terrible nueva, Jean-Paul afirma implícitamente algo que más tarde dirán todos los románticos: los poetas son videntes y profetas, por su boca habla el espíritu. El poeta desaloja al sacerdote y la poesía se convierte en una revelación rival de la escritura religiosa.

La versión definitiva del *Sueño* acentúa el carácter profundamente religioso de este texto capital y, simultáneamente, su carácter absolutamente blasfemo: no es un filósofo ni un poeta, sino Cristo mismo, el hijo de la divinidad, el que afirma que Dios no existe. El lugar del anuncio es la iglesia de un cementerio inmenso. Tal vez es medianoche, aunque ¿cómo saberlo a ciencia cierta?: el cuadrante del reloj no tiene cifras ni agujas y una mano negra traza incansablemente sobre esa superficie signos que se

[1] La primera versión es de 1789 y la última, incluida en la novela *Siebenkas,* es de 1796.

borran inmediatamente y que los muertos en vano quieren descifrar. En medio del clamor de la multitud de las sombras, Cristo desciende y dice: He recorrido los mundos, subí hasta los soles y no encontré a Dios alguno; bajé hasta los últimos límites del universo, miré los abismos y grité: Padre, ¿dónde estás? Pero no escuché sino la lluvia que caía en el precipicio y la eterna tempestad que ningún orden rige... La eternidad reposaba sobre el caos, lo roía y, al roerlo, se devoraba lentamente ella misma. Los niños muertos se acercan a Cristo y le preguntan: Jesús, ¿no tenemos padre? Y él responde: todos somos huérfanos.

Dos temas se entrelazan en el *Sueño:* el de la muerte del Dios cristiano, padre universal y creador del mundo, y el de la inexistencia de un orden divino o natural que regule el movimiento de los universos. El segundo tema está en abierta contradicción con las ideas que la nueva filosofía había propagado entre los espíritus cultivados de la época. Los filósofos de la Ilustración habían atacado con saña al cristianismo y a su Dios hecho persona, pero tanto los deístas como los materialistas postulaban la existencia de un orden universal. El siglo XVIII, con unas pocas excepciones como la de Hume, creyó en un cosmos regido por leyes que no eran esencialmente distintas a las del entendimiento. Divina o natural, una necesidad inteligente movía al mundo y el universo era un mecanismo racional. La visión de Jean-Paul nos muestra exactamente lo contrario: el desorden, la incoherencia. El universo no es un mecanismo, sino una inmensidad informe agitada por movimientos que no es exagerado llamar pasionales: esa lluvia que cae desde el principio sobre el abismo sin fin y esa tempestad perpetua sobre el paisaje de la convulsión son la imagen misma de la contingencia.

Universo sin leyes, mundo a la deriva, visión grotesca del cosmos: la eternidad está sentada sobre el caos y, al devorarlo, se devora. Estamos ante la «naturaleza caída» de los cristianos, pero la relación entre Dios y el mundo se presenta invertida: no es el mundo, caído de la mano de Dios, el que se precipita en la nada, sino que es Dios el que cae en el hoyo de la muerte. Blasfemia enorme: ironía y angustia. La filosofía había concebido un mundo movido, no por un creador, sino por un orden inteligente; para Jean-Paul y sus descendientes la contingencia es una consecuencia de la muerte de Dios: el universo es un caos porque no tiene creador. El ateísmo de Jean-Paul es religioso y se opone al ateísmo de los filósofos: la imagen del mundo como un mecanismo es sustituida por la de un mundo convulso que agoniza sin cesar y nunca acaba de morir. La contingencia universal se llama, en la esfera existencial, orfandad. Y el primer huérfano, El Gran Huérfano, no es otro que Cristo. El *Sueño* de Jean-Paul escandaliza lo mismo al filósofo que al sacerdote, al ateo que al creyente.

El *Sueño* de Jean-Paul va a ser soñado, pensado y padecido por muchos poetas, filósofos y novelistas del siglo XIX y del XX. En Francia fue conocido gracias al libro famoso de Madame de Staël: *De l'Allemagne* (1814). Hay un poema de Nerval, compuesto por cinco sonetos e intitulado *Cristo en el monte de los Olivos,* que es una adaptación del *Sueño.*[1] El texto de Jean-Paul es abrupto, exagerado; los sonetos de Nerval despliegan los mismos temas como una solemne música nocturna. El poeta francés suprimió el elemento confesional y psicológico; el poema no es el relato de un sueño, sino el de un mito: no es la pesadilla de un poeta en la iglesia de un cementerio, sino el monólogo de Cristo ante sus discípulos dormidos. En el primer soneto hay una línea soberbia *(Le dieu manque à l'autel, où je suis la victime)* que inicia un tema que no aparece en Jean-Paul y que los siguientes sonetos continúan hasta culminar en el último verso del último soneto. Es el tema del eterno retorno que, aliado al de la muerte de Dios, reaparece más tarde en Nietzsche con una intensidad y una lucidez sin paralelo.

En el poema de Nerval el sacrificio de Cristo en este mundo sin Dios lo convierte, a su vez, en un nuevo Dios. Nuevo y otro: es una divinidad que apenas si tiene relación con el Dios cristiano. El Cristo de Nerval es un Ícaro, un Faetón, un hermano Atis herido y al que Cibeles reanima. La tierra se embriaga con esa sangre preciosa, el Olimpo se despeña en el abismo y César pregunta al oráculo de Júpiter Amón: ¿Quién es ese nuevo Dios? El oráculo calla, pues el único que puede explicar al mundo ese misterio es: *Celui qui donna l'âme aux enfants du limon.* Misterio insoluble, pues el que infunde un alma al Adán de lodo es el Padre, el creador: precisamente ese Dios ausente en el altar donde Cristo es la víctima. Un siglo y medio más tarde Fernando Pessoa se enfrenta al mismo enigma y lo resuelve en términos parecidos a los de Nerval: no hay Dios, sino dioses, y el tiempo es circular: «Dios es un hombre de otro Dios más grande; / También tuvo caída, Adán supremo; / También, aunque creador, él fue criatura».[2]

La conciencia poética de Occidente ha vivido la muerte de Dios

[1] Gérard de Nerval, *Oeuvres,* Gallimard, París, 1952 (Bibliothèque de la Pléiade). Texto establecido, anotado y presentado por Albert Beguin y Jean Richer. Los sonetos de Nerval se publicaron por primera vez en 1844.

[2] *La tumba de Cristian Rosencreutz,* trad. de Octavio Paz.

como si fuese un mito. Mejor dicho, esa muerte ha sido verdaderamente un mito y no un mero episodio en la historia de las ideas religiosas de nuestra sociedad. El tema de la orfandad universal, tal como lo encarna la figura de Cristo, el gran huérfano y el hermano mayor de todos los niños huérfanos que son los hombres, expresa una experiencia psíquica que recuerda la vía negativa de los místicos: esa «noche oscura» en la que nos sentimos flotar a la deriva, abandonados en un mundo hostil o indiferente, culpables sin culpa e inocentes sin inocencia. No obstante, hay una diferencia esencial: es una noche sin desenlace, un cristianismo sin Dios. Al mismo tiempo, la muerte de Dios provoca en la imaginación poética un despertar de la fabulación mítica y así se crea una extraña cosmogonía en la que cada Dios es la criatura, el Adán, de otro Dios. Regreso del tiempo cíclico, transmutación de un tema cristiano en un mito pagano. Un paganismo incompleto, un paganismo cristiano teñido de angustia por la caída en la contingencia.

Estas dos experiencias —cristianismo sin Dios, paganismo cristiano— son constitutivas de la poesía y la literatura de Occidente desde la época romántica. En uno y en otro caso estamos ante una doble transgresión: la muerte de Dios convierte el ateísmo de los filósofos en una experiencia religiosa y en un mito; a su vez, esa experiencia niega aquello mismo que afirma: el mito está vacío, es un juego de reflejos en la conciencia solitaria del poeta; no hay realmente nadie en el altar, ni siquiera esa víctima que es Cristo. Angustia e ironía: ante el tiempo futuro de la razón crítica y de la Revolución, la poesía afirma el tiempo sin fechas de la sensibilidad y la imaginación, el tiempo original; ante la eternidad cristiana, afirma la muerte de Dios, la caída en la contingencia y la pluralidad de dioses y mitos. Pero cada una de estas negaciones se vuelve contra sí misma: el tiempo sin fechas de la imaginación no es un tiempo revolucionario sino mítico; la muerte de Dios es un mito vacío. La poesía romántica es revolucionaria no *con*, sino *frente a* las revoluciones del siglo, y su religiosidad es una transgresión de las religiones.

Para la Edad Media la poesía era una sirvienta de la religión; para la edad romántica la poesía es su rival, y más, es la verdadera religión, el principio anterior a todas las escrituras sagradas. Rousseau y Herder habían mostrado que el lenguaje responde, no a las necesidades materiales del hombre, sino a la pasión y a la imaginación: no es el hambre, sino el amor, el miedo o el asombro lo que nos ha hecho hablar. El principio metafórico es el fundamento del lenguaje y las primeras creencias de la humanidad son indistinguibles de la poesía. Trátese de fórmulas mágicas, letanías, plegarias o mitos, estamos ante objetos verbales análogos a los que más tarde se llamarían poemas. Sin la imaginación poética no habría ni mitos ni sagradas escrituras; al mismo tiempo, también desde el principio, la religión confisca para sus fines a los productos de la imaginación poética. La seducción que ejercen sobre nosotros los mitos no reside en el carácter religioso de esos textos —esas creencias no son las nuestras—, sino en que en todos ellos la fabulación poética transfigura al mundo y a la realidad. Una de las funciones cardinales de la poesía es mostrarnos el otro lado de las cosas, lo maravilloso cotidiano: no la irrealidad, sino la prodigiosa realidad del mundo. Pero la religión y sus burocracias de sacerdotes y teólogos se apoderan de todas esas visiones, transforman las imaginaciones en creencias y las creencias en sistemas. Aun entonces el poeta da forma sensible a las ideas religiosas, las transmuta en imágenes y las anima: las cosmogonías y las genealogías son poemas, las escrituras sagradas han sido escritas por los poetas. El poeta es el geógrafo y el historiador del cielo y del infierno: Dante describe la geografía y la población del otro mundo, Milton nos cuenta la verdadera historia de la Caída.

La crítica de la religión emprendida por la filosofía del siglo XVIII quebrantó al cristianismo como fundamento de la sociedad. La disgregación de la eternidad en tiempo histórico hizo posible que la poesía, en una suerte de regreso a sí misma y por la misma naturaleza de la función poética, indistinguible de la función mítica, se concibiese como el verdadero fundamento de la sociedad. La poesía fue la verdadera religión y el verdadero saber. Las biblias, los evangelios y los coranes habían sido denunciados por los filósofos como compendios de patrañas y fantasías; sin embargo, todos reconocían, incluso los materialistas, que esos cuentos poseían una verdad poética. En estas tentativas por encontrar un fundamento anterior a las religiones reveladas o naturales, los poetas encontraron muchas veces aliados en los filósofos. La influencia de Kant fue decisiva en la segunda fase del pensamiento de Coleridge. El filósofo alemán había mostrado que la «imaginación trascendental» es la facultad por la cual el hombre despliega un campo, un más allá mental, donde los objetos se sitúan. Por la imaginación el hombre coloca frente a sí al objeto; por tanto, esa facultad es la condición del conocimiento: sin ella no habría ni percepción ni juicio. La imaginación trascendental es la raíz, como dice Heidegger, de la sensibilidad y del entendimiento. Kant había dicho que «la imaginación es el poder fundamental del alma humana y el que sirve *a priori* de principio a todo conocimiento. Por medio de ese poder, ligamos, por una parte, la diversidad de la intuición y, por la otra, la condición de la unidad necesaria de la intuición pura».

La imaginación, además, transfigura al objeto sensible. Más cerca de Schelling que de Kant en esto, Coleridge afirma que la imaginación no sólo es la condición del conocer sino que es la facultad que convierte a las ideas en símbolos y a los símbolos en presencias. La imaginación *is a form of Being.*[1] Para Coleridge no hay realmente diferencia entre imaginación poética y revelación religiosa, salvo que la segunda es histórica y cambiante, mientras que los poetas (en tanto que poetas y cualesquiera que hayan sido sus creencias) no son *the slaves of any sectarian opinion.* Coleridge también dijo que la religión *is the poetry of Mankind;* años antes, adolescente casi, Novalis había escrito: «La religión es poesía práctica». Y en otro fragmento: «La poesía es la religión original de la humanidad».[2] Las citas podrían multiplicarse y todas en el mismo sentido: los poetas románticos fueron los primeros en afirmar, lo mismo ante la religión oficial que ante la filosofía, la anterioridad histórica y espiritual de la poesía. Para ellos la palabra poética es la palabra de fundación. En esta afirmación temeraria está la raíz de la heterodoxia de la poesía moderna tanto frente a las religiones como ante las ideologías.

La figura de William Blake condensa las contradicciones de la primera generación romántica. Las condensa y las hace estallar en una explosión que trasciende al romanticismo. ¿Fue un verdadero romántico? El culto a la naturaleza, que es uno de los rasgos de la poesía romántica, no aparece en su obra. Creía que «el mundo de la imaginación es el mundo de la eternidad, mientras que el mundo de la generación es finito y temporal». Esta idea lo acerca a los gnósticos y a los iluminados, pero su amor al cuerpo, su exaltación del deseo erótico y del placer —«aquel que desea y no satisface su deseo engendra pestilencia»— lo oponen a la tradición neoplatónica. Aunque se llamó «adorador de Cristo», ¿fue cristiano? Su Cristo no es el de los cristianos: es un titán desnudo que se baña en el mar radiante de la energía erótica. Un demiurgo para el que imaginar y hacer, desear y satisfacer el deseo, son una y la misma cosa. Su Cristo más bien hace pensar en el Satán de *The Marriage of Heaven and Hell* (1793);

[1] «Poetry and Religion», en I. A. Richards, *The Portable Coleridge*, The Viking Press, Nueva York, 1950.

[2] *Cf. Blütenstaub* y *Glauben und Liebe.*

su cuerpo es como una gigantesca nube iluminada por relámpagos incesantes: la escritura llameante de los proverbios del Infierno.

En los primeros años de la Revolución francesa, Blake se paseaba por las calles de Londres tocado por el gorro frigio color sangre. Más tarde se enfrió su entusiasmo político, no el ardor de su imaginación libre, libertaria y libertadora:

> Todas las biblias y códigos sagrados han sido la causa de los errores siguientes: (1) que en el hombre coexisten dos principios distintos: el cuerpo y el alma; (2) que la energía, llamada *mal,* viene únicamente del cuerpo y que la razón, llamada *bien,* viene únicamente del alma; (3) que Dios atormentará eternamente al hombre por seguir sus energías. Pero las siguientes proposiciones contrarias son verdaderas: (1) el cuerpo no es distinto del alma; (2) la energía es vida y procede del cuerpo; la razón envuelve a la energía como una circunferencia; (3) energía es delicia eterna.[1]

La violencia de estas afirmaciones anticristianas hace pensar en Rimbaud y en Nietzsche. No es menos violento contra el deísmo racionalista de los filósofos. Voltaire y Rousseau son frecuentes víctimas de su cólera y en sus poemas proféticos Newton y Locke aparecen como agentes de Urizen, el demiurgo maléfico. Urizen *(Your Reason)* es el señor de los sistemas, el inventor de la moral que aprisiona con sus silogismos a los hombres, los divide a unos de otros y a cada uno de sí mismo. Urizen: la razón sin cuerpo ni alas, el gran carcelero. Blake no sólo denuncia la superstición de la filosofía y la idolatría de la razón sino también, en el siglo de la primera revolución industrial y en el país que fue la cuna de esa revolución, profetiza los peligros del culto a la religión del progreso. En esos años el paisaje pastoral de Inglaterra comienza a cambiar, y valles y colinas se cubren con la vegetación de hierro, carbón, polvo y detritus de la industria. Blake llama a los telares, minas, fraguas y herrerías «fábricas satánicas», y «muerte eterna» al trabajo de los obreros. Blake: nuestro contemporáneo.

Eliot lamentaba que la mitología de Blake fuese indigesta y sincretista, una religión privada compuesta de fragmentos de mitos y creencias heteróclitas. El mismo reproche podría hacerse a la mayoría de los poetas modernos, de Hölderlin y Nerval a Yeats y Rilke. Ante la progresiva des-

[1] «The Voice of the Devil», *The Marriage of Heaven and Hell,* en *The Complete Poetry of William Blake,* Random House, Nueva York, 1941.

integración de la mitología cristiana, los poetas no han tenido más remedio que inventar mitologías más o menos personales hechas de retazos de filosofías y religiones. A pesar de esta vertiginosa diversidad de sistemas poéticos —mejor dicho: en el centro mismo de esa diversidad—, es visible una creencia común. Esa creencia es la verdadera religión de la poesía moderna, del romanticismo al surrealismo, y aparece en todos los poemas, unas veces de una manera implícita y otras, las más, explícita. He nombrado a la *analogía*. La creencia en la correspondencia entre todos los seres y los mundos es anterior al cristianismo, atraviesa la Edad Media y, a través de los neoplatónicos, los iluministas y los ocultistas, llega hasta el siglo XIX. Desde entonces no ha cesado de alimentar secreta o abiertamente a los poetas de Occidente, de Goethe al Balzac visionario, de Baudelaire y Mallarmé a Yeats y a los surrealistas.

La analogía sobrevivió al paganismo y probablemente sobrevivirá al cristianismo y a su enemigo el cientismo. En la historia de la poesía moderna su función ha sido doble: por una parte, fue el principio anterior a todos los principios y distinto a la razón de las filosofías y a la revelación de las religiones; por otra parte, hizo coincidir ese principio con la poesía misma. La poesía es una de las manifestaciones de la analogía; las rimas y las aliteraciones, las metáforas y las metonimias, no son sino modos de operación del pensamiento analógico. El poema es una secuencia en espiral que regresa sin cesar, sin regresar jamás del todo, a su comienzo. Si la analogía hace del universo un poema, un texto hecho de oposiciones que se resuelven en consonancias, también hace del poema un doble del universo. Doble consecuencia: podemos *leer* el universo, podemos *vivir* el poema. Por lo primero, la poesía es conocimiento; por lo segundo, acto. De una y otra manera colinda —pero sólo para contradecirlas— con la filosofía y con la religión. La imagen poética configura una realidad rival de la visión del revolucionario y de la del religioso. La poesía es la *otra* coherencia, no hecha de razones, sino de ritmos. No obstante, hay un momento en que la correspondencia se rompe; hay una disonancia que se llama, en el poema: ironía, y en la vida: mortalidad. La poesía moderna es la conciencia de esa disonancia *dentro* de la analogía.

Las mitologías poéticas, sin excluir a las de los poetas cristianos, envejecen y se vuelven polvo como las religiones y las filosofías. Queda la poesía y por eso podemos leer a los vedas y las biblias no como escrituras religiosas, sino como textos poéticos: «El genio poético es el hombre verdadero. Las religiones de todas las naciones se derivan de diferentes recepciones del genio poético» (Blake: *All religions are one,* 1788). Aunque las religiones son históricas y perecederas, hay en todas ellas un germen no religioso y que perdura: la imaginación poética. Hume habría sonreído ante esta extraña idea. ¿A quién creer: a Hume y su crítica de la religión o a Blake y su exaltación de la imaginación? La historia de la poesía moderna es la historia de la respuesta que cada poeta ha dado a esta pregunta. Para todos los fundadores —Wordsworth, Coleridge, Hölderlin, Jean-Paul, Novalis, Hugo, Nerval— la poesía es la palabra del tiempo sin fechas. Palabra del principio: palabra de fundación. Pero también palabra de desintegración: ruptura de la analogía por la ironía, por la conciencia de la historia que es conciencia de la muerte.

Analogía e ironía

El romanticismo fue un movimiento literario, pero asimismo fue una moral, una erótica y una política. Si no fue una religión fue algo más que una estética y una filosofía: una manera de pensar, sentir, enamorarse, combatir, viajar. Una manera de vivir y una manera de morir. Friedrich von Schlegel afirmó en uno de sus escritos programáticos que el romanticismo no sólo se proponía la disolución y la mezcla de los géneros literarios y las ideas de belleza sino que, por la acción contradictoria pero convergente de la imaginación y de la ironía, buscaba la fusión entre vida y poesía. Y aún más: socializar la poesía. El pensamiento romántico se despliega en dos direcciones que acaban por fundirse: la búsqueda de ese principio anterior que hace de la poesía el fundamento del lenguaje y, por tanto, de la sociedad, y la unión de ese principio con la vida histórica. Si la poesía ha sido el primer lenguaje de los hombres —o si el lenguaje es en su esencia una operación poética que consiste en ver al mundo como un tejido de símbolos y de relaciones entre esos símbolos— cada sociedad está edificada sobre un poema; si la revolución de la edad moderna consiste en el movimiento de regreso de la sociedad a su origen, al pacto primordial de los iguales, esa revolución se confunde con la poesía. Blake dijo: «Todos los hombres son iguales en el genio poético».[1] De ahí que la poesía romántica pretenda ser también acción: un poema no sólo es un objeto verbal sino que es una profesión de fe y un acto. Inclusive la doctrina del «arte por el arte», que parece negar esta actitud, la confirma y la prolonga: más que una estética fue una ética, y aun, muchas veces, una religión y una política. La poesía moderna oficia en el subsuelo de la sociedad y el pan que reparte a sus fieles es una hostia envenenada: la negación y la crítica. Pero esta ceremonia en

[1] *All Religions are One*, 1788.

las tinieblas también es una búsqueda del manantial perdido, el agua del origen.

El romanticismo nació casi al mismo tiempo en Inglaterra y Alemania. Desde allí se extendió a todo el continente europeo como si fuese una epidemia espiritual. La preeminencia del romanticismo alemán e inglés no proviene sólo de su anterioridad cronológica sino, tanto como de su gran originalidad poética, de su penetración crítica. En ambas lenguas la creación poética se alía a la reflexión sobre la poesía con una intensidad, profundidad y novedad que no tienen paralelo en las otras literaturas europeas. Los textos críticos de los románticos ingleses y alemanes fueron verdaderos manifiestos revolucionarios e inauguraron una tradición que se prolonga hasta nuestros días. La conjunción entre la teoría y la práctica, la poesía y la poética, fue una manifestación más de la aspiración romántica hacia la fusión de los extremos: el arte y la vida, la antigüedad sin fechas y la historia contemporánea, la imaginación y la ironía. Mediante el diálogo entre poesía y prosa se perseguía, por una parte, vitalizar a la primera por su inmersión en el lenguaje común y, por la otra, idealizar la prosa, disolver la lógica del discurso en la lógica de la imagen. Consecuencia de esta interpenetración: el poema en prosa y la periódica renovación del lenguaje poético, a lo largo de los siglos XIX y XX, por inyecciones cada vez más fuertes de habla popular. Pero en 1800, como más tarde en 1920, lo nuevo no era tanto que los poetas especulasen en prosa sobre la poesía, sino que esa especulación desbordase los límites de la antigua poética y proclamase que la nueva poesía era también una nueva manera de sentir y de vivir.

La unión de poesía y prosa es constante en los románticos ingleses y alemanes aunque, como es natural, no en todos los poetas se manifiesta con la misma intensidad y de la misma manera. En algunos casos, como en Coleridge y Novalis, el verso y la prosa poseen, a pesar de la intercomunicación entre uno y otra, clara autonomía: *Kubla Khan* y *The Rime of the Ancient Mariner* frente a los textos críticos de *Biographia Literaria*, los *Hymnen an die Nacht* ante la prosa filosófica de *Blütenstaub*. En otros poetas, la inspiración y la reflexión se funden lo mismo en la prosa que en el verso: ni Hölderlin ni Wordsworth son poetas filosóficos, por fortuna para ellos, pero en ambos el pensamiento tiende a convertirse en imagen sensible. En fin, en un poeta como Blake la imagen poética es inseparable de la visión profética, de modo que es imposible trazar la frontera entre la prosa y la poesía.

Cualesquiera que sean las diferencias que separan a estos poetas —y apenas si necesito decir que son muy profundas—, todos ellos conciben la experiencia poética como una experiencia vital en la que participa la totalidad del hombre. El poema no sólo es una realidad verbal: también es un acto. El poeta dice, y al decir, hace. Este hacer es sobre todo un hacerse a sí mismo: la poesía no sólo es autoconocimiento sino autocreación. El lector, a su vez, repite la experiencia de autocreación del poeta y así la poesía encarna en la historia. En el fondo de esta idea vive todavía la antigua creencia en el poder de las palabras: la poesía pensada y vivida como una operación mágica destinada a transmutar la realidad. La analogía entre magia y poesía es un tema que reaparece a lo largo del siglo XIX y del XX, pero que nace con los románticos alemanes. La concepción de la poesía como magia implica una estética activa; quiero decir, el arte deja de ser exclusivamente representación y contemplación: también es intervención sobre la realidad. Si el arte es un espejo del mundo, ese espejo es mágico: lo cambia.

La estética barroca y la neoclásica habían trazado una división estricta entre el arte y la vida. Por más distintas que fuesen sus ideas de lo bello, ambas acentuaban el carácter ideal de la obra de arte. Al afirmar la primacía de la inspiración, la pasión y la sensibilidad, el romanticismo borró las fronteras entre el arte y la vida: el poema fue una experiencia vital y la vida adquirió la intensidad de la poesía. Para Calderón la vida es un bien ilusorio porque tiene la duración y la consistencia de los sueños; para los románticos lo que redime a la vida de su horror monótono es ser un sueño. Los románticos hacen del sueño «una segunda vida» y, aún más, un puente para llegar a la verdadera vida, la vida del tiempo del principio. La poesía es la reconquista de la inocencia. ¿Cómo no ver las raíces religiosas de esta actitud y su íntima relación con la tradición protestante? El romanticismo nació en Inglaterra y Alemania no sólo por haber sido una ruptura de la estética grecorromana sino por su dependencia espiritual del protestantismo. El romanticismo continúa la ruptura protestante. Al interiorizar la experiencia religiosa, a expensas del ritualismo romano, el protestantismo preparó las condiciones psíquicas y morales del sacudimiento romántico. El romanticismo fue ante todo una interiorización de la visión poética. El protestantismo había convertido a la conciencia individual del creyente en el teatro del misterio religioso; el romanticismo fue la ruptura de la estética objetiva y más bien impersonal de la tradición latina y la aparición del yo del poeta como realidad primordial.

Decir que las raíces espirituales del romanticismo están en la tradición protestante puede parecer aventurado, especialmente si se piensa en las conversiones al catolicismo de varios románticos alemanes. Pero el verdadero sentido de esas conversiones se aclara apenas se recuerda que el romanticismo fue una reacción contra el racionalismo del siglo XVIII: el catolicismo de los románticos alemanes fue un anti-racionalismo. Algo no menos equívoco que su admiración por Calderón. Su lectura del dramaturgo español fue más una profesión de fe que una verdadera lectura. Vieron en él a la negación de Racine, pero no vieron que en el teatro de Calderón se despliega una razón no menos, sino más rigurosa que en el del poeta francés. El teatro de Racine es estético y psicológico: las pasiones humanas; el de Calderón es teológico: el pecado original y la libertad humana. La lectura romántica de Calderón confundió poesía barroca y neoescolástica con anticlasicismo poético y anti-racionalismo filosófico.

Las fronteras literarias del romanticismo coinciden con las fronteras religiosas del protestantismo. Esas fronteras fueron también y sobre todo lingüísticas: el romanticismo nació y alcanzó su plenitud en las naciones que no hablan las lenguas de Roma. Ruptura de la tradición que hasta entonces había sido central en Occidente y aparición de otras tradiciones: la poesía popular y tradicional de Alemania e Inglaterra, el arte gótico, las mitologías celtas y germánicas e incluso, frente a la imagen que la tradición latina nos había dado de Grecia, el descubrimiento (o la invención) de otra Grecia —la Grecia de Herder y de Hölderlin, que será más tarde la de Nietzsche y la nuestra. El guía de Dante en el infierno es Virgilio, el de Fausto es Mefistófeles. «¡Los clásicos! —dice Blake refiriéndose a Homero y Virgilio—, fueron los clásicos, no los godos o los monjes, los que asolaron a Europa con guerras.» Y añade: «La griega es forma matemática, pero el gótico es forma viva». En cuanto a Roma: «Un Estado guerrero nunca produce arte».[1] A partir de los románticos Occidente se reconoce en una tradición distinta a la de Roma, y esa tradición no es una, sino múltiple. Pero la influencia lingüística —lenguas germánicas y lenguas romances— se despliega en niveles aún más profundos. Según me propongo mostrar en lo que sigue, hay una íntima conexión entre el verso inglés y alemán —mejor dicho: entre los sistemas de versificación en ambas lenguas— y los cambios que introdujo el romanticismo en la sensibilidad y en la visión del mundo.

[1] «On Homer's Poetry and on Virgil», 1820.

La poesía romántica no sólo fue un cambio de estilo y de lenguajes: fue un cambio de creencias, y esto es lo que la distingue radicalmente de los otros movimientos y estilos poéticos del pasado. Ni el arte barroco ni el neoclásico fueron rupturas del sistema de creencias de Occidente; para encontrar un paralelo de la revolución romántica hay que remontarse al Renacimiento y, sobre todo, a la poesía provenzal. La comparación con esta última es particularmente reveladora porque lo mismo en la poesía provenzal que en la romántica hay una indudable correspondencia, todavía no del todo desentrañada, entre la revolución métrica, la nueva sensibilidad y el lugar central que ocupa la mujer en ambos movimientos. En el caso del romanticismo la revolución métrica consistió en la resurrección de los ritmos poéticos tradicionales de Alemania e Inglaterra. La visión romántica del universo y del hombre: la analogía, se apoya en una prosodia. Fue una visión más sentida que pensada y más *oída* que sentida. La analogía concibe al mundo como ritmo: todo se corresponde porque todo ritma y rima. La analogía no sólo es una sintaxis cósmica: también es una prosodia. Si el universo es un texto o tejido de signos, la rotación de esos signos está regida por el ritmo. El mundo es un poema; a su vez, el poema es un mundo de ritmos y símbolos. Correspondencia y analogía no son sino nombres del ritmo universal.

La visión analógica había inspirado lo mismo a Dante que a los neoplatónicos renacentistas. Su reaparición en la era romántica coincide con el rechazo de los arquetipos neoclásicos y el descubrimiento de la tradición poética nacional. Al desenterrar los ritmos poéticos tradicionales, los románticos ingleses y alemanes resucitaron la visión analógica del mundo y del hombre. Cierto, sería muy difícil probar que hay una relación necesaria de causa a efecto entre versificación acentual y visión analógica; no lo es sugerir que hay una relación histórica entre ellas y que la aparición de la primera, en el periodo romántico, es inseparable de la segunda. La visión analógica había sido preservada como una *idea* por las sectas ocultistas, herméticas y libertinas de los siglos XVII y XVIII; los poetas ingleses y alemanes traducen esta idea del «mundo-como-ritmo», y la traducen literalmente: la «convierten» en ritmo verbal, en poemas. Los filósofos habían pensado el mundo como ritmo; los poetas oyeron ese ritmo. No era el lenguaje de las esferas, aunque ellos lo creían así, sino el de los hombres.

La evolución del verso en las lenguas romances también es una prueba indirecta de la correspondencia entre versificación acentual y visión analógica. La relación entre el sistema de las lenguas romances y el de las germánicas es de simetría inversa: en el primero el golpe de los acentos es subsidiario del metro silábico, mientras que en el segundo la medida silábica es subsidiaria de la distribución rítmica de los acentos. El golpe de los acentos está más cerca de la danza que del discurso, y así los peligros del verso inglés y alemán no son los silogismos líricos, sino la confusión entre palabra y sonido, la vaguedad y el mero ruido rítmico. Lo contrario de la prosodia románica. En los países de lenguas romances había acabado por imperar casi enteramente la versificación regular y silábica, cuya expresión más estricta y perfecta es el verso francés. Es verdad que en las otras lenguas romances los acentos tónicos juegan un papel no menos importante que la regularidad silábica, de modo que un verso italiano, portugués o español, es una unidad compleja: la variedad de los acentos tónicos dentro de cada verso contrarresta la uniformidad silábica de los metros. Pero la tendencia a la regularidad, dominante desde el Renacimiento y robustecida por la influencia del neoclasicismo francés, es un rasgo constante en los sistemas de versificación de las lenguas romances hasta el periodo romántico. La versificación silábica se convierte fácilmente en medida abstracta: la cuenta más que el canto y, como lo muestra la poesía del siglo XVIII, la elocuencia, el discurso y el razonamiento en verso. Prosa rimada y ritmada, no la prosa coloquial y viva, fuente de poesía, sino la de la oratoria y el discurso intelectual. Al iniciarse el siglo XIX las lenguas romances habían perdido sus poderes de encantamiento y no podían ser vehículos de un pensamiento antidiscursivo, lleno de resonancias mágicas y esencialmente rítmico como el pensamiento analógico.

Si la resurrección de la analogía coincide en Inglaterra y Alemania con el regreso a las formas poéticas tradicionales, en los países latinos coincide con la rebelión contra la versificación regular silábica. En lengua francesa esa rebelión fue más violenta y total que en italiano o en castellano porque allá el sistema de versificación silábica dominó más enteramente a la poesía que en las otras lenguas romances. Es significativo que los dos grandes precursores del movimiento romántico en Francia hayan sido dos prosistas: Rousseau y Chateaubriand. La visión analógica se despliega mejor en la prosa francesa que en los metros abstractos de la poesía tradicional. No es menos significativo que entre las obras centrales del verdadero romanticismo francés se encuentre *Aurélia*, la novela de Nerval, y un puñado de narraciones fantásticas de Charles Nodier. Por último: entre las grandes creaciones de la poesía francesa del siglo pasado se encuentra el poema en prosa, una forma que realiza efectivamente la aspiración romántica de mezclar la prosa y la poesía. Es una forma que sólo pudo inventarse en una lengua en la que la pobreza de los acentos tónicos limita considerablemente los recursos rítmicos del verso libre. En cuanto al verso: Hugo deshace y rehace el alejandrino; Baudelaire introduce la reflexión, la duda, el prosaísmo, la ironía —la cesura mental tendiente, ya que no a romper el metro regular, a provocar la irregularidad, la excepción—; Rimbaud ensaya la poesía popular, la canción, el verso libre. La reforma de la prosodia culmina en dos extremos contradictorios: los ritmos rotos y vivaces de Laforgue y Corbière y la partitura-constelación de *Un Coup de dés*. Los primeros influyeron profundamente en los poetas de las dos Américas: Lugones, Pound, Eliot, López Velarde; con el segundo nace una forma que no pertenece ni al siglo XIX ni a la primera mitad del XX, sino a nuestro tiempo. Esta apresurada y dispersa enumeración sólo ha tenido un propósito: señalar que el movimiento general de la poesía francesa durante el siglo pasado puede verse como una rebelión contra la versificación tradicional silábica. Esa rebelión coincide con la búsqueda del principio dual que rige al universo y al poema: la analogía.

Escribí más arriba: el verdadero romanticismo francés. Hay dos: uno, el de los manuales e historias de la literatura, está compuesto por una serie de obras elocuentes, sentimentales y discursivas que ilustran los nombres de Musset y Lamartine;[1] otro, que para mí es el verdadero, está formado por un número muy reducido de obras y de autores: Nerval, Nodier, el Hugo del periodo final y los llamados «pequeños románticos». En realidad, los verdaderos herederos del romanticismo alemán e inglés son los poetas posteriores a los románticos oficiales, de Baudelaire a los simbolistas. Desde esta perspectiva, Nerval y Nodier hacen figura de precursores y Hugo aparece como un contemporáneo. Estos poetas nos dan otra versión del romanticismo. Otra y la misma porque la historia de la poesía moderna es una sorprendente confirmación del principio analógico: cada obra es la negación y la resurrección, la transfiguración de las otras. La poesía francesa de la segunda mitad del siglo pasado —llamarla simbolista sería mutilarla— es indisociable del romanticismo alemán e inglés: es su prolongación, pero también es su metáfora. Es una traducción en la que el romanticismo se vuelve sobre sí mismo, se contempla y se traspasa, se interroga y se trasciende. Es el *otro* romanticismo europeo.

[1] Exageré. Musset, por ejemplo, es autor de algunas canciones dentro de la mejor tradición romántica, como *À Saint-Blaise, Chanson de Barberine, Venise*... [Nota de 1990.]

En cada uno de los grandes poetas franceses de ese periodo se abre y se cierra el abanico de correspondencias de la analogía. Asimismo, la historia de la poesía francesa, de las *Chimères* a *Un Coup de dés*, puede verse como una vasta analogía: cada poeta es una estrofa de ese poema de poemas que es la poesía francesa y cada poema es una versión, una metáfora, de ese texto plural. Si un poema es un sistema de equivalencias, como ha dicho Roman Jakobson —rimas y aliteraciones que son ecos, ritmos que son juegos de reflejos, identidad de las metáforas y comparaciones—, la poesía francesa se resuelve también en un sistema de sistemas de equivalencias, una analogía de analogías. A su vez, ese sistema analógico es una analogía del romanticismo original de alemanes e ingleses. Si queremos comprender la unidad de la poesía europea sin atentar contra su pluralidad, debemos concebirla como un sistema analógico: cada obra es una realidad única y, simultáneamente, es una traducción de las otras. Una traducción: una metáfora.

La idea de la correspondencia universal es probablemente tan antigua como la sociedad humana. Es explicable: la analogía vuelve habitable al mundo. A la contingencia natural y al accidente opone la regularidad; a la diferencia y la excepción, la semejanza. El mundo ya no es un teatro regido por el azar y el capricho, las fuerzas ciegas de lo imprevisible: lo gobiernan el ritmo y sus repeticiones y conjunciones. Es un teatro hecho de acordes y reuniones en el que todas las excepciones, inclusive la de ser hombre, encuentran su doble y su correspondencia. La analogía es el reino de la palabra *como*, ese puente verbal que, sin suprimirlas, reconcilia las diferencias y las oposiciones. La analogía aparece lo mismo entre los primitivos que en las grandes civilizaciones del comienzo de la historia, reaparece entre los platónicos y los estoicos de la Antigüedad, se despliega en el mundo medieval y, ramificada en muchas creencias y sectas subterráneas, se convierte desde el Renacimiento en la religión secreta, por decirlo así, de Occidente: cábala, gnosticismo, ocultismo, hermetismo. La historia de la poesía moderna, desde el romanticismo hasta nuestros días, es inseparable de esa corriente de ideas y creencias inspiradas por la analogía.

La influencia de los gnósticos, los cabalistas, los alquimistas y otras tendencias marginales de los siglos XVII y XVIII fue muy profunda no sólo entre los románticos alemanes sino en Goethe mismo y su círculo. Lo mismo debe decirse de los románticos ingleses y, claro, de los franceses. A su vez, la tradición ocultista de los siglos XVII y XVIII se entronca con varios movimientos de crítica social y revolucionaria, simultáneamente libertaria y libertina. La creencia en la analogía universal está teñida de erotismo: los cuerpos y las almas se unen y separan regidos por las mismas leyes de atracción y repulsión que gobiernan las conjunciones y disyunciones de los astros y de las sustancias materiales. Un erotismo astrológico y un erotismo alquímico; asimismo, un erotismo subversivo: la atracción erótica rompe las leyes sociales y une a los cuerpos sin distinción de rangos y jerarquías. La astrología erótica ofrece un modelo de orden social fundado en la armonía cósmica y opuesto al orden de los privilegios, la fuerza y la autoridad; la alquimia erótica —unión de los principios contrarios, lo masculino y lo femenino, y su transformación en otro cuerpo— es una metáfora de los cambios, separaciones, uniones y conversiones de las sustancias sociales (las clases), durante una revolución. Correspondencias verbales: la revolución es el *crisol* en el que se produce la *amalgama* de los distintos miembros del cuerpo social y su transustanciación en otro cuerpo. El erotismo del siglo XVIII fue un erotismo revolucionario de raíces ocultistas, tal como puede verse en las novelas libertinas de Restif de la Bretonne. Del misticismo erótico de un Restif de la Bretonne a la concepción de una sociedad movida por el sol de la atracción apasionada no había sino un paso. Ese paso se llama Charles Fourier.

La figura de Fourier es central lo mismo en la historia de la poesía francesa que en la del movimiento revolucionario. No es menos actual que Marx (y sospecho que empieza a serlo más). Fourier piensa, como Marx, que la sociedad está regida por la fuerza, la coerción y la mentira, pero, a diferencia de Marx, cree que lo que une a los hombres es la atracción apasionada, el deseo. La palabra *deseo* no figura en el vocabulario de Marx. Una omisión que equivale a una mutilación del hombre. Para Fourier, cambiar a la sociedad significa liberarla de los obstáculos que impiden la operación de las leyes de la atracción apasionada. Esas leyes son leyes astronómicas, psicológicas y matemáticas, pero también son leyes literarias, poéticas. En el «discurso preliminar» de la *Théorie des quatre mouvements et des destinées générales* (1818) hace un resumen de su concepción:

> La primera ciencia que descubrí fue la teoría de la atracción apasionada [...] Pronto me di cuenta de que las leyes de la atracción apasionada se conformaban en todos sus puntos a las leyes de la atracción material explicadas por Newton: el sistema de movimiento del mundo material era el del mundo

> espiritual. Sospeché que esta analogía podía extenderse de las leyes generales a las leyes particulares y que las atracciones y propiedades de los animales, los vegetales y los minerales quizá estaban coordinadas de la misma manera que las de los hombres y los astros [...] Así fue descubierta la analogía de los cuatro movimientos: material, orgánico, animal y social [...] Apenas estuve en posesión de las dos teorías, la de la atracción y la de la unidad de los cuatro movimientos, comencé a leer en el libro mágico de la naturaleza.[1]

Es revelador que esta declaración termine por una metáfora a un tiempo literaria y ocultista: la naturaleza concebida como un libro, pero como un libro mágico, secreto. Rotación de la analogía: el principio que mueve al mundo y a los hombres es un principio matemático y musical que también se llama, en una de sus fases, justicia y, en otra, pasión y deseo. Todos estos nombres son metáforas, figuras literarias: la analogía es un principio poético.

La crítica oficial había ignorado o minimizado la influencia de Fourier. Ahora, gracias sobre todo a las indicaciones de André Breton, que fue el primero en señalar al utopista francés como uno de los centros magnéticos de nuestro tiempo, sabemos que hay un punto en el que el pensamiento revolucionario y el pensamiento poético se cruzan: la idea de la atracción apasionada. Fourier: un autor secreto como Sade, aunque por razones distintas. Al hablar del Balzac visionario —el autor de *Louis Lambert, Séraphita, La Peau de chagrin, Melmoth reconcilié*— se piensa únicamente en Swedenborg, con olvido de Fourier. Hasta Flora Tristán, la gran precursora del socialismo y de la liberación de la mujer, incurre en la misma injusticia: «Fourier fue el seguidor de Swedenborg; por la revelación de las correspondencias, el místico sueco anunció la universalidad de la ciencia e indicó a Fourier su hermoso sistema de analogías. Swedenborg concibió al cielo y al infierno como sistemas movidos por la atracción y el antagonismo; Fourier quiso realizar en la tierra el sueño celeste de Swedenborg y convirtió las jerarquías angélicas en falansterios». Stendhal dijo: «dentro de 20 años quizá se reconocerá el genio de Fourier». Estamos en 1972, el mes de abril se cumplió el segundo centenario de su nacimiento, y todavía no conocemos bien su obra. Hace poco Simone Debout rescató y publicó un manuscrito que había sido escamoteado por discípulos pudibundos, *Le Nouveau monde amoureux*, en el que

[1] Charles Fourier, *Théorie des quatre mouvements et des destinées générales*, Éditions Anthropos, París, 1967.

Fourier se revela como una suerte de anti-Sade y anti-Freud, aunque su conocimiento de las pasiones humanas no haya sido menos profundo que el de ellos. Contra la corriente de su época y contra la de nuestro tiempo, contra una tradición de dos mil años, Fourier sostiene que el deseo no es por necesidad mortífero, como afirma Sade, ni que la sociedad es represiva por naturaleza, como piensa Freud. Afirmar la bondad del placer es escandaloso en Occidente, y Fourier es realmente un autor escandaloso: Sade y Freud confirman en cierto modo —el modo negativo— la visión pesimista del judeocristianismo.

Baudelaire hizo de la analogía el centro de su poética. Un centro en perpetua oscilación, sacudido siempre por la ironía, la conciencia de la muerte y la noción del pecado. Sacudido por el cristianismo. Tal vez esa ambivalencia (también su escepticismo político) lo llevó a escribir con dureza contra Fourier. Pero esa dureza es apasionada, una admiración al revés:

> Un día llegó Fourier a revelarnos, un poco con demasiada solemnidad, los misterios de la analogía. No niego el valor de algunos de sus minuciosos descubrimientos, aunque creo que su mente estaba demasiado preocupada por llegar a una exactitud material como para comprender realmente y en su totalidad el sistema que había esbozado [...] Además, podía habernos dado una revelación igualmente preciosa si, en lugar de la contemplación de la naturaleza, nos hubiese ofrecido la lectura de muchos excelentes poetas [...][1]

En el fondo Baudelaire le reprocha a Fourier no haber escrito una poética, es decir, le reprocha no ser Baudelaire. Para Fourier, el sistema del universo es la llave del sistema social; para Baudelaire, el sistema del universo es el modelo de la creación poética. La mención de Swedenborg no podía faltar: «Swedenborg, que poseía un alma más grande, nos había enseñado que el cielo es un hombre inmenso y que todo —forma, color, movimiento, número, perfume—, en lo espiritual como en lo material, es significativo, recíproco y correspondiente». Admirable pasaje que revela el carácter creador de la verdadera crítica: comienza en una invectiva y termina en una visión de la analogía universal. Novalis había dicho: «tocar el cuerpo de una mujer es tocar cielo», y Fourier: «las pasiones son matemáticas animadas».

En la concepción de Baudelaire aparecen dos ideas. La primera es muy

[1] Charles Baudelaire, *L'Art romantique. Réflexions sur quelques-uns de mes contemporains* («Victor Hugo, 1861»), en *Oeuvres*, Gallimard, París, 1941 (Bibliothèque de la Pléiade).

antigua y consiste en ver al universo como un lenguaje. No un lenguaje quieto, sino en continuo movimiento: cada frase engendra otra frase; cada frase dice algo distinto y todas dicen lo mismo. En su ensayo sobre Wagner vuelve sobre esta idea: «no es sorprendente que la verdadera música sugiera ideas análogas en cerebros diferentes; lo sorprendente sería que el sonido no sugiriese el color, que los colores no pudiesen dar la idea de una melodía y que sonidos y colores no pudiesen traducir ideas; las cosas se han expresado siempre por una analogía recíproca, desde el día en que Dios profirió al mundo como una indivisible y compleja totalidad». Baudelaire no escribe: Dios creó al mundo sino que lo *profirió*, lo dijo. El mundo no es un conjunto de cosas, sino de signos: lo que llamamos cosas son palabras. Una montaña es una palabra, un río es otra, un paisaje es una frase. Y todas esas frases están en continuo cambio: la correspondencia universal significa perpetua metamorfosis. El texto que es el mundo no es texto único: cada página es la traducción y la metamorfosis de otra y así sucesivamente. El mundo es la metáfora de una metáfora. El mundo pierde su realidad y se convierte en una figura de lenguaje. En el centro de la analogía hay un hueco: la pluralidad de textos implica que no hay un texto original. Por ese hueco se precipitan y desaparecen, simultáneamente, la realidad del mundo y el sentido del lenguaje. Pero no es Baudelaire, sino Mallarmé, el que se atreverá a contemplar ese hueco y a convertir esa contemplación del vacío en la materia de su poesía.

No es menos vertiginosa la otra idea que obsesiona a Baudelaire: si el universo es una escritura cifrada, un idioma en clave, «¿qué es el poeta, en el sentido más amplio, sino un traductor, un descifrador?» Cada poema es una lectura de la realidad; esa lectura es una traducción; esa traducción es una escritura: un volver a cifrar la realidad que se descifra. El poema es el doble del universo: una escritura secreta, un espacio cubierto de jeroglíficos. Escribir un poema es descifrar al universo sólo para cifrarlo de nuevo. El juego de la analogía es infinito: el lector repite el gesto del poeta: la lectura es una traducción que convierte al poema del poeta en el poema del lector. La poética de la analogía consiste en concebir la creación literaria como una traducción; esa traducción es múltiple y nos enfrenta a esta paradoja: la pluralidad de autores. Una pluralidad que se resuelve en lo siguiente: el verdadero autor de un poema no es ni el poeta ni el lector, sino el lenguaje. No quiero decir que el lenguaje suprime la realidad del poeta y del lector, sino que las comprende, las engloba: el poeta y el lector no son sino dos momentos existenciales del lenguaje. Si es verdad que ellos se sirven del lenguaje para hablar, también lo es que el lenguaje habla a través de ellos. La idea del mundo como un texto en movimiento desemboca en la desaparición del texto único; la idea del poeta como un traductor o descifrador conduce a la desaparición del autor. Pero no fue Baudelaire, sino los poetas de la segunda mitad del siglo XX, los que harían de esta paradoja un método poético.

La analogía es la ciencia de las correspondencias. Sólo que es una ciencia que no vive sino gracias a las diferencias: precisamente porque esto *no es* aquello, es posible tender un puente entre esto y aquello. El puente es la palabra *como* o la palabra *es:* esto es *como* aquello, esto *es* aquello. El puente no suprime la distancia: es una mediación; tampoco anula las diferencias: establece una relación entre términos distintos. La analogía es la metáfora en la que la alteridad se sueña unidad y la diferencia se proyecta ilusoriamente como identidad. Por la analogía el paisaje confuso de la pluralidad y la heterogeneidad se ordena y se vuelve inteligible; la analogía es la operación por medio de la que, gracias al juego de las semejanzas, aceptamos las diferencias. La analogía no suprime las diferencias: las redime, hace tolerable su existencia. Cada poeta y cada lector es una conciencia solitaria: la analogía es el espejo en que se reflejan. Así pues, la analogía implica, no la unidad del mundo, sino su pluralidad, no la identidad del hombre, sino su división, su perpetuo escindirse de sí mismo. La analogía dice que cada cosa es la metáfora de otra cosa, pero en la esfera de la identidad no hay metáforas: las diferencias se anulan en la unidad y la alteridad desaparece. La palabra *como* se evapora: el ser idéntico a sí mismo. La poética de la analogía sólo podía nacer en una sociedad fundada —y roída— por la crítica. Al mundo moderno del tiempo lineal y sus infinitas divisiones, al tiempo del cambio y de la historia, la analogía opone, no la imposible unidad, sino la mediación de una metáfora. La analogía es el recurso de la poesía para enfrentarse a la alteridad.

Los dos extremos que desgarran la conciencia del poeta moderno aparecen en Baudelaire con la misma lucidez —con la misma ferocidad. La poesía moderna, nos dice una y otra vez, es la belleza *bizarra:* única, singular, irregular, nueva. No es la regularidad clásica, sino la originalidad romántica: es irrepetible, no es eterna: es mortal. Pertenece al tiempo lineal: es la novedad de cada día. Su otro nombre es desdicha, conciencia de finitud. Lo grotesco, lo extraño, lo bizarro, lo original, lo singular, lo único, todos estos nombres de la estética romántica y simbolista, no son sino distintas maneras de decir la misma palabra: *muerte*. En un mundo en que ha desaparecido la identidad —o sea: la eternidad cristiana—, la muerte se convierte en la gran excepción que absorbe a todas las otras y anula las reglas y las leyes. El recurso contra la excepción universal es doble: la ironía —la estética de lo grotesco, lo bizarro, lo único— y la analogía —la estética de las correspondencias.

Ironía y analogía son irreconciliables. La primera es la hija del tiempo lineal, sucesivo e irrepetible; la segunda es la manifestación del tiempo cíclico: el futuro está en el pasado y ambos en el presente. La analogía se inserta en el tiempo del mito, y más: es su fundamento; la ironía pertenece al tiempo histórico, es la consecuencia (y la conciencia) de la historia. La analogía convierte a la ironía en una variación más del abanico de las semejanzas, pero la ironía desgarra el abanico. La ironía es la herida por la que se desangra la analogía; es la excepción, el accidente fatal, en el doble sentido del término: lo necesario y lo infausto. La ironía muestra que, si el universo es una escritura, cada traducción de esa escritura es distinta, y que el concierto de las correspondencias es un galimatías babélico. La palabra poética termina en aullido o silencio: la ironía no es una palabra ni un discurso, sino el reverso de la palabra, la no-comunicación. El universo, dice la ironía, no es una escritura; si lo fuese, sus signos serían incomprensibles para el hombre porque en ella no figura la palabra *muerte*, y el hombre es mortal.

Baudelaire tenía conciencia de la ambigüedad de la analogía y en el famoso «soneto de las correspondencias» escribe:

> La naturaleza es un templo de vivientes columnas
> que profieren a veces palabras confusas

El hombre atraviesa esos bosques verbales y semánticos sin entender cabalmente el lenguaje de las cosas: las palabras que emiten esas columnas-árboles son *confusas*. Hemos perdido el secreto del lenguaje cósmico, que es la llave de la analogía. Fourier dice con tranquila inocencia que él lee en el «libro mágico» de la naturaleza; Baudelaire confiesa que no comprende sino confusamente la escritura de ese libro. La metáfora que consiste en ver al universo como un libro es antiquísima y figura en el canto último del Paraíso. El poeta contempla el misterio de la Trinidad, la paradoja de la alteridad que es unidad:

[...] vi cómo se entrelazaban
por el amor unidas las hojas de ese libro
que de aquí para allá en el mundo vuelan:

sustancia y accidente al fin se juntan
de esta manera y así mis palabras
son sólo su reflejo...

La pluralidad del mundo —las hojas que vuelan de aquí para allá— reposan unidas en el libro sagrado: sustancia y accidente al fin se juntan. Todo es un reflejo de esa unidad, sin excluir a las palabras del poeta que la nombran. Más adelante, Dante presenta a la unión de sustancia y accidente como un *nudo,* y ese nudo es la forma universal que encierra a todas las formas. El nudo es el jeroglífico del amor divino. Fourier diría que ese nudo de amor no es otro que la atracción apasionada. Pero Fourier, como todos nosotros, no sabe *qué es* ese nudo ni *de qué está hecho.* La analogía de Fourier, como la de Baudelaire y la de todos los modernos, es una operación, una combinatoria; la analogía de Dante reposa sobre una ontología. El centro de la analogía es un centro vacío para nosotros; ese centro es un nudo para Dante: la Trinidad que concilia lo uno y lo plural, la sustancia y el accidente. Por eso sabe —o cree que sabe— el secreto de la analogía, la llave para leer el libro del universo; esa llave es otro libro: las Sagradas Escrituras. El poeta moderno sabe —o cree que sabe— precisamente lo contrario: el mundo es ilegible, no hay libro. La negación, la crítica, la ironía, son también un saber, aunque de signo opuesto al de Dante. Un saber que no consiste en la contemplación de la alteridad en el seno de la unidad, sino en la visión de la ruptura de la unidad. Un saber abismal, irónico.

Mallarmé cierra este periodo y al cerrarlo abre el nuestro. Lo cierra con la misma metáfora del libro. En su juventud, en los años del aislamiento provinciano, tiene la visión de la Obra, una obra que compara a la de los alquimistas, a los que llama «nuestros antepasados». En 1866 confía a su amigo Cazalis: «me he enfrentado a dos abismos: uno es la Nada, a la que he llegado sin conocer el budismo [...] la Obra es el otro».[1] La obra: la poesía frente a la nada. Y agrega: «quizá el título de mi volumen lírico será *La gloria de la mentira* o *Mentira gloriosa*». Mallarmé quiere resolver la

[1] Stéphane Mallarmé, *Correspondance,* edición de Henri Mondor y Jean-Pierre Richard, Gallimard, París, 1959.

oposición entre analogía e ironía: acepta la realidad de la nada —el mundo de la alteridad y la ironía no es al fin y al cabo sino la manifestación de la nada—, pero acepta asimismo la realidad de la analogía, la realidad de la obra poética. La poesía como máscara de la nada. El universo se resuelve en un libro: un poema impersonal y que no es la obra del poeta Mallarmé, desaparecido en la crisis espiritual de 1866, ni de persona alguna: a través del poeta, que ya no es sino una transparencia, habla el lenguaje.

Cristalización del lenguaje en una obra impersonal y que no sólo es el doble del universo, como querían los románticos y los simbolistas, sino también su anulación. La nada que es el mundo se convierte en un libro, el Libro. Mallarmé nos ha dejado centenares de papelillos en que describe las características físicas de ese libro compuesto de hojas sueltas, la forma en que esas hojas serían distribuidas y combinadas en cada lectura de modo que cada combinación produjese una versión distinta del mismo texto, el ritual de cada lectura con el número de participantes y los precios de entrada —misa y teatro—, la forma de la edición popular (hay curiosos cálculos sobre la venta del volumen que hacen pensar en Balzac y en sus especulaciones financieras), reflexiones, confidencias, dudas, fragmentos, pedazos de frases... El libro no existe. Nunca fue escrito. La analogía termina en silencio.

Traducción y metáfora

En Francia hubo una literatura romántica —un estilo, una ideología, unos gestos románticos—, pero no hubo realmente un *espíritu romántico* sino hasta la segunda mitad del siglo XIX. Ese movimiento, además, fue una rebelión contra la tradición poética francesa desde el Renacimiento, contra su estética tanto como contra su prosodia, mientras que los romanticismos inglés y alemán fueron un redescubrimiento (o una invención) de las tradiciones poéticas nacionales. ¿Y en España y sus antiguas colonias? El romanticismo español fue epidérmico y declamatorio, patriótico y sentimental: una imitación de los modelos franceses, ellos mismos ampulosos y derivados del romanticismo inglés y alemán. No las ideas: los tópicos; no el estilo: la manera; no la visión de la correspondencia entre el macrocosmos y el microcosmos; tampoco la conciencia de que el yo es una falta, una excepción en el sistema del universo; no la ironía: el subjetivismo sentimental. Hubo actitudes románticas y hubo poetas no desprovistos de talento y de pasión que hicieron suyas las gesticulaciones heroicas de Byron (no la economía de su lenguaje) y la grandilocuencia de Hugo (no su genio visionario). Ninguno de los nombres oficiales del romanticismo español es una figura de primer orden, con la excepción de Larra. Pero el Larra que nos apasiona es el crítico de sí mismo y de su tiempo, un moralista más cerca del siglo XVIII que del romanticismo, el autor de epigramas feroces: «aquí yace media España, murió de la otra media». Con cierta brutalidad el argentino Sarmiento, al visitar España en 1846, decía a los españoles: «ustedes no tienen hoy autores ni escritores ni cosa que lo valga [...], ustedes aquí y nosotros allá *traducimos*». Hay que agregar que el panorama de la América Latina no era menos, sino más desolador que el de España: los españoles imitaban a los franceses y los hispanoamericanos a los españoles.[1]

[1] A diferencia de los otros hispanoamericanos, los argentinos se inspiraron directamente en los románticos franceses. Aunque su romanticismo, como el de sus maestros,

El único escritor español de ese periodo que merece plenamente el nombre de romántico es José María Blanco White. Su familia era de origen irlandés y uno de sus abuelos decidió hispanizar el apellido simplemente traduciéndolo: White = Blanco. No sé si pueda decirse que Blanco White pertenece a la literatura española: la mayor parte de su obra fue escrita en lengua inglesa. Fue un poeta menor y no es sino justo que en algunas antologías de la poesía romántica inglesa ocupe un lugar al mismo tiempo escogido y modesto. En cambio, fue un gran crítico moral, histórico, político y literario. Sus reflexiones sobre España e Hispanoamérica son todavía actuales. Así pues, aunque no pertenezca sino lateralmente a la literatura española, Blanco White representa un momento central de la historia intelectual y política de los pueblos hispánicos. Blanco White ha sido víctima tanto del odio de los conservadores y nacionalistas como de nuestra incuria: gran parte de su obra ni siquiera ha sido traducida al español.[1] En íntimo contacto con el pensamiento inglés, es el único crítico español que examina desde la perspectiva romántica nuestra tradición poética: «Desde la introducción de la métrica italiana por Boscán y Garcilaso a mediados del siglo XVI, nuestros mejores poetas han sido imitadores serviles de Petrarca y los escritores de aquella escuela [...] La rima, el metro italiano y cierta falsa idea del lenguaje poético que no permite hablar sino de lo que los otros poetas han hablado, les ha quitado la libertad de pensamiento y de expresión». No encuentro mejor ni más concisa descripción de la conexión entre la estética renacentista y la versificación regular silábica. Blanco White no sólo critica los modelos poéticos del siglo XVIII, el clasicismo francés, sino que va hasta el origen: la introducción de la versificación regular silábica en el siglo XVI y, con ella, la de una idea de la belleza fundada en la simetría y no en la visión personal. Su remedio es el de Wordsworth: renunciar al «lenguaje poético» y usar el lenguaje común, «pensar por nuestra cuenta en nuestro propio lenguaje». Por las mismas razones deplora el predominio de la influencia francesa: «es desgracia notable que los españoles, por la dificultad de aprender la lengua inglesa, recurran exclusivamente a los autores franceses».

---

fue exterior y declamatorio, el movimiento argentino produjo un poco después, en la forma del «nacionalismo poético» (otra invención romántica), el único gran poema hispanoamericano de ese periodo: *Martín Fierro*, de José Hernández (1834-1866).

[1] Gracias a los trabajos críticos de Vicente Llorens —*Liberales y románticos*, Castalia, Madrid, 1968— y más recientemente a los de Juan Goytisolo —véase *Libre*, 2, París, 1971—, empezamos a conocer la vida y la obra de Blanco White. Pero su voz nos llega con un siglo y medio de retraso.

Dos nombres parecen negar lo que he dicho: Gustavo Adolfo Bécquer y Rosalía de Castro. El primero es un poeta que todos admiramos; la segunda es una escritora no menos intensa que Bécquer y quizá más extensa y enérgica (iba a escribir *viril*, pero me detuve: la energía también es mujeril). Son dos románticos tardíos, inclusive dentro del rezagado romanticismo español. A pesar de que fueron contemporáneos de Mallarmé, Verlaine, Browning, su obra los revela como dos espíritus impermeables a los movimientos que sacudían y cambiaban a su época. No obstante, son dos poetas auténticos que, al cerrar el vocinglero romanticismo hispánico, nos hacen extrañar al romanticismo que nunca tuvimos. Juan Ramón Jiménez decía que con Bécquer comenzaba la poesía moderna en nuestra lengua. Si fuese así, es un comienzo demasiado tímido: el poeta andaluz recuerda demasiado a Hoffmann y, contradictoriamente, a Heine. Fin de un periodo o anuncio de otro, Bécquer y Rosalía viven entre dos luces; quiero decir: no constituyen una época por sí solos, no son ni el romanticismo ni la poesía moderna.

El romanticismo fue tardío en España y en Hispanoamérica, pero el problema no es meramente cronológico. No se trata de un nuevo ejemplo del «retraso histórico de España», frase con la que se pretende explicar las singularidades de nuestros pueblos, nuestra excentricidad. ¿La pobreza de nuestro romanticismo es un capítulo más de ese tema de disertación o de elegía que es «la decadencia española»? Todo depende de la idea que tengamos de las relaciones entre arte e historia. Es imposible negar que la poesía es un producto histórico; también es una simpleza pensar que es un mero reflejo de la historia. Las relaciones entre ambas son más sutiles y complejas. Blake decía: «Ages are all equal but Genius is always above the Age». Incluso si no se comparte un punto de vista tan extremo, ¿cómo ignorar que las épocas que llamamos decadentes son con frecuencia ricas en grandes poetas? Góngora y Quevedo coinciden con Felipe III y Felipe IV, Mallarmé con el Segundo Imperio, Li Po y Tu Fu son testigos del colapso de los T'ang. Así, procuraré esbozar una hipótesis que tenga en cuenta tanto la realidad de la historia como la realidad, relativamente autónoma, de la poesía.

El romanticismo fue una reacción contra la Ilustración y, por tanto, estuvo determinado por ella: fue uno de sus productos contradictorios. Tentativa de la imaginación poética por repoblar las almas que había despoblado la razón crítica, búsqueda de un principio distinto al de las religiones y negación del tiempo fechado de las revoluciones, el romanticismo es la otra cara de la modernidad: sus remordimientos, sus delirios, su nostalgia de una palabra encarnada. Ambigüedad romántica: exalta los poderes y facultades del niño, el loco, la mujer, el *otro* no-racional, pero los exalta *desde* la modernidad. El salvaje no se sabe salvaje ni quiere serlo; Baudelaire se extasía ante lo que llama el «canibalismo» de Delacroix en nombre precisamente de «la belleza moderna». En España no podía producirse esta reacción contra la modernidad porque España no tuvo propiamente modernidad: ni razón crítica ni revolución burguesa. Ni Kant ni Robespierre. Ésta es una de las paradojas de nuestra historia. El descubrimiento y la conquista de América no fueron menos determinantes que la Reforma religiosa en la formación de la edad moderna; si la segunda dio las bases éticas y sociales del desarrollo capitalista, la primera abrió las puertas a la expansión europea e hizo posible la acumulación primitiva de capital en proporciones hasta entonces desconocidas. No obstante, las dos naciones que abrieron la época de la expansión, España y Portugal, pronto quedaron al margen del desarrollo capitalista y no participaron en el movimiento de la Ilustración. Como el tema rebasa los límites de este ensayo, no lo tocaré aquí; será suficiente recordar que desde el siglo XVII España se encierra más y más en sí misma y que ese aislamiento se transforma paulatinamente en petrificación. Ni la acción de una pequeña élite de intelectuales nutridos por la cultura francesa del siglo XVIII ni los sacudimientos revolucionarios del XIX lograron transformarla. Al contrario: la invasión napoleónica fortificó al absolutismo y al catolicismo ultramontano.

Al apartamiento histórico de España sucedió brusca y casi inmediatamente, a fines del siglo XVII, un rápido descenso poético, literario e intelectual. ¿Por qué? La España del siglo XVII produjo grandes dramaturgos, novelistas, poetas líricos, teólogos. Sería absurdo atribuir la caída posterior a una mutación genética. No, los españoles no se entontecieron repentinamente: cada generación produce más o menos el mismo número de personas inteligentes y lo que cambia es la relación entre las aptitudes de la nueva generación y las posibilidades que ofrecen las circunstancias históricas y sociales. Más cuerdo me parece pensar que la decadencia intelectual de España fue un caso de autofagia. Durante el siglo XVII los españoles no podían ni cambiar los supuestos intelectuales, morales y artísticos en que se fundaba su sociedad ni tampoco participar en el movimiento general de la cultura europea: en uno y otro caso el peligro era mortal para los disidentes. De ahí que la segunda mitad del siglo XVII sea un periodo de recombinación de elementos, formas e ideas, un continuo volver a lo mismo para decir lo mismo. La estética de la sorpresa desemboca en lo que llamaba Calderón la «retórica del silencio». Un vacío sonoro. Los españoles se comieron a sí mismos. O como dice Sor Juana: hicieron de «su estrago un monumento».

Agotadas sus reservas, los españoles no podían escoger otra vía que la imitación. La historia de cada literatura y de cada arte, la historia de cada cultura, puede dividirse entre imitaciones afortunadas e imitaciones desdichadas. Las primeras son fecundas: cambian al que imita y cambian a aquello que se imita; las segundas son estériles. La imitación española del siglo XVIII pertenece a la segunda clase. El siglo XVIII fue un siglo crítico, pero la crítica estaba prohibida en España. La adopción de la estética neoclásica francesa fue un acto de imitación externa que no alteró la realidad profunda de España. La versión española de la Ilustración dejó intactas las estructuras psíquicas tanto como las sociales. El romanticismo fue la reacción de la conciencia burguesa frente y contra sí misma —contra su propia obra crítica: la Ilustración. En España la burguesía y los intelectuales no hicieron la crítica de las instituciones tradicionales o, si la hicieron, esa crítica fue insuficiente: ¿cómo iban a criticar una modernidad que no tenían? El cielo que veían los españoles no era el desierto que aterraba a Jean-Paul y a Nerval, sino un espacio repleto de vírgenes dulzonas, ángeles regordetes, apóstoles ceñudos y arcángeles vengativos —una verbena y un tribunal implacable. Los románticos españoles se rebelaron contra ese cielo, pero su rebelión, justificada históricamente, no fue romántica sino en apariencia. Falta en el romanticismo español, de una manera aún más acentuada que en el francés, ese elemento original, absolutamente nuevo en la historia de la sensibilidad de Occidente —ese elemento dual y que no hay más remedio que llamar demoniaco: la visión de la analogía universal y la visión irónica del hombre. La correspondencia entre todos los mundos y, en el centro, el sol quemado de la muerte.

El romanticismo hispanoamericano fue aún más pobre que el español: reflejo de un reflejo. No obstante, hay una circunstancia histórica que, aunque no inmediatamente, afectó a la poesía hispanoamericana y la hizo cambiar de rumbo. Me refiero a la revolución de independencia. (En realidad debería emplear el plural, pues fueron varias y no todas tuvieron el mismo sentido, pero, para no complicar demasiado la exposición, hablaré de ellas como si hubiesen sido un movimiento unitario.) Nuestra revolución de independencia fue la revolución que no tuvieron los españoles —la revolución que intentaron realizar varias veces en el siglo XIX y que fracasó una y otra vez. La nuestra fue un movimiento inspirado en los dos grandes arquetipos políticos de la modernidad: la Revolución francesa y la revolución de los Estados Unidos. Incluso puede decirse que en esa época hubo tres grandes revoluciones con ideologías análogas: la de los franceses, la de los norteamericanos y la de los hispanoamericanos (el caso de Brasil es distinto). Aunque las tres triunfaron, los resultados fueron muy distintos: las dos primeras fueron fecundas y crearon nuevas sociedades, mientras que la nuestra inauguró la desolación que ha sido nuestra historia desde el siglo XIX hasta nuestros días. Los principios eran semejantes, nuestros ejércitos derrotaron a los absolutistas españoles y al otro día de consumada la Independencia se establecieron en nuestras tierras gobiernos republicanos. Sin embargo, el movimiento fracasó: no cambió nuestras sociedades ni nos liberó de nuestros libertadores.

A diferencia de la revolución de Independencia norteamericana, la nuestra coincidió con la extrema decadencia de la metrópoli. Hay dos fenómenos concomitantes: la tendencia a la desmembración del Imperio español, consecuencia tanto de la decadencia hispánica como de la invasión napoleónica, y los movimientos autonomistas de los revolucionarios hispanoamericanos. La Independencia precipitó la desmembración del Imperio. Los hombres que encabezaban los movimientos de liberación, salvo unas cuantas excepciones como la de Bolívar, se apresuraron a tallarse patrias a su medida: las fronteras de cada uno de los nuevos países llegaban hasta donde llegaban las armas de los caudillos. Más tarde, las oligarquías y el militarismo, aliados a los poderes extranjeros y especialmente al imperialismo norteamericano, consumarían la atomización de Hispanoamérica. Los nuevos países, por lo demás, siguieron siendo las viejas colonias: no se cambiaron las condiciones sociales, sino que se recubrió la realidad con la retórica liberal y democrática. Las instituciones republicanas, a la manera de fachadas, ocultaban los mismos horrores y las mismas miserias.

Los grupos que se levantaron contra el poder español se sirvieron de las ideas revolucionarias de la época, pero ni pudieron ni quisieron realizar la reforma de la sociedad. Hispanoamérica fue una España sin España. Sarmiento lo dijo de una manera admirable: los gobiernos hispanoamericanos fueron los «ejecutores testamentarios de Felipe II». Un feudalismo disfrazado de liberalismo burgués, un absolutismo sin monarca pero con reyezuelos: los señores presidentes. Así se inició el reino de la máscara, el imperio de la mentira. Desde entonces la corrupción del lenguaje, la infección semántica, se convirtió en nuestra enfermedad endémica; la mentira se volvió constitucional, consustancial. De ahí la importancia de la crítica en nuestros países. La crítica filosófica e histórica tiene entre nosotros, además de la función intelectual que le es propia, una utilidad práctica: es una cura psicológica a la manera del psicoanálisis y es una acción política. Si hay una tarea urgente en la América Hispana, esa tarea es la crítica de nuestras mitologías históricas y políticas.

No todas las consecuencias de la revolución de independencia fueron negativas. En primer lugar, nos liberó de España; en seguida, si no cambió la realidad social, cambió a las conciencias y desacreditó para siempre al sistema español: al absolutismo monárquico y al catolicismo ultramontano. La separación de España fue una desacralización: nos empezaron a desvelar seres de carne y hueso, no los fantasmas que quitaban el sueño a los españoles. ¿O eran los mismos fantasmas con nombres distintos? En todo caso los nombres cambiaron y con ellos la ideología de los hispanoamericanos. La separación de la tradición española se acentuó en la primera parte del siglo XIX, y en la segunda hubo un corte tajante. El corte, el cuchillo divisor, fue el positivismo. En esos años las clases dirigentes y los grupos intelectuales de América Latina descubren la filosofía positivista y la abrazan con entusiasmo. Cambiamos las máscaras de Danton y Jefferson por las de Auguste Comte y Herbert Spencer. En los altares erigidos por los liberales a la libertad y a la razón, colocamos a la ciencia y al progreso, rodeados de sus míticas criaturas: el ferrocarril, el telégrafo. En ese momento divergen los caminos de España y América Latina: entre nosotros se extiende el culto positivista, al grado de que en Brasil y en México se convierte en la ideología oficiosa, ya que no en la religión, de los gobiernos; en España los mejores entre los disidentes buscan una respuesta a sus inquietudes en las doctrinas de un oscuro pensador idealista alemán, Karl Christian Friedrich Krause. El divorcio no podía ser más completo.

El positivismo en América Latina no fue la ideología de una burguesía liberal interesada en el progreso industrial y social como en Europa, sino de una oligarquía de grandes terratenientes. En cierto modo, fue una mixtificación —un autoengaño tanto como un engaño. Al mismo tiempo, fue una crítica radical de la religión y de la ideología tradicional. El positivismo hizo tabla rasa lo mismo de la mitología cristiana que de la filosofía racionalista. El resultado fue lo que podría llamarse el desmantelamiento de la metafísica y la religión en las conciencias. Su acción fue semejante a la de la Ilustración en el siglo XVIII; las clases intelectuales de América Latina vivieron una crisis en cierto modo análoga a la que había atormentado un siglo antes a los europeos: la fe en la ciencia se mezclaba con la nostalgia por las antiguas certezas religiosas, la creencia en el progreso al vértigo ante la nada. No era la plena modernidad, sino su amargo *avant-goût:* la visión del cielo deshabitado, el horror ante la contingencia.

Hacia 1880 surge en Hispanoamérica el movimiento literario que llamamos *modernismo.* Aquí conviene hacer una pequeña aclaración: el *modernismo* hispanoamericano es, hasta cierto punto, un equivalente del Parnaso y del simbolismo francés, de modo que no tiene nada que ver con lo que en lengua inglesa se llama *modernism.* Este último designa a los movimientos literarios y artísticos que se inician en la segunda década del siglo XX; el *modernism* de los críticos norteamericanos e ingleses no es sino lo que en Francia y en los países hispánicos se llama *vanguardia.* Para evitar confusiones emplearé la palabra *modernismo,* en español, para referirme al movimiento hispanoamericano; cuando hable del movimiento poético angloamericano del siglo XX, usaré la palabra *modernism,* en inglés.

El modernismo fue la respuesta al positivismo, la crítica de la sensibilidad y el corazón —también de los nervios— al empirismo y el cientismo positivista. En este sentido su función histórica fue semejante a la de la reacción romántica en el alba del siglo XIX. El modernismo fue nuestro verdadero romanticismo y, como en el caso del simbolismo francés, su versión no fue una repetición, sino una metáfora: *otro* romanticismo. La conexión entre el positivismo y el modernismo es de orden histórico y psicológico. Se corre el riesgo de no entender en qué consiste esa relación si se olvida que el positivismo latinoamericano, más que un método científico, fue una ideología, una creencia. Su influencia sobre el desarrollo de la ciencia en nuestros países fue muchísimo menor que su imperio sobre las mentes y las sensibilidades de los grupos intelectuales. Nuestra crítica ha sido insensible a la dialéctica contradictoria que une al positivismo y al modernismo y de ahí que se empeñe en ver al segundo únicamente como una tendencia literaria y, sobre todo, como un estilo cosmopolita y más bien superficial. No, el modernismo fue un estado de espíritu. O más exactamente: por haber sido una respuesta de la imaginación y la sensibilidad al positivismo y a su visión helada de la realidad, por haber sido un estado de espíritu, pudo ser un auténtico movimiento poético. El único digno de este nombre entre los que se manifestaron en la lengua castellana durante el siglo XIX. Los superficiales han sido los críticos que no supieron leer en la ligereza y el cosmopolitismo de los poetas modernistas los signos (los estigmas) del desarraigo espiritual.

La crítica tampoco ha podido explicarnos enteramente por qué el movimiento modernista, que se inicia como una adaptación de la poesía francesa en nuestra lengua, comienza antes en Hispanoamérica que en España. Cierto, los hispanoamericanos hemos sido y somos más sensibles a lo que pasa en el mundo que los españoles, menos prisioneros de nuestra tradición y nuestra historia. Pero esta explicación es a todas luces insuficiente. ¿Falta de información de los españoles? Más bien: falta de *necesidad.* Desde la Independencia y, sobre todo, desde la adopción del positivismo, el sistema de creencias intelectuales de los hispanoamericanos era diferente al de los españoles: distintas tradiciones exigían respuestas distintas. Entre nosotros el modernismo fue la necesaria respuesta contradictoria al vacío espiritual creado por la crítica positivista de la religión y de la metafísica; nada más natural que los poetas hispanoamericanos se sintiesen atraídos por la poesía francesa de esa época y que descubriesen en ella no sólo la novedad de un lenguaje sino una sensibilidad y una estética impregnadas por la visión analógica de la tradición romántica y ocultista. En España, en cambio, el deísmo racionalista de Krause fue no tanto una crítica como un sucedáneo de la religión —una tímida religión filosófica para liberales disidentes—, y de ahí que el modernismo no haya tenido la función compensatoria que tuvo en Hispanoamérica. Cuando el modernismo hispanoamericano llega por fin a España, algunos lo confunden con una simple moda literaria traída de Francia, y de esa errónea interpretación, que fue la de Unamuno, arranca la idea de la superficialidad de los poetas modernistas hispanoamericanos; otros, como Juan Ramón Jiménez y Antonio Machado, lo traducen inmediatamente a los términos de la tradición espiritual imperante entre los grupos intelectuales disidentes. En España el modernismo no fue una visión del mundo, sino un lenguaje interiorizado y transmutado por algunos poetas españoles.[1]

Entre 1880 y 1890, casi sin conocerse entre ellos, dispersos en todo el continente —La Habana, México, Bogotá, Santiago de Chile, Buenos Aires,

[1] Véase el Apéndice 2, pp. 436 y ss.

Nueva York—, un puñado de muchachos inicia el gran cambio. El centro de esa dispersión fue Rubén Darío: agente de enlace, portavoz y animador del movimiento. Desde 1888 Darío usa la palabra *modernismo* para designar a las nuevas tendencias. Modernismo: el mito de la modernidad o, más bien, su espejismo. ¿Qué es ser moderno? Es salir de su casa, su patria, su lengua, en busca de algo indefinible e inalcanzable pues se confunde con el cambio. *Il court, il cherche. Que cherche-t-il?*, se pregunta Baudelaire. Y se responde: *il cherche quelque chose qu'on nous permettra d'appeler la «modernité».*[1] Pero Baudelaire no nos da una definición de esa inasible modernidad y se contenta con decirnos que es *l'élément particulier de chaque beauté.* Gracias a la modernidad, la belleza no es una sino plural. La modernidad es aquello que distingue a las obras de hoy de las de ayer, aquello que las hace distintas y únicas. Por eso *le beau est toujours bizarre.* La modernidad es ese elemento que, al particularizarla, vivifica la belleza. Pero esa vivificación es una condena a la pena capital. Si la modernidad es lo transitorio, lo particular, lo único y lo extraño, es la marca de la muerte. La modernidad que seduce a los poetas jóvenes al finalizar el siglo es muy distinta a la que seducía a sus padres; no se llama progreso ni sus manifestaciones son el ferrocarril y el telégrafo: se llama lujo y sus signos son los objetos inútiles y hermosos. Su modernidad es una estética en la que la desesperación se alía al narcisismo y la forma a la muerte. Lo *bizarro* es una de las encarnaciones de la ironía romántica.

La ambivalencia de los románticos y los simbolistas frente a la edad moderna reaparece en los modernistas hispanoamericanos. Su amor al lujo y al objeto inútil es una crítica al mundo en que les tocó vivir, pero esa crítica es también un homenaje. No obstante, hay una diferencia radical entre los europeos y los hispanoamericanos: cuando Baudelaire dice que el progreso es «una idea grotesca» o cuando Rimbaud denuncia a la industria, sus experiencias del progreso y de la industria son reales, directas, mientras que las de los hispanoamericanos son derivadas. La única experiencia de la modernidad que un hispanoamericano podía tener en aquellos días era la del imperialismo. La realidad de nuestras naciones no era moderna: no la industria, la democracia y la burguesía, sino las oligarquías feudales y el militarismo. Los modernistas dependían de aquello mismo que aborrecían y así oscilaban entre la rebelión y la abyección. Unos, como Martí, fueron incorruptibles y llegaron al sacrificio; otros,

[1] Charles Baudelaire, «Le peintre de la vie moderne», *Curiosités esthétiques,* 1863.

como el pobre Darío, escribieron odas y sonetos a tigres y caimanes con charreteras. Los presidentes latinoamericanos de fin de siglo: jeques sangrientos con una corte de poetas hambreados. Pero nosotros que hemos visto y oído a muchos poetas de Occidente cantar en francés y español las hazañas de Stalin, podemos perdonarle a Darío que haya escrito unas cuantas estrofas en honor de Zelaya y Estrada Cabrera, sátrapas centroamericanos.

Modernidad antimoderna, rebelión ambigua, el modernismo fue un antitradicionalismo y, en su primera época, un anticasticismo: una negación de cierta tradición española. Digo *cierta* porque en un segundo momento los modernistas descubrieron la otra tradición española, la verdadera. Su afrancesamiento fue un cosmopolitismo: para ellos París era, más que la capital de una nación, el centro de una estética. El cosmopolitismo los hizo descubrir otras literaturas y revalorar nuestro pasado indígena. La exaltación del mundo prehispánico fue, claro está, ante todo estética, pero también algo más: una crítica de la modernidad y muy especialmente del progreso a la norteamericana. El príncipe Netzahualcóyotl frente a Edison. En esto también seguían a Baudelaire, que había descrito al creyente en el progreso como *pauvre homme américanisé par des philosophes zoocrates et industriels.* La recuperación del mundo indígena y, más tarde, la del pasado español, fueron un contrapeso de la admiración, el temor y la cólera que despertaban los Estados Unidos y su política de dominación en América Latina. Admiración ante la originalidad y pujanza de la cultura norteamericana; temor y cólera ante las repetidas intervenciones de los Estados Unidos en la vida de nuestros países. En otras páginas me he referido al fenómeno;[1] aquí me limito a subrayar que el antiimperialismo de los modernistas no estaba fundado en una ideología política y económica, sino en la idea de que la América Latina y la América de lengua inglesa representan dos versiones distintas y probablemente inconciliables de la civilización de Occidente. Para ellos el conflicto no era una lucha de clases y de sistemas económicos y sociales, sino de dos visiones del mundo y del hombre.

El romanticismo inició una tímida reforma del verso castellano, pero fueron los modernistas los que, al extremarla, la consumaron. La revolución métrica de los modernistas no fue menos radical y decisiva que la de Garcilaso y los italianizantes del siglo XVI, aunque en sentido contrario.

[1] *Cuadrivio*, Siglo XXI, México, 1965; *Postdata*, Siglo XXI, México, 1970.

Opuestas e imprevisibles consecuencias de dos influencias extranjeras, la italiana en el siglo XVI y la francesa en el XIX: en un caso triunfó la versificación regular silábica, mientras que en el otro la continua experimentación rítmica se resolvió en la reaparición de metros tradicionales y, sobre todo, provocó la resurrección de la versificación acentual. Es imposible hacer aquí un resumen de la evolución métrica en nuestra lengua, de modo que me limitaré a una enumeración: el verso primitivo español es irregular desde el punto de vista silábico y lo que le da unidad rítmica son las cláusulas prosódicas marcadas por el golpe de los acentos; con la aparición del «mester de clerecía» se introduce el principio de regularidad silábica, probablemente de origen francés, y hay una intensa pugna entre isosilabismo (regularidad silábica) y ametría (versificación acentual); en el periodo llamado de la Gaya Ciencia —poesía cortesana de tardía influencia provenzal— hay ya predominio de la regularidad silábica en los metros cortos, pero no en el verso de *arte mayor*, cuya medida es fluctuante; a partir del siglo XVI triunfa la versificación silábica y el endecasílabo a la italiana desplaza al verso de *arte mayor;* los periodos siguientes, hasta el siglo XVIII, acentúan el isosilabismo; desde el romanticismo se inicia la tendencia, que culmina en el modernismo y en la época contemporánea, a la irregularidad métrica. Esta brevísima recapitulación muestra que la revolución modernista fue una vuelta a los orígenes. Su cosmopolitismo se transformó en el regreso a la verdadera tradición española: la versificación irregular rítmica.

Ya he señalado la conexión entre versificación acentual y visión analógica del mundo. Los nuevos ritmos de los modernistas provocaron la reaparición del principio rítmico original del idioma; a su vez, esa resurrección métrica coincidió con la aparición de una nueva sensibilidad que, finalmente, se reveló como una vuelta a la *otra* religión: la analogía. *Tout se tient.* El ritmo poético no es sino la manifestación del ritmo universal: todo se corresponde porque todo es ritmo. La vista y el oído se enlazan; el ojo ve lo que el oído oye: el acuerdo, el concierto de los mundos. Fusión entre lo sensible y lo inteligible: el poeta oye y ve lo que piensa. Y más: piensa en sonidos y visiones. La primera consecuencia de estas creencias es la exaltación del poeta a la dignidad del iniciado: si *oye* al universo como un lenguaje, también *dice* al universo. En las palabras del poeta oímos al mundo, al ritmo universal. Pero el saber del poeta es un saber prohibido y su sacerdocio es un sacrilegio: sus palabras, incluso cuando no niegan expresamente al cristianismo, lo disuelven en creencias más vastas y antiguas. El cristianismo no es sino una de las combinaciones del ritmo universal. Cada una de esas combinaciones es única y todas dicen lo mismo. La pasión de Cristo, como lo expresan inequívocamente varios poemas de Darío, no es sino una imagen instantánea en la rotación de las edades y las mitologías. La analogía afirma al tiempo cíclico y desemboca en el sincretismo. Esta nota no-cristiana, a veces anticristiana, pero teñida de una extraña religiosidad, era absolutamente nueva en la poesía hispánica.

La influencia de la tradición ocultista entre los modernistas hispanoamericanos no fue menos profunda que entre los románticos alemanes y los simbolistas franceses. No obstante, aunque no la ignora, nuestra crítica apenas si se detiene en ella, como si se tratase de algo vergonzoso. Sí, es escandaloso pero cierto: de Blake a Yeats y Pessoa, la historia de la poesía moderna de Occidente está ligada a la historia de las doctrinas herméticas y ocultas, de Swedenborg a Madame Blavatsky. Sabemos que la influencia del Abbé Constant, alias Eliphas Levi, fue decisiva no sólo en Hugo sino en Rimbaud. Las afinidades entre Fourier y Levi, dice André Breton, son notables y se explican porque ambos «se insertan en una inmensa corriente intelectual que podemos seguir desde el Zohar y que se bifurca en las escuelas iluministas del XVIII y del XIX. Se la vuelve a encontrar en la base de los sistemas idealistas, también en Goethe y, en general, en todos aquellos que se rehúsan a aceptar como ideal de unificación del mundo la identidad matemática».[1] Todos sabemos que los modernistas hispanoamericanos —Darío, Lugones, Nervo, Tablada— se interesaron en los autores ocultistas: ¿por qué nuestra crítica nunca ha señalado la relación entre el iluminismo y la visión analógica y entre ésta y la reforma métrica? ¿Escrúpulos racionalistas o escrúpulos cristianos? En todo caso, la relación salta a la vista. El modernismo se inició como una búsqueda del ritmo verbal y culminó en una visión del universo como ritmo.

Las creencias de Rubén Darío oscilaban, según una frase muy citada de uno de sus poemas, «entre la catedral y las ruinas paganas». Yo me atrevería a modificarla: entre las ruinas de la catedral y el paganismo. Las creencias de Darío y de la mayoría de los poetas modernistas son, más que creencias, búsqueda de una creencia y se despliegan frente a un paisaje devastado por la razón crítica y el positivismo. En ese contexto, el paganismo no sólo designa a la Antigüedad grecorromana y a sus ruinas sino

[1] *Arcane 17*, Sagittaire, París, 1947.

a un paganismo vivo: por una parte, al cuerpo y, por la otra, a la naturaleza. Analogía y cuerpo son dos extremos de la misma afirmación naturalista. Esta afirmación se opone tanto al materialismo positivista y cientista como al espiritualismo cristiano. La otra creencia de los modernistas no es el cristianismo, sino sus restos: la idea del pecado, la conciencia de la muerte, el saberse caído y desterrado en este mundo y en el otro, el verse como un ser contingente en un mundo contingente. No un sistema de creencias, sino un puñado de fragmentos y obsesiones.

La tragicomedia modernista está hecha del diálogo entre el cuerpo y la muerte, la analogía y la ironía. Si traducimos al lenguaje métrico los términos psicológicos y metafísicos de esta tragicomedia, encontraremos, no la oposición entre versificación regular silábica y versificación acentual, sino la contradicción, más acentuada y radical, entre verso y prosa. La analogía está continuamente desgarrada por la ironía, y el verso por la prosa. Reaparece la paradoja amada por Baudelaire: detrás del maquillaje de la moda, la mueca de la calavera. El arte moderno se sabe mortal y en eso consiste su modernidad. El modernismo llega a ser moderno cuando tiene conciencia de su mortalidad, es decir, cuando no se toma en serio, inyecta una dosis de prosa en el verso y hace poesía con la crítica de la poesía. La nota irónica, voluntariamente antipoética y por eso más intensamente poética, aparece precisamente en el momento de mediodía del modernismo (*Cantos de vida y esperanza*, 1905) y aparece casi siempre asociada a la imagen de la muerte. Pero no es Darío, sino Leopoldo Lugones, el que realmente inicia la segunda revolución modernista. Con Lugones penetra Laforgue en la poesía hispánica: el simbolismo en su momento antisimbolista.[1]

Nuestra crítica llama a la nueva tendencia: el «posmodernismo». El nombre no es muy exacto. El supuesto posmodernismo no es lo que está después del modernismo —lo que está después es la *vanguardia*—, sino que es una crítica del modernismo. Reacción individual de varios poetas, con ella no comienza otro movimiento: con ella acaba el modernismo. Esos poetas son su conciencia crítica, la conciencia de su acabamiento. Se trata de una tendencia *dentro* del modernismo: las notas características de esos poetas —la ironía, el lenguaje coloquial— aparecen ya en Darío y en otros modernistas. Además, no hay literalmente espacio, en el sentido cronológico, para ese seudomovimiento: si el modernismo

[1] Dos libros: *Los crepúsculos del jardín*, 1903, y *Lunario sentimental*, 1909.

se extingue hacia 1918 y la vanguardia comienza hacia esas fechas, ¿dónde colocar a los posmodernistas?

No obstante, el cambio fue notable. No un cambio de valores, sino de actitudes. El modernismo había poblado el mar de tritones y sirenas, los nuevos poetas viajan en barcos comerciales y desembarcan, no en Citeres, sino en Liverpool; los poemas ya no son cantos a las cosmópolis pasadas o presentes, sino descripciones más bien amargas y reticentes de barrios de clase media; el campo no es la selva ni el desierto, sino el pueblo de las afueras, con sus huertas, su cura y su sobrina, sus muchachas «frescas y humildes como humildes coles». Ironía y prosaísmo: la conquista de lo cotidiano maravilloso. Para Darío los poetas son «torres de Dios»; López Velarde se ve a sí mismo caminando por una calleja y hablando a solas: el poeta como un pobre diablo sublime y grotesco, una suerte de Charlie Chaplin *avant la lettre*. Estética de lo mínimo, lo cercano, lo familiar. El gran descubrimiento: los poderes secretos del lenguaje coloquial. Ese descubrimiento sirvió admirablemente a los propósitos de Lugones y de López Velarde: hacer del poema una «ecuación psicológica», un monólogo sinuoso en el que la reflexión y el lirismo, el canto y la ironía, la prosa y el verso, se funden y se separan, se contemplan y vuelven a fundirse. Ruptura de la canción: el poema como una confesión entrecortada, el canto interrumpido por silencios y lagunas. López Velarde lo dijo con lucidez: «el sistema poético se ha convertido en un sistema crítico». Habría que agregar: crítica e incandescencia, el lugar común transformado en imagen insólita.

Por las razones que apunté más arriba, los poetas españoles —salvo Valle-Inclán, único en esto como en tantas otras cosas— no podían ser sensibles a lo que constituía la verdadera y secreta originalidad del modernismo: la visión analógica heredada de los románticos y los simbolistas. En cambio, hicieron suyos inmediatamente el nuevo lenguaje y los ritmos y formas métricas. Unamuno cerró los ojos ante esas novedades brillantes y que juzgaba frívolas —cerró los ojos pero no los oídos: en sus versos reaparecen los metros redescubiertos por los modernistas. La negación de Unamuno, por lo demás, forma parte del modernismo: no es lo que está *más allá* de Darío y de Lugones, sino *frente* a ellos. En su negación, Unamuno encuentra el tono de su voz poética y en esa voz España encuentra al gran poeta romántico que no tuvo en el siglo XIX. Aunque debería haber sido el predecesor de los modernistas, Unamuno fue su contemporáneo y su antagonista complementario. Justicia poética.

El modernismo español propiamente dicho —pienso sobre todo en

Antonio Machado y en Juan Ramón Jiménez, no en los epígonos de Darío— tiene más de un punto de contacto con el llamado posmodernismo hispanoamericano: crítica de las actitudes estereotipadas y de los clisés preciosistas, repugnancia ante el lenguaje falsamente refinado, reticencia ante un simbolismo de tienda de antigüedades, búsqueda de una poesía esencial. Hay una sorprendente afinidad entre el voluntario coloquialismo de Lugones y López Velarde y algunos de los poemas del primer libro de Antonio Machado (*Soledades*, segunda edición, 1907). Pero pronto los caminos se bifurcan: los poetas españoles no se interesan tanto en explorar los poderes poéticos del habla coloquial —la música de la conversación, decía Eliot— como en renovar la canción tradicional. Los dos grandes poetas españoles de ese periodo confundieron siempre el *lenguaje hablado* con la *poesía popular.* La segunda es una ficción romántica (el «canto del pueblo» de Herder) o una supervivencia literaria; la primera es una realidad: el lenguaje vivo de las ciudades modernas, con sus barbarismos, cultismos, neologismos. El modernismo español coincide, inicialmente, con la reacción posmodernista hispanoamericana frente al lenguaje literario del primer modernismo; en un segundo momento esa coincidencia se resuelve en una vuelta hacia la tradición poética española: la canción, el romance, la copla. Los españoles confirman así el carácter romántico del modernismo, pero, al mismo tiempo, se cierran ante la poesía de la vida moderna. Precisamente en esos mismos años Pessoa, por boca de su heterónimo Álvaro de Campos, escribía:

> Venham dizer-me que não há poesia no comércio, nos escritórios!
> Ora, ela entra por todos poros... Neste ar marítimo respiro-a,
> Por tudo isto vem a propósito dos vapores, da navegação moderna,
> Porque as facturas e as cartas comerciais são o principio da história.

El mismo Álvaro de Campos prescribía en otro poema la nueva receta poética: «un poco de verdad y una aspirina»... Si el principio contiene el fin, un poema de uno de los iniciadores del modernismo, José Martí, condensa a todo ese movimiento y anuncia también a la poesía contemporánea. El poema fue escrito un poco antes de su muerte (1895) y alude a ella como un necesario y, en cierto modo, deseado sacrificio:

> Dos patrias tengo yo: Cuba y la noche.
> ¿O son una las dos? No bien retira

su majestad el sol, con largos velos
y un clavel en la mano, silenciosa
Cuba cual viuda triste me aparece.
¡Yo sé cuál es ese clavel sangriento
que en la mano le tiembla! Está vacío
mi pecho, destrozado está y vacío
en donde estaba el corazón. Ya es hora
de empezar a morir. La noche es buena
pare decir adiós. La luz estorba
y la palabra humana. El universo
habla mejor que el hombre.
Cual bandera
que invita a batallar, la llama roja
de la vela flamea. Las ventanas
abro, ya estrecho en mí. Muda, rompiendo
las hojas del clavel, como una nube
que enturbia el cielo, Cuba, viuda, pasa...

Poema sin rimas y en endecasílabos quebrados por las pausas de la reflexión, los silencios, la respiración humana y la respiración de la noche. Poema-monólogo que elude la canción, fluir entrecortado, continua interpenetración de verso y prosa. Todos los grandes temas románticos aparecen en estos cuantos versos: las dos patrias y las dos mujeres, la noche como una sola mujer y un solo abismo. La muerte, el erotismo, la pasión revolucionaria, la poesía: todo está en la noche, la gran madre. Madre de tierra, pero también sexo y palabra común. El poeta no alza la voz: habla consigo mismo al hablar con la noche y la revolución. Ni *self-pity* ni elocuencia: «ya es hora / de empezar a morir. La noche es buena / para decir adiós». La ironía se transfigura en aceptación de la muerte. Y en el centro del poema, como un corazón que fuese el corazón de toda la poesía de esa época, una frase a caballo entre dos versos, suspendida en una pausa para acentuar mejor su gravedad —una frase que ningún otro poeta de nuestra lengua podía haber escrito antes (ni Garcilaso ni San Juan de la Cruz ni Góngora ni Quevedo ni Lope de Vega) porque todos ellos estaban poseídos por el fantasma del Dios cristiano y porque tenían enfrente a una naturaleza caída— una frase en la que está condensado todo lo que yo he querido decir de la analogía: *el universo / habla mejor que el hombre.*

El ocaso de la vanguardia

REVOLUCIÓN / EROS / METAIRONÍA

Una y otra vez se han destacado las semejanzas entre el romanticismo y la vanguardia. Ambos son movimientos juveniles; ambos son rebeliones contra la razón, sus construcciones y sus valores; en ambos el cuerpo, sus pasiones y sus visiones —erotismo, sueño, inspiración— ocupan un lugar cardinal; ambos son tentativas por destruir la realidad visible para encontrar o inventar otra —mágica, sobrenatural, superreal. Dos grandes acontecimientos históricos alternativamente los fascinan y los desgarran: al romanticismo, la Revolución francesa, el Terror jacobino y el Imperio napoleónico; a la vanguardia, la Revolución rusa, las Purgas y el Cesarismo burocrático de Stalin. En ambos movimientos el yo se defiende del mundo y se venga con la ironía o con el humor —armas que destruyen también al que las usa; en ambos, en fin, la modernidad se niega y se afirma. No sólo los críticos sino los artistas mismos sintieron y percibieron estas afinidades. Los futuristas, los dadaístas, los ultraístas, los surrealistas, todos sabían que su negación del romanticismo era un acto romántico que se inscribía en la tradición inaugurada por el romanticismo: la tradición que se niega a sí misma para continuarse, la tradición de la ruptura. No obstante, ninguno de ellos se dio cuenta de la relación peculiar y, en verdad, única, de la vanguardia con los movimientos poéticos que la precedieron. Todos tenían conciencia de la naturaleza paradójica de su negación: al negar al pasado, lo prolongaban y así lo confirmaban; ninguno advirtió que, a diferencia del romanticismo, cuya negación inauguró esa tradición, la suya la clausuraba. La vanguardia es la gran ruptura y con ella se cierra la tradición de la ruptura.

La más notable de las semejanzas entre el romanticismo y la vanguardia, la semejanza central, es la pretensión de unir vida y arte. Como el romanticismo, la vanguardia no fue únicamente una estética y un lenguaje; fue una erótica, una política, una visión del mundo, una acción: un estilo de vida. La ambición de cambiar la realidad aparece lo mismo entre los románticos que en la vanguardia, y en los dos casos se bifurca en direcciones opuestas pero inseparables: la magia y la política, la tentación religiosa y la revolucionaria. Trotski amaba el arte y la poesía de vanguardia, pero no podía comprender la atracción que André Breton sentía por la tradición ocultista. Las creencias de Breton no eran menos extrañas y antirracionalistas que las de Esenin. Cuando este último se suicidó, Trotski publicó un artículo brillante y conmovido: «nuestro tiempo es duro, quizá uno de los más duros en la historia de la humanidad llamada civilizada. El revolucionario está poseído por un *patriotismo* furioso por esta época, que es su patria en el tiempo. Esenin no era un revolucionario [...] era un lírico interior. Nuestra época, en cambio, no es lírica. Ésta es la razón esencial por la que Serguei Esenin, por su propia voluntad y tan pronto, se ha ido lejos de nosotros y de este tiempo» (*Pravda*, 19 de enero de 1926). Cuatro años después Maiakovski, que no era un «lírico interior» y que estaba poseído por la furia revolucionaria de la época, también se suicidó y Trotski tuvo que escribir otro artículo —ahora en el *Boletín de la Oposición Rusa* (mayo de 1930).[1]

La contradicción entre la época y la poesía, el espíritu revolucionario y el espíritu poético, es más vasta y profunda de lo que Trotski pensaba. El caso de Rusia no es excepcional, sino exagerado. Allá la contradicción asumió caracteres abominables: los poetas que no fueron asesinados o que no cometieron suicidio fueron reducidos al silencio por otros medios. Las razones de esta hecatombe proceden tanto de la historia rusa —ese pasado bárbaro al que aludieron más de una vez Lenin y Trotski— como de la crueldad paranoica de Stalin. Pero no es menos responsable el espíritu *bolchevique*, heredero del jacobinismo y de sus pretensiones exorbitantes sobre la sociedad y la naturaleza humana.

Ya he dicho que, ante el desmantelamiento del cristianismo por la filosofía crítica, los poetas se convirtieron en los canales de transmisión del antiguo espíritu religioso, cristiano y precristiano. Analogía, alquimia, magia: sincretismos y mitologías personales. Al mismo tiempo, hombres tocados por la modernidad, los poetas reaccionaron contra la religión (y contra sí mismos) con el arma de la ironía. Más de una vez y con verdadera impaciencia —una impaciencia que no excluía una extraordinaria lucidez—, Trotski señaló los elementos religiosos de la obra de la mayoría

[1] Los dos artículos han sido recogidos en el segundo volumen de *Literatura y revolución y otros escritos sobre la literatura y el arte*, Ruedo Ibérico, París, 1969.

de los poetas y escritores rusos de la década de los veinte —los llamados «compañeros de viaje». Todos ellos, dice Trotski, aceptan la Revolución de Octubre como un hecho *ruso* más que como un hecho *revolucionario.* Lo ruso es el mundo tradicional y religioso de los campesinos y sus viejas mitologías, «las brujas y sus encantamientos», mientras que la Revolución es la modernidad: la ciencia, la técnica, la cultura urbana. Para apoyar su crítica, cita un pasaje de *El año desnudo* de Pilniak: «la bruja Egorka dice: "Rusia es sabia por sí misma. El alemán es inteligente, pero su espíritu es alocado". "¿Y qué ocurre con Karl Marx?" —pregunta uno. "Es alemán —digo yo— y por lo tanto alocado". "¿Y con Lenin?" "Lenin es un campesino —digo—, un bolchevique; por lo tanto, debéis ser comunistas"». Trotski concluye: es muy inquietante que Pilniak se oculte tras la bruja Egorka y use su lenguaje estúpido, incluso si lo hace en favor de los comunistas. La actitud inicial de simpatía hacia la Revolución de esos escritores —lo mismo debe decirse del comunismo cristiano de *Los doce* de Blok— «tiene su origen en la concepción del mundo menos revolucionaria, más asiática, más pasiva y más impregnada de resignación cristiana que pueda concebirse».[1] ¿Qué diría Trotski si hoy leyese a los poetas y novelistas rusos contemporáneos, igualmente poseídos por esa concepción del mundo y ya sin ilusiones revolucionarias?

El grupo que apoyó abiertamente a la Revolución —una rama del futurismo prerrevolucionario que, encabezada por Maiakovski, fundó la LEF— tampoco le parece a Trotski enteramente revolucionario: «El futurismo es contrario al misticismo, a la deificación pasiva de la naturaleza [...] Y es favorable a la técnica, la organización científica, la máquina, la planificación [...] La conexión entre esta "rebeldía" estética y la rebeldía social y moral es directa». Pero el origen de la rebelión futurista es individualista: «El hecho de que los futuristas rechacen exageradamente el pasado no tiene nada de revolucionarismo proletario, sino de nihilismo bohemio». De ahí que la adhesión de Maiakovski a la Revolución, por más sincera que haya sido, le parezca un equívoco trágico: «sus sentimientos subconscientes hacia la ciudad, la naturaleza, el mundo entero no son los de un obrero, sino los de un bohemio. *El farol calvo que quita las medias a la calle,* gran imagen, descubre mejor la esencia bohemia del poeta que cualquier otra consideración». Trotski subraya el tono cínico e

[1] Lev Trotski, *Literatura y revolución y otros escritos sobre literatura y el arte,* vol. II, 1969.

impúdico de muchas imágenes» de Maiakovski y, con admirable perspicacia, descubre su origen romántico:

> Los investigadores que, al definir la naturaleza social del futurismo en sus orígenes [se refiere al periodo prerrevolucionario, el más fecundo del movimiento] dan una importancia decisiva a las protestas violentas contra la vida y el arte burgueses, revelan su ingenuidad y su ignorancia [...] Los románticos, tanto franceses como alemanes, hablaban siempre cáusticamente de la moralidad burguesa y de su vida rutinaria. Llevaban el pelo largo y Théophile Gautier se vestía con un chaleco rojo. La blusa amarilla de los futuristas es, sin ninguna duda, una sobrina nieta del chaleco romántico que despertó tanto horror entre los papás y las mamás.[1]

¿Cómo no reconocer en el «cinismo y la rebeldía individualista» de Maiakovski y sus amigos a la ironía romántica? La literatura rusa de esa época estaba desgarrada entre «los encantamientos de las brujas» y la sátira de los futuristas. Avatares, metáforas de analogía e ironía.

La crítica de Trotski equivale a una condenación de la poesía no sólo en nombre de la Revolución rusa sino del espíritu moderno. Trotski habla como un revolucionario que ha hecho suya la tradición intelectual de la era moderna, «de Marx a Hegel y la economía inglesa». Los orígenes de esta tradición están en la Revolución francesa y en la Ilustración. Su crítica a la poesía asume así, sin que él mismo se dé enteramente cuenta, la forma de la crítica que la filosofía y la ciencia han hecho a la religión, los mitos, la magia y otras creencias del pasado. Ni los filósofos ni los revolucionarios pueden tolerar con paciencia la ambigüedad de los poetas que ven en la magia y en la revolución dos vías paralelas, pero no enemigas, para cambiar al mundo. Las frases de Pilniak que cita Trotski son un eco de las que antes habían dicho Novalis y Rimbaud: la operación mágica no es esencialmente distinta a la operación revolucionaria. La vocación mágica de la poesía moderna, desde Blake hasta nuestros días, no es sino la otra cara, la vertiente oscura, de su vocación revolucionaria. Éste es el nudo del equívoco entre revolucionarios y poetas, un nudo que nadie ha podido deshacer. Si el poeta reniega de su mitad mágica, reniega de la poesía y se convierte en un funcionario y un propagandista. Pero la magia devora a sus fieles y entregarse a ella también puede conducir al suicidio.

1 *Idem.*

La tentación de la muerte se llamó *revolución* para Maiakovski, *magia* para Nerval. El poeta no elude nunca la doble fascinación; su oficio, como la volatinera de Harry Martinson, es «sonreír encima de abismos».

La condenación de la poesía por el espíritu moderno evoca inmediatamente otras condenaciones. Con la misma saña con que la Iglesia castigó a los místicos, iluminados y quietistas, el Estado revolucionario ha perseguido a los poetas. Si la poesía es la religión secreta de la era moderna, la política es su religión pública. Una religión sangrienta y enmascarada. El proceso de la poesía ha sido un proceso religioso: la revolución ha condenado a la poesía como una herejía. El equívoco es doble: si en la poesía se manifiesta una visión religiosa personal del mundo y del hombre, en la política revolucionaria reaparece una doble aspiración religiosa: cambiar la naturaleza humana e instaurar una iglesia universal fundada en un dogma también universal. En un caso, analogía e ironía; en el otro, trasposición de la teología dogmática y la escatología a la esfera de la historia y la sociedad.

Los orígenes de la nueva religión política —una religión que se ignora a sí misma— se remontan al siglo XVIII. David Hume fue el primero en advertirlo. Señaló que la filosofía de sus contemporáneos, especialmente su crítica al cristianismo, contenía ya los gérmenes de otra religión: atribuir un orden al universo y descubrir en ese orden una voluntad y una finalidad era incurrir otra vez en la ilusión religiosa. Pero Hume no fue testigo, aunque lo previó, del descenso de la filosofía en la política y su encarnación, en el sentido religioso de la palabra, en las revoluciones. La epifanía del universalismo filosófico adoptó inmediatamente la forma dogmática y sangrienta del jacobinismo y su culto a la diosa Razón. No es una casualidad que el dogmatismo y el sectarismo hayan acompañado a los movimientos revolucionarios del siglo XIX y del XX; tampoco lo es que una vez en el poder, esos movimientos se transformen en inquisiciones que periódicamente realizan ceremonias reminiscentes de los sacrificios aztecas y de los autos de fe.

El marxismo se inició como una «crítica del cielo», es decir, de las ideologías de las clases dominantes, pero el leninismo victorioso transformó esa crítica en una teología terrorista. El cielo ideológico bajó a la tierra en la forma del Comité Central. El drama cristiano entre libre albedrío y predestinación divina reaparece también en el debate entre libertad y determinismo social. Como la providencia cristiana, la historia se manifiesta por signos: «las condiciones objetivas», «la situación histórica» y otros presagios e indicios que el revolucionario debe interpretar. La interpretación del revolucionario es, como la del cristiano, a un tiempo libre y determinada por las fuerzas sociales que sustituyen a la providencia divina. El ejercicio de esta ambigua libertad implica riesgos mortales: equivocarse, confundir la voz de Dios con la del Diablo, significa para el cristiano la pérdida del alma y para el revolucionario la condenación histórica. Nada más natural, desde esta perspectiva, que la deificación de los jefes: a la consagración de los textos como escrituras santas sigue fatalmente la consagración de sus intérpretes y ejecutores. Así se satisface la vieja necesidad humana de adorar y ser adorado. Padecer por la Revolución equivale al suplicio gozoso de los mártires cristianos. La máxima de Baudelaire, levemente modificada, conviene perfectamente a la situación del siglo XX: los revolucionarios han puesto en la política la ferocidad natural de la religión.[1]

La oposición entre el espíritu poético y el revolucionario es parte de una contradicción mayor: la del tiempo lineal de la modernidad frente al tiempo rítmico del poema. La historia y la imagen: la obra de Joyce puede verse como un momento de la historia de la literatura moderna, y en este sentido es historia; pero la verdad es que su autor la concibió como una imagen. Justamente como la imagen de la disolución del tiempo fechado de la historia en el tiempo rítmico del poema. Abolición del ayer, el hoy y el mañana en las conjugaciones y copulaciones del lenguaje. La literatura moderna es una apasionada negación de la era moderna. Esa negación no es menos violenta entre los poetas del *modernism* angloamericano que entre los vanguardistas europeos y latinoamericanos. Aunque los primeros fueron reaccionarios y los segundos revolucionarios, ambos fueron anticapitalistas. Sus distintas actitudes procedían de una común repugnancia ante el mundo edificado por la burguesía. Como sus predecesores románticos y simbolistas, los poetas del siglo XX han opuesto al tiempo lineal del progreso y de la historia, el tiempo instantáneo del erotismo, el tiempo cíclico de la analogía o el tiempo hueco de la conciencia irónica. La imagen y el humor: dos negaciones del tiempo sucesivo de la razón crítica y su deificación del futuro. Las rebeliones y desventuras de los poetas románticos y de sus descendientes en el siglo XIX se repiten en nuestros días. Hemos sido los contemporáneos de la Revolución rusa, la dictadura burocrática comunista, Hitler y la *Pax Americana* como los románticos lo fueron de la Revolución francesa, Napoleón, la Santa Alianza y los horrores de la primera revolución industrial. La historia de la poesía en el siglo XX es,

[1] Véase el Apéndice 3, pp. 438 y ss.

como la del XIX, una historia de subversiones, conversiones, abjuraciones, herejías, desviaciones. Esas palabras tienen su contrapartida en otras: persecución, destierro, asilo de locos, suicidio, prisión, humillación, soledad.

La dualidad *magia/política* no es sino una de las oposiciones que habitan la poesía moderna. La pareja *amor/humor* es otra. Toda la obra de Marcel Duchamp gira sobre el eje de la afirmación erótica y la negación irónica. El resultado es la *metaironía,* una suerte de suspensión del ánimo, un más allá de la afirmación y la negación. El desnudo del Museo de Filadelfia, las piernas abiertas, empuñando con una mano (como una caída estatua de la Libertad) una lámpara de gas, recostada sobre haces de ramitas como si fuesen los leños de una pira, una cascada al fondo (doble imagen del agua del mito y de la industria eléctrica) —no es sino la *pin-up* Artemisa vista por la rendija de una puerta por Acteón el *voyeur.*[1] Operación circular de la metaironía: el acto de ver una obra de arte convertido en un acto de *voyeurisme.* Mirar no es una experiencia neutral: es una complicidad. La mirada enciende al objeto, el contemplador es un mirón. Duchamp muestra la función creadora de la mirada y, al mismo tiempo, su carácter irrisorio. Mirar es una transgresión, pero la transgresión es un juego creador. Al mirar por una rendija de la puerta de la censura estética y moral, entrevemos la relación ambigua entre contemplación artística y erotismo, entre ver y desear. Vemos la imagen de nuestro deseo y su petrificación en un objeto: una muñeca desnuda.

En el *Gran vidrio,* Duchamp había presentado al eterno femenino como un motor de combustión y al mito de la gran diosa y su círculo de adoradores-víctimas como un circuito eléctrico: el arte de Occidente y sus imágenes erótico-religiosas, desde la Virgen hasta Melusina, tratados en el modo impersonal de esos prospectos industriales que nos enseñan el funcionamiento de un aparato. El ensamblaje de Filadelfia reproduce los mismos temas, sólo que desde la perspectiva opuesta: no la transformación de la naturaleza (muchacha, cascada) en aparato industrial sino la transmutación del gas y el agua en imagen erótica y en paisaje. Es el reverso, la *otra* imagen de *La novia puesta al desnudo por sus solteros* —por sus mirones. La otra: la misma.

La ironía consiste en desvalorizar al objeto; la metaironía no se inte-

[1] Me refiero a la última obra de Marcel Duchamp, un ensamblaje realizado entre 1946 y 1966: *Étant donnés: 1° La Chute d'eau; 2° Le Gaz d'éclairage,* que se encuentra en el Museo de Filadelfia.

resa en el valor de los objetos, sino en su funcionamiento. Ese funcionamiento es simbólico: amor/humor... la metaironía nos revela la interdependencia entre lo que llamamos «superior» y lo que llamamos «inferior» y nos obliga a suspender el juicio. No es una inversión de valores, sino una liberación moral y estética que pone en comunicación los opuestos. Duchamp cierra el periodo iniciado por la ironía romántica, y en esto su obra tiene una indudable analogía con la de Joyce, otro poeta de cosmogonías cómico-eróticas. En el primero: crítica del sujeto que mira y del objeto mirado; en el segundo, crítica del lenguaje y de lo que habla en el lenguaje: los mitos y los ritos del hombre. En ambos la crítica se vuelve creación, como quería Mallarmé; una creación que consiste en el *renversement* de la modernidad con sus propias armas: la crítica, la ironía. La modernidad más moderna, la industria, es la más antigua: la otra cara del mito erótico. Fin del tiempo lineal o, más exactamente, presentación del tiempo lineal como una de las manifestaciones del tiempo. Las dos obras más extremas y «modernas» de la tradición moderna son también su límite, su fin: con ellas y en ellas la modernidad, al realizarse, se acaba.

Amor/humor y *magia/política* son formas que adopta la oposición central: arte/vida. Desde Novalis hasta los surrealistas, los poetas modernos se han enfrentado a esta oposición, sin lograr ni resolver ni disolverla. La dualidad asume otras formas: antagonismo entre lo absoluto y lo relativo o entre la palabra y la historia. Góngora, desengañado de la historia, cambia a la poesía *porque* no puede cambiar la vida; Rimbaud quiere cambiar a la poesía *para* cambiar la vida. Casi siempre se olvida que el poema que consuma la revolución estética de Góngora, *Soledades*, contiene una diatriba contra el comercio, la industria y, sobre todo, contra la gran hazaña histórica de España: el descubrimiento y la conquista de América. La poesía de Rimbaud, por el contrario, tiende a desembocar en el acto. La *alquimia del verbo* es un método poético para cambiar a la naturaleza humana; la palabra poética se adelanta al acontecimiento histórico porque es productora o, como él dice, «multiplicadora de futuro»;[1] la poesía no sólo provoca nuevos estados psíquicos (como las religiones y las drogas) y libera a los pueblos (como las revoluciones) sino que también tiene por misión inventar un nuevo erotismo y cambiar las relaciones pasionales entre los hombres y las mujeres. Rimbaud proclama que hay que «reinventar el amor», tentativa que hace pensar en Fourier. La poesía es el

[1] Carta a Paul Demeny, *Lettre du voyant*, Charleville, 15 mayo 1871.

puente entre el pensamiento utópico y la realidad, el momento de encarnación de la idea. La poesía es la verdadera revolución, la que acabará con la discordia entre historia e idea. Pero la última palabra de Rimbaud es un extraño testamento: *Una temporada en el infierno*. Después, silencio.

En el otro extremo, pero empeñado en la misma aventura y como otro ejemplo de la común tentativa, Mallarmé busca ese momento de convergencia de todos los momentos en el que pueda desplegarse un acto puro: el poema. Ese acto, esos «dados lanzados en circunstancias eternas», es una realidad contradictoria porque, siendo un acto, es también un no-acto. Y el lugar en que se despliega el acto-poema es un no-lugar: unas circunstancias eternas, es decir, no-circunstancias. Lo relativo y lo absoluto se funden sin desaparecer. El momento del poema es la disolución de todos los momentos; no obstante, el momento eterno del poema es *este* momento: un tiempo único, irrepetible, histórico. El poema no es un acto puro, es una contingencia, una violación del absoluto. La reaparición de la contingencia, a su vez, es sólo un momento de la rotación de los dados, ya confundidos con el rodar de los mundos: el absoluto absorbe al azar, la singularidad de este momento se disuelve en una infinita «cuenta total en formación». Violación del universo, el poema es asimismo el doble del universo; doble del universo, el poema es la excepción.[1]

La oposición *arte/vida*, en cualquiera de sus manifestaciones, es insoluble. No hay otra solución que el remedio heroico-burlesco de Duchamp y Joyce. La solución es la no-solución: la literatura es la exaltación del lenguaje hasta su anulación, la pintura es la crítica del objeto pintado y del ojo que lo mira. La metaironía libera a las cosas de su carga de tiempo y a los signos de sus significados; es un poner en circulación a los opuestos, una animación universal en la que cada cosa vuelve a ser su contrario. No un nihilismo, sino una desorientación: el lado de acá se confunde con el lado de allá. El juego de los opuestos disuelve, sin resolverla, la oposición entre ver y desear, erotismo y contemplación, arte y vida. En el fondo, es la respuesta de Mallarmé: el instante del poema es la intersección entre lo absoluto y lo relativo. Respuesta instantánea y que sin cesar se deshace: la oposición reaparece continuamente, ya como negación de lo absoluto por la contingencia, ya como disolución de la contingencia en un absoluto que, a su turno, se dispersa. La no-solución que es una solución, por la misma lógica de la meta-ironía, no es una solución.

[1] *Un Coup de dés* se publicó por primera vez en 1897.

EL REVÉS DEL DIBUJO

La vanguardia rompe con la tradición inmediata —simbolismo y naturalismo en literatura, impresionismo en pintura— y esa ruptura es una continuación de la tradición iniciada por el romanticismo. Una tradición en la que también el simbolismo, el naturalismo y el impresionismo habían sido momentos de ruptura y de continuación. Pero hay algo que distingue a los movimientos de vanguardia de los anteriores: la violencia de las actitudes y los programas, el radicalismo de las obras. La vanguardia es una exasperación y una exageración de las tendencias que la precedieron. La violencia y el extremismo enfrentan rápidamente al artista con los límites de su arte o de su talento: Picasso y Braque exploran y agotan en unos cuantos años las posibilidades del cubismo; en otros pocos años Pound está de regreso del *imagism;* Chirico pasa de la «pintura metafísica» al clisé académico con la misma celeridad con que García Lorca va de la poesía tradicional al neobarroquismo gongorista y de éste al surrealismo. Aunque la vanguardia abre nuevos caminos, los artistas y poetas los recorren con tal prisa, que no tardan en llegar al fin y tropezar con un muro. No queda más recurso que una nueva transgresión: perforar el muro, saltar el abismo. A cada transgresión sucede un nuevo obstáculo y a cada obstáculo otro salto. Siempre entre la espada y la pared, la vanguardia es una intensificación de la estética del cambio inaugurada por el romanticismo. Aceleración y multiplicación: los cambios estéticos dejan de coincidir con el paso de las generaciones y ocurren dentro de la vida de un artista. Picasso es ejemplar precisamente por ser el caso más extremo: la vertiginosa y contradictoria sucesión de rupturas y hallazgos que es su obra no niega, sino que confirma la dirección general de la época. Si no es seguro que la historia de la poesía y el arte del siglo XX sea más rica en grandes obras que la del XIX, sí es indudable que ha sido más variada y accidentada. Al final de estas reflexiones se verá cómo la aceleración del cambio y la proliferación de escuelas y tendencias ha provocado dos consecuencias inesperadas: una pone en entredicho a la tradición misma del cambio y la ruptura, la otra a la idea de «obra de arte».

Intensidad y extensión: a la aceleración de los cambios corresponde el ensanche del espacio literario. A partir de la segunda mitad del siglo XIX comienzan a aparecer fuera del ámbito estrictamente europeo varias grandes literaturas. Primero, la norteamericana; después las eslavas, particularmente la rusa; ahora las de América Latina, la escrita en español tanto como la brasileña. Chateaubriand descubre en el indio guerrero y filósofo de América al *otro;* Baudelaire descubre en Poe a su semejante. Poe es el primer mito literario de los europeos, quiero decir, es el primer escritor americano convertido en mito. Sólo que no es realmente un mito americano. Para Baudelaire, inventor del mito, Poe es un poeta europeo extraviado en la barbarie democrática e industrial de los Estados Unidos. Más que una invención, Poe es una traducción de Baudelaire; mientras traduce sus cuentos, se traduce a sí mismo: Poe es Baudelaire y la democracia yanqui es el mundo moderno. Un mundo en donde «el progreso se mide, no por la utilización del alumbrado de gas en las calles, sino por la desaparición de las señas del pecado original».[1] (Curiosa opinión que niega por anticipado la idea de Max Weber: el capitalismo no es el hijo de la ética protestante, sino un anticristianismo, una tentativa por borrar la mancha original.) La visión de Baudelaire será la de Mallarmé y sus descendientes: Poe es el mito del hermano perdido, no en un país extraño y hostil, sino en la historia moderna. Para todos estos poetas los Estados Unidos no son un país: son el futuro.

El segundo mito fue el de Whitman. Distintos espejismos: el culto por Poe era el de las semejanzas; la pasión por Whitman fue un doble descubrimiento: era el poeta de otro continente y su poesía era otro continente. Whitman exalta la democracia, el progreso y el futuro. En apariencia, su poesía se inscribe en una tradición contraria a la de la poesía moderna: ¿cómo pudo entonces seducir a los poetas modernos? En la poesía de Hugo hay un elemento nocturno y visionario que, a veces, la redime de su elocuencia y su fácil optimismo. ¿Y en la de Whitman? Poeta del espacio, se ha dicho; habría que agregar: poeta del espacio en movimiento. Espacios nómadas, inminencia del futuro: utopía y americanismo. También y sobre todo: el lenguaje, la realidad física de las palabras, las imágenes, los ritmos. Su lenguaje es un cuerpo, una todopoderosa presencia plural. Sin el cuerpo, su poesía se quedaría en oratoria, sermón, editorial de periódico, proclama. Poesía llena de ideas y pseudoideas, lugares comunes y auténticas revelaciones, enorme masa gaseosa que de pronto encarna en un cuerpo-lenguaje que podemos ver, oler, tocar y, sobre todo, oír. El futuro desaparece: queda el presente, la presencia del cuerpo. La influencia de Whitman ha sido inmensa y se ha ejercido en todas las direcciones y sobre temperamentos opuestos: Claudel en un extremo y en el

[1] «Mon cœur mis à nu», 1862-1864.

otro García Lorca. Su sombra cubre el continente europeo, de la Lisboa de Pessoa al Moscú de los futuristas rusos. Whitman es el abuelo de la vanguardia europea y latinoamericana. Entre nosotros su aparición es temprana: José Martí lo presentó al público hispanoamericano en un artículo de 1887. En seguida Rubén Darío sintió la tentación de emularlo —tentación fatal. Desde entonces no ha cesado de exaltar a muchos de nuestros poetas: emulación, admiración, entusiasmo, garrulería.

Las primeras manifestaciones de la vanguardia fueron cosmopolitas y políglotas: Marinetti escribe sus manifiestos en francés y polemiza en Moscú y San Petersburgo con los cubofuturistas rusos; Jliébnikov y sus amigos inventan al *zaum*, el lenguaje trans-racional; Duchamp exhibe en Nueva York y juega al ajedrez en Buenos Aires; Picabia trabaja y escandaliza a todos en Nueva York, Barcelona y París; Arthur Cravan se rehúsa a batirse en duelo con Apollinaire en París, pero boxea en Madrid con el campeón negro Jack Johnson y, en plena Revolución, se interna en México para desaparecer, como Quetzalcóatl, en una barca en las aguas del Golfo; los primeros poemas de Cendrars son reportajes de las Pascuas en Nueva York y de un viaje interminable por el Transiberiano; Diego Rivera encuentra a Ilya Ehrenburg en Montparnasse y reaparece pocos años después en las páginas de *Julio Jurenito;* Vicente Huidobro llega a París desde Chile, colabora con los poetas que en aquellos días se llamaban cubistas y funda con Pierre Reverdy la revista *Nord-Sud*. La explosión Dadá acentúa el babelismo: el franco-alsaciano Arp, los alemanes Ball y Huelsenbeck, el rumano Tzara, el franco-cubano Picabia. Bilingüismo: Arp escribe en alemán y en francés, Ungaretti en italiano y en francés, Huidobro en español y en francés. La predilección por el francés revela el papel central de la vanguardia francesa en la evolución de la poesía moderna. Menciono este hecho universalmente conocido porque muchos críticos norteamericanos e ingleses tienden a ignorarlo. Los críticos y, a veces, los mismos poetas; en una entrevista de 1961, Pound hizo esta extravagante afirmación: «If Paris had been as interesting as Italy in 1924, I would have stayed in Paris».[1]

El movimiento de vanguardia comienza en lengua inglesa un poco más tarde que en el continente y que en América Latina. Los primeros libros de Pound y Eliot están todavía impregnados de Laforgue, Corbière y aun de Gautier. Mientras que los poetas de lengua inglesa se demoran

[1] *Cf.* Hugh Kenner, *The Pound Era*, University of California Press, Berkeley, 1971. La entrevista, con D. C. Bridson, apareció en el núm. 17 de *New Directions*, 1961.

en el *imagism,* tímida reacción antisimbolista, Apollinaire publica *Al-cools,* y Max Jacob transforma el poema en prosa. El gran periodo creador de la vanguardia angloamericana se inicia con la edición definitiva de los primeros *Cantos* (1924), *The Waste Land* (1922) y un pequeño, magnético y poco conocido libro de William Carlos Williams: *Kora in Hell, Improvisations* (1920). Estos libros coinciden con el comienzo del segundo momento de la vanguardia europea: el surrealismo. Dos versiones opuestas del movimiento moderno, una en rojo y la otra en blanco.

Estas breves notas no han tenido otro objeto que mostrar, primero, el carácter cosmopolita de la vanguardia y, segundo, que la poesía de lengua inglesa es parte de una corriente general. Las fechas indican que no es verosímil, como afirman algunos críticos, que Eliot y Pound conociesen sólo la tradición simbolista y que hayan pasado de largo ante Apollinaire, Reverdy, Dadá, el surrealismo. Harry Levin ha mostrado la influencia de Apollinaire en cummings, quien además fue amigo y traductor de Aragon; la relación entre *Kora in Hell* y el poema en prosa tal como lo practicaban en esos días los surrealistas es clara y directa; Wallace Stevens conocía de manera admirable la poesía francesa contemporánea —pero nos gustaría saber algo más de los años en que comienza el gran cambio. El París que conocieron Pound y Eliot fue el París cosmopolita del primer tercio de siglo, teatro de sucesivas revoluciones artísticas y literarias. Se ha repetido hasta la saciedad el tema de la influencia de Laforgue en Eliot; en cambio, nadie ha explorado el de las semejanzas entre el *collage* poético de Pound y Eliot y la estructura «simultaneísta» de *Zone, Le Musicien de Saint-Merry* y otros poemas de Apollinaire. No pretendo negar la originalidad de los poetas norteamericanos, sino señalar que el movimiento poético de lengua inglesa sólo es plenamente inteligible dentro del contexto de la poesía de Occidente. Lo mismo ocurre con las otras tendencias: sin Dadá, nacido en Zurich y traducido por Tzara al francés, el surrealismo sería inexplicable. Sin Dadá y sin el romanticismo alemán. A su vez, el ultraísmo español y el argentino son inexplicables sin Huidobro, que, por su parte, es inexplicable sin Reverdy.

Los ejemplos que he dado no se proponen ilustrar una idea lineal de la historia literaria, sino subrayar su complejidad y su carácter transnacional. Una literatura es una lengua, pero no aislada, sino en perpetua relación con otras lenguas, con otras literaturas. Eliot encuentra que la unión de experiencias contradictorias o dispares es un rasgo característico de los poetas «metafísicos» ingleses. Un rasgo característico no es un rasgo exclusivo: la unión de los contrarios —paradoja, metáfora— aparece en toda la poesía europea de esa época. La consecuente disociación de la sensibilidad y la imaginación —ingenio neoclásico y elocuencia miltoniana y romántica— también es un fenómeno general europeo. Por eso Eliot dice que «Jules Laforgue, y Tristan Corbière, en muchos de sus poemas, están más cerca de la "escuela de Donne" que cualquier poeta inglés moderno».[1] Quizá habría dicho lo mismo de López Velarde, si hubiese podido leerlo. La literatura de Occidente es un tejido de relaciones. Ese tejido está hecho de las figuras que dibujan, al enlazarse y desenlazarse, los movimientos, las personalidades —y el azar. En lo que sigue procuraré mostrar cómo las tendencias poéticas de la primera mitad del siglo repiten, aunque en sentido contrario, algunas de las figuras que el romanticismo había dibujado un siglo antes. La imagen es la misma —invertida. La relación de oposición entre las lenguas germánicas y romances reaparece en el siglo XX y tiende a cristalizar en dos extremos: la poesía de lengua inglesa y la poesía francesa. Me referiré también a la poesía de lengua española, no sólo por ser la mía sino porque el periodo moderno, lo mismo en España que en América, es uno de los más ricos de nuestra historia. Me doy cuenta de que dejo de lado grandes movimientos y figuras —el futurismo italiano y el ruso, el expresionismo alemán, Rilke, Benn, Pessoa, Ungaretti, Montale, los griegos, los brasileños, los polacos... Cierto, la visión de un poeta alemán o italiano sería distinta. Mi punto de vista es parcial: el de un poeta hispanoamericano.

La expresión *poesía moderna* se usa generalmente en dos sentidos, uno restringido y otro amplio. En el primero, alude al periodo que se inicia con el simbolismo y que culmina en la vanguardia. La mayoría de los críticos piensa que este periodo comienza con Charles Baudelaire. Algunos añaden otros nombres, como el de Edgar Allan Poe o el de Nerval de *Les Chimères*. En el sentido amplio, tal como se ha usado en este libro, la poesía moderna nace con los primeros románticos y sus predecesores inmediatos de finales del siglo XVIII, atraviesa el siglo XIX y, a través de sucesivas mutaciones que son asimismo reiteraciones, llega hasta el siglo XX. Se trata de un movimiento que comprende a todos los países de Occidente, del mundo eslavo al hispanoamericano, pero que en cada uno de sus momentos se concentra y manifiesta en dos o tres puntos de irradiación.

[1] «The Metaphysical Poets» (1921), en *Selected Essays*, Harcourt Brace, Nueva York, 1932.

El periodo del simbolismo, sin que esto signifique que no haya habido grandes poetas simbolistas en otras lenguas (apenas si debo recordar al simbolismo ruso, al alemán o al hispanoamericano), fue esencialmente francés. Va de Baudelaire a Mallarmé, Verlaine, Rimbaud y Laforgue, y de éstos a Claudel y Valéry. La poesía de vanguardia es, simultáneamente, una reacción contra el simbolismo y su continuación. La obra del poeta típico de ese momento, Guillaume Apollinaire, ostenta rasgos vanguardistas y simbolistas. El lugar de nacimiento de la poesía de vanguardia explica su genealogía literaria: Francia. En su origen, la vanguardia fue la metáfora contradictoria del simbolismo francés.

Al lado de esta relación, debe señalarse otra, ya no polémica sino de convergencia y aun filialidad, con la pintura de esos años, especialmente con la cubista. Esta relación no fue literaria ni verbal sino conceptual; más que un lenguaje, los poetas recogieron de la experiencia cubista una estética. Si la vanguardia comenzó hablando en francés, fue un francés cosmopolita, con acento español, polaco, italiano, ruso, alemán, rumano. Un lenguaje que, si venía de Rimbaud, Mallarmé y Jarry, se conformaba, deformaba y reformaba al enfrentarse a la nueva estética de pintores y escultores. El nuevo lenguaje tuvo muchos nombres. El más conveniente, por ser el más descriptivo, es el de *simultaneísmo*. Fue una poética originada en el cubismo y en el futurismo. Una de las ideas centrales del cubismo era la presentación simultánea de las diversas partes de un objeto —las anteriores y las posteriores, las visibles y las escondidas— y mostrar las relaciones entre ellas. El cubismo concibió al cuadro como una superficie donde, regidos por fuerzas de atracción y repulsión, oposiciones complementarias, se despliegan los distintos elementos externos e internos que componen un objeto. El cuadro se convirtió, para emplear la expresión consagrada, en un «sistema de relaciones plásticas». Jakobson ha subrayado que la influencia de la pintura cubista fue tanto o más profunda que la de la física atómica en la orientación del pensamiento de los primeros estructuralistas en lingüística. Apenas si vale la pena recordar otra analogía, destacada muchas veces, entre el simultaneísmo y el montaje cinematográfico, sobre todo tal como fue practicado y expuesto por Serguei Eisenstein.

Los futuristas, como es sabido, añadieron a esta estética intelectualista dos elementos: la sensación y el movimiento. También el nombre: *simultaneísmo*. Fueron los primeros en usar la palabra y el concepto. La introducción de la sensación y del movimiento produjo consecuencias insospechadas. La sensación es movimiento y, desde Aristóteles, el movimiento es inseparable del tiempo. Tal vez por esto los filósofos de la Antigüedad, al tratar de entender la paradoja de la eternidad, que es tiempo inmóvil, se sirvieron del movimiento circular de los astros, un movimiento que volvía perpetuamente a su punto de partida. El simultaneísmo poético del siglo XX tuvo que enfrentarse a una dificultad semejante: la representación simultánea de la sucesión. Los futuristas italianos, al proclamar una estética de la sensación, abrieron la puerta a la temporalidad. Por la puerta de la sensación entró el tiempo; sólo que fue un tiempo disperso y no sucesivo: el instante. La sensación es instantánea. Así, el futurismo se condenó, por su estética misma, no a las construcciones del porvenir sino a las destrucciones del instante. La traducción de la pintura de la sensación y del movimiento al lenguaje de la poesía fue aún más desconcertante y contraproducente. El poema simultaneísta —más exacto sería decir: instantaneísta— no era sino una yuxtaposición de interjecciones, exclamaciones y onomatopeyas. El poema futurista no se encaminaba hacia el futuro sino que se precipitaba por el agujero del instante o se inmovilizaba en una serie inconexa de instantes fijos. Eliminación del tiempo como sucesión y como cambio: la estética futurista del movimiento se resolvió en la abolición del movimiento. Los agentes de la petrificación fueron la sensación y el instante.

No sé si Apollinaire se dio cuenta de las consecuencias negativas de una doctrina que destruía en sus obras aquello mismo que exaltaba en su teoría: el movimiento. Pero es indudable que sí fue sensible a la pobreza poética de los poemas futuristas. El manifiesto que publicó en su favor, la *Antitradición futurista* (1913), fue un acto de oportunismo literario. Otra tentativa por allanar el obstáculo que se opone a todo simultaneísmo verbal fue la del poeta francés Henri-Martin Barzun. Ese obstáculo es doble: ¿cómo dar una representación simultánea del movimiento, que es por naturaleza un proceso, una sucesión, y particularmente del movimiento *per se:* el tiempo?; ¿cómo organizar la materia verbal, que es por esencia temporal y sucesiva, en una disposición espacial y simultánea? La solución de Henri-Martin Barzun —fundador de un grupo «simultaneísta» del que fue miembro Apollinaire por una corta temporada— fue aún más simple que la de los futuristas: convertir al poema en una suerte de drama musical. El modelo de la poesía futurista fueron los ruidos de la ciudad moderna: el *bruitism;* el de Barzun fue la ópera. El primer nombre que escogió Barzun para su escuela poética fue *dramatisme.* Poemas no para ser leídos sino para ser oídos. La limitación del método era obvia: cada actor tenía que decir su parte al mismo tiempo que los otros decían las suyas. La limitación era en verdad una imposibilidad: el poema era inaudible. Apollinaire abandonó pronto las ideas y la compañía de Barzun.

El remedio contra la sensación y su dispersión instantánea es la reflexión. Entre una sensación y otra, entre un instante y otro, la reflexión interpone una distancia que es también un puente: una medida. Esa distancia se llama ritmo; también se llama símbolo e idea. El poema de Mallarmé o de Valéry es un símbolo de símbolos; un cuadro cubista es la idea de un objeto expuesta como un sistema de relaciones. En el poema simbolista y en el cuadro cubista lo visible revela lo invisible pero la revelación se logra por métodos opuestos: en el poema, el símbolo evoca sin mencionar; en el cuadro, las formas y colores presentan sin representar. El simbolismo fue *transposición* (Mallarmé); el cubismo fue *presentación.* En la obra de Apollinaire se consuma el tránsito de la transposición a la presentación. El poeta quizá no hubiera podido dar este paso decisivo sin la influencia del pintor Robert Delaunay y su *orfismo.*[1] Derivada del cubismo, esta tendencia fue una de las formas en que se manifestó el simultaneísmo en pintura. En el orfismo había, además, como su nombre lo indica, ciertos elementos simbolistas —la idea de la correspondencia universal— y afinidades indudables con el hermetismo del abstraccionismo, tal como lo concebía Kandinsky *(Lo espiritual en el arte).*

La amistad entre Apollinaire y Delaunay produjo poemas admirables como *Les Fenêtres.* No obstante, el orfismo pictórico no ofrecía una solución al problema del movimiento en la poesía. Se pueden presentar, al mismo tiempo y sobre una misma superficie, distintos colores y formas que los ojos perciben simultáneamente. En cambio, al hablar y escribir emitimos las palabras unas detrás de otras, en hilera; no sólo no podemos oír varias frases al mismo tiempo sino que tampoco, si las leemos, podemos entenderlas. Apollinaire descubrió la solución en la poesía de Blaise Cendrars. Hay dos poemas de Cendrars que impresionaron a Apollinaire y que son el origen de algunas de sus grandes composiciones de esos años: *Pâques à New York* (1912) y *Prose du Transsibérien et la petite Jeanne de France* (1913). En ambos, más que del simultaneísmo, en el sentido del cubismo pictórico, Cendrars se sirve de un método de composición que no es otro que el del relato. Un relato entrecortado, con idas

[1] *Cf.* Roger Shattuck, *The Banquet Years,* Vintage Books, 1955.

y venidas, anticipaciones, irrupciones, digresiones y enlaces imprevistos. Los poemas de Cendrars están más cerca del cine que de la pintura, más del montaje que del *collage*. Pero Cendrars no hubiera podido utilizar esta técnica cinematográfica si no se hubiese servido del *lenguaje hablado* como instrumento de convocación de rimas, imágenes, episodios, sucedidos y sensaciones. Cendrars no canta: cuenta. El habla de todos los días, el lenguaje cotidiano que fluye y transcurre y no el instante y sus onomatopeyas e interjecciones, fue el canal por el que penetró en la poesía de nuestro siglo el tiempo real, el tiempo simultáneo y discontinuo. Y penetró precisamente ahí donde la tradición poética, desde el siglo XVIII, ha confundido la elocuencia con la poesía y se ha mostrado refractaria a la seducción del habla coloquial: Francia.

El simultaneísmo de Apollinaire no fue un simultaneísmo al pie de la letra. No podía serlo. Fue un compromiso, como el de Cendrars. El poema siguió siendo una estructura verbal, lineal y sucesiva pero que tendía a dar la sensación —o la ilusión— de la simultaneidad. Apollinaire, más enteramente dueño de sus recursos expresivos que Cendrars, comprendió inmediatamente que la supresión de los nexos sintácticos era, en poesía, un acto de consecuencias semejantes a la abolición de la perspectiva en la pintura. La yuxtaposición fue su método de composición. Pero *yuxtaposición* es una palabra que no describe realmente el procedimiento de Apollinaire en sus grandes poemas. En cada una de estas composiciones hay un centro secreto, un eje de atracción y repulsión, en torno al cual giran las estrofas y las imágenes. En *Le Musicien de Saint-Merry*, por ejemplo, ese eje es una figura mítica que es asimismo autobiográfica: el músico es Orfeo y es el diablo de una leyenda renacentista, es un autómata que recuerda a los que pintaba Chirico por esos años y es Apollinaire mismo. La yuxtaposición se ordena, a la manera en que se ordenan los planetas alrededor de un sol, en torno a ese personaje plural y uno. Es el centro del poema, un centro en movimiento: el músico recorre las calles de un viejo barrio de París y su música convoca distintos tiempos y espacios, mujeres vivas y muertas, tenderos, guardias republicanas y fantasmas. Es un centro magnético. En *Zone*, un poema más abiertamente autobiográfico que *Le Musicien de Saint-Merry*, el procedimiento es el mismo: el poeta camina por las calles de París y, como si fuese un doloroso y viviente imán, atrae otros tiempos y otros lugares. Todo confluye y se presenta, se hace presente, en un pedazo de tiempo inmóvil que es asimismo un pedazo de espacio en movimiento. Éste es uno de los aspectos del arte de Apollinaire que la crítica no ha explorado pero que todos sus lectores hemos sentido con gran intensidad. El presente de *Zone, Le Musicien de Saint-Merry, Cortège* y otros poemas, confluencia de todos los tiempos, se inmoviliza y adquiere la fijeza del espacio, mientras que el espacio fluye, se bifurca, vuelve a reunirse consigo mismo y se pierde. El espacio adquiere las propiedades del tiempo.

El universo poético de Apollinaire está habitado por dos hermanas enemigas, la simpatía y la antipatía, en el sentido que daban los antiguos estoicos a estas dos palabras. Conjunción y dispersión y otra vez conjunción de tiempos y espacios: encuentros, separaciones, amores, muertes, odios: *destinos.* El simultaneísmo de Apollinaire es una variante de la vieja teoría de las correspondencias, una forma de la analogía, en la que se inserta con naturalidad la idea del destino. En Apollinaire está viva aún la religión de las estrellas. Su caso es un ejemplo más de la vitalidad de la corriente hermética que secretamente ha alimentado a la poesía de Occidente desde el Renacimiento. El simultaneísmo de Apollinaire también colinda con la ironía. En el poema *Lundi rue Christine,* el simultaneísmo se vuelve conjunción o, más exactamente, confusión de lenguas. El poema es una minúscula caja de ecos donde resuenan trozos de conversaciones oídas en un restaurante. Crítica de los hombres y del lenguaje: lo que decimos y lo que oímos a todas horas son palabras sin sentido.

La poética simultaneísta —aunque no con este nombre— alcanzó su mayor pureza en la obra y la persona de Pierre Reverdy. La misión de Reverdy en el dominio de la poesía fue semejante a la de Juan Gris en el de la pintura. Ambos representan el rigor: con ellos y en ellos la vanguardia se vuelve sobre sí misma, reflexiona y, sin cesar de ser una aventura, se vuelve una conciencia. Las ideas de Reverdy se parecen mucho a las que por los mismos años expresaba Gris, y no han faltado quienes señalen la influencia del pintor español sobre el poeta francés. Es probable. De todos modos, los textos en prosa que nos ha dejado Reverdy, muchos de ellos escritos con gran posterioridad a la muerte de Gris, lo revelan como un pensador original —y no sólo en materia de estética sino de moral, historia y política. La poesía y la crítica de Reverdy muestran una comprensión del cubismo mucho más lúcida que la de Apollinaire. Influido por esa estética severa, Reverdy tiende a convertir cada poema en un objeto. No sólo suprime la anécdota y la música, el cuento y el canto (los grandes recursos de Apollinaire) sino que extrema su ascetismo y elimina casi completamente los conectivos y los relativos. El poema se reduce a una serie de bloques verbales sin nexos sintácticos, unidos unos a otros por la ley de atracción de la imagen.

Reverdy elaboró una doctrina de la imagen poética como realidad espiritual autónoma que, además de haber influido en André Breton y los surrealistas, marcó a poetas tan distintos como William Carlos Williams y Vicente Huidobro. El poeta francés concibe a la imagen como el descubrimiento de las relaciones secretas o escondidas entre los objetos; la imagen será tanto más fuerte y eficaz cuanto más alejados entre sí se encuentren los objetos y más necesarias sean las relaciones entre ellos. La idea de un arte que no sea imitación de la realidad se justifica por el carácter central que tiene la imagen en la poética de Reverdy; la imagen es la verdadera realidad. La imagen ocupa, dentro de la economía verbal del poema, el antiguo lugar que habían tenido el ritmo y la analogía. O más exactamente: la imagen es la esencia de la analogía y del ritmo, la forma más perfecta y sintética de la correspondencia universal. En el sistema solar que es cada poema, la imagen es el sol. Reverdy abrió así la vía al surrealismo y preparó, sin saberlo, la destrucción de su propia poética.

El simbolismo había mostrado escasa simpatía por la anécdota y por los temas históricos. Reverdy fue aún más riguroso y, al cerrar la puerta que habían entreabierto Claudel y Valéry Larbaud por un lado, y por el otro Cendrars y Apollinaire, expulsó definitivamente a la anécdota y a la biografía de la poesía francesa. La expulsión de la biografía se completó con la de la historia, condenada a perpetuo destierro. Las cortas composiciones de Reverdy, a la manera de los cuadros cubistas, son ventanas, pero ventanas que se abren no hacia fuera sino hacia adentro. El poema es un espacio cerrado en el que no ocurre nada, no pasa nada, ni siquiera el tiempo. Un poema de Reverdy es un hecho del espíritu: todo lo que es el hombre —sensaciones, sentimientos, otros hombres y mujeres— ha sido filtrado por la poesía. Lo que queda en el poema son las esencias. Los futuristas habían visto al objeto como sensación; Reverdy convierte a las sensaciones y a los sentimientos mismos en objetos. Inmoviliza al instante —y así salva al tiempo. En sus mejores poemas el tiempo está vivo. Pero es un tiempo enjaulado, un tiempo que no transcurre. Reverdy purificó al simultaneísmo y al purificarlo lo esterilizó. Desde 1916 hasta su muerte, su poesía apenas si cambió. Escribió mucho y durante muchos años pero siempre el mismo poema. Reverdy es uno de los poetas más intensos de este siglo; también es uno de los más monótonos.

Aun antes de que los felices hallazgos iniciales se convirtiesen en las repeticiones de una fórmula, la poética de Reverdy fue desalojada, primero por Dadá y después, definitivamente, por el surrealismo. Para Reverdy, el poema era una construcción del espíritu, dueña de vida propia y desprendida de la realidad de su origen y de sus circunstancias; para Dadá y, más acusadamente, para los surrealistas, lo que contaba no era tanto el poema como la poesía. Para ellos la poesía no era una construcción sino una experiencia, no algo que hacemos sino algo que alternativamente nos hace y nos deshace, algo que nos pasa: una *pasión*. El fin último de la poesía, para Reverdy, era la contemplación de un objeto verbal, el poema, en el cual nos reconocemos. La poesía como *re-conocimiento*. Para los surrealistas, la poesía no era contemplación sino un medio de transformación del mundo y de los hombres: no un re-conocimiento sino una metamorfosis. El principio que rige a la producción de poemas también fue distinto: al simultaneísmo, los surrealistas opusieron el dictado del inconsciente. La resurrección de la inspiración destruyó las bases intelectualistas de la poética derivada del cubismo y el orfismo. El dictado del inconsciente sustituyó a la presentación simultánea de distintas realidades y, en consecuencia, arruinó la concepción del cuadro y del poema como sistemas de relaciones hechas de equivalencias y de oposiciones. Como el dictado de la inspiración es lineal y sucesivo, el surrealismo re-instaló el orden lineal. No importa que, por su contenido, el texto surrealista sea una subversión de la razón, la moral o la lógica de todos los días: el orden en que se manifiesta ese delirio es el viejo orden sintáctico. Desde este punto de vista, el surrealismo fue más bien un retroceso.

El simultaneísmo desapareció de Francia pero fue adoptado por los poetas norteamericanos, especialmente por Pound. La poesía norteamericana, confirmando una vez más el carácter simétrico y contradictorio de la evolución de la poesía moderna en inglés y en francés, utilizó el simultaneísmo en sentido contrario al de los poetas franceses: no para expulsar a la historia de la poesía sino como el eje de la reconciliación entre historia y poesía. Los grandes poemas de Pound y de Eliot están construidos conforme a la técnica simultaneísta. Es verdad que durante ese periodo también se escribieron en Francia poemas extensos, algunos admirables. Pienso en las vastas composiciones de Saint-John Perse. Pero en ellas no triunfa el simultaneísmo sino esa tradición, a ratos inspirada y otras enfática, que va de los poemas en prosa de Rimbaud a *Les Cinq grandes odes* de Claudel. Al final de esta época André Breton escribe la

Ode à Charles Fourier, en la que se aparta de la poética surrealista y aborda el tema histórico, moral y filosófico. Pero este gran poema tampoco continúa el simultaneísmo sino que vuelve a la tradición propiamente francesa —el último Hugo, Rimbaud, Perse— que colinda, en uno de sus extremos, con la inspiración profética y, en el otro, con la elocuencia.

El introductor del simultaneísmo en lengua inglesa fue Pound. No sólo en su obra propia sino a través de su influencia en la composición de *The Waste Land,* el primer gran poema simultaneísta en inglés y uno de los poemas centrales de nuestro siglo. Pound habló muchas veces de su poética y del método de composición de los *Cantos.* Aunque parezca extraño, no mencionó nunca a Apollinaire ni al simultaneísmo de los años inmediatamente anteriores a la primera Guerra. En cambio, insistió en el ejemplo de la poesía china y afirmó que el método de los *Cantos* —supresión de nexos y puentes, yuxtaposición de imágenes— era una consecuencia de su lectura de Ernest Fenollosa y de la interpretación que este sabio orientalista había dado de la escritura ideográfica y de la utilización de los ideogramas por los poetas de China y de Japón. J. J. Liu ha mostrado de manera inequívoca que las ideas de Pound y de Fenollosa constituyen *a basic misconception.*[1] Según Liu,

> The majority of the Chinese characters are Composite Phonograms *(Hsieh-Sheng)* and contain a phonetic element (the other part of the composite character, which signifies the meaning, is called the «radical» or «significant»). Moreover, even those characters which were originally formed on a pictographic principle have lost much of their pictorial quality, and in their modern forms bear little resemblance to the objects they are supposed to depict [...] The fallacy of Fenollosa and his followers should now be evident.

Es verdad que otro crítico y poeta chino, Wai-lin Yip, afirma que la ausencia de nexos sintácticos en la poesía china —su ejemplo predilecto es Wang Wei— justifica hasta cierto punto la interpretación de Fenollosa/Pound. Sin negar que la observación de Yip es razonable, me parece claro y por sí mismo evidente que el método de composición de los *Cantos* se encuentra ya en el simultaneísmo de Apollinaire. Es imposible que Pound no haya conocido durante los años en que vivió en París los poemas de Cendrars, Apollinaire y Reverdy. Fue amigo de Picabia y colaboró en varias

[1] *The Art of Chinese Poetry,* Londres, 1962.

revistas y publicaciones del movimiento Dadá y otros grupos de vanguardia, como *Dada* (núm. 7, *Dadaphone*, 1920), *Littérature* (núm. 16, octubre 1920), *391* (núm. 15, 1921), etc. Piénsese en un poema como *Lundi rue Christine:* basta con cambiar las citas de las frases coloquiales por citas de textos literarios, históricos y filosóficos en varias lenguas y con cambiar el tema —por ejemplo: la caída de Troya superpuesta a la caída de París o de Berlín— para encontrar ya, en embrión, el método de los *Cantos.*

Repito: no quiero negar la originalidad del poeta norteamericano. El gran descubrimiento de Pound —adoptado también, gracias a sus consejos, por Eliot en *The Waste Land*— fue aplicar el simultaneísmo no a los temas más bien restringidos, personales y tradicionales de Apollinaire sino a la historia misma de Occidente. La grandeza de Pound y, en menor grado, la de Eliot —aunque este último me parezca, finalmente, un poeta más perfecto— consiste en la tentativa por reconquistar la tradición de la *Divina Comedia,* es decir, la tradición central de Occidente. Pound se propuso escribir el gran poema de una civilización, pero *—make it new!—* utilizando los procedimientos y hallazgos de la poesía más moderna. Reconciliación de tradición y vanguardia: el simultaneísmo y Dante, el *Shih-Ching* y Jules Laforgue. En suma, el simultaneísmo tiene dos grandes momentos, el de su iniciación en Francia y el de su mediodía en lengua inglesa. Semejanza y contradicción: el método poético es el mismo pero insertado en ideas distintas y antagónicas de la poesía. ¿Y en español? Vicente Huidobro recogió esta tendencia en sus primeros poemas «creacionistas», brillantes pero vanas adaptaciones de Reverdy y Apollinaire. Después la abandonó: no hay simultaneísmo en su gran poema *Altazor.* El mexicano José Juan Tablada escribió un pequeño y perfecto poema simultaneísta: *Nocturno alterno.* De nuevo: una golondrina no hace verano. Hubo que esperar hasta mi generación para que el simultaneísmo se manifieste en la poesía y también, con gran energía, en la novela.

El romanticismo no sólo fue una reacción contra la estética neoclásica sino contra la tradición grecolatina, tal como la habían formulado el Renacimiento y la edad barroca. El neoclasicismo, después de todo, no fue sino la última y más radical de las manifestaciones de esa tradición. La vuelta a las tradiciones poéticas nacionales (o la invención de esas tradiciones) fue una negación de la tradición central de Occidente. No en balde las primeras expresiones del romanticismo, al lado de la novela gótica y el medievalismo, fueron el orientalismo de *Vathek* y la inmensidad americana de Natchez. Catedrales y abadías góticas, mezquitas, templos hindúes, desiertos y bosques americanos: más que imágenes, signos de negación. Reales o imaginarios, cada edificio y paisaje era una proposición polémica contra la tiranía de Roma y su herencia. En sus ensayos de crítica poética, Blanco White no se detiene en la influencia del neoclasicismo francés, sino que va a la raíz: el origen del mal que aqueja a nuestra poesía está en el siglo XVI y se llama Renacimiento italiano. Elocuencia, regularidad, petrarquismo: simetría que desnaturaliza, geometría que ahoga a la poesía española y no la deja ser ella misma. Para recobrar su ser, los poetas españoles deben librarse de esa herencia y regresar a su propia tradición. Blanco White no dice cuál es esa tradición salvo que es *otra*. Una tradición distinta a la que veneraban por igual Garcilaso, Góngora y los poetas neoclásicos. La tradición central de Europa se convierte en un extravío, una imposición extraña. Había sido el elemento unificador, el puente entre las lenguas, los espíritus y las naciones: ahora es una imposición ajena. El romanticismo obedece al mismo impulso centrífugo del protestantismo. Si no es un cisma, es una separación, una escisión.

La ruptura de la tradición central de Occidente provocó la aparición de muchas tradiciones; la pluralidad de tradiciones condujo a la aceptación de distintas ideas de belleza; el relativismo estético fue la justificación de la estética del cambio: la tradición crítica que, al negarse, se afirma. Dentro de esta tradición, el movimiento poético angloamericano del siglo XX es un gran cambio, una gran negación y una gran novedad. La ruptura consiste en que, lejos de ser una negación de la tradición central, es una búsqueda de esa tradición. No una revuelta, sino una restauración. Cambio de rumbo: reunión y no separación. Aunque Eliot y Pound tenían ideas distintas acerca de lo que era realmente esa tradición, su punto de partida fue el mismo: la conciencia de la escisión, el sentirse y el saberse aparte. Doble escisión: la personal y la histórica. Van a Europa, no como desterrados, sino en búsqueda del origen; su viaje no es un exilio, sino un regreso a las fuentes. Es un movimiento en dirección opuesta al de Whitman: no la exploración de los espacios desconocidos, el más allá americano, sino la vuelta a Inglaterra. Pero Inglaterra, separada de Europa desde la Reforma, no es más que un eslabón de la cadena rota. El anglicismo de Eliot fue un europeísmo; Pound, más extremado, saltó de Inglaterra a Francia y de Francia a Italia.

La palabra *centro* aparece con frecuencia en los escritos de los dos poetas, en general asociada con la palabra *orden*. La tradición se identifica con la idea de un centro de convergencia universal, un orden terrestre y celeste. La poesía es la búsqueda y, a veces, la visión de ese orden. Para Eliot la imagen histórica del orden espiritual es la sociedad cristiana medieval. La idea del mundo moderno como la disgregación del orden cristiano de la Edad Media aparece en muchos escritores de ese periodo, pero en Eliot es más que una idea: un destino y una visión. Algo pensado y vivido —algo dicho: un lenguaje. Si la modernidad es la desintegración del orden cristiano, su destino individual de poeta y hombre moderno se inserta precisamente en ese contexto histórico. La historia moderna es caída, separación, disgregación; asimismo es la vía de purgación y reconciliación. El exilio no es exilio: es el regreso al tiempo sin tiempo. El cristiano asume al tiempo sólo para transmutarlo. La poética de Eliot se transforma en una visión religiosa de la historia moderna de Occidente.

En el caso de Pound la idea de la tradición es más confusa y cambiante. Confusa porque no es tanto una idea como una yuxtaposición de imágenes; cambiante porque, como el Grifón que vio Dante en el Purgatorio, sin cesar se transforma sin dejar de ser la misma. En esto consiste, quizá, su profundo americanismo: su búsqueda de la tradición central no es sino una forma más, la extrema, de la tradición de la búsqueda. Su involuntario parecido con Whitman es sorprendente: los dos van más allá de Occidente, sólo que uno en busca de una efusión místico-panteísta (India) y el otro tras una sabiduría que armonice el orden del cielo con el de la tierra (China). La fascinación de Pound por el sistema de Confucio es semejante a la de los jesuitas en el siglo XVII y, como la de ellos, es una pasión política: los jesuitas pensaban que una China cristiana sería el modelo del mundo; Pound soñó en unos Estados Unidos confucianos. La extraordinaria riqueza y complejidad de las referencias, alusiones y ecos de otras épocas y civilizaciones hacen de los *Cantos* un texto cosmopolita, una verdadera babel poética (no hay nada peyorativo en esta designación). No obstante, los *Cantos* son primero y ante todo un poema norteamericano y escrito para los norteamericanos —lo cual no impide, claro está, que nos fascine a todos. Los distintos episodios, figuras y textos que aparecen en el poema son *ejemplos* que propone el poeta a sus compatriotas. Todos ellos apuntan hacia un modelo universal o, más exactamente, imperial. Pound difiere en esto de Whitman. Uno soñó en una sociedad nacional, aunque grande como un mundo, que realizaría al fin la democracia; el otro en una nación universal, heredera de todas las civilizaciones y los imperios. Pound habla del mundo, pero siempre pensando en su patria, potencia mundial. El nacionalismo de Whitman era un universalismo; el universalismo de Pound es un nacionalismo. Así se explica el culto de Pound por el sistema político y moral de Confucio: vio en el Imperio chino un modelo para los Estados Unidos. De ahí también su admiración por Mussolini. La aparición de Justiniano en los últimos *Cantos* corresponde asimismo a esta visión imperial.

El centro del mundo no es el lugar donde se manifiesta la palabra religiosa, como en Eliot; es el foco de energía que mueve a los hombres y los junta en una obra en común. El orden de Pound es jerárquico aunque sus jerarquías no están basadas en el dinero. Su pasión no fue la libertad ni la igualdad, sino la grandeza y la equidad entre los desiguales. Su nostalgia de la sociedad agraria no fue nostalgia por la aldea democrática, sino por las viejas sociedades imperiales como China y Bizancio, dos grandes imperios burocráticos. Su error consistió en que su visión de esas civilizaciones ignora el peso enorme del Estado aplastando a los labriegos, los artesanos y los comerciantes. Su anticapitalismo, como se ve en su célebre canto contra la usura, expresa un legítimo horror ante el mundo moderno, pero su condenación del agio es la misma de la Iglesia católica en el Medievo. Se trata de una nueva confusión: el capitalismo no es la usura, no es el atesoramiento del oro excremencial, sino su sublimación y su transformación por el trabajo humano en productos sociales. El atesoramiento del usurero estanca la riqueza, la retira de la circulación, mientras que los productos del capitalismo son a su vez productivos: circulan y se multiplican. Pound ignoró a Adam Smith, Ricardo y Marx —el abecé de la economía y de nuestro mundo.

Su obsesión excremencial está asociada a su odio a la usura y al antisemitismo. La otra cara de esa obsesión es su culto solar. El excremento es demoniaco y terrestre; su imagen, el oro, se esconde en las tripas de la tierra y en los cofres, tripas simbólicas, del usurero. Pero hay otra imagen del excremento que es su transfiguración: el sol. El oro excremencial del usurero se oculta en las profundidades, el sol luce en las alturas para todos. Dos movimientos antitéticos: el excremento regresa a la tierra, el sol se extiende sobre ella. Pound percibió admirablemente la oposición entre estas dos imágenes, pero no vio la conexión, la relación contradictoria que las une. En todos los emblemas y visiones imperiales el sol o su homólogo —el ave solar, el águila— ocupan el lugar central. El emperador es el sol. En el orden del cielo —el giro de los planetas y las estaciones en torno a un eje luminoso— está la receta para gobernar a la tierra. Orden, ritmo, danza: armonía social, equidad de los de arriba, lealtad de los de abajo. El sueño de Pound es, como el de Fourier, aunque en sentido opuesto, una analogía del sistema solar.

Para Eliot la poesía es la visión del orden divino desde aquí, desde el mundo a la deriva de la historia; para Pound es la percepción instantánea de la fusión del orden natural (divino) con el orden humano. Instantes arquetípicos: la gesta del héroe, el código del legislador, la balanza del emperador, la obra del artista, la aparición de la diosa velada «apenas por una nube / hoja que se mece en la corriente» (Canto 80). La historia es infierno, purgatorio, cielo, limbo —y la poesía es el cuento, el relato del viaje del hombre por esos mundos de la historia. No sólo el cuento: también la presentación objetiva de los momentos de orden y desorden. La poesía es *paideia:* esas visiones instantáneas que rasgan, como Diana las nubes, las sombras de la historia, no son ni ideas ni cosas: son luz. Todas las cosas que son, son luces (Canto 74). Pero Pound no es contemplativo: esas luces son actos y nos proponen una acción.

La búsqueda de la tradición central fue una exploración de reconocimiento, en el sentido militar de la palabra: una polémica y un descubrimiento. Polémica: la historia de la poesía inglesa vista como una gradual separación de la tradición central. Chaucer, dice Pound en el *ABC of Reading,* participa en la vida intelectual del continente, es un europeo, pero Shakespeare «ya mira hacia Europa desde fuera». Descubrimiento: encontrar aquellas obras que realmente pertenecen a la tradición central y mostrar los nexos que las unen. La poesía europea es un todo animado y coherente. Pound se pregunta: «¿Quién puede comprender los mejores poemas de Donne si no los pone en relación con Cavalcanti?» A su vez Eliot descubre afinidades entre los «metafísicos» y algunos simbolistas franceses, y entre ambos y los poetas florentinos del siglo XIII. Reconstitución de una tradición que va de los poetas provenzales a Baudelaire: no una asamblea de fantasmas, sino de obras vivas. En el centro: Dante. Es la balanza, la piedra de toque. Eliot lee a Baudelaire desde la perspectiva de Dante y *Les Fleurs du mal* se convierten en un comentario moderno del Infierno y del Purgatorio. *Coincé* entre la *Odisea* y la *Comedia,* Pound escribe un poema épico que es también un infierno, un purgatorio y un paraíso. La *Comedia* no es un poema épico, sino alegórico: el viaje del poeta por los tres mundos es una alegoría del libro del Éxodo, que a su vez es una alegoría de la historia de la humanidad desde la Caída hasta el

Juicio Final, que no es sino una alegoría del errar del alma humana, al fin redimida por el amor divino. El tema de la *Comedia* es el del regreso al Creador; el de los *Cantos* también es el regreso, sólo que ¿adónde? En el curso del viaje el poeta ha olvidado el punto de destino. La materia de los *Cantos* es épica; la división tripartita es teológica. Teología secularizada: política autoritaria. El fascismo de Pound, antes de ser un error moral, fue un error literario, una confusión de géneros.

La recolección de fragmentos no fue un trabajo de anticuarios, sino un rito de expiación y reconciliación. Purgación de los pecados del protestantismo y el romanticismo. Los resultados fueron contradictorios. En su expedición de reconquista de la tradición central, Pound fue más allá de Roma —hasta la China del siglo VI antes de Cristo— mientras que Eliot se quedó a medio camino, en la Iglesia anglicana. Pound no descubrió una, sino muchas tradiciones, y las abrazó a todas; al escoger la pluralidad, escogió la yuxtaposición y el sincretismo. Eliot escogió sólo una tradición, pero su visión no fue menos excéntrica. La excentricidad no fue un error de los dos poetas, sino que estaba en el origen mismo del movimiento y en su naturaleza contradictoria. El *modernism* angloamericano se concibió a sí mismo como un renacimiento clásico. Precisamente con esta expresión *(classical revival)* se inicia *Romanticism and Classicism,*[1] un ensayo de T. E. Hulme, el inspirador de Eliot y el compañero de Pound. El joven poeta y crítico inglés había encontrado en las ideas de Charles Maurras y en su movimiento, L'Action Française, una estética y una política. Hulme señalaba la conexión entre revolución y romanticismo: «la revolución fue la obra del romanticismo» (Rousseau). Una simplificación: la afinidad inicial entre romanticismo y revolución se resolvió, según se ha visto, en oposición. El romanticismo fue un antirracionalismo; el terror revolucionario escandalizó a los románticos justamente por su carácter sistemático y sus pretensiones racionales. Robespierre había cortado las cabezas de la nobleza, decía Heine en su respuesta a Madame de Staël, con la misma lógica con que Kant había decapitado a las ideas de la antigua metafísica. Aunque Hulme criticaba las ideas estéticas de los románticos alemanes, su actitud y la de su círculo recordaba a la de aquéllos: el odio a la revolución se confundía, en unos y otros, con una nostalgia por el mundo cristiano medieval. Es una idea que aparece en todos los románticos alemanes y que Novalis formuló en su ensayo *Die Christenheit*

[1] En *Speculations. Essays on Humanism and the Philosophy of Art,* Routledge & Kegan Paul Ltd., Londres, 1964.

oder Europa. La nueva sociedad cristiana que, según Novalis, nacería de las ruinas de la Europa racionalista y revolucionaria, realizaría al fin la unión prefigurada por el Imperio romano-germánico. El clasicismo de Hulme, Eliot y Pound fue un romanticismo que se ignoraba.

El movimiento de Maurras se reclamaba de la tradición grecorromana y medieval: clasicismo, racionalismo, monarquía, catolicismo. Apenas si vale la pena recordar que esa tradición no es unitaria, sino, desde su origen, dual y contradictoria: Heráclito/Parménides, monarquía / democracia. Y más: hoy la corriente central es la de la Reforma, el romanticismo y la Revolución, y la marginal es aquella que Eliot y sus amigos querían restaurar. En la historia moderna de Francia, el movimiento de Maurras fue el de una facción política. A la marginalidad histórica hay que agregar la herejía religiosa: Roma lo condenó. El racionalismo de Maurras no excluía el culto a la autoridad, la supresión de la crítica por la violencia y el antisemitismo. Su clasicismo poético era un arcaísmo, y en sus ideas políticas el concepto cardinal era el de nación —una idea romántica. En busca de la tradición central, el *modernism* angloamericano siguió a una secta cismática en religión y marginal en estética. ¿Quién lee hoy los poemas de Maurras? Por fortuna el antirromanticismo de Hulme, Eliot y Pound era menos estrecho que el de Maurras. Menos estrecho y menos coherente: inventaron una tradición poética en la que figuraban nombres que los románticos habían visto siempre como suyos. Los más notables: Dante y Shakespeare. Ambos habían sido gritos de combate contra la estética neoclásica y la hegemonía de Racine. La inclusión de los poetas «metafísicos» —expresión inglesa de la poesía barroca y del conceptismo europeos— tampoco se ajustaba a lo que se entiende generalmente por clasicismo. Hulme justificaba con gracia estas violaciones de la ortodoxia clasicista: «Acepto que Racine está en el extremo del clasicismo [...] pero Shakespeare es el clásico del movimiento». Agudo pero no convincente.

Mientras el *modernism* angloamericano encontraba en Maurras una inspiración, los jóvenes poetas franceses descubrían a Lautréamont y a Sade. La diferencia no podía ser más grande. En Europa, los movimientos de vanguardia estaban teñidos por una fuerte coloración romántica, desde los más tímidos como el expresionismo alemán hasta los más exaltados como los futurismos de Italia y Rusia. Dadá y el surrealismo fueron, casi no hay que decirlo, ultrarrománticos. El extremado formalismo de algunas de estas tendencias —cubismo, constructivismo, abstraccionismo— parece desmentir mi afirmación. No la desmiente: el formalismo del arte moderno es una negación del naturalismo y del humanismo de la tradición grecorromana. Sus fuentes históricas están fuera de la tradición clásica de Occidente: el arte negro, el precolombino, el de Oceanía. El formalismo continúa y acentúa la tendencia iniciada por el romanticismo: oponer a la tradición grecorromana otras tradiciones. El formalismo moderno destruye la idea de representación —en el sentido del ilusionismo grecorromano y renacentista— y somete a la figura humana a la estilización de una geometría racional o pasional, cuando no la expulsa del cuadro. Se dirá que el cubismo fue una reacción contra el romanticismo del impresionismo y de los *fauves*. Es verdad, pero el cubismo sólo es inteligible dentro del contexto contradictorio de la vanguardia, del mismo modo que Ingres sólo es *visible* frente a Delacroix. En la historia de la vanguardia el cubismo es el momento de la razón, no el del clasicismo. Una razón suspendida sobre el abismo, entre los *fauves* y los surrealistas. En cuanto a las geometrías de Kandinsky y Mondrian: están impregnadas de ocultismo y hermetismo, así que prolongan la corriente más profunda y persistente de la tradición romántica. La vanguardia europea, incluso en sus manifestaciones más rigurosas y racionales —cubismo y abstraccionismo— continuó y exacerbó la tradición romántica. Su romanticismo fue contradictorio: una pasión crítica que sin cesar se niega a sí misma para continuarse.

Oposiciones que repiten, aunque en sentido opuesto, a las del periodo romántico: Pound condena a Góngora precisamente cuando los jóvenes poetas españoles lo proclaman su maestro; para Breton los mitos de los celtas y la leyenda del Graal son testimonios de la *otra* tradición —la tradición que niega a Roma y que nunca fue enteramente cristiana—, mientras que para Eliot esos mismos mitos adquieren sentido espiritual sólo al contacto del cristianismo romano; Pound busca en Provenza una poética, los surrealistas ven en la poesía provenzal una erótica doblemente subversiva —frente a la sociedad burguesa por su exaltación del adulterio, frente a la promiscuidad contemporánea por su celebración del amor único—; la vanguardia europea afirma la estética de la excepción, Eliot quiere reintegrar la excepción religiosa —la separación protestante— en el orden cristiano de Roma y Pound pretende insertar la singularidad histórica que son los Estados Unidos en un orden universal; Dadá y los surrealistas destrozan los códigos y lanzan sarcasmos y escupitajos contra los altares y las instituciones; Eliot cree en la Iglesia y la monarquía, Pound propone a los Estados Unidos la imagen del Jefe-Filósofo-Salvador, un híbrido de Confucio, Malatesta y Mussolini; para la vanguardia europea, la sociedad ideal está fuera de la historia —es el mundo de los primitivos o la ciudad del futuro, el pasado sin fechas o la utopía comunista y libertaria—, en tanto que los arquetipos que nos ofrecen Eliot y Pound son imperios e iglesias, modelos históricos; Dadá niega a las obras del pasado tanto como a las del presente, los poetas angloamericanos se empeñan en la reconstrucción de una tradición; para unos, los surrealistas, el poeta escribe lo que le dicta el inconsciente, poesía es transcribir la *otra voz* que habla en cada uno de nosotros cuando acallamos la voz de la vigilia; para los angloamericanos la poesía es técnica, dominio, maestría, conciencia, lucidez; Breton fue trotskista y Eliot monárquico. La lista de las oposiciones es interminable. Hasta en los «errores» políticos y morales la simetría de la oposición reaparece: al fascismo de Pound corresponde el estalinismo de Aragon, Éluard y Neruda.

Los surrealistas creen en el poder subversivo del deseo y en la función revolucionaria del erotismo. El español Cernuda ve en el placer no sólo una explosión corporal sino una crítica moral y política de la sociedad cristiana y burguesa: «Abajo estatuas anónimas / Preceptos de niebla / Una chispa de aquellos placeres / Brilla en la hora vengativa / Su fulgor puede destruir vuestro mundo».[1] La diferente valoración de los sueños y las visiones no es menos notable y reveladora que la del erotismo. Eliot observa que «Dante vivió en una época en la que los hombres todavía tenían visiones [...] Ahora nosotros tenemos únicamente sueños y hemos olvidado que ver visiones fue antes una manera de soñar más interesante, disciplinada y significativa que la nuestra. Estamos seguros de que nuestros sueños vienen de abajo y tal vez por eso se ha deteriorado la calidad de nuestros sueños».[2] Los surrealistas exaltan a los sueños y a las visiones, pero, a diferencia de Eliot, no trazan una línea divisoria entre ellos: ambos brotan de abajo, ambos son revelaciones del abismo y del «otro lado» del hombre —el oscuro, el corporal. El cuerpo habla en los sueños.

Todas estas oposiciones pueden concentrarse en una: la vanguardia europea rompe con todas las tradiciones y así continúa la tradición romántica de la ruptura; el movimiento angloamericano rompe con la tradición romántica. A la inversa del surrealismo, más que una revolución es una tentativa de restauración. El protestantismo y el romanticismo habían separado al mundo anglosajón de la tradición religiosa y estética de Europa: el *modernism* angloamericano es una vuelta a esa tradición. ¿Una

[1] *Los placeres prohibidos*, 1931.

[2] «Dante» (1929), en *Selected Essays*.

vuelta? Ya señalé su involuntario parecido con el romanticismo alemán. Su negación del romanticismo fue también romántica: la reinterpretación de Dante y los poetas provenzales por Pound y Eliot no fue menos excéntrica que, un siglo antes, la lectura de Calderón por los románticos alemanes. Se invierte la posición de los términos, pero ni los términos ni la relación entre ellos desaparecen. El *modernism* angloamericano es *otra* versión de la vanguardia europea, como el simbolismo francés y el modernismo hispanoamericano habían sido otras versiones del romanticismo. Versiones: metáforas: transmutaciones.

La «restauración» de los angloamericanos fue un cambio no menos profundo y radical que la «revolución» de los surrealistas. Esta observación no sólo es aplicable a los *Cantos* y a *The Waste Land* —la obra posterior de Eliot pierde en tensión poética lo que gana en claridad contextual y firmeza de convicciones religiosas— sino también a la poesía de e. e. cummings, Wallace Stevens, Marianne Moore, William Carlos Williams. Me he referido casi exclusivamente a Pound y Eliot porque hay en ellos una faceta crítica y programática que no aparece en los otros poetas de esta generación. No creo, por lo demás, que esos poetas sean menos importantes que Pound y Eliot. Pero *importante* es una palabra necia: cada poeta es diferente, único, insustituible. La poesía no es mesurable, no es pequeña ni grande —es poesía simplemente. Sin las explosiones verbales de cummings, resultado de su extrema y admirable concentración poética, sin la densidad transparente del Wallace Stevens de *Esthétique du mal* y *Notes Toward a Supreme Fiction,* poemas en los que, como en *The Prelude,* la mirada del poeta (pero ya desengañada y de regreso de los espejismos románticos y vanguardistas) traza un puente entre «el alma y el cielo» —sin los poemas de Williams que, como dijo el mismo Stevens, nos dan «un nuevo conocimiento de la realidad»— la poesía angloamericana moderna se empobrecería muchísimo. Y nosotros también.

El cosmopolitismo angloamericano se presentó como un formalismo radical. Precisamente ese formalismo —*collages* poéticos en Pound y en Eliot, transgresiones y combinaciones verbales en cummings y en Stevens— une al *modernism* de los anglosajones con la vanguardia europea y latinoamericana. Aunque declaró ser una reacción antirromántica, el formalismo angloamericano no fue sino otra y más extremada manifestación de la dualidad que rige a la poesía moderna desde su nacimiento: la analogía y la ironía. El sistema poético de Pound consiste en la presentación de las imágenes como racimos de signos sobre la página.

Ideogramas, no fijos, sino en movimiento, a la manera de un paisaje visto desde un barco o, más exactamente, tal como las constelaciones forman distintas figuras a medida que se juntan o separan sobre la hoja del cielo. La palabra *constelación* evoca inmediatamente la idea de música y la de música con sus múltiples asociaciones, del acorde erótico de los cuerpos al acuerdo político entre los hombres, suscita el nombre de Mallarmé. Estamos en el centro de la analogía.

Pound no es un discípulo de Mallarmé, pero lo mejor de su obra se inscribe en la tradición iniciada por *Un Coup de dés*. Lo mismo en los *Cantos* que en *The Waste Land* la analogía está continuamente desgarrada por la crítica, por la conciencia irónica. Mallarmé y también Duchamp: la analogía deja de ser una visión y se convierte en un sistema de permutaciones. Como la dualidad erótico-industrial, mito-irónica de *La novia puesta al desnudo por sus solteros, aun...*, todos los personajes de *The Waste Land* son actuales y míticos. Reversibilidad de los signos y las significaciones: en Duchamp, Artemisa es una *pin-up* y en Eliot la imagen del ciclo y sus constelaciones en rotación se transforma en la de un haz de naipes tendidos sobre una mesa por una cartomanciana. La imagen de los naipes nos lleva a la de los dados y ésta de nuevo a la de las constelaciones. En el espejo del cuarto vacío que describe el *Soneto en ix*, Mallarmé ve dibujarse las siete luces de la Osa Mayor como siete notas que «juntan al cielo con este cuarto abandonado del mundo». En *Arcane 17* (otra vez el Tarot y la magia de las cartas), André Breton mira desde la ventana de su cuarto la noche doblemente noche, la terrestre y la de la historia del siglo XX, hasta que poco a poco el cubo negro de la ventana, como el espejo de Mallarmé, se ilumina y una imagen se precisa: «siete flores que se transmutan en siete estrellas». La rotación de los signos es una verdadera espiral en cuyas vueltas aparecen, desaparecen y reaparecen, alternativamente enmascaradas y desnudas, las dos hermanas —analogía e ironía. Anónimo poema colectivo y del que cada uno de nosotros, más que autor o lector, es una estrofa, un puñado de sílabas.

Hay una curiosa semejanza entre la historia de la poesía moderna en castellano y en inglés: angloamericanos e hispanoamericanos dejan casi en los mismos años su tierra natal; asimilan en Europa las nuevas tendencias, las transforman y las recrean; saltan dos formidables obstáculos (los Pirineos y el Canal de la Mancha); irrumpen en Madrid y Londres; despiertan a los amodorrados poetas ingleses y españoles; los innovadores

(Pound y Huidobro) son acusados de herejías galicistas y cosmopolitas; al contacto de las nuevas tendencias dos grandes poetas de la generación anterior (Yeats y Jiménez) se desnudan de sus vestiduras simbolistas y escriben al final de su vida sus mejores poemas; el cosmopolitismo inicial no tarda en producir su negación: el americanismo de Williams y el de Vallejo. Las oscilaciones entre cosmopolitismo y americanismo revelan nuestra doble tentación, nuestro común espejismo: la tierra que dejamos, Europa, y la tierra que buscamos: América.

La semejanza entre la evolución de la literatura angloamericana y la hispanoamericana proviene de ser ambas literaturas escritas en lenguas trasplantadas. Entre nosotros y la tierra americana se abrió un espacio vacío que tuvimos que poblar con palabras extrañas. Incluso si somos indios o mestizos, nuestro idioma es europeo. La historia de nuestras literaturas es la historia de nuestras relaciones con el espacio americano, pero asimismo con el espacio en que nacieron y crecieron las palabras que hablamos. En un principio nuestras letras fueron un reflejo de las europeas. No obstante, en el siglo XVII nace en Hispanoamérica una singular variedad de la poesía barroca que no es nada más la exageración sino, a veces, la transgresión del modelo español. El primer gran poeta americano es una mujer, Sor Juana Inés de la Cruz. Su poema *El sueño* (1692) es nuestro primer texto cosmopolita; como más tarde Pound y Borges, la monja mexicana construye un texto como una torre —de nuevo la Torre de Babel. En otros poemas suyos aparecen, como otro ejemplo de su cosmopolitismo, la nota mexicana y la mezcla de idiomas: latín, castellano, náhuatl, portugués y los dialectos populares de indios, mestizos y mulatos. El americanismo de Sor Juana es, como el de Borges, un cosmopolitismo; a su vez ese cosmopolitismo expresa una manera de ser mexicana y argentina. Si a Sor Juana se le ocurre hablar de pirámides, citará a las de Egipto, no a las de Teotihuacan; si escribe una loa para un auto sacramental *(El divino Narciso)*, el mundo pagano no aparece personificado por una divinidad griega o latina, sino por el precolombino dios de las semillas.

La tensión entre cosmopolitismo y americanismos, lenguaje culto y coloquial, es constante en la poesía hispanoamericana desde la época de Sor Juana Inés de la Cruz. Entre los «modernistas» hispanoamericanos de fin de siglo, el cosmopolitismo fue la tendencia predominante en la fase inicial, pero, en el seno mismo del movimiento, según ya señalé, brotó la reacción coloquialista, crítica e irónica (el llamado «posmodernismo»).

Hacia 1915 la poesía hispanoamericana se caracterizaba por su regionalismo o provincialismo, su amor por el habla de la conversación y su visión irónica del mundo y del hombre. Cuando Lugones habla del peluquero de la esquina, ese peluquero no es un símbolo, sino un ser maravilloso a fuerza de ser el peluquero de la esquina. López Velarde exalta el poder del grano de mostaza y afirma que su voz «es la gemela de la canela». En España el coloquialismo hispanoamericano se transformó en la reconquista de la riquísima poesía tradicional, medieval y moderna. En Antonio Machado y en Juan Ramón Jiménez predominó también la estética (y la ética) de la pequeñez inmensa: los universos caben en una copla. Algunos jóvenes intentaron otro camino: un simbolismo dotado de una conciencia clásica, más o menos inspirado en Mallarmé y Valéry, como Alfonso Reyes y su *Ifigenia cruel* (1924), o una poesía despojada de todo pintoresquismo, como la de Jorge Guillén. Pero la alternativa extrema fue la aparición de un nuevo cosmopolitismo, ya no emparentado con el simbolismo, sino con la vanguardia francesa de Apollinaire y Reverdy. Como en 1885, el iniciador fue un hispanoamericano: a fines de 1916 el joven poeta chileno Vicente Huidobro llega a París y poco después, en 1918 y en Madrid, publica *Ecuatorial* y *Poemas árticos*. Con esos libros comienza la vanguardia en castellano.

Huidobro fue adorado y vilipendiado. Su poesía y sus ideas prendieron en muchos jóvenes y dos movimientos nacieron de su ejemplo, el «ultraísmo» español y el argentino —ambos rechazados airadamente por el poeta como imitaciones de su «creacionismo». Las ideas de Huidobro tienen una indudable semejanza con las que exponía entonces Reverdy: el poeta no copia realidades, las produce. Huidobro afirmaba que el poeta no imita a la naturaleza, sino que imita su modo de operación: hace poesía como la lluvia y la tierra hacen árboles. Algo parecido decía Williams en las prosas intercaladas en la primera edición de *Spring and All* (1923): como el vapor y la electricidad, el poeta produce objetos poéticos. Pero Huidobro no se parece a Williams, sino a cummings. Ambos vienen de Apollinaire, ambos son líricos y eróticos, ambos escandalizaron con sus innovaciones sintácticas y tipográficas. Cummings es más concentrado y perfecto, Huidobro más vasto. Su lenguaje era internacional (ésa es una de sus limitaciones) y más visual que hablado. No el idioma de una tierra, sino de un espacio aéreo. Idioma de aviador: las palabras son paracaídas que se abren en pleno vuelo. Antes de tocar tierra, estallan y se disuelven en explosiones coloridas. El gran poema de Huidobro es *Altazor* (1931):

el azor al asalto de la altura y que desaparece quemado por el sol. Las palabras pierden su peso significativo y se vuelven, más que signos, huellas de una catástrofe estelar. En la figura del aviador-poeta reaparece el mito romántico de Lucifer.

La vanguardia hispanoamericana y el *modernism* angloamericano fueron transgresiones de los cánones de Londres y Madrid tanto como fugas del provincialismo americano. En ambos movimientos la poesía oriental, especialmente el haikú, ejerció una influencia benéfica. El introductor del haikú en castellano fue José Juan Tablada, autor también de poemas ideográficos y simultaneístas. Pero estas semejanzas son formales. Cosmopolitismos opuestos: lo que buscaban Pound y Eliot en Europa era precisamente lo contrario de lo que buscaban Huidobro, Oliverio Girondo y el Borges de aquellos años. El *modernism* intentó volver a Dante y a Provenza; los hispanoamericanos se proponían extremar la revuelta contra esa tradición. Por eso Huidobro nunca renegó de Darío: su creacionismo no fue la negación del modernismo, sino su *non plus ultra*.

En su primer momento la vanguardia hispanoamericana dependió de la francesa, como antes los primeros modernistas habían seguido a los parnasianos y simbolistas. La rebelión contra el nuevo cosmopolitismo asumió otra vez la forma de un nativismo o americanismo. El primer libro de César Vallejo (*Los heraldos negros*, 1918) prolongaba la línea poética de Lugones. En su segundo libro (*Trilce*, 1922), el poeta peruano asimiló las formas internacionales de la vanguardia y las interiorizó. Una verdadera traducción, quiero decir, una transmutación. Lo contrario de Huidobro: poesía de la tierra y no del aire. No cualquier tierra: una historia, una lengua. Perú: hombres-piedras-fechas. Signos indios y españoles. El lenguaje de *Trilce* no podía ser sino de un peruano, pero de un peruano que fuese asimismo un poeta que viese en cada peruano al hombre y en cada hombre al testigo y a la víctima. Vallejo fue un gran poeta religioso. Comunista militante, el trasfondo de su visión del mundo y de sus creencias no fue la filosofía crítica del marxismo, sino los misterios básicos del cristianismo de su infancia y de su pueblo: la comunión, la transustanciación, el ansia de inmortalidad. Sus invenciones verbales nos impresionan no sólo por su extraordinaria concentración sino por su autenticidad. A veces tropezamos con fallas de expresión, torpezas, balbuceos. No importa: incluso sus poemas menos realizados están vivos.

El nativismo y el americanismo aparecen en muchos poetas de este periodo. Por ejemplo, en el Borges de *Fervor de Buenos Aires* (1923), que contiene una serie de admirables poemas a la muerte y a los muertos. En los Estados Unidos también brotó una reacción contra el cosmopolitismo de Eliot, representada principalmente por Williams y los «objetivistas» como Louis Zukofsky y Georges Oppen. La semejanza, otra vez, es formal. Los angloamericanos, frente al paisaje de la era industrial, se interesaban sobre todo en el objeto —su geometría, sus relaciones internas y externas, su significado— y apenas si sentían nostalgia por el mundo preindustrial. En los hispanoamericanos esa nostalgia era un elemento esencial. La industria no aparece entre los angloamericanos como un tema, sino como un contexto. Con ellos ocurre lo mismo que con Propercio: su modernidad no consiste en el tema de la gran ciudad, sino en que la gran ciudad aparece en sus poemas sin que el poeta se lo proponga expresamente. En cambio, algunos poetas hispanoamericanos —Carlos Pellicer y Jorge Carrera Andrade— se sirven de los términos y metáforas de la poesía moderna —también del haikú— para expresar el paisaje americano: la aviación y Virgilio. Es revelador que en la poesía de Pellicer las ruinas precolombinas tengan el mismo lugar de elección que la magia del objeto industrial en un Williams.

Repetición de los episodios del modernismo: el nativismo y el coloquialismo hispanoamericanos se transformaron en España en tradicionalismo: romances y canciones de Federico García Lorca y Rafael Alberti. La influencia de Juan Ramón Jiménez fue decisiva en la orientación de la joven poesía española. Sin embargo, en 1927, aniversario del tercer centenario de la muerte de Góngora, hay un cambio de rumbo. La rehabilitación de Góngora fue iniciada por Rubén Darío y después siguieron los estudios de varios críticos eminentes. Pero la resurrección del gran poeta andaluz se debe a dos circunstancias: la primera es que entre los críticos se encontraba un poeta, Dámaso Alonso; la segunda, decisiva, es la coincidencia que advertían los jóvenes españoles entre la estética de Góngora y la de la vanguardia. En su *Antología poética en honor de Góngora* (Madrid, 1927) el poeta Gerardo Diego subraya que se trata de crear objetos verbales (poemas) «hechos de palabras solas», palabras «que tengan más de ensalmo que de verso». La estética de Reverdy y de Huidobro. El mismo Gerardo Diego publicó después un memorable poema, *Fábula de Equis y Zeda* (1932), en el que el barroquismo se aliaba al creacionismo. El formalismo de la vanguardia se asociaba, en el espíritu de los poetas españoles, al formalismo de Góngora. No es extraño que por esos años José Ortega y Gasset publicase *La deshumanización del arte.*

Dos poetas resistieron lo mismo al tradicionalismo que al neogongorismo: Pedro Salinas y Jorge Guillén. El primero fue autor de una suerte de monólogos líricos en los que la vida moderna —el cine, los autos, los teléfonos, los radiadores— se reflejan sobre las aguas límpidas de un erotismo que viene de Provenza. La obra de Guillén, escribí alguna vez, «es una isla y un puente». Isla: frente al tumulto de la vanguardia, Guillén tiene la increíble insolencia de decir que la perfección también es revolucionaria; puente: «desde un principio Guillén fue un maestro, lo mismo para sus contemporáneos (García Lorca) como para los que vinimos después».[1]

Nueva ruptura: la explosión parasurrealista. En los países de habla inglesa la influencia del surrealismo fue tardía y superficial (hasta la aparición de Frank O'Hara y John Ashberry, en la década de los cincuenta). En cambio, fue temprana y muy profunda en España e Hispanoamérica. He dicho «influencia» porque, aunque hubo artistas y poetas que individualmente participaron en distintas épocas del surrealismo —Picabia, Buñuel, Dalí, Miró, Matta, Lam, César Moro y yo mismo—, ni en España ni en América hubo una actividad surrealista en sentido estricto. (Una excepción: el grupo chileno Mandrágora, fundado en 1936 por Braulio Arenas, Enrique Gómez Correa, Gonzalo Rojas y otros.) Muchos poetas de ese periodo adoptaron el onirismo y otros procedimientos surrealistas, pero no puede decirse que Neruda, Alberti o Aleixandre hayan sido surrealistas, a pesar de que, en algunos momentos de su obra, sus búsquedas y hallazgos hayan coincidido con los de los surrealistas. En 1933, aparece en Madrid un libro de Pablo Neruda: *Residencia en la tierra*. Libro esencial. La poesía de Huidobro evoca el elemento aire; la de Vallejo, la tierra; la de Neruda, el agua. Más agua de mar que de lago. La influencia de Neruda fue como una inundación que se extiende y cubre millas y millas —aguas confusas, poderosas, sonámbulas, informes. Esos años fueron de gran riqueza: *Poeta en Nueva York* (1929), probablemente el mejor libro de Federico García Lorca y que contiene algunos de los poemas más intensos de este siglo, como *Oda a Walt Whitman; La destrucción o el amor* (1935) de Vicente Aleixandre, visión a un tiempo sombría y suntuosa de la pasión erótica; *Sermones y moradas* (1930) de Rafael Alberti, subversión del lenguaje religioso que se echa a delirar y pone bombas en los altares y los confesionarios; los *Nocturnos* (1933) de Xavier Villaurrutia, entre los cuales hay seis o siete poemas que se encuentran entre los mejores de esa década, poesía

[1] «Horas situadas de Jorge Guillén», en *Puertas al campo*, Seix Barral, Barcelona, 1972, y en el volumen II de estas *OC*.

metálica, brillante, angustiosa: doble voz del deseo y la esterilidad; Ricardo Molinari: en su extraño mediodía hay árboles sin sombra; Luis Cernuda, el que más lúcida y valerosamente asume la dualidad de la palabra *placer* —crítica activa de la moral social y puerta que da a la muerte. La guerra de España y la mundial pusieron fin a este intenso y brillante periodo. Dispersión de los poetas españoles y aislamiento de los hispanoamericanos.

Muchos de estos poetas pasaron de la rebelión individual a la rebelión social. Algunos se afiliaron al Partido Comunista, otros a las organizaciones culturales que los estalinistas habían creado a la sombra de los Frentes Populares. El resultado fue la utilización de muchos impulsos generosos —aunque también hubo una dosis nada desdeñable de oportunismo— por las burocracias comunistas. Los poetas se adhirieron al «realismo socialista» y practicaron la poesía de propaganda social y política. Sacrificio de la búsqueda verbal y la aventura poética en aras de la claridad y la eficacia política. Gran parte de esos poemas ha desaparecido como desaparecen las noticias y los editoriales de los periódicos. Quisieron ser testimonio de la historia y la historia los ha borrado. Lo más grave no fue la falta de tensión poética, sino moral: los himnos y las odas a Stalin, Molotov, Mao —y los insultos más o menos rimados a Trotski, Tito y otros disidentes. Curioso realismo que, después de las revelaciones de Jhruschov, obliga a sus autores a desdecirse. Las verdades de ayer son las mentiras de hoy: ¿dónde está la realidad? Esa época fue la del «deshonor de los poetas», como la llamó Benjamin Péret.

También aquellos que se negaron a poner su arte al servicio de un partido renunciaron casi completamente a la experimentación y la invención. Fue una vuelta general al orden. Didactismo político y retórica neoclásica. Los antiguos vanguardistas —Borges, Villaurrutia— se dedicaron a componer sonetos y décimas. Dos libros representativos de lo mejor y lo peor de ese periodo: el *Canto general* (1950) de Pablo Neruda y *Muerte sin fin* (1939) de José Gorostiza. El primero es enorme, descosido, farragoso, pero atravesado aquí y allá por intensos pasajes de gran poesía material: lenguaje-lava y lenguaje-marea. El otro es un poema de unos ochocientos versos blancos, un discurso en el que la conciencia intelectual se inclina fijamente sobre el fluir del lenguaje hasta congelarlo en una dura transparencia. Retórica y gran poesía. Dos extremos: el sí pasional y el no reflexivo. Un monumento a la locuacidad y un monumento a la reticencia.

Hacia 1945 la poesía de nuestra lengua se repartía en dos academias: la del «realismo socialista» y la de los vanguardistas arrepentidos. Unos pocos libros de unos cuantos poetas dispersos iniciaron el cambio. Aquí se quiebra toda pretensión de objetividad: aunque quisiera no podría disociarme de este periodo. Procuraré, por tanto, reducirlo a unas cuantas noticias mínimas. Todo comienza —recomienza— con un libro de José Lezama Lima: *La fijeza* (1944). Un poco después (no tengo más remedio que citarme) *Libertad bajo palabra* (1949) y *¿Águila o sol?* (1950). En Buenos Aires, Enrique Molina: *Costumbres errantes o la redondez de la tierra* (1951). Casi en los mismos años, los primeros libros de Nicanor Parra, Alberto Girri, Jaime Sabines, Cintio Vitier, Roberto Juarroz, Álvaro Mutis... Estos nombres y estos libros no son toda la poesía hispanoamericana contemporánea: son su comienzo. Hablar de lo que ha seguido, por más valioso que sea, sería caer en la crónica. El comienzo: acción clandestina, casi invisible y que muy pocos tomaron en cuenta. En cierto sentido fue un regreso a la vanguardia. Pero una vanguardia silenciosa, secreta, desengañada. Una vanguardia *otra*, crítica de sí misma y en rebelión solitaria contra la academia en que se había convertido la primera vanguardia. No se trataba, como en 1920, de inventar, sino de explorar. El territorio que atraía a estos poetas no estaba afuera ni tampoco adentro. Era esa zona donde confluyen lo interior y lo exterior: la zona del lenguaje. Su preocupación no era estética; para aquellos jóvenes el lenguaje era, simultánea y contradictoriamente, un destino y una elección. Algo dado y algo que hacemos. Algo que nos hace.

El lenguaje es el hombre, pero también es el mundo. Es historia y es biografía: los otros y yo. Estos poetas habían aprendido a reflexionar y a burlarse de sí mismos: sabían que el poeta es el instrumento del lenguaje. Sabían asimismo que con ellos no comenzaba el mundo, pero no sabían si no se acabaría con ellos: habían atravesado el nazismo, el estalinismo y las explosiones atómicas en el Japón. Su incomunicación con España era casi total, no sólo por las circunstancias políticas sino porque los poetas españoles de la posguerra se demoraban en la retórica de la poesía social o en la de la poesía religiosa. Se sentían atraídos por el surrealismo, movimiento ya en repliegue y al que llegaban tarde. Veían en los poetas angloamericanos posteriores al *modernism* —Lowell, Olson, Bishop, Ginsberg— a sus verdaderos contemporáneos, incluso si (o porque) esos poetas venían de la *otra* vertiente, la opuesta, de la tradición moderna. Descubrieron también a Pessoa y, por Pessoa, a los brasileños y portugueses de su generación, como Cabral de Melo. Aunque algunos eran católicos y otros comunistas, en general se inclinaban hacia la disidencia individualista y oscilaban entre el trotskismo y el anarquismo. Pero las clasificaciones ideológicas no son enteramente aplicables a estos escritores. En casi todos ellos el horror hacia la civilización de Occidente coincide con la atracción por el Oriente, los primitivos o la América precolombina. Un ateísmo religioso, una religiosidad rebelde. Búsqueda de una erótica más que de una poética. Casi todos se reconocían en una frase del Camus de aquellos años de la segunda posguerra: «solitario solidario». Fue una generación que aceptó la marginalidad y que hizo de ella su verdadera patria.

La poesía de la posvanguardia (no sé si haya que resignarse a este nombre no muy exacto que empiezan a darnos algunos críticos) nació como una rebelión silenciosa de hombres aislados. Empezó como un cambio insensible que, diez años después, se reveló irreversible. Entre cosmopolitismo y americanismo, mi generación cortó por lo sano: estamos condenados a ser americanos como nuestros padres y abuelos estaban condenados a buscar América o a huir de ella. Nuestro salto ha sido hacia dentro de nosotros mismos.

EL PUNTO DE CONVERGENCIA

La oposición a la modernidad opera dentro de la modernidad. Criticarla es una de las funciones del espíritu moderno, y más: es una de las maneras de realizarla. El tiempo moderno es el tiempo de la escisión y de la negación de sí mismo, el tiempo de la crítica. La modernidad se identificó con el cambio, identificó el cambio con la crítica y a los dos con el progreso. El arte moderno es moderno porque es crítico. Su crítica se desplegó en dos direcciones contradictorias: fue una negación del tiempo lineal de la modernidad y fue una negación de sí mismo. Por lo primero, negaba a la modernidad; por lo segundo, la afirmaba. Frente a la historia y sus cambios, postuló el tiempo sin tiempo del origen, el instante o el ciclo; frente a su propia tradición, postuló el cambio y la crítica. Cada movimiento artístico negaba al precedente, y a través de cada una de estas negaciones el arte se perpetuaba. Sólo dentro del tiempo lineal la negación podía desplegarse plenamente y sólo en una edad crítica como la nuestra la crítica podía ser creadora. Hoy somos testigos de otra mutación: el arte moderno comienza a perder sus poderes de negación. Desde hace años sus negaciones son repeticiones rituales: la rebeldía convertida en procedimiento, la crítica en retórica, la transgresión en ceremonia. La negación ha dejado de ser creadora. No digo que vivimos el fin del arte: vivimos el fin de la *idea de arte moderno.*

El arte y la poesía son inseparables de nuestro destino terrestre: hubo arte desde que el hombre se hizo hombre y habrá arte hasta que el hombre desaparezca. Pero nuestras ideas sobre lo que es el arte son tantas y tan diversas, de la visión mágica del primitivo a los manifiestos del surrealismo, como las sociedades y las civilizaciones. Los desfallecimientos de la tradición de la ruptura es una manifestación de la crisis general de la modernidad. En algunos de mis escritos me he ocupado de este tema.[1] Aquí me limitaré a una breve enumeración de los síntomas más obvios.

En los dos primeros capítulos señalé que nuestra idea del tiempo es el resultado de una operación crítica: la destrucción de la eternidad cristiana fue seguida por la secularización de sus valores y su trasposición a otra categoría temporal. La edad moderna comienza con la insurrección del futuro. Dentro de la perspectiva del cristianismo medieval, el futuro era mortal: el Juicio Final sería, simultáneamente, el día de su abolición y el del advenimiento de un presente eterno. La operación crítica de la modernidad invirtió los términos: la única eternidad que conoció el hombre fue la del futuro. Para el cristiano medieval, la vida terrestre desembocaba en la eternidad de los justos o de los réprobos; para los modernos, es una marcha sin fin hacia el futuro. Allá, no en la eternidad ultraterrestre, reside la suprema perfección. Ahora, en la segunda mitad del siglo XX, aparecen ciertos signos que indican un cambio en nuestro sistema de creencias. La concepción de la historia como un proceso lineal progresivo se ha revelado inconsistente. Esta creencia nació con la edad moderna y, en cierto modo, ha sido su justificación, su *raison d'être.* Su quiebra revela una fractura en el centro mismo de la conciencia contemporánea: la modernidad empieza a perder la fe en sí misma.

La creencia en la historia como una marcha continua, aunque no sin tropiezos y caídas, adoptó muchas formas. A veces, fue una aplicación ingenua del «darwinismo» en la esfera de la historia y la sociedad; otras, una visión del proceso histórico como la realización progresiva de la libertad, la justicia, la razón o cualquier otro valor semejante. En otros casos la historia se identificó con el desarrollo de la ciencia y la técnica o

[1] *Corriente alterna,* Siglo XXI, México, 1967; *Conjunciones y disyunciones,* Joaquín Mortiz, México, 1969; entrevista con Rita Guibert, en *Seven Voices,* Alfred A. Knopf, Nueva York, 1973.

con el dominio del hombre sobre la naturaleza o con la universalización de la cultura. Todas estas ideas tienen algo en común: el destino del hombre es la colonización del futuro. En los últimos años ha habido un cambio brusco: los hombres empiezan a ver con terror el porvenir y lo que apenas ayer parecían las maravillas del progreso hoy son sus desastres. El futuro ya no es el depositario de la perfección, sino del horror. Demógrafos, ecologistas, sociólogos, físicos y geneticistas denuncian la marcha hacia el futuro como una marcha hacia la perdición. Unos prevén el agotamiento de los recursos naturales, otros la contaminación del globo terrestre, otros una llamarada atómica. Las obras del progreso se llaman hambre, envenenamiento, volatilización. No me importa saber si estas profecías son o no exageradas: subrayo que son expresiones de la duda general sobre el progreso. Es significativo que en un país como los Estados Unidos, donde la palabra *cambio* ha gozado de una veneración supersticiosa, hoy aparezca otra que es su refutación: *conservación.* Los valores que irradiaba *cambio* ahora se han trasladado a *conservación.* El presente hace la crítica del futuro y empieza a desplazarlo.

El marxismo ha sido, probablemente, la expresión más coherente y osada de la concepción de la historia como un proceso lineal progresivo. Más coherente porque la concibe como un proceso dueño del rigor de un discurso racional; más osada porque ese discurso abarca tanto al pasado y al presente de la especie humana como a su futuro. Ciencia y profecía. Para Marx la historia no es plural, sino una, y se despliega como la serie de proposiciones de una demostración. Cada proposición engendra una réplica y así, a través de negaciones y contradicciones, la demostración produce nuevas proposiciones. La historia es un texto productor de textos. Ese texto es un proceso único que va del comunismo de las sociedades primitivas al futuro comunismo de la edad industrial. Los protagonistas de ese proceso son las clases sociales y el motor que lo mueve son las distintas técnicas de producción. Cada periodo histórico marca un avance frente al anterior y en cada periodo una clase social asume la representación de la humanidad entera: señores feudales, burgueses, proletarios. Estos últimos encarnan el presente y el futuro inmediato de la historia... Repetiré lo que todos sabemos: si las violencias y cambios del siglo XX confirman el genio apocalíptico de Marx, la forma en que se han producido niega la supuesta racionalidad del proceso histórico.

La ausencia de revoluciones proletarias en los países más avanzados industrialmente tanto como las revueltas en la periferia del Occidente, revelan que la ideología marxista no ha sido la levadura de la revolución proletaria mundial, sino de la resurrección nacional de Rusia, China y otros países que llegaron tarde a la era industrial y tecnológica. Los protagonistas de todos esos cambios no han sido los obreros, sino clases y grupos que la teoría había puesto al margen o a la zaga del proceso histórico: intelectuales, campesinos, pequeña burguesía. Y lo más grave: las revoluciones triunfantes se han transformado en regímenes anómalos desde un punto de vista auténticamente marxista. Aberración histórica: el socialismo asume la forma de la dictadura de una nueva clase o casta burocrática. La aberración cesa de serlo si renunciamos a la concepción de la historia como un proceso lineal progresivo dotado de una racionalidad inmanente.

Nos cuesta trabajo resignarnos porque renunciar a esta creencia implica asimismo el fin de nuestras pretensiones sobre la dirección del futuro. Sin embargo, no se trata de renunciar al socialismo como *libre elección* ética y política, sino a la idea del socialismo como un *producto necesario* del proceso histórico. La crítica de las aberraciones políticas y morales de los «socialismos» contemporáneos debe comenzar por la crítica de nuestras aberraciones intelectuales. No, la historia no es una: es plural. Es la historia de la prodigiosa diversidad de sociedades y civilizaciones que han creado los hombres. Nuestro futuro, nuestra idea del futuro, se bambolea y vacila: la pluralidad de pasados vuelve plausible la pluralidad de futuros.

Las revueltas en los países atrasados y en la periferia de las sociedades industriales desmienten las previsiones del pensamiento revolucionario; las rebeliones y trastornos en los países avanzados minan aún más profundamente la idea que se habían hecho del futuro los evolucionistas, los liberales y los burgueses progresistas. Es notable que la clase a la que se atribuía *per se* la vocación revolucionaria, el proletariado, no haya participado en los disturbios que han sacudido a las sociedades industriales. Recientemente se ha intentado explicar el fenómeno por medio de una nueva categoría social: las sociedades más adelantadas, especialmente los Estados Unidos, han pasado ya de la etapa industrial a la posindustrial.[1] Esta última se caracteriza por la importancia de lo que podría llamarse producción de conocimientos productivos. Un nuevo modo de producción en el que la ciencia y la técnica ocupan el lugar central que tuvo la industria. En la sociedad posindustrial las luchas sociales no son el re-

[1] *Cf.* Daniel Bell, «The Post-industrial Society. The Evolution of an Idea», *Survey*, 78 y 79, Cambridge, Mass., 1971.

sultado de la oposición entre trabajo y capital, sino que son conflictos de orden cultural, religioso y psíquico. Así, los trastornos estudiantiles de la década anterior pueden verse como una rebelión instintiva contra la excesiva racionalización de la vida social e individual que exige el nuevo modo de producción. Distintos modos de deshumanización: el capitalismo trató a los hombres como máquinas; la sociedad posindustrial los trata como signos.

Cualquiera que sea el valor de las lucubraciones sobre la sociedad posindustrial, lo cierto es que las rebeliones en los países adelantados, aunque sean justas y apasionadas negaciones del actual estado de cosas, no presentan programas sobre la organización de la sociedad futura. Por eso las llamo rebeliones y no revoluciones.[1] Esta indiferencia frente a la forma que debe asumir el futuro distingue al nuevo radicalismo de los movimientos revolucionarios del siglo XIX y de la primera mitad del XX. La confianza en los poderes de la espontaneidad está en proporción inversa a la repugnancia frente a las construcciones sistemáticas. El descrédito del futuro y de sus paraísos geométricos es general. No es extraño: en nombre de la edificación del futuro medio planeta se ha cubierto de campos de trabajo forzado. La rebelión de los jóvenes es un movimiento de justificada negación del presente pero no es una tentativa por construir una nueva sociedad. Los muchachos quieren acabar con la situación presente precisamente porque es un presente que nos oprime en nombre de un futuro quimérico. Esperan instintiva y confusamente que la destrucción de este presente provoque la aparición del *otro* presente y sus valores corporales, intuitivos y mágicos. Siempre la búsqueda de *otro tiempo*, el verdadero.

En el caso de las rebeliones de las minorías étnicas y culturales, las reivindicaciones de orden económico no son las únicas ni, muchas veces, las centrales. Negros y chicanos pelean por el reconocimiento de su identidad. Otro tanto ocurre con los movimientos de liberación de las muje-

[1] En *Corriente alterna* he descrito las diferencias entre revolución, revuelta y rebelión (véase el volumen VI de estas *OC*). El ejemplo clásico de *revolución* es todavía la Revolución francesa y no sé si sea lícito aplicar esta palabra a los cambios sociales que han ocurrido en Rusia, China y otras partes, por más profundos y decisivos que hayan sido. Uso la palabra *revuelta* para designar los levantamientos y movimientos de liberación nacional de Asia, África y América Latina (englobados bajo la inexacta etiqueta de Tercer Mundo), y *rebelión* para los movimientos de protesta de las minorías raciales, liberación femenina, estudiantes y otros grupos en las sociedades industriales o en los sectores modernos de las naciones subdesarrolladas.

res y con los de las minorías sexuales: no se trata de la edificación de la ciudad futura sino de la emergencia, dentro de la sociedad contemporánea, de grupos que buscan su identidad o que pelean por su reconocimiento. Los movimientos nacionalistas y antiimperialistas, las guerras de liberación y los otros trastornos del Tercer Mundo tampoco se ajustan a la noción de *revolución* elaborada por la concepción lineal y progresiva de la historia. Estos movimientos son la expresión de particularismos humillados durante el periodo de expansión de Occidente y de allí que se hayan convertido en los modelos de la lucha de las minorías étnicas en los Estados Unidos y en otras partes. Las revueltas del Tercer Mundo y las rebeliones de las minorías étnicas y nacionales en las sociedades industriales son la insurrección de particularismos oprimidos por otro particularismo enmascarado de universalidad: el capitalismo de Occidente. El marxismo preveía la desaparición del proletariado, como clase, inmediatamente después de la desaparición de la burguesía. La disolución de las clases significaba la universalización de los hombres. Los movimientos contemporáneos tienden a lo contrario: son afirmaciones de la particularidad de cada grupo y aun de las idiosincrasias sexuales. El marxismo prometió un futuro en el que se disolverían todas las clases y particularidades en una sociedad universal; hoy somos testigos de una lucha por el reconocimiento ahora mismo de la realidad concreta y particular de cada uno.

Todas estas rebeliones se presentan como una ruptura del tiempo lineal. Son la irrupción del presente ofendido y, así, explícita o implícitamente, postulan una desvalorización del futuro. El trasfondo general de estas rebeliones es el cambio en la sensibilidad de la época. Derrumbe de la ética protestante y capitalista con su moral del ahorro y del trabajo, dos formas de construcción del futuro, dos tentativas por apropiarnos del porvenir. La sublevación de los valores corporales y orgiásticos es una rebelión contra la doble condenación del hombre: la condena al trabajo y la represión del deseo. Para el cristianismo el cuerpo humano era *naturaleza caída*, pero la gracia divina podía transfigurarlo en *cuerpo glorioso*. El capitalismo desacralizó al cuerpo: dejó de ser el campo de batalla entre los ángeles y los diablos y se transformó en un instrumento de trabajo. El cuerpo fue una fuerza de producción. La concepción del cuerpo como fuerza de trabajo llevó inmediatamente a la humillación del cuerpo como fuente de placer. El ascetismo cambió de signo: no fue un método para ganar el cielo, sino una técnica para acrecentar la productividad. El placer es un gasto, la sensualidad una perturbación. La condenación del placer abarcó también a la imaginación, porque el cuerpo no sólo es un manantial de sensaciones sino de imágenes. Los desórdenes de la imaginación no son menos peligrosos para la producción y el rendimiento óptimo que los sacudimientos físicos del placer sensual. En nombre del futuro se completó la censura del cuerpo con la mutilación de los poderes poéticos del hombre. Así, la rebelión del cuerpo es también la de la imaginación. Ambas niegan al tiempo lineal: sus valores son los del presente. El cuerpo y la imaginación ignoran al futuro: las sensaciones son la abolición del tiempo en lo instantáneo, las imágenes del deseo disuelven pasado y futuro en un presente sin fechas. Es la vuelta al principio del principio, a la sensibilidad y a la pasión de los románticos. La resurrección del cuerpo quizá es un anuncio de que el hombre recobrará alguna vez la sabiduría perdida. Porque el cuerpo no solamente niega el futuro: es un camino hacia el presente, hacia ese ahora donde vida y muerte son las dos mitades de una misma esfera.

Todos estos signos dispersos apuntan hacia un cambio en nuestra imagen del tiempo. Al iniciarse la edad moderna, la eternidad cristiana perdió tanto su realidad ontológica como su coherencia lógica: se convirtió en una proposición insensata, un nombre vacío. Hoy el futuro no nos parece menos irreal que la eternidad. La crítica de la religión por la filosofía, de Hume a Marx, es perfectamente aplicable al futuro: es la proyección de nuestros deseos y su negación; no existe y, sin embargo, nos roba realidad, nos roba vida. Pero la crítica del futuro no ha sido hecha por la filosofía, sino por el cuerpo y por la imaginación.

La Antigüedad sobrevaloró al pasado. Para enfrentarse a su tiranía, los hombres inventaron una ética y una estética de excepción fundada en el instante. Al rigor del pasado y a la autoridad del precedente opusieron la libertad del instante, no un antes ni un después, sino un ahora: el tiempo fuera del tiempo del placer, la revelación religiosa o la visión poética. Ética y estética de excepción y asimismo de y para privilegiados: el filósofo, el místico, el artista. En la edad moderna el instante también ha sido el recurso contra la dominación del futuro. Frente al tiempo sucesivo e infinito de la historia, lanzada hacia un futuro inalcanzable, la poesía moderna, desde Blake hasta nuestros días, no ha cesado de afirmar el tiempo del origen, el instante del comienzo. El tiempo del origen no es el tiempo de antes: es el de ahora. Reconciliación del principio y del fin: cada ahora es un comienzo, cada ahora es un fin. La vuelta al origen es la vuelta al presente.

La visión del ahora como centro de convergencia de los tiempos, originalmente visión de poetas, se ha transformado en una creencia subyacente en las actitudes e ideas de la mayoría de nuestros contemporáneos. El presente se ha vuelto el valor central de la tríada temporal. La relación entre los tres tiempos ha cambiado, pero este cambio no implica la desaparición del pasado o la del futuro. Al contrario, cobran mayor realidad: ambos se vuelven dimensiones del presente, ambos son presencias y están *presentes* en el ahora. De ahí que debamos edificar una Ética y una Política sobre la Poética del ahora. La Política cesa de ser la construcción del futuro: su misión es hacer habitable el presente. La Ética del ahora no es hedonista, en el sentido vulgar de esta palabra, aunque afirme al placer y al cuerpo. El ahora nos muestra que el fin no es distinto o contrario al comienzo, sino que es su complemento, su inseparable mitad. Vivir en el ahora es vivir cara a la muerte. El hombre inventó las eternidades y los futuros para escapar de la muerte, pero cada uno de esos inventos fue una trampa mortal. El ahora nos reconcilia con nuestra realidad: somos mortales. Sólo ante la muerte nuestra vida es realmente vida. En el ahora nuestra muerte no está separada de nuestra vida: son la misma realidad, el mismo fruto.

El fin de la modernidad, el ocaso del futuro, se manifiesta en el arte y la poesía como una aceleración que disuelve tanto la noción de *futuro* como la de *cambio*. El futuro se convierte instantáneamente en pasado; los cambios son tan rápidos que producen la sensación de inmovilidad. La idea del cambio, más que los cambios mismos, fue el fundamento de la poesía moderna: el arte de hoy debe ser diferente del arte de ayer. Sólo que para percibir la diferencia entre ayer y hoy debe haber cierto ritmo. Si los cambios se producen muy lentamente, corren el peligro de ser confundidos con la inmovilidad. Eso fue lo que ocurrió con el arte del pasado: ni los artistas ni el público, hipnotizados por la idea de la «imitación de los antiguos», percibían claramente los cambios. Tampoco podemos ahora percibirlos, aunque por la razón contraria: desaparecen con la misma celeridad con que aparecen. En realidad, no son cambios: son variaciones de los modelos anteriores. La imitación de los modernos ha esterilizado más talentos que la imitación de los antiguos. A la falsa celeridad hay que añadir la proliferación: no sólo las vanguardias mueren apenas nacen, sino que se extienden como fungosidades. La diversidad se resuelve en uniformidad. Fragmentación de la vanguardia en cientos de movimientos idénticos: en el hormiguero se anulan las diferencias.

El romanticismo mezcló los géneros. El simbolismo y la vanguardia consumaron la fusión entre prosa y poesía. Los resultados fueron monstruos maravillosos, del poema en prosa de Rimbaud a la epopeya verbal de Joyce. La mezcla de los géneros y su final abolición desembocó en la crítica del objeto de arte. La crisis de la noción de *obra* se manifestó en todas las artes pero su expresión más radical fueron los *ready-made* de Duchamp. Consagración irrisoria: lo que cuenta no es el objeto, sino el acto del artista al separarlo de su contexto y colocarlo en el pedestal de la antigua obra de arte. En China y Japón muchos artistas, al descubrir en una piedra anónima una cierta irradiación estética la recogían y la firmaban con su nombre. Ese gesto era, más que un descubrimiento, un reconocimiento. Una ceremonia que celebraba a la naturaleza como una potencia creadora: la naturaleza crea y el artista reconoce. El contexto de los *ready-made* de Duchamp no es la naturaleza creadora, sino la técnica industrial. Su gesto no es una elección ni un reconocimiento, sino una negación; en un clima de no elección y de indiferencia, Duchamp encuentra el *ready-made* y su gesto es la disolución del reconocimiento en la anonimidad del objeto industrial. Su gesto es una crítica, no del arte, sino del *arte como objeto.*

Desde el romanticismo la poesía moderna había hecho la crítica del sujeto. Nuestro tiempo ha consumado esa crítica. Los surrealistas otorgaron al inconsciente y al azar una función primordial en la creación poética; ahora algunos poetas subrayan las nociones de *permutación* y *combinación.* En 1970, por ejemplo, cuatro poetas (un francés, un inglés, un italiano y un mexicano) decidieron componer un poema colectivo en cuatro idiomas, que llamaron, a la japonesa, *Renga.* Combinación no sólo de textos sino de productores de textos (poetas). El poeta no es el «autor» en el sentido tradicional de la palabra, sino un momento de convergencia de las distintas voces que confluyen en un texto. La crítica del objeto y la del sujeto se cruzan en nuestros días: el objeto se disuelve en el acto instantáneo; el sujeto es una cristalización más o menos fortuita del lenguaje.

¿Fin del arte y de la poesía? No, fin de la «era moderna» y con ella de la idea de «arte moderno». La crítica del objeto prepara la resurrección de la obra de arte, no como una cosa que se posee, sino como una presencia que se contempla. La obra no es un fin en sí ni tiene existencia propia: la obra es un puente, una mediación. La crítica del sujeto tampoco equivale a la destrucción del poeta o del artista, sino de la noción burguesa de *autor.* Para los románticos, la voz del poeta era la de *todos;* para nosotros es rigurosamente la de *nadie.* Todos y nadie son equivalentes y están a igual distancia del autor y de su yo. El poeta no es «un pequeño dios», como quería Huidobro. El poeta desaparece detrás de su voz, una voz que es suya porque es la voz del lenguaje, la voz de nadie y la de todos. Cualquiera que sea el nombre que demos a esa voz —inspiración, inconsciente, azar, accidente, revelación—, es siempre la voz de la *otredad.*

La estética del cambio no es menos ilusoria que la de la imitación de los antiguos. Una tiende a minimizar los cambios, la otra a exagerarlos. La historia de las revoluciones poéticas de la edad moderna ha sido la del diálogo entre analogía e ironía. La primera negó a la modernidad; la segunda negó a la analogía. La poesía moderna ha sido la crítica del mundo moderno tanto como la crítica de sí misma. Una crítica que se resuelve en imagen: de Hölderlin a Mallarmé la poesía construye transparentes monumentos de su propia caída. Ironía y analogía, lo bizarro y la imagen, son momentos de la rotación de los signos. Los peligros de la estética del cambio son también sus virtudes: si todo cambia, también cambia la estética del cambio. Esto es lo que hoy ocurre. Los poetas de la edad moderna buscaron el principio del cambio: los poetas de la edad que comienza buscamos ese principio invariante que es el fundamento de los cambios. Nos preguntamos si no hay algo en común entre la *Odisea* y *À la recherche du temps perdu.* Esta pregunta, más que negar a la vanguardia, se despliega más allá de ella, en otro tiempo y en otro lugar: los nuestros, los de ahora. La estética del cambio acentuó el carácter histórico del poema. Ahora nos preguntamos, ¿no hay un punto en que el principio del cambio se confunde con el de la permanencia?

La naturaleza histórica del poema se muestra inmediatamente en el hecho de ser un texto que alguien ha escrito y que alguien lee. Escribir y leer son actos que suceden y que son fechables. Son historia. Desde otra perspectiva, lo contrario también es cierto. Mientras escribe, el poeta no sabe cómo será su poema; lo sabrá cuando, ya terminado, lo lea. El autor es el primer lector de su poema y con su lectura se inicia una serie de interpretaciones y recreaciones. Cada lectura produce un poema distinto. Ninguna lectura es definitiva y, en este sentido, cada lectura, sin excluir a la del autor, es un accidente del texto. Soberanía del texto sobre su autor-lector y sus lectores sucesivos. El texto permanece, resiste a los cambios de cada lectura. Resiste a la historia. Al mismo tiempo, el texto sólo se realiza en esos cambios. El poema es una virtualidad transhistórica que se actualiza en la historia, en la lectura. No hay poema *en sí*, sino *en mí* o *en ti.* Vaivén entre lo transhistórico y lo histórico: el texto es la condición de las lecturas y las lecturas realizan al texto, lo insertan en el transcurrir.

Entre el texto y sus lecturas hay una relación necesaria y contradictoria. Cada lectura es histórica y cada una niega a la historia. Las lecturas pasan, son historia y, al mismo tiempo, la traspasan, van más allá de ella.

Un poema es un texto, pero asimismo es una estructura. El texto reposa en la estructura —su soporte. El texto es visible, legible; el esqueleto es invisible. Las estructuras de todas las novelas son semejantes, pero *Madame Bovary* y *The Turn of the Screw* son dos textos únicos, inconfundibles. Lo mismo sucede con los poemas épicos, los sonetos o las fábulas. La *Odisea* y la *Eneida* poseen estructuras parecidas, obedecen a las mismas leyes retóricas y, sin embargo, cada una es un texto distinto, irrepetible. Un soneto de Góngora tiene la misma estructura que uno de Quevedo y cada uno de ellos es un mundo aparte. Cada texto poético actualiza ciertas estructuras virtuales comunes a todos los poemas —y cada texto es una excepción y, con frecuencia, una transgresión de esas estructuras. La literatura es un reino en el que cada ejemplar es único. Nos fascina Baudelaire por aquello precisamente que sólo es suyo y que no aparece ni en Racine ni en Mallarmé. En la ciencia buscamos las recurrencias y las semejanzas: leyes y sistemas; en la literatura, las excepciones y las sorpresas: obras únicas. Una ciencia de la literatura como la que pretenden algunos estructuralistas franceses (no ciertamente Jakobson) sería una ciencia de objetos particulares. Una no-ciencia. Un catálogo o un sistema ideal perpetuamente desmentido por la realidad de cada obra.

La estructura es ahistórica; el texto es historia, está fechado. De la estructura al texto y del texto a la lectura: dialéctica del cambio y de la identidad. La estructura es invariante en relación con el texto, pero el texto es invariante en relación con la lectura. El texto es siempre el mismo —y en cada lectura es distinto. Cada lectura es una experiencia fechada que niega a la historia con el texto, y que a través de esa negación se inserta de nuevo en la historia. Variación y repetición: la lectura es una interpretación, una variación del texto, y en esa variación el texto se realiza, se repite —y absorbe la variación. A su vez, la lectura es histórica y, simultáneamente, es la disipación de la historia en un presente no fechado. La fecha de la lectura se evapora: la lectura es una repetición —una variación creadora— del acto original: la composición del poema. La lectura nos hace regresar a otro tiempo: al del poema. Aparición de un presente que no inserta al lector en el tiempo del calendario y del reloj, sino en un tiempo que está *antes* de calendarios y relojes.

El tiempo del poema no está fuera de la historia, sino dentro de ella: es un texto y es una lectura. Texto y lectura son inseparables y en ellos la historia y la ahistoria, el cambio y la identidad, se unen sin desaparecer. No es una trascendencia, sino una convergencia. Es un tiempo que se repite y que es irrepetible, que transcurre sin transcurrir, un tiempo que vuelve sobre sí mismo. El tiempo de la lectura es un hoy y un aquí: un hoy que sucede en cualquier momento y un aquí que está en cualquier parte. El poema es historia y es aquello que niega a la historia en el instante en que la afirma. Leer un texto no-poético es comprenderlo, apropiarse de su sentido; leer un texto poético es resucitarlo, *re-producirlo*. Esa re-producción se despliega en la historia, pero se abre hacia un presente que es la abolición de la historia. La poesía que comienza en este fin de siglo que comienza —no comienza realmente. Tampoco vuelve al punto de partida. La poesía que comienza ahora, sin comenzar, busca la intersección de los tiempos, el punto de convergencia. Afirma que entre el pasado abigarrado y el futuro deshabitado, la poesía es el presente. La reproducción es una presentación. Tiempo puro: aleteo de la presencia en el momento de su aparición/desaparición.

Cambridge, Mass., junio de 1972

Apéndices

I. La crítica del tiempo no es sino uno de los métodos para exorcizar a la historia. El otro es el régimen de castas. Aunque la palabra *casta* traduce con cierta fidelidad el término generalmente usado en la India, *jeti,* los occidentales tienen la tendencia a darle un significado teñido de historicismo: no linaje o generación, sino clase estratificada. La palabra *clase,* en el sentido en que la emplean los antropólogos occidentales y sus discípulos indios, tiene el sentido de grupo social e inmediatamente nos remite a la historia y al cambio. Desde este punto de vista, el fenómeno de las castas, por más singular que nos parezca, no es sino un caso extremo de un fenómeno universal: la tendencia a la estratificación social. Esta interpretación disuelve o, más exactamente, escamotea el concepto de *casta* en lo que tiene de único. Hay algo específico en la «casta». Si queremos comprender la ideología subyacente en que se apoya la realidad de las castas, lo que significa realmente este concepto para un indio tradicional, lo primero que debemos hacer es distinguir la «casta» de la «clase».

Para nosotros la sociedad es un conjunto de clases, generalmente en lucha unas con otras y todas en movimiento. La sociedad humana es un todo dinámico y en cambio continuo; ese incesante movimiento es lo que la distingue de las sociedades animales, que son estáticas. En la sociedad humana aparece algo que no existe en la naturaleza: la cultura. Y la cultura es historia. La concepción india es la contraria: no hay oposición entre naturaleza y sociedad, la primera es el arquetipo de la segunda. Para un indio las «castas» —hay más de tres mil— no son «clases», sino especies. La palabra *jeti* quiere decir precisamente especie. El indio ve a la sociedad humana en el espejo inmóvil de la naturaleza y sus especies inmutables. Lejos de ser excepción, el mundo humano prolonga y confirma el orden natural. A nosotros, acostumbrados a ver la sociedad como un proceso, nos parece el régimen de castas una escandalosa excepción, una anomalía histórica. Así, la oposición entre «casta» y «clase» recubre otra más profunda: historia y naturaleza, cambio y estabilidad. Si hombres de otras civilizaciones pudiesen terciar en el debate, probablemente dirían que la verdadera excepción no es el régimen de castas —aunque algunos reconocerían que es una exageración más o menos inicua— ni la idea que lo inspira, sino pensar, como pensamos nosotros, que los cambios son inherentes a la sociedad y que esos cambios son casi siempre benéficos. Lo singular y único es sobrevalorar el cambio, convertido en una filosofía y hacer de esa filosofía el fundamento de la sociedad. Un primitivo diría que semejante manera de pensar es, por lo menos, imprudente: equivale a abrir la puerta al caos original.

2. Ya escritas estas páginas llega a mis manos un interesante estudio de Edmund L. King: «What is Spanish Romanticism?» (*Studies in Romanticism,* I, II, otoño de 1962). La primera parte del análisis del profesor King coincide con el mío: la pobreza del neoclasicismo español y la ausencia de una auténtica Ilustración en España explican la debilidad de la reacción romántica; en cambio no comparto el punto de vista que expone en la segunda parte de su estudio: el krausismo fue el verdadero romanticismo español, «pues infundió genuinas inquietudes románticas a una generación de jóvenes españoles que serían expresadas en las artes y la literatura de la que llamamos la generación de 1898». Mi desacuerdo puede concretarse en dos puntos.

El primero: el krausismo fue una filosofía, no un movimiento poético. No hay poetas krausistas aunque algunos poetas de principios de siglo (Jiménez entre ellos) hayan sido tocados más o menos por las ideas de los discípulos españoles de Krause. ¿Y la generación de 1898? Fue un grupo de escritores memorables por su actitud crítica ante la realidad española, expresada sobre todo en sus obras en prosa. No constituyen un movimiento poético, aunque algunos entre ellos hayan sido poetas. En cambio, la influencia del modernismo hispanoamericano fue determinante en todos los poetas de ese periodo: Jiménez, Valle-Inclán, Antonio y Manuel Machado, el mismísimo Unamuno.

El segundo punto de desacuerdo: la explicación del profesor King es contradictoria, pues niega (u olvida) en la segunda parte de su estudio lo que afirma en la primera. En la primera sostiene que el romanticismo español fracasó porque carecía de autenticidad histórica (aunque hayan sido sinceros individualmente los románticos españoles): fue una reacción contra algo que los españoles no habían tenido, la Ilustración y su crítica racionalista de las instituciones tradicionales. En la segunda parte afirma que el krausismo de la segunda mitad del siglo XIX fue el romanticismo que España no tuvo en la primera mitad. Ahora bien, si el romanticismo es una *reacción* frente y contra la Ilustración, el krausismo ha de ser también una reacción... ¿contra o ante qué? El profesor King no lo dice. Más claramente: si el krausismo es el equivalente español del romanticismo, ¿cuál es el equivalente español de la Ilustración? El problema deja de serlo si, en lugar de pensar que la tradición hispánica es una (la peninsular), se acepta que es dual (la española y la hispanoamericana). La respuesta al aparente enigma está en dos palabras y en la relación contradictoria que entablan en el contexto hispanoamericano: positivismo y modernismo. El positivismo es el equivalente hispanoamericano de la Ilustración europea, y el modernismo fue nuestra reacción romántica. No fue, claro, el romanticismo original de 1800, sino su metáfora. Los términos de esa metáfora son los mismos que los de románticos y simbolistas: analogía e ironía. Los poetas españoles de ese momento responden al estímulo hispanoamericano de la misma manera que los hispanoamericanos habían respondido al estímulo de la poesía francesa. La cadena es: positivismo hispanoamericano → modernismo hispanoamericano → poesía española.

¿Por qué fue fecunda la influencia de la poesía hispanoamericana? Pues porque, gracias a la renovación métrica y verbal de los modernistas, por primera vez fue posible decir en castellano cosas que antes sólo se habían dicho en inglés, francés y alemán. Esto lo adivinó Unamuno, aunque para desaprobarlo. En una carta a Rubén Darío dice: «Lo que yo veo, precisamente en usted, es un escritor que quiere decir, en castellano, cosas que ni en castellano se han pensado nunca ni pueden, *hoy,* con él pensarse». Unamuno veía en los modernistas a unos salvajes *parvenus* adoradores de formas brillantes y vacías. Pero no hay formas vacías o insignificantes. Las formas poéticas *dicen,* y lo que dijeron las formas modernistas fue algo no dicho en castellano: analogía e ironía. Una vez más: el modernismo hispanoamericano fue la versión, la metáfora, del romanticismo y del simbolismo europeos. A partir de esa versión, los poetas españoles exploraron por su cuenta otros mundos poéticos.

¿Cómo explicar la escasa penetración de las ideas de la Ilustración en España? En su libro *Liberales y románticos,* Llorens cita unas desilusionadas frases de Alcalá Galiano: «Sin duda alguna esta renovación (la romántica) de la poesía y la crítica era sobremanera saludable; pero pecó entre nosotros cabalmente por lo que habían pecado las doctrinas erróneamente llamadas clásicas, esto es, por ser planta de tierra extraña traída a nuestro suelo con poca inteligencia y plantada en él para dar frutos forzados, pobres, mustios de color y escasos de fuerza». La explicación de Alcalá Galiano es poco convincente: la poesía italiana fue en el siglo XVI una planta no menos extraña que el neoclasicismo en el XVIII y el romanticismo en el XIX, pero sus frutos no fueron escasos ni pobres. Llorens cita la opinión de uno de los extremistas desterrados en Londres y que se ocultaba bajo el seudónimo de «Filópatro». En 1825, en *El Español Constitucional,* que pasaba por ser el vocero de los comuneros, Filópatro decía: «Los españoles empezaron a ilustrarse clandestinamente, devorando con ansia las obras más selectas de filosofía y de derecho público de que hasta entonces no habían tenido la menor idea [...] Empero esa misma ilustración (los Lockes, los Voltaires, los Montesquieus, los Rousseaus...), como inmatura y sin contacto alguno con la práctica, vino a dar de sí frutos más amargos que la ignorancia misma». Filópatro tenía razón: para que la Ilustración hubiese fecundado a España habría sido necesario insertar las ideas (la crítica) en la vida (la práctica). En España faltó una clase, una burguesía nacional, capaz de hacer la crítica de la sociedad tradicional y modernizar al país.

3. La crítica de la religión en el siglo XVIII abarcó al cielo y a la tierra: crítica de la divinidad cristiana, sus santos y sus demonios; crítica de sus Iglesias y sus sacerdotes. Por lo primero, crítica de la religión como verdad revelada y escritura inmutable; por lo segundo, como institución humana. La filosofía minó el edificio conceptual de la teología y combatió las pretensiones a la hegemonía y a la universalidad de la Iglesia. Destruyó la imagen del Dios cristiano, no la idea de Dios. La filosofía fue anticristiana y deísta: Dios dejó de ser una persona y se convirtió en un concepto. Ante el espectáculo del universo los filósofos se entusiasmaron: creyeron descubrir en sus movimientos un orden secreto, una inspiración escondida que no podía ser sino divina. Doble perfección: el universo estaba movido por un designio racional que era igualmente un designio moral. La religión natural sustituyó a la religión revelada y la academia filosófica al cónclave cardenalicio. La idea de orden y la idea de causalidad eran manifestaciones visibles, evidencias racionales y sensibles de la existencia de un proyecto divino; el movimiento del universo estaba inspirado por un fin y un propósito: Dios es invisible, no sus obras ni la intención que

anima a esas obras. Los materialistas y los ateos, salvo rarísimas excepciones, también compartieron esta creencia: el universo es un orden inteligente y dotado de un propósito evidente, incluso si ignoramos cuál es su finalidad última.

David Hume fue el primero que hizo la crítica de los críticos de la religión —una crítica que todavía no ha sido superada y que es aplicable a muchas de nuestras creencias contemporáneas. En sus *Dialogues Concerning Natural Religion* mostró que los filósofos habían colocado sobre los altares vacíos del cristianismo otras divinidades no menos quiméricas, conceptos divinizados como los de la armonía universal y el propósito que anima a esa armonía. En la noción de *designio* o *propósito* está la raíz de la idea religiosa y allí donde aparece, sin excluir a las filosofías ateas y materialistas, aparece también la religión y con ella, tarde o temprano, una Iglesia, un mito y una inquisición. El contenido de cada religión puede variar —el número de dioses e ideas que han adorado y adoran los hombres es casi infinito—, pero detrás de todas esas creencias encontramos siempre el mismo esquema: atribuir un propósito al universo y en seguida identificar ese propósito con el bien, la libertad, la santidad, la eternidad o cualquier otra idea del mismo género.

No es difícil deducir de la crítica de Hume esta consecuencia: el origen de la idea de la historia como progreso es religioso y la idea misma es pararreligiosa. Es el resultado de una doble y defectuosa inferencia: pensar que la naturaleza tiene un designio e identificar ese designio con la marcha de la sociedad y de la historia. Todas las religiones y seudorreligiones obedecen a este mismo razonamiento. En el primer momento de esta operación de ilusionismo, al observar la regularidad real o aparente de los procesos naturales, se introduce en ese orden la idea de finalidad; en el segundo momento se atribuyen los cambios y agitaciones sociales a la acción del mismo principio que anima a la naturaleza. Si la historia posee realmente un sentido, el transcurrir se vuelve providencial, aunque el nombre de esa providencia cambie con los cambios de la sociedad y la cultura: unas veces se llama Dios, otras evolución, otras dialéctica de la historia. La importancia del calendario en la antigua China (o en Mesoamérica) es otra consecuencia de la misma idea: el modelo del tiempo histórico es el tiempo natural, el tiempo del sol y del movimiento de los cuerpos celestes.

La religión es una interpretación de la condición original del hombre, arrojado en un mundo extraño y ante el cual su primera sensación es la de abandono, orfandad, desamparo. Podemos juzgar de muchas maneras el sentido y el valor de la interpretación religiosa. Podemos decir, por ejemplo, que es un acto de hipocresía inconsciente, valga la paradoja, por medio del cual nos engañamos a nosotros mismos antes de engañar a nuestros semejantes. O podemos decir que es una manera de conocer o, más bien, de penetrar en la *otra* realidad, esa región que nunca vemos con los ojos abiertos. También podemos decir que quizá no es sino la manifestación de una tendencia inherente a la naturaleza humana. Si fuese así, no habría más remedio que aceptar la existencia de un «instinto religioso». La crítica de Hume es decisiva porque, al mostrar que invariablemente se trata de la misma operación —cualesquiera que sean la sociedad, la época, el contenido y el carácter de las representaciones y creencias—, implícitamente nos autoriza a sospechar que estamos ante una estructura mental común a todos los hombres. Al mismo tiempo, al subrayar su carácter inconsciente, apunta que es el resultado de una necesidad psíquica y, en cierto modo, instintiva. La crítica de Hume sería completada un siglo y medio después por Freud y por Heidegger, pero todavía nos falta una descripción completa del «instinto religioso».

Cualquiera que sea su origen, la religión aparece en todas las sociedades: en las primitivas y en las grandes civilizaciones de la Antigüedad, en el seno de los pueblos que creen en la magia y en las sociedades industriales contemporáneas, entre los adoradores de Mahoma y entre los que juran por Marx. En todas partes y en todas las épocas el «instinto religioso» convierte a las ideas en creencias y a las creencias en ritos y mitos. Sería injusto olvidar que le debemos la encarnación de las ideas en imágenes sensibles. Nada más hermoso que esa estatua india (Orissa) del siglo XII, que representa a Prajñaparamita, la Suprema Sabiduría budista, el concepto metafísico central de la tendencia Mahayana, como una muchacha desnuda y alhajada. Doble rostro de la religión: la experiencia solitaria de los místicos y el embrutecimiento de los pueblos, la iluminación espiritual y la rapacidad de los clérigos, la fiesta comunal y la quema de herejes.

La crítica de Hume es aplicable a todas esas filosofías e ideologías que no son sino religiones vergonzantes, sin dioses pero con sacerdotes, libros santos, concilios, beatos, verdugos, herejes y réprobos. Hume anticipó lo que ocurriría cincuenta años después: la razón adorada como una diosa y el ser supremo de los filósofos convertido en el Jehová de sectas pedantes y sanguinarias. La crítica de la religión desplazó al cristianismo y en su lugar los hombres se apresuraron a entronizar a una nueva deidad: la política. El «instinto religioso» contó con la complicidad de la filosofía. Los filósofos sustituyeron una creencia por otra: la religión revelada por la religión natural, la gracia por la razón. La filosofía profanó al cielo, pero consagró a la tierra; la consagración del tiempo histórico fue la consagración del cambio en su forma más intensa e inmediata: la acción política. La filosofía dejó de ser teoría y descendió entre los hombres. Su encarnación se llamó revolución. Si la historia humana es la historia de la desigualdad y la iniquidad, la redención de la historia, la eucaristía que la cambia en igualdad y libertad, es la revolución.

El tema mítico del tiempo original se convierte en el tema revolucionario de la sociedad futura. Desde fines del siglo XVIII y señaladamente desde la Revolución francesa, la filosofía política revolucionaria confisca uno a uno los conceptos, valores e imágenes que tradicionalmente pertenecían a las religiones. Este proceso de apropiación se agudiza en el siglo XX, el siglo de las religiones políticas como los siglos XVI y XVII lo fueron de las guerras de religión. Desde hace doscientos años hemos vivido, primero los europeos y después todos los hombres, en espera de un acontecimiento que posee para nosotros la gravedad y la fascinación terrible que tenía la Segunda Vuelta de Cristo para los primeros cristianos: la Revolución. Este acontecimiento, visto con esperanza por unos y con horror por otros, posee un significado doble según ya he dicho: es la instauración de una sociedad nueva y es la restauración de la sociedad original, antes de la propiedad privada, el Estado, la escritura, la idea de Dios, la esclavitud y la opresión de las mujeres. Expresión de la razón crítica, la Revolución se sitúa en el tiempo histórico: es el cambio del presente inicuo por el futuro justo y libre. Ese cambio es un regreso: la vuelta al tiempo del principio, a la inocencia original. Así, la Revolución es una idea y una imagen, un concepto que participa de las propiedades del mito y un mito que se funda en la autoridad de la razón.

En las sociedades del pasado, las religiones tenían la exclusividad de dos funciones: cambiar al tiempo y cambiar al hombre. Los cambios de calendario no eran cambios revolucionarios, sino religiosos. Cambio de era, cambio de dios: los cambios del mundo eran los cambios de trasmundo. Las revueltas, los motines, las usurpaciones, las abdicaciones, el advenimiento de nuevas dinastías, las transformaciones sociales, las mutaciones del régimen de propiedad o de la estructura jurídica, los inventos, los descubrimientos, las guerras, las conquistas —todo ese enorme e incoherente rumor de la historia con sus vicisitudes incesantes— no entrañaban alteración de la imagen del tiempo y de la cuenta de los años.

No sé si se haya reparado y meditado sobre un hecho singular: para los indios mexicanos la Conquista fue un cambio de calendarios. O sea: un cambio de divinidades, un cambio de religión. En el mundo moderno la revolución desplaza a la religión y por eso los revolucionarios franceses intentaron cambiar el calendario. Según la conocida frase de Marx, la misión del filósofo no consiste tanto en interpretar al mundo como en cambiarlo; ese cambio entraña la adopción de un nuevo arquetipo temporal: cambio de la eternidad cristiana por el futuro de las revoluciones. La función religiosa que consiste en la creación y el cambio del calendario se convierte así en una función revolucionaria.

Algo semejante sucede con la otra función de las religiones: cambiar al hombre. Las ceremonias de iniciación y de tránsito consisten en una verdadera transmutación de la naturaleza humana. Todos esos rituales poseen una nota en común: el sacramento es el puente simbólico por el que el neófito pasa del mundo profano al mundo sagrado, de esta a la otra orilla. Tránsito que es muerte y resurrección: un hombre nuevo emerge del rito. El bautismo nos cambia, nos da un nombre y nos hace otros; la comunión es también una transmutación y la misma función tiene el viático, palabra significativa como pocas. El rito central, en todas las religiones, es el del ingreso a la comunidad de los fieles, y ese rito, en todos los casos, equivale a un cambio de naturaleza. *Conversión* expresa con mucha claridad esta mutación que es igualmente un regreso a la comunidad original (*con vertere:* «verterse con» y también «cambiarse en» y «con»). Desde el nacimiento de la era moderna y con mayor insistencia durante los últimos cincuenta años, los dirigentes revolucionarios proclaman que el fin último de la revolución es cambiar al hombre: la conversión del individuo y la comunidad. A veces esta pretensión ha adoptado formas que habrían sido grotescas si no hubiesen sido atroces como cuando, combinando la superstición por la técnica y la superstición ideológica, se llamó a Stalin: «ingeniero de hombres». El ejemplo de Stalin es aterrador; hay otros que son conmovedores: Saint-Just, Trotski. Incluso si me conmueve el carácter prometeico de su pretensión, no tengo más remedio que deplorar su ingenuidad y condenar su desmesura.

[La primera edición de *Los hijos del limo* es de 1974; el texto de este libro es, modificado y ampliado, el de las conferencias que dio Octavio Paz en la Universidad de Harvard (Charles Eliot Norton Lectures) el primer semestre de 1972.]

Tercera parte

LA OTRA VOZ

Poesía y fin de siglo

Aviso

Este libro reúne varios ensayos escritos durante los últimos años. Todos ellos tienen por tema a la poesía y su situación en nuestros días. Comencé a escribir poemas muy pronto y muy pronto también comencé a reflexionar sobre el acto de escribir poemas. Es una ocupación ambigua entre todas: un quehacer y un misterio, un pasatiempo y un sacramento, un oficio y una pasión. Mi primer ensayo es de 1941. Fue una meditación (quizá sea más apropiado llamarlo, por lo descosido, una divagación) sobre los dos extremos de la experiencia poética y humana: la soledad y la comunión. Las veía personificadas en dos poetas que en aquellos años leía con fervor, Quevedo y San Juan de la Cruz, en dos de sus obras: *Lágrimas de un penitente*[1] y *Cántico espiritual*. Después escribí un libro entero, *El arco y la lira* (1956), al que siguieron otros ensayos y, mucho después, otro más: *Los hijos del limo* (1972). En este último me ocupo de la poesía moderna, del romanticismo al simbolismo y las vanguardias. Los ensayos que ahora publico son una continuación de la sección final de *Los hijos del limo*, es decir, del ocaso de la vanguardia y de la situación del arte poético en el periodo contemporáneo. No vivimos el fin de la poesía, como han dicho algunos, sino de una tradición poética que se inició con los simbolistas y su fascinante crepúsculo con las vanguardias de nuestro siglo. Otro arte amanece.

Se ha llamado «posmoderno» al periodo actual. Nombre equívoco. Si nuestra época es «posmoderna», ¿cómo llamarán a la suya nuestros nietos? Se piensa generalmente que el conjunto de ideas, creencias, valores y prácticas que caracterizan a lo que se ha llamado modernidad, experimenta hoy una radical mutación. Si es así, este periodo no puede llamarse ni definirse simplemente como posmoderno. No es nada más lo

[1] Llamado también: *Heráclito cristiano y segunda harpa a imitación de David* (1613).

que está después de la modernidad: es algo distinto a ella. Algo que posee ya rasgos propios, aunque en formación. La fractura, como siempre ocurre, fue advertida al principio únicamente por unos cuantos espíritus; sin embargo, al día siguiente de la segunda Guerra Mundial comenzó a hacerse más y más visible el cambio. Un ejemplo entre muchos: el pensamiento revolucionario había profetizado una gran transformación, ineluctable y definitiva, en los países más avanzados: en ninguno de ellos se cumplió esa predicción. Allí donde hubo revoluciones, en la periferia de Occidente, casi inmediatamente se petrificaron y se convirtieron en despotismos burocráticos a un tiempo despiadados e ineficaces.

Asistimos ahora a la quiebra de las dos ideas que han constituido a la modernidad desde su nacimiento: la visión del tiempo como sucesión lineal y progresiva orientada hacia un futuro cada vez mejor y la noción del cambio como la forma privilegiada de la sucesión temporal. Ambas ideas se conjugaron en nuestra concepción de la historia como marcha hacia el progreso: las sociedades cambian sin cesar, a veces de manera violenta, y cada uno de esos cambios es un avance. El tiempo arquetípico dejó de ser el pasado y su quimérica edad de oro; a su vez, el tiempo fuera del tiempo, la eternidad de los ángeles y los diablos, los justos y los réprobos, fue desalojado por el culto al progreso. La tierra prometida fue el futuro. En la esfera de la acción política, la manifestación del cambio fue la idea de *revolución;* en el dominio del arte y la literatura, la idea del *arte nuevo,* fundada en la ruptura con el pasado inmediato. Hoy el futuro ha dejado de ser un imán y se desvanece la visión del tiempo en que se sustentaba y que lo justificaba. Con ella, se evapora también el gran mito que inspiró a tantos en el siglo XX, la Revolución. Su ocaso coincide con el de las vanguardias artísticas y poéticas. No es extraño: el arte moderno nació como una respuesta —a un tiempo eco y réplica— de la Revolución francesa, con la que se inaugura la modernidad; su suerte se confunde con la de la idea revolucionaria.

La primera sección de este pequeño libro está compuesta por tres ensayos. En el primero me ocupo de los antecedentes del poema extenso.[1] Es una forma poética que ha tenido gran fortuna en la poesía del siglo XX. No digo que los mejores poemas modernos son los extensos; tal vez es más cierto lo contrario: la intensidad de un poema de tres o cuatro

[1] Este texto, «Contar y cantar», que se publicó por primera vez en la revista *Sur,* formaba parte de la primera sección de *La otra voz;* en esta edición se incluye en el último apartado de este volumen, «Entre Uno y Muchos».

líneas perfora con frecuencia el muro del tiempo. Pero los poemas largos —los de Eliot, Perse y Jiménez, para citar tres ejemplos notables— han sido una expresión de nuestra época y la han marcado. El segundo ensayo trata de la poesía moderna y del fin de la tradición de la ruptura. El tercero es una breve reflexión sobre las ambiguas y casi siempre desventuradas relaciones entre la poesía y el mito revolucionario. La segunda sección, la más extensa, examina la función de la poesía en la sociedad contemporánea. Termina con una pregunta y una tentativa de respuesta: ¿cual será el lugar de la poesía en los tiempos que vienen? Más que una descripción y menos que una profecía, mi respuesta es una profesión de fe. Estas páginas no son sino una variación, una más, de esa *Defensa de la Poesía* que, desde hace más de dos siglos, escriben incansablemente los poetas modernos.

OCTAVIO PAZ
México, a 31 de enero de 1990

I
Ruptura y convergencia

Poesía y modernidad

> *You say I am repeating*
> *Something I have said before*
> *I shall say it again.*
> *Shall I say it again?*
>
> T. S. Eliot

MODERNIDAD Y ROMANTICISMO

El tema que me propongo explorar —poesía y modernidad— está formado por dos elementos cuya relación no es enteramente clara. La poesía de este fin de siglo es, al mismo tiempo, la heredera de los movimientos de la modernidad, del romanticismo a las vanguardias, y su negación. Tampoco es claro lo que se entiende por «moderno». La primera dificultad a que nos enfrentamos es al carácter elusivo y cambiante de la palabra: lo moderno es por naturaleza transitorio y lo contemporáneo es una cualidad que se desvanece apenas la nombramos. Hay tantas modernidades y antigüedades como épocas y sociedades: un azteca era moderno ante un olmeca y Alejandro frente a Amenofis IV. La poesía «moderna» de Darío era una antigualla para los ultraístas, y el futurismo hoy nos parece, más que una estética, una reliquia. La edad moderna no tardará en ser la Antigüedad de mañana. Pero, por ahora, tenemos que resignarnos y aceptar que vivimos en la edad moderna a sabiendas de que se trata de una designación equívoca y provisional.

¿Qué queremos decir con esta palabra: *modernidad?* ¿Cuándo comenzó? Algunos piensan que se inició con el Renacimiento, la Reforma y el Descubrimiento de América; otros suponen que comenzó con el nacimiento de los Estados nacionales, la institución de la banca, el nacimiento del capitalismo mercantil y la aparición de la burguesía; unos pocos subrayan que lo decisivo fue la revolución científica y filosófica del siglo XVII, sin la cual no tendríamos ni técnica ni industria. Todas estas opiniones son admisibles. Aisladas son insuficientes; unidas, ofrecen una explicación coherente. Por esto, tal vez, la mayoría se inclina por el siglo XVIII: no sólo es el heredero de estos cambios e innovaciones sino que en ese siglo se advierten ya muchos de los rasgos que serían los nuestros. ¿Esa época fue una prefiguración de la que hoy vivimos? Sí y no. Más exacto sería decir que la nuestra ha sido la desfiguración de las ideas y proyectos de ese gran siglo.

La modernidad comienza como una crítica de la religión, la filosofía, la moral, el derecho, la historia, la economía y la política. La crítica es su rasgo distintivo, su señal de nacimiento. Todo lo que ha sido la edad moderna ha sido obra de la crítica, entendida ésta como un método de investigación, creación y acción. Los conceptos e ideas cardinales de la edad moderna —progreso, evolución, revolución, libertad, democracia, ciencia, técnica— nacieron de la crítica. En el siglo XVIII la razón hizo la crítica del mundo y de sí misma; así transformó de raíz al antiguo racionalismo y a sus geometrías intemporales. Crítica de sí misma: la razón renunció a las construcciones grandiosas que la identificaban con el Ser, el Bien y la Verdad; dejó de ser la Casa de la Idea y se convirtió en un camino: fue un método de exploración. Crítica de la Metafísica y sus verdades impermeables al cambio: Hume y Kant. Crítica del mundo, del presente y el pasado; crítica de las certidumbres y valores tradicionales; crítica de las instituciones y las creencias, el Trono y el Altar; crítica de las costumbres, reflexión sobre las pasiones, la sensibilidad y la sexualidad: Rousseau, Diderot, Laclos, Sade; crítica histórica de Gibbon y Montesquieu; descubrimiento del *otro:* el chino, el persa, el indio americano; cambios de perspectiva en la astronomía, la geografía, la física, la biología... Al final, la crítica encarna en la historia: la revolución de Independencia de los Estados Unidos, la Revolución francesa y el movimiento de independencia de los dominios americanos de España y Portugal. Por razones que he expuesto en otros escritos, la revolución de Independencia en la América española y portuguesa fracasó en lo político y en lo social. Nuestra modernidad es incompleta o, más bien, es un híbrido histórico.

No es un accidente que estas grandes revoluciones, fundadoras de la historia moderna, se hayan inspirado en el pensamiento del siglo XVIII. Fue un siglo rico en proyectos de reforma social y en utopías. Se ha dicho que esas utopías son la parte menos afortunada de su legado; sin embargo, no podemos ni desdeñarlas ni condenarlas; si es cierto que se han cometido muchos horrores en su nombre, también lo es que les debemos casi todas las acciones y los sueños generosos de la edad moderna. Las utopías del XVIII fueron el gran fermento que puso en movimiento a la historia de los siglos XIX y XX. La utopía es la otra cara de la crítica y sólo una edad crítica puede ser inventora de utopías; el hueco dejado por las demoliciones del espíritu crítico lo ocupan casi siempre las construcciones utópicas. Las utopías son los sueños de la razón. Sueños activos que se transforman en revoluciones y reformas. La preeminencia de las utopías es otro rasgo original y característico de la edad moderna. Cada época se identifica con una visión del tiempo y en la nuestra la presencia constante de las utopías revolucionarias delata el lugar privilegiado que tiene el futuro para nosotros. El pasado no es mejor que el presente: la perfección no está atrás de nosotros sino adelante, no es un paraíso abandonado sino un territorio que debemos colonizar, una ciudad que hay que construir.

El cristianismo opuso a la visión del tiempo cíclico de la Antigüedad grecorromana un tiempo lineal, sucesivo e irreversible, con un principio y un fin, de la caída de Adán y Eva al Juicio Final. Frente a ese tiempo histórico y mortal hubo otro tiempo sobrenatural, invulnerable ante la muerte y la sucesión: la Eternidad. Por esto el único episodio realmente decisivo de la historia terrestre fue el de la Redención: el descenso de Cristo y su sacrificio representan la intersección entre la Eternidad y la temporalidad, el tiempo sucesivo y mortal de los hombres y el tiempo del más allá, que no cambia ni sucede, idéntico a sí mismo siempre. La edad moderna se inicia con la crítica a la Eternidad cristiana y con la aparición de otro tiempo. Por una parte, el tiempo finito del cristianismo, con un principio y un fin, se vuelve el tiempo casi infinito de la evolución natural y de la historia, abierto hacia el futuro. Por la otra, la modernidad desvaloriza a la eternidad: la perfección se traslada al futuro, no en el otro mundo sino en éste. Apenas si necesito recordar la imagen célebre de Hegel: la rosa de la razón está crucificada en el presente. La historia, dijo, es un Calvario: transposición del misterio cristiano en acción histórica. El camino hacia lo absoluto pasó por el tiempo, fue tiempo. A su vez, entre los diversos modos del tiempo, la siempre diferida perfección residió en el futuro. Los cambios y las revoluciones fueron encarnaciones del movimiento de los hombres hacia el futuro y sus paraísos.

La relación del romanticismo con la modernidad es a un tiempo filial y polémica. Hijo de la Edad Crítica, su fundamento, su acta de nacimiento y su definición son el cambio. El romanticismo fue el gran cambio no sólo en el dominio de las letras y las artes sino en el de la imaginación, la sensibilidad, el gusto, las ideas. Fue una moral, una erótica, una política, una manera de vestirse y una manera de amar, una manera de vivir y de morir. Hijo rebelde, el romanticismo hace la crítica de la razón crítica y opone al tiempo de la historia sucesiva el tiempo del origen antes de la historia, al tiempo futuro de las utopías el tiempo instantáneo de las pasiones, el amor y la sangre. El romanticismo es la gran negación de la modernidad tal como había sido concebida por el siglo XVIII y por la razón crítica, utópica y revolucionaria. Pero es una negación moderna, quiero decir: una negación dentro de la modernidad. Sólo la Edad Crítica podía engendrar una negación de tal modo total.

El romanticismo convive con la modernidad y se funde a ella sólo para, una y otra vez, transgredirla. Esas transgresiones asumen muchas formas pero se manifiestan siempre de dos maneras: la analogía y la ironía. Por lo primero entiendo «la visión del universo como un sistema de correspondencias y la visión del lenguaje como el doble del universo».[1] Es una tradición antiquísima, reelaborada y transmitida por el neoplatonismo renacentista a diversas corrientes herméticas de los siglos XVI y XVII y que, después de alimentar a las sectas filosóficas y libertinas del XVIII, es recogida por los románticos y sus herederos hasta nuestros días. Es la tradición central, aunque subterránea, de la poesía moderna, de los primeros románticos a Yeats, Rilke, los surrealistas. Al mismo tiempo que la visión de la correspondencia universal aparece, gemela adversaria, la ironía. Es el agujero en el tejido de las analogías, la excepción que interrumpe las correspondencias. Si la analogía puede concebirse como un abanico que, al desplegarse, muestra las semejanzas entre el esto y el aquello, el macrocosmos y el microcosmos, los astros, los hombres y los gusanos, la ironía desgarra el abanico. La ironía es la disonancia que rompe el concierto de las correspondencias y lo transforma en galimatías. La ironía tiene varios nombres: es la excepción, lo irregular, lo *bizarro* como decía Baudelaire y, en una palabra, es el gran accidente: la muerte.

La analogía se inserta en el mito; su esencia es el ritmo, es decir, el tiempo cíclico hecho de apariciones y desapariciones, muertes y resurrecciones; la ironía es la manifestación de la crítica en el reino de la imaginación y la sensibilidad; su esencia es el tiempo sucesivo que desem-

[1] *Cf. Los hijos del limo*, Barcelona, 1974, incluido en el presente volumen.

boca en la muerte. La de los hombres y la de los dioses. (El tema de la muerte de Dios aparece en la conciencia moderna con los primeros textos de los románticos.[1]) Doble transgresión: la analogía opone al tiempo sucesivo de la historia y a la beatificación del futuro utópico, el tiempo cíclico del mito; a su vez, la ironía desgarra el tiempo mítico al afirmar la caída en la contingencia, la pluralidad de dioses y de mitos, la muerte de Dios y de sus criaturas. Doble ambigüedad de la poesía romántica: es revolucionaria, no *con* sino *frente* a las revoluciones del siglo; al mismo tiempo, su religiosidad es una transgresión de las religiones cristianas.[2] La historia de la poesía moderna, del romanticismo al simbolismo, es la historia de las distintas manifestaciones de los dos principios que la constituyen desde su nacimiento: la analogía y la ironía.

MODERNIDAD Y VANGUARDIA

El siglo XIX puede verse como el apogeo de la modernidad. Ideas nacidas de la crítica y que tenían un valor polémico en el XVIII —democracia, separación de la Iglesia y el Estado, desaparición de los privilegios nobiliarios, libertad de creencias, opiniones y asociación— se convirtieron en principios compartidos por casi todas las naciones europeas y por los Estados Unidos. Occidente creció, se extendió y se afirmó. Pero a fines del siglo pasado se inició en los grandes centros de nuestra civilización un profundo malestar que afectó tanto a las instituciones sociales, políticas y económicas como al sistema de creencias y valores. Así, puede llamarse edad moderna al ciclo que comprende el nacimiento, el apogeo y la crisis de la modernidad; a su vez, la etapa última, la de la crisis, puede llamarse edad contemporánea. Sin embargo, su duración —tiene ya cerca de un siglo— me hace dudar que ese término sea apropiado. Tampoco le convienen esas palabras que aparecen apenas se habla de este tema: decadencia, crepúsculo. La palabra *crisis,* sin ser inexacta, se ha desgastado a fuerza de repeticiones. En fin, cualquiera que sea su nombre, el periodo que comienza a principios de este siglo se distingue de los otros por la incertidumbre frente a los valores e ideas que fundaron a la modernidad. Los primeros signos de esta crisis universal aparecen a fines del siglo pasado y hacia 1910 se manifiestan ya con brutal claridad. No voy a describirlos. Desde hace mucho son un tema preferido de

[1] Jean-Paul. Véase *Los hijos del limo,* cap. III.

[2] *Idem.*

sociólogos, astrólogos, sacerdotes, economistas, profetas, psicoanalistas, periodistas y los otros curanderos de los males de nuestra sociedad. Me limitaré a enumerar las zonas tocadas por esta enfermedad histórica.

Desde el nacimiento de la edad moderna brota, gran fermento y gran extravío, el nacionalismo. Convertido en la religión del Estado nacional, cobra gran virulencia durante el siglo pasado. La crítica reaccionaria contra la democracia burguesa —es decir, contra el racionalismo, el cosmopolitismo, el escepticismo y el hedonismo— se alió a la nostalgia por la sociedad precapitalista y sus «relaciones idílicas», como las llamó Marx con ironía. En las prédicas contra el progreso desalmado había ecos del antiguo horror cristiano ante Satán el escéptico y el inteligente Mammón, amante de la industria, el placer y las artes. Desde el otro extremo y con pasión semejante, los revolucionarios —sobre todo los anarquistas— denunciaron el carácter opresor del Estado y de las instituciones sociales: la familia, el derecho, la propiedad. En la primera etapa de la crisis, el socialismo marxista fue crítico pero no subversivo; aunque la Segunda Internacional contribuyó poderosamente a la mejoría de los trabajadores, se mantuvo asociada al *statu quo* de las naciones industriales.

En la segunda década del siglo XX la crisis de las instituciones se transformó en la crisis de la sociedad política internacional y estalló la primera gran guerra. Las revoluciones que la sucedieron cambiaron la faz del planeta. El marxismo —o más bien: su versión autoritaria, el leninismo— se convirtió en un poder mundial. En la tercera década, con distintos nombres y contrarias ideologías, se perfiló visiblemente la nueva realidad histórica: el Estado burocrático totalitario. El proceso ha continuado en lo que va del siglo. Incluso entre las naciones que conservan el sistema democrático, es visible la tendencia a reproducir el modelo de dominación burocrática, sea en los grandes consorcios capitalistas, en los sindicatos obreros o en la tecnocracia estatal. Muy pocos sospecharon, al comenzar el siglo, que las generosas aspiraciones libertarias y revolucionarias de esos años degenerarían, cincuenta años después, en un nuevo absolutismo.

La crisis de la vida pública fue también una crisis de las conciencias. Crítica de la familia y de la supremacía masculina, crítica de la moral sexual, crítica de la escuela, las iglesias, las creencias, los valores. A pesar de los inmensos logros de la técnica, se empezó a dudar del progreso, la gran idea rectora de Occidente y su mito intelectual. La descripción del estado de espíritu prevaleciente durante la primera mitad del siglo, con sus violentas oscilaciones entre pasividad y violencia, escepticismo radical y fe en el instinto, extremo intelectualismo y culto a la sangre, ha sido hecha muchas veces y no es necesario repetirla. Señalo únicamente que estos vaivenes coincidieron con descubrimientos fundamentales de las ciencias que, a su vez, pusieron en entredicho las antiguas certidumbres. Apenas si es necesario mencionar estos cambios: las geometrías no-euclidianas, la física cuántica, la relatividad y la cuarta dimensión. A estos avances sucedieron, más recientemente, los de la biología molecular, sobre todo en el dominio de la herencia. Si el antiguo espíritu se evaporó, convertido en una reacción química, la antigua materia, por su parte, perdió consistencia y fue energía, tiempo-espacio, realidad que se disemina sin cesar y sin cesar se reúne consigo misma. Si la materia se escindió en átomos y en partículas de partículas, ¿qué decir de la conciencia? Dejó de ser la roca de fundación de la persona y se dispersó. Para unos fue el teatro de combate de nuevas entidades, tal vez no menos ilusorias que las de la psicología renacentista: el subconsciente, el inconsciente, la libido, el superego. Para otros, el pensamiento y las emociones no fueron sino el resultado de combinaciones físico-químicas. La familia se convirtió en un criadero de fantasmas y el crimen de Edipo alcanzó la dignidad universal que hasta entonces había tenido el pecado original: ser el signo constitutivo de la especie humana, el rasgo que la distingue de todas las otras especies.

El arte y la literatura son formas de representación de la realidad. Representaciones que son, no necesito recordarlo, también invenciones: representaciones imaginarias. Pero la realidad, de pronto, comenzó a disgregarse y desvanecerse; apareció con los atributos de lo imaginario, se volvió amenazante o irrisoria, inconsistente o fantástica. La silla dejó de ser la silla que vemos y se transformó en una arquitectura de fuerzas, átomos y partículas invisibles. No sólo la nueva física atacó la presunta solidez de los objetos materiales; las geometrías no-euclidianas abrieron la posibilidad de otros espacios, dotados de propiedades distintas a las del espacio tradicional. Surgió la nueva entidad, tema de las lucubraciones de los escritores y los pintores, mito de la primera vanguardia: el espacio-tiempo. Aunque sólo más tarde, en la generación siguiente, la de los surrealistas, el psicoanálisis influiría en los poetas y en los pintores, ya desde entonces la visión del yo y de la persona sufrió profundas alteraciones. Y con ella el lenguaje de los artistas, empeñados en expresar las discontinuidades e intermitencias de la conciencia y de los sentimientos.

El simbolismo se había identificado con un lenguaje esotérico. Culto al misterio del universo y culto al poeta como sacerdote de esa religión secreta. Los nuevos poetas opusieron a este lenguaje la ironía y el prosaísmo. El simbolismo había exaltado el claroscuro y había sido un arte de puertas adentro en el que el matiz era el valor supremo; el arte nuevo salió a las calles y plazas: poesía de oposiciones netas y contrastes brutales. El simbolismo había descrito las nostalgias de un más allá, a veces situado en un imposible pasado y, otras, en un no menos imposible *nowhere;* la poesía nueva exaltó al instante, al presente: lo que ven los ojos y tocan las manos. La ciudad de Baudelaire era la urbe nocturna, en la que el alumbrado de gas y sus reflejos —ambiguos como la conciencia humana— iluminaban, en calles como heridas, el desfile de la prostitución, el crimen y la desesperación solitaria. La ciudad de los poetas modernos es la de la multitud, la ciudad de los anuncios luminosos, los tranvías y los autos, que cada noche se transforma en un jardín eléctrico. Pero la ciudad moderna no es menos terrible que la de Baudelaire: «Mientras tú caminas en París solo entre el gentío / y manadas de mugientes autobuses te rodean / la angustia del amor te aprieta el gaznate».[1]

El héroe romántico era el aventurero, el pirata, el poeta convertido en guerrero de la libertad o el solitario que se pasea a la orilla de un lago desierto, perdido en una meditación sublime. El héroe de Baudelaire era el ángel caído en la ciudad; vestía de negro y en su traje elegante y raído había manchas de vino, aceite y lodo. El personaje de Apollinaire es un vagabundo urbano, casi un *clochard,* ridículo y patético, perdido entre la muchedumbre. Es la figura que más tarde encarnaría Charles Chaplin, el protagonista de *La nube con pantalones* de Maiakovski y el de *Tabaquería* de Pessoa. Un pobre diablo y un ser dotado de poderes ocultos, un payaso y un mago. Es clara la filiación romántica del personaje y de sus actitudes; también lo es su novedad.

Aunque la aventura humana —sus pasiones, locuras, iluminaciones— prosigue en la nueva poesía, los interlocutores han cambiado. La antigua naturaleza desaparece y con ella sus selvas, valles, océanos y montes poblados de monstruos, dioses, demonios y otras maravillas; en su lugar, la ciudad abstracta y, entre los viejos monumentos y las plazas venerables, la terrible novedad de las máquinas. Cambio de realidad: cambio de mitologías. Antes, el hombre hablaba con el universo, o creía que hablaba: si no era su interlocutor era su espejo. En el siglo XX el interlocutor mítico y sus voces misteriosas se evaporan. El hombre se ha quedado solo en la

[1] Guillaume Apollinaire, *Zone,* 1912.

ciudad inmensa y su soledad es la de millones como él. El héroe de la nueva poesía es un solitario en la muchedumbre o, mejor dicho, una muchedumbre de solitarios. Es el H. C. E. *(Here Comes Everybody)* de Joyce. Descubrimos que estamos solos en el universo. Solos con nuestras máquinas. Los industriosos diablos de Milton deben haberse frotado las manos. Fue el comienzo del gran solipsismo.

Los antiguos veneraron al caballo y al barco de vela; la nueva edad a la locomotora y al paquebote. Probablemente el poema de Whitman que más impresionó a sus seguidores fue el dedicado a una locomotora. Valéry Larbaud escribió una oda memorable al *Orient-Express,* «el tren de los millonarios»; Cendrars su no menos memorable *Prosa del Transiberiano,* primeras nupcias de la poesía y del cine. Los futuristas cantaron al automóvil y más tarde se multiplicaron los poemas al avión, al submarino y a los otros vehículos modernos. Ninguno de estos textos empeñosos puede compararse al poema de Whitman, el fundador. También los trasatlánticos encendieron las imaginaciones. Apenas si es necesario recordar la *Oda marítima* de Álvaro de Campos —no una alegoría ni un símbolo de Pessoa: su doble y su enemigo— escrita desde los muelles de Lisboa pero también desde Liverpool, Singapur, Yokohama, Harbin. El paquebote está asociado, en la poesía de esa época, más al Asia que a América. El primer acto de *Partage de Midi* transcurre en un paquebote que navega interminablemente sobre el Océano Índico. La poesía del mar, en las novelas y en los poemas de esa época, fue una poesía del más allá: los mares y las tierras desconocidas pero, sobre todo, las civilizaciones *otras:* la India de Kipling, el África y el sudeste asiático de Conrad, el Extremo Oriente de Claudel y Saint-John Perse.

La presencia de paisajes y formas artísticas de Oriente, África y la América precolombina es un rasgo general de la poesía y el arte de esos años. Los poetas adoptaron el haikú y el teatro Nô impresionó a Yeats y a otros poetas dramáticos. Las traducciones de poesía china de Pound contribuyeron poderosamente a estos cambios. Así, en el primer tercio del siglo XX culmina un largo proceso de descubrimiento de las civilizaciones *otras* y sus distintas visiones de la realidad y del hombre. Este proceso, comenzado en el siglo XVI con la revelación del Continente Americano, se manifestó en nuestra época por la adopción de formas artísticas no sólo ajenas sino contrarias a la tradición central de Occidente. Fue un cambio de tal modo profundo que todavía nos afecta y que, sin duda, afectará al arte y a la sensibilidad de nuestros descendientes. El cambio fue, por una parte, el resultado natural de la revolución estética iniciada por el romanticismo, su extrema consecuencia; por otra, ha sido el cambio final, el cambio de los cambios: con él acaba una tradición que comenzó en el Renacimiento. Los modelos de esa tradición eran las obras de la Antigüedad grecorromana, de modo que, al negarla, el arte moderno rompió la continuidad de Occidente. Así, el cambio fue una autonegación y, simultáneamente, una metamorfosis. Fin del idealismo naturalista, fin de la perspectiva y de la sección de oro, fin de las representaciones que pretenden dar la ilusión de la realidad.

Lo decisivo no fue la sustitución de los cánones tradicionales —incluyendo las variantes y desviaciones románticas, simbolistas e impresionistas— por los de culturas y civilizaciones extrañas sino la búsqueda de *otra* belleza. Por esto no hablé únicamente de autonegación sino de metamorfosis. El cambio estético fue tan profundo como el cambio que introdujeron las ciencias en la visión tradicional de la realidad. La física había mostrado que la realidad visible se apoya en una estructura que es una relación de fuerzas en equilibrio inestable. Los artistas también quisieron desmontar la aparición de los objetos cotidianos y los cubistas concibieron al cuadro como un sistema de relaciones. Había una suerte de neoplatonismo en esta concepción: el pintor se proponía representar la estructura —o más bien: el arquetipo, la *idea*— de la cafetera y la pipa. De ahí la necesidad de pintar el exterior y el interior de los objetos. El ejemplo de las máscaras negras, que muestran en el mismo plano la parte anterior y posterior del objeto, abrió un camino. Por su parte, los futuristas querían pintar el movimiento, algo que la fotografía hace mejor que la pintura. En aquella época era popular la cronofotografía: sucesión de instantáneas de un objeto o de una figura en movimiento, un caballo que corre, una mujer que marcha rítmicamente, un ciclista. El ejemplo más notable fue *El desnudo que desciende una escalera* de Marcel Duchamp.

En todas estas obras y tentativas influyeron los nuevos medios de reproducción de la realidad. La atracción mayor, sobre todo para los poetas, fue la fotografía en movimiento: el cine. El gran teórico del montaje, Serguei Eisenstein, señala en uno de sus escritos que la ausencia de reglas de sintaxis y de signos de puntuación en el cine le habían revelado, por omisión, la verdadera naturaleza de este arte: la yuxtaposición y la simultaneidad. O sea: ruptura del carácter lineal del relato. Eisenstein encontró antecedentes del simultaneísmo en las artes del Oriente, especialmente en el teatro japonés y en la escritura china. Años más tarde Jung, en el prólogo a una edición del clásico chino *I Ching*, sostuvo que el principio que rige a la combinación de los hexagramas no es sino el de confluencia. Conforme a la causalidad, una cosa va después de la otra, un suceso es la causa de otro suceso. En el *I Ching* opera la presencia simultánea de varias cadenas de causas. Jung llama a esta coincidencia: sincronía, conjunción de tiempos. También es conjunción de espacios. En suma, en la segunda década del siglo XX apareció en la pintura, la poesía y la novela un arte hecho de conjunciones temporales y espaciales que tiende a disolver y a yuxtaponer las divisiones del antes y el después, lo anterior y lo posterior, lo interno y lo externo. Este arte tuvo muchos nombres. El mejor, el más descriptivo: simultaneísmo.

Los pintores se propusieron que el cuadro fuese la representación simultánea de las diferentes facetas de un objeto. Un cuadro cubista mostraba el interior y el exterior del objeto, la faz anterior y posterior de la realidad; un cuadro futurista mostraba el antes y el después: un perro corriendo o un tranvía al cruzar una plaza. La pintura es un arte espacial y el ojo puede ver al mismo tiempo, sobre una superficie, distintas representaciones y formas. La visión del ojo es simultánea. La yuxtaposición se resolvía en un orden plástico que era un sistema de relaciones visuales. El principio que rige a este tipo de representación es la *contigüidad:* las cosas están unas al lado de las otras y son percibidas simultáneamente por el espectador. En las artes temporales, como la música y la poesía, las cosas están unas detrás de otras. En verdad, las cosas no están: suceden. Un sonido sigue a otro, una palabra va después o antes de otra. El principio rector no es la contigüidad sino la *sucesión.* Pero hay una diferencia esencial entre música y poesía. En la primera, la sincronía es constante: el contrapunto, la fuga, la armonía. La poesía está hecha de palabras: sonidos que son sentidos. Cada sonido debe ser escuchado con claridad para que el oyente pueda percibir el sentido. La armonía está en la esencia de la música; en la poesía, sólo produce confusión. La poesía no puede ser sincrónica sin desnaturalizarse y sin renunciar a los poderes significantes de la palabra. Al mismo tiempo, la simultaneidad no sólo es un recurso muy poderoso sino que está presente en las formas básicas del poema. La comparación, la metáfora, el ritmo y la rima son conjunciones y repeticiones que obedecen a la misma ley de la presentación simultánea. Éste fue el reto al que se enfrentaron los poetas hacia 1910: ¿cómo adaptar la simultaneidad espacial a un arte regido por la *sucesión* temporal?

En 1911 surgió en París el *dramatisme*; que después se llamó *simultanéisme*. Tanto la palabra como el concepto habían sido usados un poco antes por los futuristas. El procedimiento no podía ser más simple: decir al mismo tiempo las distintas partes de un poema. La solución futurista fue más brutal: dieron «conciertos» en los que la voz humana, reducida a sus elementos sonoros, de la interjección al suspiro, se mezclaba a otros ruidos urbanos, como el tecleo de las máquinas de escribir. Más tarde, durante la guerra, en Zurich, el dadaísta Hugo Ball redescubrió el «hablar en lenguas» de los cristianos primitivos, los gnósticos y otras religiones; también en Moscú y en Petrogrado, hacia la misma época, los cubofuturistas exploraron las posibilidades de la glosolalia, que llamaron «lenguaje transracional». Pero la traducción del lenguaje a meros ritmos emisores de un difuso sentido, aunque permite la yuxtaposición y la simultaneidad, reduce al mínimo la significación. Es un empobrecimiento y, casi siempre, una mutilación.

El cubismo y, sobre todo, el orfismo de Delaunay inspiraron las primeras tentativas de Cendrars y Apollinaire. Con estos dos poetas comienza realmente el simultaneísmo. En el caso del primero también fue decisiva la influencia del cine: el montaje y el *flash-back*. El empleo de estos recursos cinematográficos quebrantó la sintaxis y el carácter lineal y sucesivo del poema tradicional. Apollinaire fue más allá: suprimió casi enteramente los conectivos y los nexos sintácticos —un acto de consecuencias semejantes a la eliminación de la perspectiva en la pintura—, aplicó la técnica del *collage* por la inserción de frases hechas en el texto y, en fin, se sirvió de la yuxtaposición de distintos bloques verbales. Logró así la conjunción de espacios y tiempos en un texto. A diferencia de los cuadros cubistas, los poemas de Apollinaire se mueven, quiero decir, no sólo tienen un principio y un fin sino que *transcurren*. El futurismo había intentado representar al movimiento: la nueva poesía fue movimiento. Otros poetas franceses siguieron a Apollinaire en esta dirección. Pienso sobre todo en Pierre Reverdy.

Un poco después Ezra Pound y T. S. Eliot adoptaron el simultaneísmo. Al adoptarlo, lo transformaron y lo ensancharon. Así crearon una nueva modalidad del poema extenso y exploraron un territorio no tocado por los poetas franceses: la historia espiritual y social de Occidente. En lengua española el simultaneísmo, salvo en un breve y perfecto poema de José Juan Tablada, no fue cultivado sino hasta mi generación. Vale la pena reiterar aquí una queja: los críticos de lengua inglesa, con la excepción de

Roger Shattuck, nunca se refieren a los orígenes franceses del simultaneísmo y se empeñan en repetir la temeraria afirmación de Pound: el método de *presentación* —como él llama a esta modalidad— nació de su lectura de Fenollosa y de sus traducciones de poesía china. Aunque más de una vez he tratado de poner las cosas en su sitio, confieso que no sólo no lo he conseguido sino que hoy, debido a la extraordinaria irradiación de la cultura angloamericana, los críticos de otras lenguas repiten la versión canónica. Entre ellos muchos de América Latina... y de Francia. Nadie quiere ver en los *Cantos* y en *The Waste Land* una consecuencia extrema del simultaneísmo iniciado diez años antes por Apollinaire y Cendrars. Apenas si necesito agregar que esa consecuencia, además de ser feliz, fue una creación. No una imitación sino un injerto; el resultado fue una planta nueva, más vasta, compleja y poderosa que la original.

El simultaneísmo —a veces llamado cubismo poético— fue otra manifestación, a veces brutal y casi siempre eficaz, del principio cardinal de la poesía romántica y simbolista: la analogía. El poema es una totalidad movida —conmovida— por la acción complementaria de la afinidad y la oposición entre las partes. Triunfo de la contigüidad sobre la sucesión. O más bien, puesto que el poema es lenguaje en movimiento: fusión de la contigüidad y la sucesión, lo espacial y lo temporal. Un poco después, en el otro extremo de la poesía de vanguardia —el surrealismo— reaparecieron la analogía y el humor de manera aun más directa, ostensible y desnuda. Todos los grandes temas poéticos, eróticos y metafísicos del romanticismo fueron recogidos por los surrealistas y llevados a sus últimos límites. El eje de los dos grandes movimientos poéticos de la primera mitad del siglo —el simultaneísmo y el surrealismo— fue el mismo del romanticismo: la visión de la correspondencia universal y la conciencia de la ruptura —la conciencia de la muerte. La relación ambigua del romanticismo con la tradición religiosa de Occidente y con los movimientos revolucionarios —afinidad y transgresión— también reaparece en casi todos los grandes poetas de nuestro siglo. La poesía moderna, desde su nacimiento, ha sido simultánea afirmación y negación de la modernidad.

POESÍA DE CONVERGENCIA

Con cierta regularidad surgen voces que nos avisan de la proximidad del fin de nuestras sociedades. Parece que la modernidad se alimenta de las sucesivas negaciones que engendra, de Chateaubriand a Nietzsche y de Nietzsche a Valéry. En los últimos veinticinco años las voces que anuncian calamidades y catástrofes se han multiplicado. No son ya la expresión de la desesperación de un solitario o de la angustia de una minoría de inconformes: son opiniones populares y revelan un estado de espíritu colectivo. El temple de este siglo hace pensar a veces en los terrores del Año Mil o en la sombría visión de los aztecas, que convivían con la amenaza del cíclico fin del cosmos. La modernidad nació con la afirmación del futuro como tierra prometida y hoy asistimos al ocaso de esta idea. Nadie está seguro de lo que nos espera y muchos se preguntan: ¿saldrá mañana el sol para los hombres? Son tantas las formas en que se manifiesta el descrédito del futuro, que cualquier enumeración resulta incompleta: unos prevén el agotamiento de los recursos naturales, otros la contaminación del globo terrestre, otros la multiplicación de las hambrunas, otros la petrificación histórica por la instauración universal de ideocracias totalitarias, otros la llamarada atómica. Cierto, el equilibrio nuclear nos ha salvado de una tercera guerra mundial pero ¿por cuánto tiempo? Al mismo tiempo, incluso si logramos evitar la catástrofe, la sola existencia de las armas atómicas volatiliza literalmente nuestra idea del progreso, sea como evolución gradual o como salto revolucionario. Si la bomba no ha destruido al mundo, ha destruido nuestra idea del mundo. La modernidad está herida de muerte: el sol del progreso desaparece en el horizonte y todavía no vislumbramos la nueva estrella intelectual que ha de guiar a los hombres. No sabemos siquiera si vivimos un crepúsculo o un alba.

La modernidad se identificó con el cambio, concibió a la crítica como el instrumento del cambio e identificó a ambos con el progreso. Para Marx incluso la insurrección revolucionaria era crítica en acción. En el dominio de la literatura y las artes la estética de la modernidad, desde el romanticismo hasta nuestros días, ha sido la estética del cambio. La tradición moderna es la tradición de la ruptura, una tradición que se niega a sí misma y así se perpetúa. El descubrimiento de las artes de otras civilizaciones —India y el Extremo Oriente, África y Oceanía, la América precolombina— también se ha visto y vivido como rupturas de la tradición central de Occidente. Hoy asistimos al crepúsculo de la estética del cambio. El arte y la literatura de este fin de siglo han perdido paulatinamente sus poderes de negación; desde hace años sus negaciones son repeticiones rituales, fórmulas sus rebeldías, ceremonias sus transgresiones. No es el fin del arte: es el fin de la *idea* de arte moderno. O sea: el fin de la estética fundada en el culto al cambio y la ruptura.

La crítica, con cierto retraso, ha advertido que desde hace más de un cuarto de siglo hemos entrado en otro periodo histórico y en otro arte. Se habla mucho de la crisis de la vanguardia y se ha popularizado, para llamar a nuestra época, la expresión «la era posmoderna». Denominación equívoca y contradictoria, como la idea misma de *modernidad.* Aquello que está después de lo moderno no puede ser sino lo ultramoderno: una modernidad todavía más moderna que la de ayer. Los hombres nunca han sabido el nombre del tiempo en que viven y nosotros no somos una excepción a esta regla universal. Llamarse *posmoderno* es una manera más bien ingenua de decir que somos muy modernos. Ahora bien, lo que está en entredicho es la concepción lineal del tiempo y su identificación con la crítica, el cambio y el progreso —el tiempo abierto hacia el futuro como tierra prometida—. Llamarse posmoderno es seguir siendo prisionero del tiempo sucesivo, lineal y progresivo.

Si el término *posmoderno* es, más que un nombre, un antifaz, ¿qué decir de la expresión que usan los críticos angloamericanos para llamar al arte actual: *posmodernismo*? Para ellos la palabra *modernismo* designa ese conjunto de obras, autores y tendencias que evocan los nombres de Joyce, Pound, Eliot, William Carlos Williams, Hemingway y otros. Sin embargo, nadie ignora que en lengua española llamamos *modernismo* al primer movimiento literario de Hispanoamérica y de España. Fueron modernistas Rubén Darío y Valle-Inclán, Juan Ramón Jiménez y Leopoldo Lugones, José Martí y Antonio Machado: con ellos comienza nuestra tradición moderna y sin ellos no existiría nuestra literatura contemporánea. En realidad, las distintas tendencias, obras y autores que los angloamericanos engloban bajo el término *modernism* fueron siempre llamadas, en Francia y en el resto de Europa así como en la América hispana, con un nombre no menos general: vanguardia.[1] Desconocer todo esto y llamar *modernism* a un movimiento de lengua inglesa posterior en treinta años al nuestro, revela arrogancia cultural, etnocentrismo e insensibilidad histórica. Lo mismo sucede con el vocablo *post-modernism* para designar el arte y la literatura contemporáneos de los Estados Unidos y de otras partes. Lo más triste —lo más cómico— es que estos términos, con la significación particular que les dan los angloamericanos, no sólo comienzan a

[1] Un ejemplo entre mil: el libro de Guillermo de Torre, *Literaturas europeas de vanguardia*, publicado en 1925.

ser usados en varios países europeos sino también en Hispanoamérica y en España. Esta aclaración no es ociosa ni refleja ningún trasnochado nacionalismo: la querella del *modernismo* no es una querella de palabras sino de significados, conceptos e historia. El mundo comienza por ser un conjunto de nombres. Más exactamente: el mundo es un mundo de nombres. Si nos quitan los nombres, nos quitan nuestro mundo.

Para los antiguos, el prestigio del pasado era el de la edad de oro, el edén nativo que un día abandonamos; para los modernos, el futuro fue el lugar de elección, la tierra prometida. Pero el ahora ha sido siempre el tiempo de los poetas y de los enamorados, de los epicúreos y de algunos místicos. El instante es el tiempo del placer pero también el tiempo de la muerte, el tiempo de los sentidos y el de la revelación del más allá. Creo que la nueva estrella —esa que aún no despunta en el horizonte histórico pero que se anuncia ya de muchas maneras indirectas— será la del *ahora*. Los hombres tendrán muy pronto que edificar una Moral, una Política, una Erótica y una Poética del tiempo presente. El camino hacia el presente pasa por el cuerpo pero no debe ni puede confundirse con el hedonismo mecánico y promiscuo de las sociedades modernas de Occidente. El presente es el fruto en el que la vida y la muerte se funden.

La poesía ha sido siempre la visión de una presencia en la que se reconcilian las dos mitades de la esfera. Presencia plural: muchas veces, en el curso de la historia, ha cambiado de rostro y de nombre; sin embargo, a través de todos esos cambios, es una. No se anula en la diversidad de sus apariciones; incluso cuando se identifica con la vacuidad, como ocurre en la tradición budista y en algunos poetas modernos de Occidente; se manifiesta —insigne paradoja— como presencia. No es una idea: es tiempo puro. Tiempo y no medida: este tiempo singular, único y particular que ahora mismo está pasando y que pasa sin cesar desde el principio. La presencia es el ahora encarnado.

Alguna vez llamé a la poesía de este tiempo que comienza: arte de la convergencia. Así la opuse a la tradición de la ruptura:

> Los poetas de la edad moderna buscaron el principio del cambio; los poetas de la edad que comienza buscamos ese principio invariante que es el fundamento de los cambios. Nos preguntamos si no hay algo de común entre la *Odisea* y *À la recherche du temps perdu*. La estética del cambio acentuó el carácter histórico del poema; ahora nos preguntamos, ¿no hay un punto en el que el principio del cambio se confunde con el de la permanencia?... La poe-

sía que comienza en este fin de siglo —no comienza realmente ni tampoco vuelve al punto de partida: es un perpetuo recomienzo y un continuo regreso. La poesía que comienza ahora, sin comenzar, busca la intersección de los tiempos, el punto de convergencia. Dice que entre el pasado abigarrado y el futuro deshabitado, la poesía es el presente.

Escribí estas frases hace quince años. Hoy añadiría: el presente se manifiesta en la presencia y la presencia es la reconciliación de los tres tiempos. Poesía de la reconciliación: la imaginación encarnada en un ahora sin fechas.

México, a 12 de agosto de 1986

[Este texto fue leído en los cursos de verano de la Universidad de Santander, en 1986, y posteriormente, en 1989, en el Colegio de Francia y en la Universidad de Utah (Tanner Lectures). Fue publicado en la revista *Vuelta* en junio de 1987.]

Poesía, mito, revolución

La Révolution confirme, par le sacrifice, la superstition.
CHARLES BAUDELAIRE

Es muy difícil decir en pocas y claras palabras lo que siento: emoción, gratitud, sorpresa. Ante todo: me ha conmovido que usted, señor presidente, haya tenido la bondad de entregarme personalmente el premio Alexis de Tocqueville. Nunca olvidaré su gesto. Sus palabras generosas aumentan mi emoción: veo en ellas ese signo de amistad, precioso entre todos, que a veces un escritor dirige a otro de lengua distinta, aunque esas lenguas sean tan próximas como el español y el francés. Mi gratitud, por esto, es doble: al hombre de Estado y al escritor francés, un idioma cuya literatura ha sido mi segunda patria espiritual.

Mi agradecimiento al Jurado de la Fundación Alexis de Tocqueville se mezcla a una ligera y muy agradable sensación de irrealidad. Cuando el señor Alain Peyrefitte tuvo la gentileza de anunciarme la decisión del jurado, mi primera reacción, lo confieso, fue de asombro y aun de incredulidad: ¿por qué a mí, a un poeta? Pronto vislumbré la razón: una y otra vez, movido tanto por los accidentes de mi vida como por los cambios y trastornos del mundo y de mi país, he participado en la vida pública y he escrito algunos libros sobre la historia y la política de nuestro tiempo. Más allá de los dudosos méritos de mis escritos, me imagino que se ha querido premiar en mí, escritor de un continente con frecuencia desgarrado entre la forzada inmovilidad de los despotismos y las convulsiones de los sectarios, a una fidelidad. En efecto, siempre he procurado ser fiel a esa actitud que ejemplifican la obra y la persona de Alexis de Tocqueville y que puede resumirse así: mi libertad comienza con el reconocimiento de la libertad de los otros. En los albores de la edad moderna, ante un espectáculo que después se ha repetido muchas veces: el tirano disfrazado de libertador, Chateaubriand escribió estas palabras proféticas:

> La Révolution m'aurait entraîné [...] mais je vis la première tête portée au bout d'une pique et je reculai. Jamais le meurtre ne sera à mes yeux un argument de liberté; je ne connais rien de plus servile, de plus lâche, de plus borné qu'un terroriste. N'ai je pas recontré toute cette race de Brutus au service de César et de sa police?[1]

Desde mi adolescencia he escrito poemas y no he cesado de escribirlos. Quise ser poeta y nada más. En mis libros de prosa me propuse servir a la poesía, justificarla y defenderla, explicarla ante los otros y ante mí mismo. Pronto descubrí que la defensa de la poesía, menospreciada en nuestro siglo, era inseparable de la defensa de la libertad. De ahí mi interés apasionado por los asuntos políticos y sociales que han agitado a nuestro tiempo. Después de la segunda Guerra Mundial conocí a André Breton y a sus amigos. No comparto hoy muchas de sus ideas filosóficas y estéticas pero conservo intacta y viva mi admiración. En sus escritos tanto como en su vida, la libertad y la poesía aparecen con el mismo rostro de llama, simultáneamente seductor y tempestuoso. Tampoco él, como Chateaubriand en el otro extremo, confundió nunca al tirano con el libertador. La libertad no es una filosofía y ni siquiera es una idea: es un movimiento de la conciencia que nos lleva, en ciertos momentos, a pronunciar dos monosílabos: Sí o No. En su brevedad instantánea, como a la luz del relámpago, se dibuja el signo contradictorio de la naturaleza humana.

A lo largo de la historia y en las más diversas circunstancias, los poetas han participado en la vida política. No me refiero a la concepción de la poesía como un arte al servicio de un Estado, una Iglesia o una ideología. Ya sabemos que esa concepción, tan antigua como los poderes políticos e ideológicos, invariablemente ha dado los mismos resultados: los Estados se derrumban, las Iglesias se disgregan o se petrifican, las ideologías se disipan —pero la poesía permanece. No: aludo a la libre participación del poeta en los asuntos de la ciudad. Incluso en sociedades que no conocieron la libertad política, como la antigua China, no fueron raros los poetas

[1] «La revolución me habría arrastrado [...] pero vi la primera cabeza sobre la punta de una pica, y retrocedí. Jamás veré en el asesinato un argumento de libertad; no conozco nada más servil, más cobarde, más obtuso que un terrorista. ¿No encontré después a toda esa raza de Brutos al servicio de César y de su policía?»

que contribuyeron a la marcha de los asuntos públicos. Muchos entre ellos no vacilaron en censurar los abusos del Hijo del Cielo y no pocos sufrieron cárcel, destierro y otras penas por sus opiniones. En Occidente esta tradición ha sido muy viva y apenas si necesito recordar a los poetas griegos y a los romanos. Dos de los poetas mayores de nuestra tradición, el florentino Dante y el inglés Milton, fueron también notables pensadores políticos. Debemos al primero el tratado *De la Monarquía* y al segundo osados alegatos en favor de la emancipación de las conciencias, como su célebre defensa del derecho al divorcio o su crítica a la censura decretada por el Parlamento y que él tuvo el valor de hacer ante el Parlamento mismo.

Estos precedentes históricos no deben ocultarnos que hay una diferencia capital entre estas actitudes y la situación de los poetas modernos. Los poetas chinos censuraban al trono pero pertenecían a la burocracia imperial; casi todos fueron altos funcionarios y la censura formaba parte de la tradición moral e intelectual confuciana. Dante y Milton se vieron envueltos en controversias en las que la política era indistinguible de la religión. Para los dos el fundamento de sus opiniones estaba en la teología. Combatieron en este mundo con los ojos puestos en el otro y con razones que venían del más allá. Dante coloca en el último círculo del Infierno, al lado de Judas Iscariote, el architraidor, a dos enemigos del imperio: Bruto y Casio. Para Dante la realidad de este mundo era un trasunto de la realidad más real del trasmundo; por esto, los delitos políticos eran juzgados en el tribunal divino. En las ciudades griegas y en la República romana fue menor la influencia de la religión; las cuestiones que dividían a los ciudadanos eran claramente políticas y no estaban teñidas de teología. Sin embargo, la semejanza con la Antigüedad grecorromana es engañosa; falta en ella un elemento central y que es el signo distintivo, la señal del nacimiento de la edad moderna: la idea de *revolución.* Es una idea que no podía surgir sino en nuestra época pues es la heredera de Grecia y del cristianismo, es decir, de la filosofía y del anhelo de redención. En ningún otro periodo histórico la idea de *revolución* ha tenido ese poder de atracción magnética. Las otras civilizaciones y sociedades experimentaron cambios inmensos —tumultos, caídas de dinastías, guerras fratricidas— pero sólo sus grandes mutaciones religiosas pueden compararse con nuestra fascinación ante la revolución. Es una idea que, durante más de dos siglos, ha hipnotizado a muchas conciencias y a varias generaciones. Ha sido la Estrella Polar que ha guiado nuestras peregrinaciones y el sol secreto que ha iluminado y calentado las vigilias de muchos solitarios.

En ella se han conjugado las certidumbres de la razón y las esperanzas de los movimientos religiosos.

Desde el momento en que apareció en el horizonte histórico, la revolución fue doble: razón hecha acto y acto providencial, determinación racional y acción milagrosa, historia y mito. Hija de la razón en su forma más rigurosa y lúcida: la crítica, a imagen de ella, es a un tiempo creadora y destructora; mejor dicho: al destruir, crea. La revolución, es ese momento en que la crítica se transforma en utopía y la utopía encarna en unos hombres y en una acción. El descenso de la razón a la tierra fue una verdadera epifanía y como tal fue vivida por sus protagonistas y, después, por sus intérpretes. Vivida y no pensada. Para casi todos, la revolución fue una consecuencia de ciertos postulados racionales y de la evolución general de la sociedad; casi ninguno advirtió que asistían a una resurrección. Cierto, la novedad de la revolución parece absoluta; rompe con el pasado e instaura un régimen racional, justo y radicalmente distinto al antiguo. Sin embargo, esta novedad absoluta fue vista y vivida como un regreso al principio del principio. La revolución es la vuelta al tiempo del origen, antes de la injusticia, antes de ese momento en que, dice Rousseau, al marcar los límites de un pedazo de tierra, un hombre dijo: «Esto es mío». Ese día comenzó la desigualdad y, con ella, la discordia y la opresión: la historia. En suma, la revolución es un acto eminentemente histórico y, no obstante, es un acto negador de la historia: el tiempo nuevo que instaura es una restauración del tiempo original. Hija de la historia y la razón, la revolución es la hija del tiempo lineal, sucesivo e irrepetible; hija del mito, la revolución es un momento del tiempo cíclico, como el giro de los astros y la ronda de las estaciones. La naturaleza de la revolución es dual pero nosotros no podemos pensarla sino separando sus dos elementos y desechando el mítico como un cuerpo extraño... y no podemos vivirla sino enlazándolos. La pensamos como un fenómeno que responde a las previsiones de la razón; la vivimos como un misterio. En este enigma reside el secreto de su fascinación.

La edad moderna rompió el antiguo vínculo que unía la poesía al mito pero sólo para, inmediatamente después, unirla a la idea de revolución. Esta idea proclamó el fin de los mitos —y así se convirtió en el mito central de la modernidad. La historia de la poesía moderna, desde el romanticismo hasta nuestros días, no ha sido sino la historia de sus relaciones con ese mito, claro y coherente como una demostración de geometría, turbulento como las revelaciones del antiguo caos. Relaciones inflamadas y extremas, de la seducción al horror, de la devoción al anatema, de la idolatría a la abjuración —toda la gama de las dos grandes pasiones: el amor y la religión. El entusiasmo de Hölderlin ante el joven Bonaparte y la decepción que siente al verlo convertido en el emperador Napoleón, las simpatías girondinas de Wordsworth y el aborrecimiento que le inspira Robespierre, son apenas dos ejemplos de los vaivenes de los románticos alemanes e ingleses ante la Revolución francesa. Esas violentas oscilaciones se repiten a lo largo del siglo XIX ante cada movimiento revolucionario y culminan en el XX con las inmensas y sucesivas oleadas de sentimientos contradictorios —otra vez del fanatismo a la repulsión— que provocó en el mundo entero la prolongada influencia de la Revolución bolchevique.

Los movimientos de adhesión que suscitan todas las revoluciones pueden explicarse, en primer término, por la necesidad que sentimos los hombres de remediar y poner fin a nuestra desdichada condición. Hay épocas en que esa necesidad de redención se hace más viva y urgente por el desvanecimiento de las creencias tradicionales. Las antiguas divinidades, carcomidas por la superstición, envilecidas por el fanatismo y roídas por la crítica, se desmoronan; entre los escombros brota la tribu de los fantasmas: aparecen primero como ideas radiantes pero pronto son endiosadas y convertidas en ídolos espantables. Aunque hay otras explicaciones del fenómeno revolucionario —económicas, psicológicas, políticas— todas ellas, sin ser falsas, dependen esencialmente de este hecho básico. Una fe que nace del vacío que han dejado las creencias antiguas y que se alimenta, juntamente, de la conciencia de nuestra miseria y de las geometrías de la razón, es coriácea y resistente; cierra los ojos con terquedad lo mismo ante las incoherencias de su doctrina que ante las atrocidades de sus jefes. En esto la fe revolucionaria se parece a la religiosa: ni las matanzas de septiembre de 1792 ni la carnicería de Saint-Barthélemy ni los campos de concentración de Stalin hicieron vacilar las convicciones de los fieles. Sin embargo, hay una diferencia: las creencias revolucionarias están sujetas a la prueba del tiempo, mientras que las religiosas se inscriben en un más allá intocado por el tiempo y sus cambios. Las revoluciones son fenómenos históricos, es decir, temporales. La crítica del tiempo es irrefutable porque es la crítica de la realidad: muestra sin demostrar. Y lo que muestra es que la revolución comienza como promesa, se disipa en agitaciones frenéticas y se congela en dictaduras sangrientas que son la negación del impulso que la encendió al nacer. En todos los movimientos revolucionarios el tiempo sagrado del mito se transforma inexorablemente en el tiempo profano de la historia.

La esperanza renace después de cada fracaso. El entusiasmo de Shelley refuta la decepción de Coleridge y Heine escribe *De la Alemania* para responder a Madame de Staël y cubrir de ridículo a los poetas de la generación anterior, que habían mostrado inicialmente simpatías por la Revolución francesa pero que terminaron por ser sus enemigos. El ciclo de adhesión-negación-adhesión se repite durante más de dos siglos, primero en Europa y después en el mundo entero. La palabra poética ha sido simultáneamente profecía, anatema y elegía de las revoluciones modernas. Aunque las diferencias y oposiciones entre los dos grandes prototipos revolucionarios (la Revolución francesa de 1789 y la Revolución rusa de 1917) son mayores y más profundas que las semejanzas; los sentimientos que provocaron obedecían al mismo ritmo afectivo de atracción y de repulsión. A pesar de que la función religiosa de las revoluciones modernas ha sido invariablemente quebrantada por la naturaleza eminentemente histórica de esos movimientos, el resultado ha sido el renacimiento, en la generación siguiente, de aspiraciones y quimeras semejantes. O la adopción de mitologías personales. Aquí aparece otra de las diferencias entre la poesía moderna y la de ayer: para Dante la llave de su poema eran las Sagradas Escrituras, eje de la universal analogía; Blake, en cambio, inventa una mitología con retazos del gnosticismo y la tradición hermética. Muchos poetas acudieron al mismo remedio y apenas si debo recordar las creencias de Nerval o de Hugo y, ya en el siglo XX, la teosofía de Yeats o el ocultismo de Breton. La razón de esta aparente paradoja reside en lo siguiente: la religión pública de la modernidad ha sido la revolución, y la poesía, su religión privada.

La crítica de las revoluciones ha sido hecha por los nostálgicos del orden antiguo y por los liberales (en el sentido amplio del término *liberal:* más que una doctrina un temple filosófico y político). A la inversa de la crítica reaccionaria, la liberal ha sido eficaz: desmontó las construcciones ideológicas de las revoluciones, les arrancó la máscara religiosa y las mostró en su desnudez histórica, profana. El liberalismo no se propuso sustituir esas construcciones con otras; la índole misma de esta tradición intelectual, esencialmente crítica, le ha prohibido proponer, como las otras grandes filosofías políticas, una metahistoria. Este dominio había sido antes de las religiones; el liberalismo no ofreció nada en cambio y circunscribió la religión a la esfera privada. Fundó la libertad sobre la única base que puede sustentarla: la autonomía de la conciencia y el reconocimiento de la autonomía de las conciencias ajenas. Fue admirable y también terrible: nos encerró en un solipsismo, rompió el puente que unía el yo al tú y ambos a la tercera persona: el otro, los otros. Entre libertad y fraternidad no hay contradicción sino distancia —una distancia que el liberalismo no ha podido anular. ¿Cuál podría ser el fundamento de la fraternidad? Inspirados en los antiguos, Robespierre y Saint-Just quisieron fundar la solidaridad de los ciudadanos en la virtud. Sólo que, ¿cuál puede ser el fundamento de la virtud? Los jacobinos, como después sus descendientes, los bolcheviques, no se hicieron esta pregunta. Mejor dicho: su respuesta fue la virtud por decreto, el terror. Pero el terror no puede engendrar sino dos fraternidades inconciliables: la de los verdugos y la de las víctimas.

El liberalismo democrático es un modo civilizado de convivencia. Para mí es el mejor entre todos los que ha concebido la filosofía política. No obstante, deja sin respuesta a la mitad de las preguntas que los hombres nos hacemos: la fraternidad, la cuestión del origen y la del fin, la del sentido y el valor de la existencia. La edad moderna ha exaltado al individualismo y ha sido, así, el periodo de la dispersión de las conciencias. Los poetas han sido particularmente sensibles a este vacío. Hacia 1851 Baudelaire escribe en un cuaderno:

> Le monde va finir [...] Je ne dis pas que le monde sera réduit au desordre bouffon des républiques du Sud Amérique ou que peut-être nous retournerons à l'état sauvage [...] Non, la mécanique nous aura tellement américanisé, le progrès aura si bien atrophié en nous toute la partie spirituelle, que rien parmi les rêveries sanguinaires des utopistes ne pourra être comparé à ses resultats positifs [...] mais ce n'est pas par des institutions politiques que se manifestera la ruine universelle (ou le progrès universel, car peu m'importe le nom). Ce sera par l'avilissement des coeurs [...][1]

Noventa años después, como si continuase las reflexiones de Baudelaire, en uno de sus *Four Quartets*, Eliot ve a nuestro mundo, que nos-

[1] «El mundo se va a acabar [...] No digo que será reducido al desorden bufonesco de las repúblicas de América del Sur o que quizá regresaremos al salvajismo [...] No: la mecánica nos habrá americanizado tanto y el progreso habrá atrofiado tan completamente nuestras facultades espirituales que nada, ni siquiera las quimeras sanguinarias de los utopistas, podrá compararse con esos excelentes resultados [...] Pero la ruina universal (o el progreso universal: poco me importa el nombre) no se manifestará en las instituciones políticas sino en el envilecimiento de las almas.»

otros pensamos movido por el progreso, como la interminable caída del vacío en el vacío:

> O dark dark dark. They all go into the dark,
> The vacant interstellar spaces, the vacant into the vacant,
> The captains, merchants, bankers, eminent men of letters,
> The generous patrons of art, the statesmen and the rulers,
> Distinguished civil servants, chairmen of many committees,
> Industrial lords and petty contractors, all go into the dark,
> And dark the Sun and Moon, and the Allmanach de Gotha
> And the Stock Exchange Gazette, the Directory of Directors,
> And cold the sense and lost the motive of action.
> And we all go with them, into the silent funeral,
> Nobody's funeral, for there is no one to bury.[1]

Podría agregar otros testimonios pero me parece que los dos que he citado bastan para ilustrar el estado de espíritu de los poetas ante los desastres de la modernidad. Las reflexiones de Baudelaire y los versos de Eliot son un fúnebre contrapunto a los himnos entusiastas de Whitman y Victor Hugo. Unos y otros son ejemplos de la escisión, mejor dicho: de la desgarradura, de la poesía moderna. Esa desgarradura es la marca que la distingue de la poesía de otras épocas y civilizaciones. Suspendida entre las manos del tiempo, entre el mito y la historia, la poesía moderna consagra una fraternidad distinta y más antigua que la de las religiones y las filosofías, una fraternidad nacida del mismo sentimiento de soledad del primitivo en medio de la naturaleza extraña y hostil. La diferencia es que ahora vivimos esa soledad no sólo frente al cosmos sino ante nuestros vecinos. Sin embargo, todos sabemos, cada uno en su cuarto, que no estamos realmente solos: fraternidad sobre el vacío.

Después de un largo periodo de estancamiento político, siempre al borde del precipicio, siempre ante el espectro de una nueva guerra total y de la amenaza de aniquilación del género humano, hemos sido testigos,

[1] «Oscuro oscuro oscuro. Todos van a lo oscuro, / El vacío espacio interestelar, el vacío en el vacío, / Capitanes, comerciantes, banqueros, eminentes literatos, / Mecenas generosos, estadistas y gobernantes, / Funcionarios distinguidos, presidentes de tantos Comités, / Barones de la industria, contratistas, todos hacia lo oscuro / Y oscuros el Sol y la Luna y el Almanaque de Gotha / Y el Boletín de la Bolsa y el Directorio de Directores / Y helado el sentido y olvidada la razón del acto. / Y todos vamos con ellos al silencioso funeral, / El funeral de nadie, porque no hay nadie a quien enterrar.»

en los últimos años, de una serie de cambios, portentos de una nueva era que, quizá, amanece. Primero, el ocaso del mito revolucionario en el lugar mismo de su nacimiento, la Europa occidental, hoy recuperada de la guerra, próspera, y afianzado en cada uno de los países de la Comunidad el régimen liberal democrático. Enseguida, el regreso de la democracia en la América Latina, aunque todavía titubeante entre los fantasmas de la demagogia populista y el militarismo —sus dos morbos endémicos—, al cuello la argolla de hierro de la deuda. En fin, los cambios en la Unión Soviética, en China y en otros regímenes totalitarios. Cualquiera que sea el alcance de esas reformas, es claro que significan el fin del mito del socialismo autoritario. Estos cambios son una autocrítica y equivalen a una confesión. Por esto he hablado del fin de una era: presenciamos el crepúsculo de la idea de *revolución* en su última y desventurada encarnación, la versión bolchevique. Es una idea que únicamente sobrevive en algunas regiones de la periferia y entre sectas enloquecidas como la de los terroristas peruanos. Ignoramos qué nos reserva el porvenir: nacionalismos virulentos, catástrofes ecológicas, renacimiento de mitologías enterradas, nuevos fanatismos pero también descubrimientos y creaciones: la historia y su cortejo de horrores y maravillas. Tampoco sabemos si los pueblos de la Unión Soviética conocerán nuevas formas de opresión o una versión original y eslava de la democracia. En todo caso, el mito revolucionario se muere. ¿Resucitará? No lo creo. No lo mata una Santa Alianza: muere de muerte natural.

Joyce dijo que la historia es una pesadilla. Se equivocó: las pesadillas se disipan con la luz del alba mientras que la historia no terminará sino hasta el fin de nuestra especie. Somos hombres por ella y en ella; si dejase de existir, dejaríamos de ser hombres. Pero el fin del mito revolucionario tal vez nos permitirá pensar de nuevo en los principios que han fundado a nuestra sociedad y en sus carencias y lagunas. Aligerados al fin de la lucha contra la superstición totalitaria, podemos ahora reflexionar más libremente sobre nuestra tradición. Así reaparece el tema de la *virtud* de los ciudadanos. Es un tema que viene de la Antigüedad clásica; preocupó lo mismo a Maquiavelo que a Montesquieu y hoy tiene una penosa actualidad en muchos países, y entre ellos en la democracia angloamericana fundada por la ética puritana. Kant nos enseñó que no se puede fundar una moral sobre la historia: fluye sin cesar y no sabemos siquiera si alguna ley o designio rige su caprichoso transcurrir. Sabemos también que las construcciones metahistóricas —sean religiosas o metafísicas, conservadoras o revolucionarias— estrangulan a la libertad y acaban por corromper la fraternidad. El pensamiento de la era que comienza —si es que realmente comienza una era— tendrá que encontrar el punto de convergencia entre libertad y fraternidad. Debemos repensar nuestra tradición, renovarla y buscar la reconciliación de las dos grandes tradiciones políticas de la modernidad, el liberalismo y el socialismo. Me atrevo a decir, parafraseando a Ortega y Gasset, que éste es «el tema de nuestro tiempo». Me parece que nuestros días son propicios a una empresa de esta envergadura; en algunas obras contemporáneas —por ejemplo, en la de Cornelius Castoriadis— advierto ya el comienzo de una respuesta.

¿Cuál puede ser la contribución de la poesía en la reconstitución de un nuevo pensamiento político? No ideas nuevas sino algo más precioso y frágil: la memoria. Cada generación los poetas redescubren la terrible antigüedad y la no menos terrible juventud de las pasiones. En las escuelas y facultades donde se enseñan las llamadas ciencias políticas debería ser obligatoria la lectura de Esquilo y de Shakespeare. Los poetas nutrieron el pensamiento de Hobbes y Locke, de Marx y Tocqueville. Por la boca del poeta habla —subrayo: *habla,* no escribe— la *otra* voz. Es la voz del poeta trágico y la del bufón, la de la solitaria melancolía y la de la fiesta, es la risotada y el suspiro, la del abrazo de los amantes y la de Hamlet ante el cráneo, la voz del silencio y la del tumulto, loca sabiduría y cuerda locura, susurro de confidencia en la alcoba y oleaje de multitud en la plaza. Oír esa voz es oír al tiempo mismo, el tiempo que pasa y que, no obstante, regresa vuelto unas cuantas sílabas cristalinas.

México, junio de 1989

[Palabras al recibir el Premio Alexis de Tocqueville, de manos del presidente François Mitterrand. Se publicaron originalmente en *Vuelta,* julio de 1989.]

II
La otra voz

Los pocos y los muchos

Toda reflexión sobre la poesía debería comenzar, o terminar, con esta pregunta: ¿cuántos y quiénes leen libros de poemas? Escribí *poemas,* no poesía, porque se puede discutir interminablemente sobre la segunda mientras que no es difícil convenir en el significado de la palabra *poema:* un objeto hecho de palabras, destinado a contener y secretar una sustancia impalpable, reacia a las definiciones, llamada poesía. La pregunta es doble y colinda con la estadística: ¿cuántos? y con la sociología: ¿quiénes, qué clase de hombres y mujeres leen poemas? Ante una pregunta semejante, Juan Ramón Jiménez respondió con la dedicatoria de uno de sus libros: «A la inmensa minoría». El sustantivo *minoría* reduce él número de lectores a los *happy-few* de Stendhal, pero el adjetivo *inmensa* lo amplía bruscamente: los pocos son muchos. Tantos que son incontables, como todo lo que es inmenso. Jiménez opone a la mayoría contable una minoría inconmensurable. Imposibilidad lógica: si es incontable, la minoría no es minoría; si es contable, no es inmensa. Además, si la minoría es incontable, también lo será la mayoría. ¿Dos inmensidades, dos infinitudes? Sería demasiado: basta con una para abrumarnos y, literalmente, anularnos.

La frase puede tener otro sentido: los lectores de poemas, siempre pocos aunque sean muchos, participan individual y colectivamente en lo inmenso. ¿Y qué es lo inmenso? Aquello que no tiene medida o aquello que es imposible medir y calcular. Los muchos-pocos que leen poemas se internan en realidades inconmensurables y, en esos espejos de palabras, descubren su propia infinitud. La lectura de un poema conecta al lector con una zona transpersonal y, en el sentido recto de la palabra, inmensa. Ese contacto es, casi siempre, breve. A veces cabe en cinco palabras:

D'altri diluvi una colomba ascolto

Sean pocos o muchos, no es fácil que los lectores de poemas hayan sido nunca la mayoría de una sociedad, salvo tal vez en los albores de la historia o en las comunidades que llamamos primitivas. Según algunos etnólogos, todavía hace unos pocos años, en las selvas de la América ecuatorial, los hombres y las mujeres se reunían, al caer la noche, alrededor de una hoguera para escuchar embelesados las historias de los dioses y la genealogía de la tribu. A través de los mitos, que son la sustancia de esos relatos poéticos, cada hombre y cada mujer del grupo se sentía parte de una totalidad a un tiempo natural y sobrenatural, pues los antepasados muertos eran también miembros de la tribu: la recitación a la luz de la hoguera de poemas que contaban el origen del mundo y de la etnia hacía más viva esta relación y, en un sentido estricto, la realizaba, la hacía real. La tribu se convertía, por una hora o dos, en una verdadera comunidad poética que abarcaba a los vivos y a los muertos.

Sin embargo, desde el principio de la historia propiamente dicha, o sea: cuando los hombres abandonaron las aldeas del neolítico y comenzaron a vivir en ciudades, la colectividad original se fragmentó, dividida en clases, profesiones y grupos: labradores, artesanos, soldados, sacerdotes, grandes señores, monarcas. Incluso las creencias religiosas se bifurcaron: una fue la fe del alfarero y otra la del teólogo, una la del escriba y otra la del esclavo. A la división de la sociedad corresponde la diversidad de las artes, las ciencias y las técnicas. En un principio, eran una y la misma cosa la poesía y la religión, la ciencia y la magia, el canto y la danza; a medida que cada arte se volvió autónomo y cada saber se particularizó, se fragmentaron también los grupos, las tradiciones y los públicos. La pluralidad de subculturas en el seno de una cultura significa la coexistencia de distintas minorías, unas amantes de la poesía, otras de la música, otras de la astronomía. Esas minorías son relativas y oscilantes, quiero decir, a veces se transforman en mayorías, aunque por poco tiempo. En este caso, como en tantos otros, la estadística es un espejismo; *muchos* y *pocos, mayorías* y *minorías* son nociones que se disipan.

La coexistencia de diversas minorías no excluye —al contrario: incluye— la comunicación entre ellas. Esta red de relaciones entre grupos distintos forma un tejido impalpable pero real: la cultura de un pueblo. Por encima de cada subcultura —también por debajo— hay ideas, creencias y costumbres que son comunes a todos los miembros de la sociedad. Es el fondo —espiritual, mental, afectivo— de cada pueblo; asimismo, es el fundamento de las artes, especialmente de la poesía. Un manantial inagotable. Los hombres se reconocen en las obras de arte porque éstas les ofrecen imágenes de su escondida totalidad. Incluso cuando expresan la dispersión y la atomización de las sociedades y de los individuos, como ocurre con la poesía y la novela modernas, son un emblema de la perdida comunidad. De ahí que no importe demasiado que la obra sea leída al principio por unos cuantos; la preservación de la memoria colectiva por un grupo, aunque sea pequeño, es una verdadera tabla de salvación para la comunidad entera. En esas tablas las tradiciones y las culturas atraviesan los mares del tiempo.

Aparte de esta comunidad de creencias y de imágenes —antes se la llamaba «el alma de los pueblos»— hay temas, episodios y personajes que, en un nivel más superficial, conmueven a las multitudes y se apoderan de la imaginación colectiva. Son los «asuntos públicos»: ideas religiosas y políticas, disputas sobre las creencias y las instituciones, movimientos de opinión en este o aquel sentido. Los asuntos públicos son también sucesos, noticias y nombres: coronaciones, fiestas religiosas o cívicas, caídas de dinastías, revueltas y motines, matrimonios de los príncipes, regicidios, muerte de los caudillos y otros sucesos de índole semejante. Los lances privados pueden convertirse en públicos: los amores de una actriz, el suicidio de un banquero, robos, asesinatos, riqueza súbita o miseria inesperada de éste o de aquélla, las proezas de un campeón y, en fin, todos los giros prodigiosos de la rueda de la fortuna. Ningún escritor, sin excluir a los autores de los *best-sellers* de hoy, ha alcanzado la fama de un Atila o de un Napoleón ni la popularidad de un Dempsey o de una Marilyn. Hay, sí, el caso de Lope de Vega en el siglo XVII, el de Voltaire en el XVIII, el de Victor Hugo en el siglo XIX, el de Picasso en nuestros días y otros pocos más. Aparte de contarse con los dedos, estas excepciones, como todas, no invalidan sino confirman la regla.

Es natural y no debe extrañar la preeminencia en la imaginación popular de líderes, reyes, presidentes, estrellas del cine, de la televisión y del deporte; lo realmente extraordinario es que, desde el principio del principio, los hombres compongan poemas, pinten cuadros, esculpan en piedra o en bronce, modelen en barro e inventen historias con palabras. No es menos extraordinario que esas obras perduren y se transmitan de generación en generación. Las técnicas cambian, la letra impresa sustituye a la manuscrita y la televisión tal vez acabará (lo dudo mucho) con el libro, pero las artes, cualesquiera que sean las técnicas y el estado de la sociedad, perduran. Los asuntos públicos y sus héroes, pasan; los poemas, las pinturas y las sinfonías, no pasan. La permanencia de las artes —lo mismo puede decirse de las ciencias y de la filosofía— ha sido siempre obra de una minoría. Concluyo: la cuestión numérica —¿cuántos: muchos o pocos?— no tiene sentido por sí sola; para significar algo, el *¿cuántos?* debe insertarse en una tradición que implica dos términos. Estos términos son, por una parte, la división en el espacio, es decir, la pluralidad de públicos y audiencias; por otra, la continuidad en el tiempo, o sea el paso de generaciones sucesivas de lectores y auditorios. Ni la diversidad ni la continuidad son conceptos meramente numéricos.

Temo que mis razones no convencerán a muchos. Para la mentalidad moderna ningún razonamiento vale lo que vale una cifra. Y los sociólogos, los profesores, los periodistas y los que manejan los negocios editoriales nos dicen que están armados de cifras irrefutables. Fundados en ellas, afirman que la poesía es un arte destinado a desaparecer o convertirse en una curiosidad más en el museo de las antiguallas. Impávidos, han formulado una suerte de ley de degradación progresiva de la poesía: los poemas tienen hoy menos lectores que hace treinta años, hace treinta tenían menos que hace sesenta y así sucesivamente. En sí mismas estas opiniones, según creo haber demostrado, carecen de sentido; en este dominio, como en casi todos, el criterio únicamente cuantitativo es insuficiente. Pero, además, ¿son exactas? Vamos a ver. Hace unos días, en una librería de Nueva York, compré un pequeño volumen: *The Best American Poetry,* 1989. Se trata de una antología que recoge los mejores poemas escritos en los Estados Unidos en 1988. El autor de la antología es el poeta y crítico Donald Hall. En el prólogo Hall roza el tema de estas páginas y menciona hechos y cifras. Reproduzco enseguida algunos de estos datos. Aunque hablan por sí solos, me ha parecido conveniente añadir algunos comentarios.

Hall comienza por señalar, como un signo de la vitalidad de la poesía, el renacimiento de la costumbre de leer poemas en voz alta, por los poetas mismos y ante públicos numerosos. La costumbre «se inició hacia 1950, se transformó en avalancha durante la siguiente década y ha crecido más y más desde entonces». Para entender la significación de este hecho debo recordar algo que, aunque sabido, casi siempre se olvida: los poemas, al comienzo de nuestra civilización (lo mismo sucedió en Oriente), eran recitados y cantados. Los aedos eran los poetas épicos de la antigua Grecia y aedo viene de *aoidos:* cantar. Una rapsodia era un poema o un fragmento de poema épico; rapsoda era el cantor errante que recitaba cantos épicos, particularmente los de Homero. También la poesía lírica se recitaba, con el acompañamiento de un instrumento músico, lo mismo entre los griegos que entre los romanos. Esta costumbre ha sido general y aparece en todas las sociedades, lo mismo en Oriente que en América precolombina. En Europa se conservó durante más de mil quinientos años y apenas si es necesario recordar a los trovadores, a los juglares y a los madrigalistas o a la lectura en voz alta de poemas, en las casas patricias, ante un grupo escogido de familiares y cortesanos. En el siglo XIX la lectura en voz alta fue desplazada por la lectura individual y en silencio. Triunfo del libro y de la letra escrita. En el primer tercio del siglo XX la costumbre desapareció casi enteramente.

Hall observa que entre 1920 y 1950, uno de los grandes momentos de la poesía norteamericana moderna, las lecturas públicas no sólo eran raras sino que muy pocas veces los poetas célebres —Frost, Eliot, Pound— participaban en esos actos. A finales de la década de 1950, es decir, en los años de la irrupción de la *beat generation,* las lecturas comenzaron a popularizarse. Esta costumbre se ha convertido en uno de los rasgos característicos de la vida literaria norteamericana. Las lecturas públicas son hoy parte del calendario artístico, al lado de las exposiciones, los conciertos y las funciones de danza. Es sorprendente la frecuencia de estos actos, casi cada semana, lo mismo en las ciudades de importancia que en la mayoría de las universidades. El público está compuesto generalmente por jóvenes, lo cual quiere decir que no se trata de una costumbre agonizante —como pretenden los profetas del fin de la poesía— sino de una tradición viva y que se renueva. Se me dirá que ni en América Latina ni en Europa, salvo en Inglaterra, las lecturas en voz alta de poemas son tan frecuentes y concurridas como en los Estados Unidos. Es verdad. También lo es que en Rusia esas lecturas son mucho más populares que en los Estados Unidos. Vaya lo uno por lo otro. Sigamos.

En 1950, dice Hall, la edición del libro de un poeta ya conocido, es decir, su segundo o tercer libro, era de unos mil ejemplares; hoy es de cuatro o cinco mil. Los libros de poetas mayores o más reputados alcanzan fácilmente los diez mil ejemplares y alguno ha llegado a los cincuenta mil. El *Publishers Weekly* publicó hace unos pocos años una lista de *best-sellers* que incluía biografías, reportajes de actualidad, novelas, libros de viaje y de cocina, sexología y muchos géneros, aunque excluía a los libros de poemas. A la cabeza de la lista estaba *The Joy of Sex,* que se vendió por millones; en los sitios más bajos de la escala figuraban títulos que habían llegado a los doscientos cincuenta mil ejemplares. Pues bien, en ese mismo año el poeta Ferlinghetti vendió un millón de ejemplares de *A Coney Island of the Mind* y ya para entonces *Howl* de Ginsberg había pasado con creces el millón. Sin embargo, *Publishers Weekly* no los incluyó en su lista. ¿Por ser libros de poemas? Estos dos casos son extraordinarios, es verdad, pero muchos poetas contemporáneos, aunque no llegan al millón, son leídos por treinta mil o más lectores. Entre ellos varios de otras lenguas, como García Lorca, Rilke o Neruda. Ahorro al lector las otras cifras de Hall, no su conclusión: el número de lectores de poemas, durante los últimos treinta años, ha aumentado diez veces. Esto quiere decir que hoy se lee diez veces más que durante el periodo de la preeminencia de grandes poetas como Eliot, Pound, Williams y Stevens, que fue un momento de esplendor en la historia de la poesía del siglo xx. Es impresionante.

Las cifras de Hall se refieren únicamente a poetas vivos de los Estados Unidos. ¿Tienen un equivalente en otros países? No lo sé. Pero no es arriesgado suponer que el número de lectores de poemas ha aumentado en la Unión Soviética aún más que en los Estados Unidos. Otro tanto puede decirse de Japón, una nación que se ha distinguido por su admirable tradición poética. Asimismo, es seguro que ha aumentado el número de lectores en Europa, al menos en Inglaterra, los países escandinavos, Polonia, Hungría. También en México, a pesar de ser un país de pocos lectores: hace cincuenta años las ediciones de nuestros poetas —Pellicer, Gorostiza, Villaurrutia— eran de quinientos ejemplares. ¿Y la calidad? En todas las lenguas y en todas las épocas, los libros de poemas que realmente cuentan son poquísimos. ¿No ocurre lo mismo con los otros géneros, particularmente con la novela? Cada año los editores echan a volar miles y miles de novelas que cubren con sus tapas de vivos colores las vitrinas de las librerías. A las pocas semanas desaparecen sin dejar huella. No son aves sino libros de paso. Los profesores y las prensas de las universidades, en el otro extremo de las editoriales comerciales, también contribuyen a lo que no hay más remedio que llamar el embotellamiento de la circulación literaria. El reciente auge de la industria universitaria de la crítica ha convertido las modestas colinas de basura que dejaba la literatura en verdaderos Himalayas de desechos.

Las cifras de Hall son reconfortantes pero se vuelven relativas apenas se repara en que el aumento de la lectura es un fenómeno general que abarca a todos los géneros. Es indudable que hoy se lee más que antes. ¿Se lee mejor? Lo dudo. La distracción es nuestro estado habitual. No la distracción del que se aleja del mundo para internarse en el secreto y movedizo país de su fantasía, sino la de aquel que está siempre fuera de sí, perdido en la mediocre e insensata agitación cotidiana. Mil cosas solicitan a la vez nuestra atención y ninguna de ellas logra retenernos; así la vida se nos vuelve arena entre los dedos y las horas humo en el cerebro. Si tuviéramos el valor de hacer un diario examen de nuestros actos y pensamientos, confesaríamos que somos culpables no de crímenes sin expiación sino de incontables y momentáneos deseos y apetitos, seguidos de mínimas abjuraciones y traiciones a nosotros mismos y a los otros. Pero ¿somos capaces de recordar siquiera lo que hicimos ayer? Si nuestro pecado se llama disipación, nuestro castigo se llama olvido. Leer es lo contrario de esa disipación; leer es un ejercicio mental y moral de concentración que nos lleva a internarnos en mundos desconocidos que poco a poco se revelan como una patria más antigua y verdadera: de allá venimos. Leer es descubrir insospechados caminos hacia nosotros mismos. Es un reconocimiento. En la era de la publicidad y la comunicación instantánea, ¿cuántos pueden leer así? Muy pocos. Pero en ellos, no en las cifras de las estadísticas, está la continuidad de nuestra civilización.

Los datos y los números no son por sí solos una respuesta a nuestra pregunta; sin embargo contribuyen a delimitarla y a precisarla. Es útil comparar las cifras de Hall, limitadas a su país y a la época contemporánea, con otras de países y periodos diferentes. El poeta y crítico Pere Gimferrer se ha ocupado de estos temas en un ensayo a un tiempo inteligente y rico en informaciones: «La poesía y el libro».[1] Para Gimferrer uno de los rasgos característicos de la poesía moderna es su decidida voluntad minoritaria. En la primera mitad del siglo pasado todos los grandes románticos europeos buscaron contar con un vasto público de lectores; algunos lo consiguieron, como Byron, Hugo y Lamartine. Después, a medida que la gran llamarada romántica se disipó, los poetas se retiraron de la escena pública. Desde los grandes simbolistas, la poesía ha sido rebelión solitaria, subversión en el subsuelo del lenguaje o de la historia. Ninguno de los poetas que inauguran la modernidad buscó la aprobación de la mayoría; todos, por el contrario, eligieron «de modo deliberado escribir contra el gusto del público». Rimbaud y sus herederos de la primera mitad del siglo XX ilustran un aspecto de esta tendencia; la otra, más puramente estética, es la de Mallarmé y sus seguidores.

[1] Recogido en el volumen colectivo *La cultura del libro*, Madrid, 1988.

Es difícil no estar de acuerdo con Gimferrer. No obstante, formulo una salvedad: su razonamiento se apoya sobre todo en la historia de la poesía francesa moderna; en otras lenguas no aparece siempre esa voluntad de ruptura con el gusto público. Ni Tennyson ni Browning, en la Inglaterra victoriana, siguieron a los franceses en su rigor subversivo y en su ascetismo estético. Además, eran mucho más leídos que los simbolistas franceses. Algo semejante puede decirse de los países germánicos y de Rusia, Polonia y las otras naciones eslavas. En los países de lengua española se leía poco pero no porque los poetas se mofasen del gusto de la burguesía sino por la modorra intelectual que invadió a España y a sus antiguas colonias a fines del siglo pasado. Cierto, es engañoso comparar a la poesía francesa del último tercio del siglo XX con las de las otras lenguas de la misma época; la poesía francesa vivía, poéticamente, en otro tiempo: con ella comienza nuestra poesía. Mallarmé y Tennyson fueron contemporáneos, pero Tennyson pertenece al siglo pasado y Mallarmé al XX. De todos modos, es igualmente cierto que la poesía que es el origen de la nuestra se manifestó muchas veces de manera distinta y aun opuesta a la de un Rimbaud o un Mallarmé; quiero decir: sin ruptura verbal ni apartamiento sino como voluntad de fusión con el hombre de la calle. Pienso, sobre todo, en Walt Whitman.

Las cifras de Gimferrer no son menos sorprendentes que las de Hall, aunque en sentido contrario. En 1886 Verlaine publicó la segunda edición de uno de sus libros más famosos: *Fêtes galantes*. La edición fue de seiscientos ejemplares y de ellos cien destinados al autor y a la prensa. El hecho es revelador, pues en 1886 Verlaine ya era un poeta célebre y no únicamente en Francia: lo leían ávidas minorías en toda Europa y lo veneraban en Buenos Aires y en México.[1] En 1876 Mallarmé publicó en una lujosa edición *L'Après midi d'un faune:* ciento noventa y cinco ejemplares. Once años después, en 1887, aparece *Poésies,* una antología de sus poemas, hecha por él mismo: la edición fue de cuarenta ejemplares. En cuanto a Rimbaud: en 1873 él mismo pagó la primera edición de *Une Saison en enfer,* un texto que ha tenido la influencia que se sabe en la poesía del siglo XX. La edición se limitó a quinientos ejemplares; Rimbaud recogió seis; el resto habría desaparecido en las bodegas del impresor a no ser por un bibliófilo que en 1901 lo rescató, aunque no dio a conocer su hallazgo

[1] Sobre el caso de Verlaine hice por mi cuenta una pequeña investigación. Encontré que hasta su muerte, en 1896, las primeras ediciones de sus libros generalmente no rebasaron los seiscientos ejemplares, y mil cien las segundas.

sino hasta 1914. La suerte del otro gran texto de Rimbaud, *Illuminations*, no es menos extraña: Verlaine lo publicó, precedido por una breve nota, en 1886, en la revista *La Vogue*, y después, ese mismo año, en una *plaquette*, sin que Rimbaud, entonces en Abisinia, siquiera se enterase. Lautréamont también pagó la edición de su libro, *Les Chants de Maldoror*; la edición quedó enterrada en el sótano del editor y no se distribuyó sino hasta que Léon Bloy y Rémy de Gourmont, años después de la muerte de su autor, se ocuparon con entusiasmo de esta obra suntuosa y fúnebre.[1]

Gimferrer cita algunos ejemplos de lengua española. El más notable es el de *Veinte poemas de amor y una canción desesperada*. Este pequeño volumen había sido publicado en Santiago de Chile en 1924. Sin embargo, era desconocido en España, a pesar de que en 1936 Neruda ya era un poeta reconocido en todo el ámbito de nuestra lengua. Altolaguirre decidió reeditar el libro, con un título distinto: *Primeros poemas de amor*. La edición fue de quinientos ejemplares. Por mi parte, mencionaré dos ejemplos que no son menos tristes que los de Rimbaud y Lautréamont: Gutiérrez Nájera y Silva murieron sin ver sus poemas recogidos en un libro. ¿Y cuál fue el tiro de las dos primeras ediciones de *Azul*... o de la primera de *Prosas profanas*?; ¿cuál el de *Lascas* de Díaz Mirón, editado en Jalapa por la imprenta oficial del estado de Veracruz?; ¿y los de *Los heraldos negros* y *Trilce* de Vallejo? Otro ejemplo, ahora del italiano: la primera edición del que sería uno de los libros esenciales de la poesía italiana de este siglo, *L'Allegria* (1915) de Ungaretti, fue de ochenta ejemplares. La lista podría prolongarse *ad libitum* e incluiría a nuestros poetas más conocidos y leídos.

Al llegar a este punto, surge una pregunta: ¿el escaso número de ejemplares se debe realmente a una decisión de los poetas o es el resultado de la indiferencia del público? A los dos. Desde su origen, la poesía ha tenido una relación ambigua con la modernidad, según he intentado mostrar en otros escritos.[2] El conflicto se acentuó a fines del siglo pasado y se convirtió en discordia durante el periodo de las vanguardias, en el primer tercio de nuestro siglo. La poesía desdeñó y con frecuencia escarneció los valores tradicionales, tanto los morales como los estéticos; socavó el lenguaje; trastornó los signos y sus significados; inventó mundos poblados de fas-

[1] Entre las excepciones que cita Gimferrer, la más notable es la de *El corsario* de Byron: ¡diez mil ejemplares vendidos el primer día! Para la época, comenta Gimferrer, algo parecido a la popularidad de los Beatles.

[2] *El arco y la lira*, 1956, *y*, sobre todo, *Los hijos del limo*, 1972, incluidos en este volumen.

cinantes monstruos verbales y estanques de engañosa transparencia donde la conciencia se abisma. La indiferencia del público fue la reacción de una clase social, la burguesía, que encarnaba esa modernidad a un tiempo deseada y detestada por los poetas. Esta clase se vio desafiada y vilipendiada primero por los románticos, después por los simbolistas y, al fin, por las diferentes vanguardias. La antipatía frente al arte moderno fue justificada y fomentada por una crítica universitaria hostil y por la malevolencia de periodistas ignorantes. Sin embargo, según se verá, la discordia nunca fue total y ha sido y es necesaria.

La primera edición de *Les Fleurs du mal*, en 1857, fue de mil cien ejemplares y tardó en agotarse. La segunda, cuatro años después, en 1861, tuvo mayor resonancia, sin duda por la sentencia judicial que condenó al editor a suprimir varios poemas juzgados inmorales. No le faltaron defensores a Baudelaire, entre ellos Victor Hugo y Gautier; dos poetas jóvenes, Mallarmé y Verlaine, en dos revistas de la juventud literaria, lo saludaron y lo proclamaron su maestro. Pero estas muestras de reconocimiento fueron tardías: Baudelaire había sufrido ya el primer ataque de hemiplejia y moriría dos años después, en 1867. Desde su muerte las ediciones se sucedieron sin interrupción; también las traducciones a casi todas las lenguas. Aunque Baudelaire murió hace más de un siglo, es nuestro contemporáneo. Su suerte fue después la de Verlaine, Rimbaud y Mallarmé: los libros de estos poetas están en todas las bibliotecas y son leídos por miles y miles de personas civilizadas. En 1885 apareció la primera edición de *Leaves of Grass*, sin nombre de autor pero con un retrato de Whitman en la primera página. Un año después se publicó la segunda edición, a la que siguieron otras, nueve en total y cada una con más poemas, hasta su muerte en 1892. La primera edición fue de setecientos noventa y cinco ejemplares; Whitman no sólo pagó la edición sino que fue el impresor. Hasta la quinta edición, no percibió ni un centavo y entonces ganó ¡veinticinco dólares! Pero Whitman sí pudo ver, en el curso de menos de medio siglo, cómo las sucesivas ediciones de su libro conquistaban lectores fervientes, entre ellos a algunos de los mejores entre sus paisanos: Emerson y Thoreau; después, a los ingleses Swinburne y Tennyson. En 1882 Wilde lo visitó y en 1886 Eakins pintó su retrato.

Las historias de las ediciones de Baudelaire y de Whitman han sido las de todos los poetas modernos en todas las lenguas. Las primeras ediciones son casi siempre confidenciales pero, por un proceso al mismo tiempo lento y seguro, sus libros alcanzan, al cabo de los años, grandes tirajes y vastas audiencias. Las reediciones de Darío, Machado, García Lorca y otros poetas de nuestra lengua no sólo son ahora de muchos miles de ejemplares sino que son continuas. En las otras lenguas se repite el fenómeno, trátese de Apollinaire o de Rilke, de Montale o de Mandelstam. Las reediciones de Yeats y de Eliot son frecuentes y llegan ya a los cien mil ejemplares. El joven crítico Edward Mendelson, a quien debemos la notable edición de las poesías completas de Auden, me decía hace poco que los tirajes populares de este poeta oscilaban entre los cuarenta y los cincuenta mil ejemplares. En todos estos ejemplos lo que me parece significativo no es tanto el número de ejemplares como la continuidad. El *best-seller,* sea una novela o un libro de actualidad, aparece como un meteoro; todos se precipitan a comprarlo pero, al poco tiempo, desaparece para siempre. Son poquísimos los *best-sellers* que logran sobrevivir a su éxito. No son obras sino mercancías. Lo que distingue a las obras verdaderamente literarias de los libros de mero entretenimiento o de información es que mientras los últimos están destinados a ser, literalmente, consumidos por sus lectores, las primeras tienen la propiedad de resucitar gracias también y precisamente a sus lectores. La poesía no busca la inmortalidad sino la resurrección.

En otros casos, los cambios históricos —sean los del gusto, las ideas o las convicciones sociales— condenan al purgatorio a poetas que fueron célebres en vida. Por ejemplo, Neruda, Aragon y Éluard pagan hoy sus pecados políticos. Digo *pecados* porque el estalinismo, más que un error, fue una falta. Pero, como dijo el mismo Auden, no sé si con resignación o con cinismo, a propósito de Yeats, estos poetas volverán a ser leídos por su maestría:

> Time that with this strange excuse
> Pardoned Kipling and his views,
> And will pardon Paul Claudel,
> Pardons him for writing well.

La disparidad entre la recepción de los libros de poemas y su suerte posterior reclama un comentario. El tránsito de la hostilidad o de la indiferencia a la comprensión no ha sido nunca instantáneo y requiere tiempo. En este caso, tiempo quiere decir cultura, en el sentido primero del término: el lector debe cultivarse. Ese cultivo, como todos, es productivo: implica cambios y transformaciones. Cada nueva obra poética desafía a la comprensión y al gusto del público; para gozarla, el lector debe aprender su vocabulario y asimilar su sintaxis. La operación consiste en un desaprendizaje de lo conocido y un aprendizaje de lo nuevo; el desaprendizaje-aprendizaje implica una renovación íntima, un cambio de sensibilidad y de visión. La experiencia no es privativa de la edad moderna; los cortesanos y los clérigos del siglo XVI tuvieron que aprender, en Inglaterra, el lenguaje de los «poetas metafísicos», y los españoles, en el XVII, el de Góngora y sus seguidores. El fenómeno se repite en cada época y en todas las sociedades. La querella de las formas y los lenguajes artísticos casi siempre está ligada a la pugna entre las generaciones: lo antiguo y lo nuevo, los viejos y los jóvenes.

La situación actual es aún más compleja. Además de la disputa tradicional entre lo nuevo y lo viejo, hay una oposición más profunda y que es de orden histórico y espiritual. Según insinué más arriba, se trata de la discordia entre una poesía rebelde a la modernidad y una clase social, la burguesía, que ha sido, simultáneamente, la creadora de esa modernidad y su producto más acabado y dinámico. ¿Cómo ha podido resolverse esta oposición, desde el romanticismo hasta nuestros días, en momentos de armonía —seguidos de nuevas rupturas? Aunque cada periodo es distinto y distinta también la relación entre cada lector y cada poema, no es temerario proponer una explicación general. La expongo muy brevemente: desde el romanticismo, los poetas son los hijos rebeldes de la modernidad; al herirla, la exaltan; los lectores reproducen esa ambivalencia y se reconocen en esa herida y en esa exaltación, porque también ellos son hijos de la modernidad y están ligados a ella por los mismos lazos filiales y detestados. La poesía moderna ha hecho y hace la crítica de la modernidad precisamente por ser moderna; sus lectores se reconocen en ella por la misma razón. La modernidad, desde su nacimiento, está en lucha con ella misma; en esto consiste su ambigüedad y el secreto de sus continuas transformaciones y cambios. La modernidad emite actitudes y pensamientos críticos como tinta el pulpo. Esa crítica, indefectiblemente, se vuelve contra ella misma.

Cuantía y valía

Esta reflexión comenzó con una pregunta dividida en dos partes. Una, la primera, de orden cuantitativo: ¿cuántos son los lectores de poemas? Según se ha visto, la cuestión numérica, aislada, carece de sentido. El número de lectores varía con las distintas sociedades y épocas; varía, igualmente, en el interior de cada época y aún en relación con la misma persona: el esotérico e ilegible Eliot, leído por una banda de excéntricos en 1920, se convierte en el obispo Eliot, escuchado con unción por multitudes en 1940. Para tener sentido, el *¿cuántos?* debe asociarse con la segunda parte de la pregunta: *¿quiénes,* qué clase de personas leen libros de poemas? El *quiénes* incluye al *cuántos;* mejor dicho, lo diluye, deja de ser un número. La pregunta sobre el *quiénes* implica, en primer término, pluralidad de espacios: ¿dónde, en qué país o en qué ciudad? En seguida, introduce una dimensión temporal: ¿cuándo, en qué época, siglo, año? Finalmente, el cuándo y el dónde están enlazados a unas clases sociales, a unas instituciones políticas y religiosas y a una economía: a una cultura. El cuándo y el dónde se resuelven en una historia. La naturaleza del público que lee o escucha poemas es una cuestión histórica. El tema es vastísimo y es imposible explorarlo en un ensayo de esta índole. En cambio, sí es posible apuntar unas cuantas ideas y esbozar alguna hipótesis. Después de todo, mi propósito es más modesto: ofrecer unas pocas sugerencias y atisbos, incitaciones para que alguien, un día no muy lejano, escriba un estudio sobre la situación de la poesía al finalizar el siglo XX.

Comienzo por el principio: Homero es el origen de Grecia y, por lo tanto, de nuestra poesía. Sus grandes poemas, sus héroes y su moral fueron los arquetipos estéticos y éticos de griegos y romanos. En cierto modo la *Ilíada* y la *Odisea* fueron la Biblia y los Vedas de los helenos. Los niños y los adolescentes recitaban los viejos hexámetros al mismo tiempo que aprendían a sumar o a ejercitarse en el gimnasio. En la grandiosa tentativa de helenización de Roma, no podía faltar una escritura poética de fundación que fuese equivalente de los poemas homéricos. Pero la *Eneida* fue escrita en el mediodía de la historia de Roma: fue una recreación más que una creación, no un origen sino una consagración. Durante la Edad Media y el Renacimiento la función formativa del poema de Virgilio fue análoga a la de los poemas homéricos en la Antigüedad. En China tuvo la misma influencia civilizadora el *Libro de los cantos (Shih Ching)*, la antología de poemas antiguos compilada por Confucio. En Japón cumplieron esa misión el *Manyoshu (Colección de Diez Mil Hojas)* y las grandes antologías que sucedieron a este libro. La poesía como palabra fundadora de un pueblo es un rasgo que aparece en todas las civilizaciones, del poema de *Gilgamesh*, fuente probable de nuestra tradición épica, al del *Cid*. En otras culturas, la poesía no sólo estaba íntimamente asociada a la religión y la mitología sino a las otras artes. Sabemos, por ejemplo, que los aztecas recitaban, cantaban y, lo que es más notable, bailaban sus poemas. Otro rasgo común a las antiguas sociedades: las cofradías, hermandades y órdenes de poetas. Estas agrupaciones con frecuencia desempeñaban funciones religiosas y litúrgicas. En muchos pueblos los poetas eran considerados videntes y adivinos. Fue una creencia generalizada que se explica, muy probablemente, por lo siguiente: el poeta conocía el futuro porque conocía el pasado. Su saber era un saber de los orígenes. En todas aquellas sociedades el presente y el futuro eran, en el sentido matemático de la expresión, *funciones* del pasado.

Las colecciones de textos poéticos, verdaderas escrituras de fundación, constituían lo que nuestra sociedad secular llama ahora un *canon clásico*. Sin esos poemas es imposible conocer y comprender a esas sociedades; su influencia estética, ética y filosófica fue inmensa. En Grecia la tragedia se alimentó de la épica, de sus conflictos tanto como de sus héroes; asimismo, la filosofía se inició como una crítica de Homero, su teología y su moral. La transmisión del canon clásico se hacía a través de la educación de los adolescentes; la poesía era una materia central en el currículum de los jóvenes. Así, al lado de la educación cívica y religiosa y de los ejercicios bélicos, la poesía era una iniciación a la vida adulta en sus dos grandes vertientes: la acción y la contemplación. Ciudadano, patricio, équite, mandarín, tecuhtli y otros nombres que designaban a los grupos y categorías sociales que dirigían los asuntos públicos de las antiguas sociedades, en la paz y en la guerra: todos ellos eran educados y modelados en una tradición poética que inspiraba tanto sus discursos como sus actos.

La influencia de la poesía fue igualmente profunda en otros dominios, sobre todo en el de la vida íntima: el erotismo, la amistad, el placer, la piedad ante los dioses o ante el prójimo desdichado (Aquiles frente a Príamo), la soledad, los placeres amargos de la melancolía, los reinos frágiles de la memoria. Los poetas nos ayudaron a conocer las pasiones y, así, a conocernos a nosotros mismos: la envidia, la sensualidad, la crueldad, la hipocresía y, en fin, todas las complejidades del alma humana. El primer gran poema de amor de Occidente es del siglo III a.C.: *La maga* de Teócrito, punzante relato del amor sensual e ingenuo, rabioso y sublime de una muchacha desdichada: Simetha. Más tarde, en Roma, Catulo y Propercio iluminaron los rincones sombríos del amor y descubrieron el poder insidioso de una pasión funesta: los celos. Sin ellos, Shakespeare quizá no habría podido concebir la figura de Otelo ni Proust describir las agonías de Swann. De la época feudal a la de la burguesía, la poesía siguió inspirando a los guerreros y a los enamorados: Perceval y Rolando, el amor cortés y el petrarquismo, los libertinos y los románticos. Una de las raíces del feminismo contemporáneo son las «cortes de amor» del siglo XII. La poesía también alimentó, como en la Antigüedad y en el Oriente, a los filósofos: casi no hay ninguno de nuestros grandes pensadores que no haya escrito poemas o cuyos escritos no estén esmaltados con versos y máximas de los poetas, de Santo Tomás a Maquiavelo, de Bacon a Schopenhauer, de Montaigne a Karl Marx. Desde esta perspectiva, la cuestión numérica se desvanece. No sabemos cuántos romanos leían a Ovidio, cuántos italianos a Petrarca, cuántos franceses a Ronsard; en cambio, sabemos *quiénes* los leían. Pocos o muchos, estos lectores eran la cabeza y el corazón de la sociedad, su núcleo pensante y actuante. Aunque pertenecían a las clases dirigentes, muchos eran rebeldes y críticos del orden establecido. Otros eran solitarios, ermitaños intelectuales.

El cambio comienza a fines del siglo XIX. Después de las grandes batallas campales del romanticismo, la poesía se replegó: guerra en el subsuelo, conspiración en las catacumbas. Sin embargo, como se ha visto, ese repliegue fue una victoria: los poetas malditos de ayer invariablemente se convierten en los santos patronos de hoy. Más grave ha sido el desplazamiento de las humanidades, que han dejado de ser el centro de nuestros sistemas educativos. Signo de los tiempos: Baudelaire escribe un poema en latín, Rimbaud gana en el liceo el primer premio de composición latina, Lautréamont estudia preceptiva literaria en un tratado de José Gómez de Hermosilla, severo clasicista y notable traductor de la *Ilíada* —pero

Whitman es el primer gran poeta moderno que no pasa por una universidad ni estudia humanidades. ¿Pérdida o ganancia? Yo diría que la ganancia compensa la pérdida. Whitman continúa otra tradición, no menos venerable que la grecolatina: la bíblica y sus derivados.

El lugar del latín y del griego lo ocupan hoy las ciencias. El cambio ha sido natural y justificado. Menos natural y del todo injustificado ha sido la preeminencia del *cientismo*, una superstición moderna. Cada ciencia puede hablar con autoridad de su dominio particular: no hay ciencia sino ciencias. Pero el cientismo traslada el discurso de la física, la química o la biología a dominios que no son los de las ciencias naturales: la historia y las sociedades humanas, el individuo y sus pasiones. Por otra parte, ¿es posible el ejercicio de las ciencias sin ese acervo de sabiduría que son las humanidades? Tal vez, pero el costo es inmenso. Ni Freud ni Einstein olvidaron nunca a los clásicos.

Más peligrosa aún que la superstición cientista es la proliferación de las ciencias sociales. No me refiero a su valor real, estimable a pesar de la fragilidad de sus métodos y lo incierto de sus conclusiones, sino a la forma abusiva en que se han servido de ellas ideólogos enmascarados de profesores e investigadores científicos. El daño ha sido doble: político y estético. Aparte de ser ejemplos de perfección formal y deleite espiritual, nuestros clásicos fueron, durante dos milenios, maestros de sabiduría política. Hoy esa función la cumplen los profesores de sociología y politología. La mayoría ignora o menosprecia la herencia clásica. Sentados en sus dogmas, imparten sus cátedras agitando puñados de fórmulas que explican todos los fenómenos sociales menos el de su extraña posición en el mundo moderno. En nombre de la modernidad, han sido los voceros —a veces los terceros— de un nuevo oscurantismo intelectual y político. Intolerantes y ergotistas, son herederos indignos de la Ilustración. En los últimos tiempos hemos sido testigos de inmensos cambios en los países europeos que vivían bajo el régimen del «socialismo burocrático»; sería inútil buscar en los escritos de estos profesores el más ligero anuncio de esos cambios ni, ahora, una explicación de las causas de esta prodigiosa mudanza histórica. Para encontrar críticos coherentes que previeron lo que sucede en estos días, hay que releer los textos de los heterodoxos y los excomulgados. La ceguera de los profesores proviene de su fe en las ideologías, dominio de ilusorias certidumbres, y su desdén por la historia, sujeta al accidente y reino de lo imprevisible. La literatura clásica está impregnada del carácter aleatorio del suceder histórico. Maquiavelo y Montesquieu, Tocqueville y Marx leyeron con provecho a los poetas y a los historiadores de la Antigüedad: ¿qué leen hoy los politólogos universitarios? Hay excepciones, sí, pero son excepciones.

La aplicación de los métodos de las ciencias naturales al estudio de la sociedad y sus cambios no ha tenido, hasta ahora, los resultados que se esperaban. A pesar de este fracaso, teorizantes ofuscados y soberbios han decidido trasladar esos métodos a la literatura. Olvidan que realidades distintas piden métodos y criterios distintos. No son lo mismo las transformaciones de las células que las de las sociedades humanas; tampoco bastan los cambios de las últimas para explicar los del arte y la literatura. Primero se reduce la obra a mero documento social; enseguida, se afirma que el texto no dice lo que dice. Mejor dicho: el texto oculta una realidad social y política. Descubrir esa realidad es la misión del crítico. Leer el texto es descifrarlo, desnudarlo de sus pretendidas significaciones y revelar lo que las palabras esconden. La crítica literaria se vuelve una operación de policía que hace pensar, más que en Sherlock Holmes, en Torquemada y el Procurador Vishinsky. *La tempestad* se transforma en un espectáculo de fuegos de artificio que encubren con sus luces la infame realidad: el nacimiento del Imperialismo moderno. La relación entre Próspero y Calibán es la del amo europeo y su esclavo colonial. El texto es un tejido de engaños; al destejerlo, el crítico desenmascara al autor mentiroso, cómplice de las tiranías y las opresiones. Nadie escapa a las ridículas condenas de estos jueces de toga y birrete.

Estos cambios no han afectado al arte de escribir poemas sino al de leerlos. No es lo mismo leer la *Odisea* como un texto literario que como un documento social. Sí lo leemos como un relato de aventuras prodigiosas, en las que intervienen héroes hechos de una sola pieza, movidos por pasiones simples y fuertes, todo contado con un consumado arte verbal, a un tiempo noble y directo, ¿cómo no sentirse fascinado ante la sagacidad de Ulises que engaña a Polifemo o desanuda los lazos de amor con que Circe intenta apresarlo? Para aquel que lo lee como un documento, esos episodios son apenas un capítulo de la historia de las supersticiones humanas. La fábula de Circe puede ilustrar un estudio de las creencias mágicas y su relación con la sexualidad; la de Polifemo puede leerse como una alegoría de la lucha entre una tribu de aborígenes (los cíclopes) y un puñado de aventureros imperialistas. La *Odisea* describe costumbres de indudable interés para el historiador pero no es ni un relato de historia ni un reportaje de etnografía: es un poema, una creación verbal. Aquel que no se detenga ante la belleza de ciertas estrofas es un zafio. Tampoco podemos leer el viejo poema como un crucigrama que, una vez descifrado, nos revela la realidad de la Grecia homérica: una sociedad agrícola y supersticiosa compuesta por campesinos miserables, guerreros violentos y ladrones, poetas mentirosos, es decir, una variante más de la sociedad de clases y sus iniquidades. Algunas de estas interpretaciones quizá no sean enteramente inexactas, a pesar de su tosquedad y simplismo. Pero leer así un poema es como estudiar botánica en un paisaje de Corot o de Monet.

Fuera del recinto cerrado de las universidades, la tradición poética ha estado expuesta a una continua e insidiosa erosión que, precisamente por ser involuntaria, es dificilísimo detener. El asalto no es el resultado de una voluntad crítica, como en el caso de los doctrinarios que he mencionado, sino del nihilismo inherente a todos los mecanismos. El agente de la erosión no es una idea sino un proceso; el crecimiento de la industria editorial, combinado con los poderes de la publicidad, ha convertido en un mercado moderno al antiguo intercambio de ideas, valores, gustos y opiniones. El mundo literario, como el artístico, el científico y el filosófico, siempre fue un intercambio, un comercio de bienes a un tiempo materiales y espirituales: los libros son cosas y, al mismo tiempo, son ideas y formas estéticas. No es extraño, por eso, que una célebre revista literaria, publicada en París unos pocos años antes de la segunda guerra, se llamase *Commerce*. El título, si no me equivoco, fue de Valéry. Me imagino que aludía, con cierta insolencia, al intercambio de bienes espirituales y estéticos de suma rareza entre un reducido número de conocedores exigentes. Una idea muy de Valéry. Asimismo, una idea que delata una visión artesanal del comercio intelectual y literario. La transformación del comercio de hace medio siglo, basado en la rareza de las obras, en la industria editorial contemporánea ha sido otra victoria del mercado sobre las viejas prácticas.

Eslabones en la cadena del mercado: el autor produce objetos de consumo (libros) que manufactura y distribuye el editor entre los consumidores (lectores). Cadena incesante que produce continuamente nuevos objetos que nunca, por su naturaleza misma, pueden saciar enteramente al hambre y la sed del consumidor. Invención tantálica del capitalismo moderno: más, siempre más —y nunca lo suficiente. Charles Fourier pensaba que en el estado de verdadera civilización —que él llamaba Armonía— se produciría un número limitado de objetos de incomparable calidad y de gran duración; en nuestras sociedades, en cambio, se procura producir el mayor número de objetos de calidad media, poca duración y rápido consumo. No niego las ventajas de la economía de mercado, creadora en los países desarrollados de una abundancia sin precedente en la historia (aunque muchas veces esa abundancia es engañosa y superflua: provoca falsas necesidades y no satisface algunas esenciales). Observo, no obstante, que a medida que aumentan la producción y el consumo, aumentan los desechos. Las montañas de libros que se acumulan en las librerías y en las bibliotecas suscitan una pregunta angustiosa: ¿qué hacer con las sobras?

La tradición poética, como ya dije, es el resultado del cruce de dos ejes, uno espacial y otro temporal. El primero consiste en la diversidad de públicos en continua intercomunicación; el segundo en la continuidad a través de generaciones de poetas y de lectores. La intercomunicación entre lectores de áreas diversas enriquece con sangre fresca y ojos nuevos a la tradición poética. Marx frecuentaba a Dante y Stendhal a Byron porque la comunicación entre las distintas minorías —unas amantes de la filosofía o las ciencias económicas, otras de la novela o de la historia— era constante. La costumbre todavía persiste, aunque decaída: uno de mis recuerdos literarios más gratos es el de una velada en casa del físico Steven Weinberg, en la que se pasaba con naturalidad de las partículas elementales a la poesía de Donne y de Marvell. Esta pluralidad de lectores de disciplinas diferentes, unidos por gustos y valores semejantes, es lo que se llama una tradición. No importa que en el seno de esa tradición las opiniones sean encontradas y aun contradictorias: todos leemos a Goethe aunque cada uno con ojos distintos.

En un pasado todavía cercano, la tradición se nutría de los clásicos grecolatinos. Hoy son mucho menos leídos aunque, por fortuna, no han desaparecido enteramente y con cierta frecuencia aparecen en todos los idiomas traducciones de Homero, Virgilio, Teócrito, Horacio. En cambio, ahora leemos más que nuestros abuelos a los escritores modernos de otras lenguas. Esta red hecha de coincidencias y de oposiciones, unas tácitas y otras explícitas, constituye la conversación literaria de una época. Una conversación casi siempre silenciosa, a solas en un cuarto con un libro. Al leer, conversamos con autores de nuestra lengua y de lenguas diferentes, unos vivos y otros, la mayoría, muertos. Quevedo lo dice en un soneto que no parece escrito en un papel sino sobre un bloque de tiempo vuelto piedra:

Retirado en la paz de estos desiertos,[1]
con pocos pero doctos libros juntos,
vivo en conversación con los difuntos
y escucho con mis ojos a los muertos.

La industria editorial contemporánea tiende a disolver la diversidad de públicos en una mayoría impersonal. No se trata de la voluntad deliberada de esta o aquella persona ni de la conspiración de un grupo; la tendencia está inscrita en la naturaleza misma del sistema que rige a la actividad editorial. El comercio literario hoy está movido por una consideración meramente económica: el valor supremo es el número de compradores de un libro. Ganar dinero es legítimo; también lo es producir libros para el «gran público», pero una literatura se muere y una sociedad se degrada si el propósito central es la publicación de *best-sellers* y de obras de entretenimiento y de consumo popular. A veces la popularidad coincide con la excelencia de la obra: Dickens y Balzac, Byron y Victor Hugo, para citar unos cuantos ejemplos del siglo pasado. Sin embargo, es imposible olvidar que la historia de la literatura de Occidente, especialmente en la edad moderna, ha sido y es la de las minorías: escritores rebeldes y críticos del orden establecido, poetas y novelistas inventores de nuevas formas, artistas considerados herméticos y difíciles. La lógica del mercado no es la lógica de la literatura.

A medida que la industria editorial se vuelve más y más impersonal —el campo ha sido invadido por poderosas compañías transnacionales— las consideraciones económicas desplazan a las literarias. Cierto, no todo está perdido: algunas casas editoriales, antiguas y venerables, resisten; aparecen aquí y allá pequeñas empresas, dedicadas sobre todo a editar libros de poemas y, finalmente, en algunos países las prensas universitarias tienden a reemplazar a los editores comerciales en la publicación de obras de venta difícil. Sobre esto último tengo mis dudas: la gran literatura de los siglos XIX y XX se ha hecho, casi toda, fuera de las universidades. En fin, aparte de estas plausibles excepciones, la industria editorial tiende a aumentar el volumen de las ediciones pero a restringir la diversidad de libros y, en consecuencia, la de los lectores. Al contrario de lo que ocurre en las otras ramas de la economía, en las que la variedad de productos es esencial, aquí la tendencia es la uniformidad. El ideal es un solo público:

[1] *Desierto* quiere decir aquí lugar poco poblado. Quevedo escribió este soneto en un pequeño pueblo al norte de la Sierra Morena, en donde tenía una casa de campo.

todos con el mismo gusto y todos leyendo el mismo libro. Este libro es muchos libros: cada día se publica uno nuevo y de un autor distinto. Pero todos esos libros son, en realidad, el mismo libro.

La tendencia hacia la restricción y la uniformidad afecta también al autor: antes escribía para un público e, incluso, para un lector-interlocutor. Todos los poetas han soñado con un lector ideal: *su* lector. Ahora, el escritor debe enfrentarse al editor y su cuerpo de consejeros en *marketing;* además, en cada empresa, sobre todo en los Estados Unidos, hay «editores» encargados de corregir y adaptar los manuscritos. Algunas de estas prácticas, aisladamente, son explicables y justificadas; en su conjunto, son deplorables: amenazan con disolver la diversidad de autores, obras y lectores. Pérdida incalculable pues no sólo se pierden interlocutores, aunque aumente el número de lectores, sino que la noción misma de *interlocutor* se desvanece. Y con ella, el diálogo entre el autor y el lector. Lo más grave: ¿desde *dónde* se escribe y se lee? Para el sistema editorial moderno, secundado por la publicidad y la televisión, todos los lugares, aun los más remotos, están *aquí.* ¿Y dónde está aquí? En esa ninguna parte que es todas partes. Aquí está en el tiempo, es *ahora mismo.* El eje espacial se disuelve en el eje temporal.

La acción del mercado tiene un efecto igualmente corrosivo en el otro eje de la tradición poética: el temporal. La preeminencia del *ahora* lima los lazos que nos unen al pasado. La prensa, la televisión y la publicidad nos ofrecen diariamente imágenes de lo que está pasando ahora mismo aquí y allá, en Patagonia, en Siberia y en el barrio vecino; la gente vive inmersa en un ahora que parpadea sin cesar y que nos da la sensación de un movimiento continuo y sin cesar acelerado. ¿Nos movemos realmente o sólo giramos y giramos en el mismo sitio? Ilusión o realidad, el pasado se aleja vertiginosamente y desaparece. A su vez, la pérdida del pasado provoca fatalmente la pérdida del futuro. Desde el siglo XVIII nuestra civilización se ha orientado hacia el futuro. Su guía en esa peregrinación ha sido la idea del progreso, nuestra estrella polar. Desde hace algunos años esa estrella se ha empañado; el presente ha heredado su lustre. Pero es un presente sin peso; flota y no asciende, se mueve y no avanza. Cree que va a todas partes y no va a ninguna: ha perdido el sentido de la orientación. La evaporación de los fines es la contrapartida del crecimiento de los medios. Nuestro presente es un tiempo sin oriente ni norte que lo guíe, literalmente desorientado. En el ámbito de la tradición literaria, la expansión del presente se manifiesta por la tendencia hacia la comunicación instantánea. La duración, atributo de la perfección, cede el sitio al consumo rápido. El pasado se pierde y el futuro se esfuma; a su vez, el presente se aguza en instante: los tres tiempos son una exhalación. El instante estalla y se disipa.

Los poetas han sido la memoria de sus pueblos. Homero canta los hechos de una edad heroica y cuenta lo que pasó hace muchos años; para él no existe el futuro: vive en una sociedad inmóvil que tiene los ojos fijos en un pasado que es el modelo y la fuente del presente. Más tarde, los poetas griegos se inspiran en Homero, los romanos en los griegos, Catulo sigue a los alejandrinos, Virgilio guía a Dante en su peregrinación infernal, Petrarca es el modelo de los poetas europeos y así sucesivamente hasta nuestros días. Cada poeta es un latido en el río de la tradición, un momento del lenguaje. A veces los poetas niegan a su tradición pero sólo para inventar otra. El fenómeno es periódico y se acentúa en la época moderna. Desde el romanticismo hasta el surrealismo, cada movimiento poético ha inventado su propia tradición. Los surrealistas hacían listas de poetas que eran una suerte de parodia tanto del Juicio Final como del examen de fin de año del bachillerato; cada poeta figuraba con una calificación al lado: Baudelaire 8, Rimbaud 9 1/2, Lautréamont 10 (con mención de honor), Apollinaire 7, Claudel -5, Valéry 1, Apuleyo 6, Virgilio 0, Dante 8, Sade 10 (con mención especial), etc. La mayoría de los poetas escogen a sus antepasados: Eliot a los «poetas metafísicos» y a Laforgue; Pound a Cavalcanti y a Li Po; Neruda a Whitman; Borges a otro Whitman distinto del de Neruda y Whitman a un poeta anónimo llamado Walt, un cosmos y un *borough* de Nueva York. La invención del pasado se proyecta, desde el presente, hacia el porvenir. Todos los poetas desean ser leídos en el futuro y de una manera más honda y generosa que en su tiempo. No sed de fama: sed de vida. El poeta sabe que no es sino un eslabón de la cadena, un puente entre el ayer y el mañana. Pero de pronto, al finalizar este siglo, descubre que ese puente está suspendido entre dos abismos: el del pasado que se aleja y el del futuro que se derrumba. El poeta se siente perdido en el tiempo.

Las formas poéticas son esenciales en poesía porque son nuestro recurso contra la muerte y el desgaste de los años. La forma está hecha para durar. A veces es un desafío, otras una fortaleza y otras un monumento, pero siempre es voluntad de perdurar. Tiempo reconcentrado y transmutado que opone al tiempo real no una fijeza sino una arquitectura viviente. Sonetos o baladas, endecasílabos italianos o tankas japonesas, verso libre o poema en prosa, todas las formas y todos los metros son arcas para atravesar el mar de los años y los siglos —la memoria de los hombres. El arte es voluntad de forma porque es voluntad de duración. Cuando una forma se desgasta o se convierte en fórmula, el poeta debe inventar otra. O encontrar una antigua y rehacerla: reinventarla. La invención de una forma es, con frecuencia, una novedad de hace doscientos o trescientos años: nada más nuevo que los poemas chinos recreados por Pound, las canciones en que Apollinaire resucita metros medievales o la música indecisa, que pasa y no pesa, que Darío aprendió en Verlaine y Verlaine en Villon. Pero la industria prefiere, a las novedades auténticas, las novedades digeribles, las fórmulas a las formas.

La primera mitad de este siglo fue un periodo de invención y creación en todas las artes. De ahí que haya sido también una época de impopularidad del arte nuevo, como lo había sido el simbolismo. Por fortuna, los poetas y los artistas gozaron del apoyo de algunos mecenas, editores, galerías de arte y coleccionistas. El arte moderno que hoy admiran cientos de miles en los museos y los libros que todos citan y compran, fueron hace apenas medio siglo el arte y la literatura de una minoría. Después de la segunda Guerra Mundial, las actividades artísticas se han multiplicado: museos, galerías, bienales, subastas internacionales, ríos de oro, océanos de publicidad. Otro tanto ocurre, aunque en escala muchísima menor, en el dominio editorial. Sin embargo, lo mismo en las artes visuales que en la literatura, predominan los estereotipos. La palabra en boga: *posmodernismo,* designa a un eclecticismo. Abundan los refritos en la pintura y en las otras artes. Se me dirá que exagero. Quizá, pero hay que exagerar. Aunque las causas de esta situación son múltiples y complejas, creo firmemente que una de las principales es la transformación del antiguo comercio literario y artístico en un moderno mercado financiero. Este cambio económico coincide con otro de orden moral y político en las democracias de Occidente: la conversión de los ciudadanos en consumidores.

Balance y pronóstico

Mi descripción de la situación de la poesía al final del siglo ha sido incompleta; apenas un esbozo, un apunte. Sin embargo, me parece que he mostrado tanto los obstáculos que dificultan su difusión como sus recursos para sobrevivir. No, la poesía no agoniza. A ratos da la impresión de cierto cansancio, languidez y aun esterilidad; por primera vez, desde la época romántica, no ha aparecido en los últimos treinta años ningún movimiento poético de envergadura. Pero lo mismo ocurre en las otras artes. Es un fenómeno que no ha impedido la aparición de buenos poetas y artistas: cada época produce los suyos. La ausencia de movimientos poéticos refleja uno de los grandes cambios que ha experimentado nuestra época: el ocaso de la tradición de la ruptura. Es uno de los signos que anuncian ya sea el fin de la modernidad o su transformación.[1] Algunos se preguntan ¿hay todavía grandes poetas como los hubo hace apenas treinta años? Esta pregunta es hija de un error de óptica; cada generación repite la misma queja: los contemporáneos de Darío suspiraron por Bécquer, los de Bécquer por Espronceda, los de Espronceda por Meléndez Valdés. El fenómeno es cíclico y es universal, de todos los tiempos y todas las lenguas. Además, lo que se dice de la poesía podría decirse de la novela y de los otros géneros literarios. ¿Muere la literatura? No, vivimos un periodo de profundo malestar intelectual y espiritual que coincide con un formidable sacudimiento histórico. Una época se acaba. ¿Nace otra, o esto que vemos y vivimos es la metamorfosis de la edad moderna? Nacimiento o renacimiento, el signo de este fin de siglo es una interrogación. Pero todas las épocas de incertidumbre han sido ricas en creaciones poéticas y artísticas. No me inquieta la salud de la poesía sino su situación en la sociedad en que vivimos.

[1] He tocado el tema en otros escritos, especialmente en *Los hijos del limo* (1974).

Las artes más dañadas por la absorción del mercado financiero han sido, justamente, las que en apariencia han sido más beneficiadas: la pintura y la novela, convertidas en objetos de consumo. ¿Cómo juzgar todos estos cambios? Por una parte, al introducir el criterio de rentabilidad en un dominio regido por valores distintos, se ha degradado a las artes; por otra, se ha estimulado la producción artística. No importa la mediocridad general de la producción: la excelencia termina siempre por sobresalir e imponerse. En cuanto a la poesía: ha sobrevivido aunque condenada a ocultarse en las catacumbas. De todo esto se desprende que las circunstancias son arduas y difíciles —¿cuándo no lo han sido?— pero no desesperadas.

Me he extendido largamente en las influencias negativas. Debo ahora señalar los signos favorables. Aunque pocos, no son desdeñables. He aludido ya a algunos pero no he mencionado a otros, quizá los más promisores. Me referiré, brevemente, a todos. Al margen del gran mercado, han brotado en muchos sitios pequeñas editoriales dedicadas a publicar libros de poemas; hay una intensa actividad en el dominio de las traducciones y se multiplican las revistas consagradas exclusivamente a la poesía; hay una hermandad internacional de aficionados al arte poético y estos grupos se comunican entre ellos por encima de las fronteras lingüísticas y políticas; abundan los festivales internacionales de poesía; las lecturas públicas son una costumbre que se extiende sin cesar y que ha llegado a la radio y a la televisión (sobre todo en los Estados Unidos y en la Gran Bretaña). En suma, no es arriesgado afirmar que hay un público de lectores muy extenso, aunque disperso, y que crece año tras año. En Occidente los poetas no tienen ya la influencia social que tuvieron los grandes románticos pero en América Latina y en otras partes el poeta todavía es una figura pública. En la Unión Soviética, en China y en toda la Europa central, los poetas han participado de modo eminente y a veces central en las luchas por la democracia y en contra de las burocracias comunistas dominantes en esos países.

En 1988 la compañía Phillip Morris, según cuenta Donald Hall, encomendó a un especialista, Lou Harris, una encuesta sobre «las artes y los norteamericanos». El Centro Nacional de las Artes publicó un poco después las estadísticas de Harris. Unas cuantas cifras: noventa y siete millones de norteamericanos visitan por lo menos una vez al año los museos de arte y sesenta millones asisten a funciones de ballet y de danza moderna. ¿Cuántos fotógrafos hay en Estados Unidos? Noventa millones. ¿Y cuántos aficionados estudian y practican el ballet y la danza? Cuarenta millones. Después de estos números, no es increíble que cuarenta y dos millones de norteamericanos escriban poemas y cuentos. Esta afición a la poesía y al cuento —género que oscila entre el poema en prosa y la narración— no es exclusiva de los Estados Unidos; todos sabemos que muchísima gente escribe poemas aunque pocos encuentran ocasión de publicarlos. Esos aficionados son lectores potenciales, de modo que lo extraño no es que haya cuarenta y dos millones de autores secretos sino que muy pocos entre ellos compren y lean libros de poemas. ¿Cómo explicarlo? ¿Envidia del autor privado al autor público? No lo creo. Esbozo una respuesta: el autor espontáneo no puede convertirse en lector activo porque carece de información suficiente sobre la actualidad literaria y las nuevas formas poéticas. Su gusto es, salvo rarísimas excepciones, el de la generación anterior y de ahí sus lugares comunes y la forma anticuada de sus escritos. Movido por un legítimo pero vago deseo de expresarse, el aficionado carece de ese saber que da la lectura frecuente de la buena poesía. Ese saber no es sólo un conocimiento teórico sino una experiencia que se transforma en segunda naturaleza, es decir, es un *saber hacer*. Los principales culpables de esta situación, aunque no los únicos, son los editores y el sistema educativo.

Los editores han ignorado a estos lectores potenciales que son los aficionados a escribir poemas. No es extraño: casi todos los editores son parte de las tecnocracias dirigentes, un grupo que adora las inciertas ciencias sociales, desdeña las letras clásicas y ve con recelo a la poesía, considerada por algunos como una actividad inútil y por otros como un pasatiempo arcaico. Por esto, hay que comenzar por educar a los editores, a sus asistentes y a sus voceros. Es muy difícil pero no enteramente imposible. Aunque no es factible ni acaso deseable cambiar esa gigantesca industria, sí lo es crear pequeñas unidades autónomas destinadas a producir libros que satisfagan las necesidades de las minorías. O sea: hace falta apostar por la pluralidad de gustos, aficiones e intereses espirituales y estéticos. El caso de la editorial norteamericana New Directions es un ejemplo notable. Hijo de una familia acomodada, James Laughlin estudiaba en Harvard hace unos cincuenta años. Amante de la poesía pero decepcionado de sus profesores, decidió pasar una temporada en Rapallo, en donde Ezra Pound era el centro de un pequeño grupo consagrado a los estudios poéticos —la Ezraversity, como llamaba a su círculo el mismo Pound. Al cabo de seis meses de convivencia, Pound y Laughlin hicieron un pacto: el segundo se convertiría en editor y se dedicaría a publicar los libros de Pound, Williams y otros poetas de esa época. Así nació New Directions. La editorial ha durado ya más de medio siglo y ha logrado dos cosas igualmente difíciles: no convertirse en una gigantesca transnacional y publicar no sólo a muchos poetas norteamericanos de valía sino al corpus de la poesía moderna europea y latinoamericana.

En un reciente volumen de prosa amena e inteligente (*Recollections of a Publisher,* 1989) Laughlin observa que Pound le recomendó qué libros debería publicar pero no cómo venderlos. Y agrega: «Quizá no lo sabía. O no le importaba. No puedo repetir ahora sus palabras pero sí recuerdo que, más de una vez, me dijo que a él le bastaba con que un escrito suyo, publicado en alguna oscura revista, llegase a los ojos de veintisiete lectores y les hiciese hervir los sesos. Esos veintisiete serían después capaces de difundir sus escritos». No le faltaba razón a Pound: un libro se propaga no por la publicidad de los altavoces sino de oído en oído y a *sotto voce.* Laughlin tuvo el buen sentido de no seguir todos los consejos de Pound; por ejemplo, no publicó las excéntricas teorías económicas del mayor Douglas. En cambio, comprendió inmediatamente que la nueva literatura, menospreciada al unísono por los profesores universitarios y los críticos oficiales, podía conquistar un público reducido pero ferviente. Fue una empresa contra la corriente y deliberadamente minoritaria. En una de sus cartas, Pound le decía a su joven amigo: «Por amor de Dios, medite en aquello que le dije una vez: *nada* de lo que se escribe por dinero vale un comino; lo *único* que vale es aquello que se ha escrito *contra* el mercado. No hay veneno peor que el dinero. Si se recibe un gordo cheque, uno piensa inmediatamente que ha hecho algo, pero al poco tiempo ya no corre sangre por sus venas sino tinta». Estas líneas fueron escritas en 1940; nueve años después, volvió a la carga: «La muerte de todas las viejas y famosas editoriales de los Estados Unidos sería un signo del amor de Dios al género humano. No hay un solo ejemplo de que esas firmas hayan alguna vez ayudado a un escritor vivo o a la literatura».

La fundación de pequeñas editoriales independientes puede compararse a la creación de anticuerpos para la defensa del organismo. Rodeados de la indiferencia general, un grupo de jóvenes de talento se reúne y decide fundar una revista. Uno de ellos se revela como un capitán valeroso y hábil, capaz de acampar en tierras de filisteos. Al poco tiempo la revista se convierte en una editorial influyente y sus libros transforman el gusto y las ideas del público. Hablo de la *Nouvelle Revue Française*, de

André Gide y de Gaston Gallimard. En otros casos, la revista se funda en torno a una gran personalidad: *Revista de Occidente* y José Ortega y Gasset. El estímulo intelectual de esa revista, de sus libros y de la obra misma de Ortega y Gasset fue enorme y profunda para mi generación. Yo tenía unos veinte años y entre los libros de Revista de Occidente que llegaron a mis manos se encontraban *Cántico* de Guillén, *Romancero gitano* de García Lorca y *Cal y canto* de Alberti. Un poco después *Cruz y Raya* de José Bergamín publicó obras notables y una de ellas a todos nos estremeció: *Residencia en la tierra,* de Neruda. En esos mismos años y en Buenos Aires, apareció la revista *Sur;* la animadora fue Victoria Ocampo, ayudada por un talento modesto y sutil: José Bianco. También *Sur* publicó libros y bajo su sello aparecieron, entre otros, *El jardín de senderos que se bifurcan,* de Borges, y *Nostalgia de la muerte,* de Xavier Villaurrutia. A veces, los mineros dejan el subsuelo, suben a la superficie, se deslizan por los corredores de las fortalezas editoriales y se convierten en los consejeros e inspiradores de los príncipes de la industria: el poeta T. S. Eliot y su despacho en Faber & Faber de Londres.

Sería aburrido citar más ejemplos pero no es impertinente añadir que dos rasgos distinguen a estas empresas. El primero: su nacimiento se debe a la acción conjunta de un grupo de escritores, generalmente jóvenes; ese grupo intuye, no siempre claramente, que tiene algo nuevo o distinto que decir; la revista y la editorial expresan la novedad y la originalidad no tanto de una generación como de una sensibilidad, un lenguaje y una visión. Si no hay nada nuevo que decir, la editorial se extingue o se vuelve un negocio. El segundo rasgo: la revista y sus publicaciones expresan los gustos y las tendencias de una minoría: así, están dirigidas contra las formas y las ideas imperantes. Estos dos rasgos definen al fenómeno: es una ruptura del orden establecido y la irrupción de una literatura distinta. Tanto la ruptura como la irrupción son relativas: cada cambio confirma a la tradición y la continúa, cada innovación se alimenta de las invenciones del pasado, cada ruptura es una reiteración y un homenaje a las obras de los abuelos.

Este doble movimiento de negación y afirmación, de ruptura y filialidad, es constante en la historia de todas las literaturas y muy especialmente de la moderna. La ausencia de este tipo de manifestaciones en la vida literaria de nuestros días es un indicio inquietante. En la edad moderna la acción de las minorías ha sido el soplo vivificante de la tradición literaria. La desaparición de las minorías y de sus manifestaciones —revistas y pequeñas editoriales—, en beneficio de una supuesta unanimidad, significaría no sólo una mutilación de ese cuerpo vivo que es la literatura sino quizá su muerte. No habría ya literatura: sólo *best-sellers*. Temo que éste sea el ideal de no pocos editores. Esperemos que ese sueño jamás se realice. Pero es verdad que vivimos un periodo incierto en el ámbito de todas las artes. Es indudable que *algo* le falta a la literatura contemporánea. Ese algo es la sílaba *No*, una sílaba que ha sido siempre el anuncio de grandes afirmaciones. Estoy seguro de que, escondido en los repliegues de este fin de siglo, *algo* se prepara.

La educación de los editores es una de las condiciones de la conservación de la tradición literaria, concebida como la doble acción de minorías y mayorías, rupturas y reiteraciones. La otra es la educación de los profesores. Ya mencioné los efectos nocivos de la tendencia moderna a considerar las obras literarias como documentos históricos y sociales. Esta moda intelectual no se debe a la inveterada pedantería de los doctos, aunque esto también cuente, sino a la fascinación intelectual que han ejercido siempre las ortodoxias. No hay nada más atractivo para ciertos espíritus que los «compendios universales y las explicaciones generales del mundo», decía Marx. Se refería a la religión, sin saber que profetizaba la suerte de su doctrina en el siglo XX. Por lo demás, no es la primera vez en la historia que la poesía ha sido objeto de las deformaciones y las mutilaciones que impone el absolutismo geométrico de las ortodoxias. La gran antología atribuida a Confucio *(Shih Ching)* contiene muchos poemas de amor que no pocas veces recuerdan a la lírica tradicional erótica de España. Pero la pudibundez de los mandarines transformó esos poemas que cantan a la más irregular y singular de las pasiones en rígidas alegorías políticas y en fábulas moralizantes. En lugar de los lazos pasionales que unen o desunen a los enamorados, la interpretación oficial impuso la geometría del código que rige las relaciones del Señor con sus Ministros. En nuestra civilización, otras ortodoxias, la judía y la cristiana, convirtieron los poemas eróticos conocidos como el *Cantar de los cantares* en una alegoría religiosa del amor de Jehová por Israel o de Cristo por su Iglesia. La negación del cuerpo, exacerbado por la influencia del platonismo en la filosofía cristiana, llevó al gran Menéndez Pelayo a lamentar la desenvoltura de Santa Teresa, que se servía de las canciones populares de tema amoroso para cantar las bodas del alma con su Dios. Del otro lado del Canal de la Mancha, un poco antes de morir, se repitió el escándalo: el poeta Auden también deploró con viveza la excesiva sensualidad de algunas estrofas de San Juan de la Cruz.

Las censuras de las ortodoxias religiosas son, sin embargo, menos ridículas que ciertas interpretaciones cientistas. Pienso ahora no en la sociología sino en el psicoanálisis. Algunos profesores están empeñados en ver en el *Cántico espiritual* un poema de amor profano y en la *Noche obscura* la aventura de una muchacha que se escapa de su casa para unirse con su galán en un claro del bosque. Leer estos poemas como textos de amor profano —o como sublimaciones de tendencias sexuales reprimidas, tal vez homoeróticas— es el equivalente de la lectura política que hacían los letrados chinos del *Shih Ching*. Una lectura de esta índole es simplista y simplificadora: ignora la ambigüedad de esos poemas, su continuo ir y venir de lo sagrado a lo profano, de lo espiritual a lo sensual, de lo intelectual a lo carnal. Esta ambigüedad, por lo demás, no es exclusiva de San Juan de la Cruz; aparece en todos los grandes textos místicos, ya sean cristianos o musulmanes, hindúes o taoístas. Sólo entre los neoplatónicos, señala E. R. Dodds, fue tajante la división entre el cuerpo y el alma (y no en todos). El tantrismo en Oriente y, en Occidente, varias sectas gnósticas, son los ejemplos más acabados y extremos de esta antigua e irrefrenable tendencia a mezclar la sensación con la idea, el acto con el símbolo.

Por otra parte, la confusión entre lo religioso y lo erótico es un rasgo constante de la poesía profana. Dante y Donne, Quevedo y Baudelaire, Lope de Vega y Sor Juana, Petrarca y Ronsard, Novalis y Blake, sin excluir a los poetas menores, como Medrano y López Velarde, continuamente emplean expresiones religiosas para referirse a sus experiencias pasionales. Nada más natural que San Juan de la Cruz acuda a imágenes de subido erotismo y que muchas de ellas vengan tanto de la poesía culta como de las canciones populares. Pero San Juan de la Cruz resulta más bien tímido si se piensa en el lenguaje de los poetas sufíes o en los textos tántricos. En estos últimos, por ejemplo, el término *sukra* (semen) se usa también para designar a la iluminación súbita *(bodhicitta)* y el orgasmo y el éxtasis se llaman, indistintamente, *mahasukka* (gran goce). Si no hay mayor dicha que el amor humano satisfecho, ni mayor desventura que el amor negado, ¿cómo no compararlo con el amor místico? Son expresiones de la misma fuerza vital... Esta pequeña digresión ha servido, al menos, para aclarar lo que he querido decir cuando hablé de «educar a los doctos». No desdeño sus conocimientos, son muchos y diversos, pero tienen que reaprender a leer los poemas como textos poéticos, no como documentos sociales o psicoanalíticos.[1]

[1] Un ejemplo de esta buena clase de lectura es la que ha hecho Domingo Ynduráin en su excelente edición de las *Poesías* de San Juan de la Cruz, Cátedra, 1983.

Mi severidad con los profesores se debe a que creo que la continuidad de la tradición poética depende de ellos en buena parte. Sin los pedagogos griegos, nadie habría recitado los poemas homéricos y Grecia no hubiera sido Grecia. Reconozco, además, que la tradición poética perdura, aunque maltrecha, gracias a ellos; a diferencia del ocaso de las letras clásicas, la tradición poética nacional está viva y es cultivada en casi todas las universidades. La afición juvenil a la poesía y la vitalidad de ese público en los Estados Unidos se debe a la atención que prestan las universidades a la enseñanza de la tradición poética de la lengua. En algunos países, como Inglaterra, Rusia, Alemania y Japón, el amor a la tradición poética nacional es una costumbre venerable y aún intacta: Shakespeare sigue siendo un dios para los ingleses, Goethe para los alemanes y Pushkin para los rusos. En Hispanoamérica esa tradición agoniza o, en algunos países, ha desaparecido. Pero se trata de un continente enfermo; en ninguna otra parte del mundo la pérdida de la memoria histórica ha sido tan general, profunda y de consecuencias de tal modo devastadoras como en nuestros países.

Debo agregar que la actitud de las universidades ante los poetas ha variado mucho, sobre todo en las de los Estados Unidos, que son las mejores y las más ricas. Antes podían contarse con los dedos los poetas universitarios. No lo fueron ninguno de los grandes poetas del siglo XIX ni tampoco los del XX. Pero después de la segunda Guerra Mundial las universidades norteamericanas les abrieron sus puertas; se les invitó no sólo a leer sus poemas sino a ocupar cátedras y a dirigir seminarios. Veo este cambio con *mixed feelings*. Se le ha dado un lugar al poeta, considerado con frecuencia por la burguesía y las instituciones académicas como un paria y un individuo sin oficio ni beneficio; al mismo tiempo, la existencia sedentaria de las universidades, fundamentalmente intelectual y aun libresca, al margen de la vida de la ciudad, puede recortar su visión. La experiencia del poeta debe ser directa, vasta y variada: a Eliot no lo dañó trabajar en un banco ni a Neruda ser cónsul en Rangún. Sin embargo, algunos de los mejores poetas contemporáneos de los Estados Unidos, como Robert Lowell y Elizabeth Bishop, atravesaron indemnes los paraísos asépticos que son las universidades de ese país. Tal vez porque encontraron en sus claustros un respiro momentáneo a la agitación de sus vidas. Otra innovación: «los talleres de poesía», en los que un poeta enseña su oficio a un grupo de estudiantes. Esos talleres funcionan en casi todas las universidades de los Estados Unidos (también en las de México). Me parece que han hecho más mal que bien. Si se quiere «enseñar a escribir», habría que volver quizá a las antiguas clases de composición, a la Retórica y al estudio de los modelos clásicos.

Los poetas se refugian en las universidades, como en la Edad Media, pero sería funesto que abandonasen la ciudad. Villon fue un hijo de la universidad que se hizo (y deshizo) en las calles de París. La poesía que ejemplifica Villon satisface necesidades sentimentales y espirituales a un tiempo íntimas y colectivas. Unas son profundas y otras se confunden con el fluir de los días: amores, penas, arrepentimientos, visiones, toda la gama de los sentimientos y los afectos. La poesía canta lo que está pasando; su función es dar forma y hacer visible la vida cotidiana. No digo que sea ésta su única misión, sí que es la más antigua, permanente y universal. Aunque no todos los pueblos tienen una *Divina Comedia* o un *Paraíso perdido,* todos tienen una tradición poética —canciones, baladas, romances— que se confunde con su historia misma. En todos los tiempos y en todos los lugares se han compuesto canciones y romances de amor o de duelo, de soledad o de regocijo comunal. Esos poemas se han cantado en los templos y en las plazas, en los salones y en las tabernas, en los teatros y en las alcobas. La tradición sigue viva, como lo muestra la inmensa popularidad que rodea a los compositores, a los músicos y a los cantantes. La televisión, la radio y los discos reproducen sin cesar sus composiciones, sus voces y sus figuras. Aunque han cambiado las formas poéticas y musicales, los temas de un John Lennon o de cualquier otro poeta popular de nuestros días no son muy distintos a los de los romances y canciones de los siglos XVI y XVII. ¿Y la calidad? Hay de todo, como en las boticas: lo bueno siempre es raro. Pero cualquiera que sea su mérito, esas canciones satisfacen una necesidad psicológica tan viva hoy como hace tres siglos. Mejor dicho: como hace milenios.

Al rozar este tema, encuentro de nuevo una ausencia. Muy pocos, entre los poetas contemporáneos de renombre, se han interesado en cultivar los géneros tradicionales. Ha sido una gran pérdida. Los poemas y canciones tradicionales son nuestra herencia poética más viva y pura. Es una tradición que existe en todas las lenguas y que en la nuestra es particularmente rica. Nace con el idioma, produce el Romancero, atraviesa el mar y se extiende en el Continente Americano. Muchos de esos poemas son anónimos y otros son obra de nuestros más altos poetas, admirable fusión de lo colectivo y lo individual. El renacimiento de la poesía española, en el primer tercio del siglo XX, se debió en buena parte a la influencia vivificante de la lírica tradicional, conservada y depurada por Bécquer y, después, por Juan Ramón Jiménez y Antonio y Manuel Machado. En América no tuvimos ni un García Lorca ni un Alberti aunque sí la breve llamarada de la poesía negra. Sin embargo, por más atractivas que sean las formas de las canciones y los romances tradicionales, la poesía popular contemporánea no tiene por qué repetir esos modelos. Los poetas deben buscar formas y ritmos más en consonancia con el lenguaje y la vida de nuestras ciudades. Un ejemplo de una poesía que recoge el espíritu de la tradición pero no sus formas es el poeta francés Jacques Prévert, un surrealista. Los casos que he citado —podría añadirse el de Brecht— son aislados. Tal vez los poetas de mañana se decidirán a explorar ese inmenso territorio que es el alma popular.

No faltará quien alce las cejas sorprendido porque, al hablar de la poesía en la ciudad, no haya mencionado a los «poetas comprometidos». La poesía política tuvo una gran importancia en la primera mitad del siglo XX pero muy pocos de los poemas escritos en esos años alcanzaron la universalidad de la verdadera poesía. Sus autores estaban demasiado cerca de la noticia y muy lejos del acontecimiento. La noticia se disuelve en propaganda mientras que el acontecimiento es la historia que de pronto aparece. Es una realidad enigmática que debemos descifrar para no ser devorados... Y la historia devoró a los «poetas comprometidos». Creían en la justicia y en la emancipación de los hombres pero su fe era ciega y confundieron a los opresores con los tiranos. Les faltó penetración; mejor dicho: *visión*. Por esto sus poemas, en menos de treinta años, han envejecido. La historia de la poesía política del siglo XX, en sus dos vertientes: el «realismo socialista» y el «compromiso», es un capítulo de uno de los fenómenos más extraños de nuestro tiempo: la fascinación de muchos artistas e intelectuales por los regímenes autoritarios. El misterio de la «seducción totalitaria», como lo llama Revel, es psicológico e histórico; pertenece al estudio de las aberraciones morales y al de los delirios colectivos. Tal vez dos elementos fueron determinantes: la pasión por lo absoluto y la idolatría por el poder. La Idea y el César. Se ha escrito mucho sobre este tema pero el enigma no ha sido enteramente descifrado.

Más de una vez he aludido, a lo largo de estas páginas, a un hecho central. Me refiero al fenómeno de la impopularidad de la poesía nueva, seguida, años después, por la consagración pública de esas obras proscritas. Con una suerte de regularidad astronómica, en la que no es arbitrario ver la operación misteriosa de la antigua «justicia poética», los poetas de la edad moderna comienzan en la oscuridad; después son blanco de sátiras y objeto de burlas; al final, invariablemente, acaban por ser consagrados en ceremonias públicas de desagravio y beatificación. En ocasiones, el reconocimiento es *post-mortem.* No siempre: Eliot, Neruda y Valéry se convirtieron en mitos vivientes. Ya en su tiempo Baudelaire había advertido el carácter cíclico del fenómeno y, en sus *Consejos a los literatos jóvenes,* escribe estas frases que podrían leer con provecho los nuevos poetas de 1990: «En cuanto a aquellos que se dedican a la poesía con talento, les aconsejo que no la abandonen nunca. La poesía es una de las artes que más producen; pero es un tipo de inversión que no rinde intereses sino tarde —aunque, en cambio, muy elevados. Desafío a los envidiosos a citarme buenos versos que hayan arruinado a un editor».

He hablado del mercado editorial, no de los nuevos medios de comunicación. No quisiera volver a la disputa sobre lo que se ha llamado el nihilismo de la técnica ni a las relaciones entre ésta y la poesía. He dedicado al asunto varios ensayos.[1] No los repetiré y me limito a indicar que en ellos procuré mostrar la oposición esencial que existe entre la técnica moderna y la poesía. La primera no es una imagen del mundo sino una práctica, una acción destinada a cambiarlo y, en cierto modo, a desalojarlo; la segunda ha sido siempre una visión del mundo. Sin embargo, señalé que la poesía utiliza ya los nuevos medios de comunicación y aconsejé a los poetas que los usasen con mayor osadía e imaginación. La poesía ha convivido con todas las sociedades y se ha servido de todos los medios de comunicación que esas sociedades le han proporcionado, desde las conchas y caracoles marinos hasta los instrumentos musicales más refinados, de la inscripción sobre un ladrillo al manuscrito miniado, del libro al disco y la banda magnética.

Como ocurre a menudo, mis primeras reflexiones sobre estos temas coincidieron con algunas de mis tentativas poéticas: poesía visual, textos en movimiento y la edición de un poema, *Blanco,* en el que quise combinar de manera distinta a la habitual los dos ejes de la escritura y la lectura de

[1] El más antiguo es *Los signos en rotación,* 1964, publicado primero de manera independiente como un pequeño libro, a manera de «manifiesto poético», *Sur,* 1955, y después incorporado a la segunda y definitiva edición de *El arco y la lira,* 1967, en donde aparece como el capítulo final. El segundo es «La nueva analogía: poesía y tecnología», 1967, recogido en la primera parte, «La modernidad y sus desenlaces», de *El signo y el garabato,* 1973 [incluidos en este volumen]. El tercero es *El pacto verbal,* 1980, incluido en *Hombres en su siglo,* 1984 [en el vol. II de estas OC].

poemas: el espacial y el temporal.[1] En el caso de *Blanco*, me propuse diseñar un libro cuyas páginas y tipografía fuesen la proyección física de una experiencia mental: la lectura de un poema que se despliega, simultáneamente, en el espacio y en el tiempo. Estas búsquedas desembocaron en el obvio reconocimiento de las insospechadas e inexploradas posibilidades de la cinta cinematográfica y de la pantalla de televisión. Ambas son el equivalente de la página del libro. Páginas sueltas, como quería Mallarmé pero, asimismo, dotadas de un atributo que nunca soñó: el movimiento. Páginas móviles y en las que aparece un texto móvil. Espacio que transcurre: tiempo.

Al principio, la poesía fue oral: una columna que asciende y que está hecha de versos, es decir, de unidades verbales rítmicas que aparecen y desaparecen, una tras otra, en un espacio invisible hecho de aire. Góngora compara el discurso poético con el transcurso de un río; pero el río corre entre dos orillas mientras que el chorro verbal del poema fluye en el aire y en el aire desaparece. Es tiempo en su forma más pura. La poesía se apoyó, más tarde, en la escritura; desde entonces se ha servido del signo escrito y de la palabra hablada. Las dos tradiciones han tenido desarrollos paralelos, aunque se enlazan y cruzan constantemente. En ciertos países y épocas la poesía escrita ha añadido un elemento visual a los signos gráficos: caligrafía china, japonesa, árabe y persa; manuscritos iluminados; poemas y libros ilustrados por grandes artistas; tipografías insólitas. Uno de los momentos más altos de esta tradición, en la época moderna, es *Un Coup de dés* de Mallarmé. Este poema sustituye la poesía métrica por una composición visual regida por una prosodia distinta. Juego de sutiles correspondencias entre la tipografía —disposición y formas de los caracteres en la página— y la elocución del poema. Una elocución mental: palabras dichas y oídas con los ojos y con la mente.

En todas las formas escritas de la poesía, el signo gráfico está siempre en función del oral. Por más expresiva o refinada que sea la caligrafía de un poema chino, el lector advertido *oye mentalmente*, detrás del trazo elegante o enérgico, las palabras del texto, su música verbal. La página caligráfica es un tejido de rasgos que denotan sonidos y sentidos. Lo mismo sucede con la composición tipográfica de *Un Coup de dés*. De ahí que Mallarmé, en el prólogo de su poema, evoque la lectura en voz alta: «los

[1] *Blanco*, 1966; *Discos visuales*, 1968; *Topoemas*, 1968; *Anotaciones/Rotaciones*, 1974. *Discos visuales* fue realizado en colaboración con Vicente Rojo, y *Anotaciones / Rotaciones*, con Toshihiro Katayama.

retrocesos, avances, prolongaciones y fugas del poema, y su diseño mismo, resulta para todo aquel que quiera leerlo en voz alta, en una partitura». Aun en los caligramas de Apollinaire, que son más puramente visuales, la palabra hablada, el elemento sonoro, es el soporte del texto dibujado y escrito. Una de las debilidades de la teoría poética del surrealismo fue su desdén ante la prosodia poética. Una indiferencia desmentida, por lo demás, por la práctica misma de los poetas surrealistas: en sus textos abundan los juegos de palabras y las colisiones entre el sonido y el sentido. En ningún otro género literario es de tal modo íntima la unión entre sonido y sentido como en la poesía. Esto es lo que distingue al poema de las otras formas literarias, su característica esencial. El poema es un organismo verbal rítmico, un objeto de palabras dichas y oídas, no escritas ni leídas.

Puede ahora entenderse el verdadero significado de la lectura en público de poemas. Es uno de los signos favorables que mencioné antes. Es un regreso al origen de la poesía, un volver a la fuente. Y por esto mismo las posibilidades de la pantalla de televisión son inmensas. En primer término, la creciente popularidad de los casetes nos libera de la tiranía del *rating* y abre el camino a la pluralidad de públicos. Enseguida: en la pantalla de televisión confluyen las dos grandes tradiciones poéticas, la escrita y la hablada. La pantalla es una página favorable, incluso por sus dimensiones, al diseño de composiciones no menos sino más complejas que la ideada por Mallarmé. Además, las letras aparecen en distintos colores y, diferencia sustancial, en movimiento. Por otra parte, la página se transforma en una superficie animada, que respira, transcurre y cambia de un color a otro. Al mismo tiempo, la voz humana, mejor dicho: las voces, pueden enlazarse y combinarse con las letras. Por último: las imágenes visuales y los elementos sonoros, en lugar de ser meros adornos, pueden transformarse en partes orgánicas del cuerpo mismo del poema.

Algunos hemos comenzado, en distintas ciudades y de modo independiente, a usar la pantalla de televisión en la proyección de nuestros poemas. Las dificultades son enormes —confieso por mi parte, que ando a tientas— pero también son inmensas las perspectivas que poco a poco se abren. Tengo la certeza de que los poemas proyectados en la pantalla de televisión están destinados a convertirse en una nueva forma poética. Este género afectará la emisión y recepción de poemas de una manera no menos profunda que la del libro y la antigua tipografía. Asimismo, realizará, al fin, la unión entre los dos sentidos privilegiados del hombre: la vista y el oído, la imagen y la palabra. Muy pronto, estoy convencido, podrá satisfacer la doble condición del placer estético y de la experiencia poética: la fiesta y la contemplación. La primera es un arte de participación y de comunión; la segunda es un diálogo silencioso con el universo y con nosotros mismos. En el poema venidero, oído y leído, visto y escuchado, han de enlazarse las dos experiencias. Fiesta y contemplación: sobre la página animada de la pantalla, la tipografía será un surtidor de signos, trazos e imágenes dotadas de color y movimiento; a su vez, las voces dibujarán una geometría de ecos y de reflejos, un tejido de aire, sonidos y sentidos enlazados.

La otra voz

Al escribir estas reflexiones he recordado una y otra vez, no sin melancolía, las luchas que durante muchos años y en distintos países sostuvimos algunos poetas, escritores y artistas. En mi juventud, en contra del «realismo socialista», una doctrina que pretendía someter la literatura a los dictados de un Estado y de un partido que, en nombre de la liberación del género humano, levantaba monumentos a la gloria del látigo y la bota. Más tarde, la querella de «la literatura comprometida». Si la idea de Sartre era confusa, las interpretaciones a que dio pie, especialmente en América Latina, fueron deletéreas. Hubo necesidad de fumigarlas con la crítica. No me arrepiento de esas batallas; valieron la pena. Hoy las artes y la literatura se exponen a un peligro distinto: no las amenaza una doctrina o un partido político omnisciente sino un proceso económico sin rostro, sin alma y sin dirección. El mercado es circular, impersonal, imparcial e inflexible. Algunos me dirán que, a su manera, es justo. Tal vez. Pero es ciego y sordo, no ama a la literatura ni al riesgo, no sabe ni puede escoger. Su censura no es ideológica: no tiene ideas. Sabe de precios, no de valores.

Ya sé que es imposible luchar contra el mercado o negar su función y sus beneficios. Sin embargo, ahora que, según todos los signos, el socialismo totalitario se derrumba y ha dejado de amenazar a las sociedades democráticas, un nuevo pensamiento político y social tal vez podrá diseñar formas de intercambio menos onerosas. Ésta es mi ardiente esperanza. Desvanecidas las crueles utopías que han ensangrentado a nuestro siglo, ha llegado, al fin, la hora de comenzar una reforma radical, más sabia y humana, de las sociedades capitalistas liberales. También, claro está, de los pueblos de la periferia, agrupados bajo el nombre equívoco de Tercer Mundo. Tal vez esas naciones empobrecidas, víctimas sucesivamente de tiranos arcaicos y de astutos demagogos, de oligarquías rapaces y de intelectuales delirantes enamorados de la violencia, escarmentadas por los desastres de estas décadas, logren encontrar la salud política y con ella un poco de bienestar. Ninguna persona cuerda puede pensar que la crisis que hoy conmueve a los países que han vivido bajo el despotismo burocrático comunista no se extenderá al resto del mundo. Vivimos una vuelta de los tiempos: no una revolución sino, en el antiguo y más profundo sentido de la palabra, una revuelta. Un regreso al origen que es, asimismo, un volver al principio. No asistimos al fin de la historia, como ha dicho un profesor norteamericano, sino a un recomienzo. Resurrección de realidades enterradas, reaparición de lo olvidado y lo reprimido que, como otras veces en la historia, puede desembocar en una regeneración. Las vueltas al origen son casi siempre revueltas: renovaciones, renacimientos.[1]

En la segunda mitad del siglo XVIII aparece una compleja y poderosa corriente de ideas, sentimientos, aspiraciones y sueños (unos lúcidos y otros vesánicos) que cristalizan en la Revolución francesa y en la revolución de independencia de los Estados Unidos. Con ellas comienza nuestra historia, la de nuestro tiempo. El movimiento nacido de las dos grandes revoluciones recorre el siglo XIX como un río que aparece, se oculta y reaparece. Al transcurrir, cambia; al cambiar, vuelve incesantemente a su origen. Cada una de sus apariciones estuvo acompañada por nuevas ideas e hipótesis, utopías, programas de reformas sociales y políticas. Las filosofías de la Ilustración fueron modificadas; al lado del pensamiento liberal de un Tocqueville o de un Stuart Mill, surgieron ideologías nostálgicas de un pasado supuestamente mejor y otras, igualmente críticas del presente, que veían en el futuro el alba de una humanidad más libre, justa y pacífica. Pronto las utopías se transformaron en programas revolucionarios, muchas veces con pretensiones científicas. La gran aberración del siglo pasado fue buscar en la ciencia el fundamento que la antigua filosofía había buscado en la razón o en la divinidad. El marxismo, por ejemplo, sin renunciar a la dialéctica heredada de Hegel (lógica ilusoria), intentó aprovechar las aportaciones de Ricardo a la teoría económica; más tarde, y con menos justificación, la del evolucionismo de Darwin.

Las doctrinas anarquistas y socialistas fueron el gran fermento político y social de la segunda mitad del siglo XIX. Pero en nuestro siglo dos grandes guerras, seguidas de violentas revoluciones en un extremo de

[1] Véase *Corriente alterna*, 1967, especialmente la tercera parte, y *Tiempo nublado*, 1983, los apartados «Revuelta y resurreción» y «Mutaciones» [incluidos en el vol. VI de estas *OC*].

Europa y en Asia, interrumpieron el proceso de cambio gradual que preveían muchos socialistas y demócratas. Los regímenes totalitarios surgidos de la versión bolchevique del marxismo fueron el tiro por la culata del socialismo. Nueva prueba de la escasa maleabilidad de la materia histórica, siempre rebelde a las pretensiones de la teoría. Hoy asistimos a la impresionante refutación del llamado «socialismo científico». Sus creyentes no tienen más remedio que admitir que esos regímenes no fueron nunca ni socialistas ni científicos. Pero el descrédito de este terrible experimento, ¿alcanza también a las aspiraciones libertarias e igualitarias que inspiraron a los pensadores anarquistas y socialistas del siglo pasado? No lo creo. Ante las iniquidades del sistema capitalista esos hombres se hicieron algunas preguntas. Esas preguntas siguen sin contestar.

Es verdad que el sistema capitalista ha mostrado una inmensa capacidad de renovación: al mismo tiempo que ha multiplicado su eficacia, se ha reformado y humanizado. En Occidente reina la abundancia y hay una inmensa y próspera clase media que incluye a vastas capas del antiguo proletariado. Aparte de que esta prosperidad sólo alcanza a una fracción del género humano, ¿cómo ocultar o negar las injusticias y la desigualdad que todavía existen en las naciones más desarrolladas? ¿Cómo ignorar o minimizar otros deplorables aspectos de la sociedad de consumo? La abundancia no ha hecho ni más buenos ni más sabios ni más felices a los europeos y a los norteamericanos. Para medir nuestra penuria estética y nuestra bajeza moral y espiritual, basta con pensar en un ateniense del siglo v a.C., un romano de tiempos de Trajano y Marco Aurelio o un florentino del siglo xv.

Los programas de los escritores socialistas y libertarios fueron muchas veces ingenuos y simplistas; otras, brutales y despóticos. No obstante, ni las carencias, lagunas, errores y excesos de esos programas, ni su colosal fracaso histórico, invalidan la legitimidad de las preguntas que esos hombres se hicieron. Me parece que se aproxima la hora de hacernos esas o parecidas preguntas. Casi seguramente, nuestras respuestas serán distintas. Nada más natural. Pero estarán inspiradas por motivos semejantes y deberán satisfacer esperanzas análogas. Las preguntas a que me refiero son básicas. Aparecen en el momento mismo del nacimiento de la era moderna y en ellas está contenida, como si fuesen una semilla, toda la historia de nuestro tiempo, sus quimeras y sus contradicciones, sus extravíos y sus iluminaciones. Pueden condenarse, sin excesivo riesgo de simplificarlas, en la relación entre las tres palabras cardinales de la democracia moderna: *libertad, igualdad* y *fraternidad*. La relación entre ellas es incierta o, más bien, problemática. Hay contradicción entre ellas: ¿cuál es el puente que puede unirlas?

A mi modo de ver, la palabra central de la tríada es *fraternidad*. En ella se enlazan las otras dos. La libertad puede existir sin igualdad y la igualdad sin libertad. La primera, aislada, ahonda las desigualdades y provoca las tiranías; la segunda, oprime a la libertad y termina por aniquilarla. La fraternidad es el nexo que las comunica, la virtud que las humaniza y las armoniza. Su otro nombre es solidaridad, herencia viva del cristianismo, versión moderna de la antigua caridad. Una virtud que no conocieron ni los griegos ni los romanos, enamorados de la libertad pero ignorantes de la verdadera compasión. Dadas las diferencias naturales entre los hombres, la igualdad es una aspiración ética que no puede realizarse sin recurrir al despotismo o a la acción de la fraternidad. Asimismo, mi libertad se enfrenta fatalmente a la libertad del otro y procura anularla. El único puente que puede reconciliar a estas dos hermanas enemigas —un puente hecho de brazos enlazados— es la fraternidad. Sobre esta humilde y simple evidencia podría fundarse, en los días que vienen, una nueva filosofía política. Sólo la fraternidad puede disipar la pesadilla circular del mercado. Advierto que no hago sino imaginar o, más exactamente, entrever, ese pensamiento. Lo veo como el heredero de la doble tradición de la modernidad: la liberal y la socialista. No creo que deba repetirlas sino trascenderlas. Sería una verdadera renovación.

A la luz de estas ideas, o más bien: esperanzas, la pregunta del principio —¿quiénes leen libros de poemas?— adquiere su verdadero sentido. En el pasado, los lectores de poemas pertenecían a las clases dirigentes: ciudadanos griegos, patricios y caballeros romanos, clérigos medievales, cortesanos de la edad barroca, intelectuales de la burguesía. En muchos casos esos lectores fueron grandes gobernantes como Pericles, Augusto o Adriano; otros fueron monarcas débiles pero sensibles, como Felipe IV («nuestro buen rey», lo llama Manuel Machado) y el desdichado emperador Hsuan Tsung; otros, en fin, déspotas ilustrados, como Federico de Prusia. En la edad moderna sobreviene el gran cambio: desde el romanticismo, los lectores de poemas han sido, como los poetas mismos, los solitarios y los inconformes. Poetas y lectores burgueses pero rebeldes a su origen, su clase y la moral de su mundo. Ésta es una de las glorias más ciertas de la burguesía, la clase social que tomó el poder con el arma del pensamiento crítico y que no ha dejado de usarlo para analizarse a sí misma y a sus obras. El examen de conciencia y los remordimientos que lo acompañan, legado de cristianismo, han sido y son el remedio más potente contra los males de nuestra civilización.

En la tradición de crítica y de rebeldía de la modernidad, la poesía ocupa un lugar a un tiempo central y excéntrico. Central porque, desde el principio, fue parte esencial de la gran corriente de crítica y subversión que atravesó los siglos XIX y XX. Casi todos nuestros grandes poetas han participado, en un momento o en otro, en esos movimientos de emancipación. Pero la singularidad de la poesía moderna consiste en que ha sido la expresión de realidades y aspiraciones más profundas y antiguas que las geometrías intelectuales de los revolucionarios y las cárceles de conceptos de los utopistas. En uno de sus extremos, la poesía roza la frontera eléctrica de las visiones y las inspiraciones religiosas. Por esto ha sido, alternativamente y con parecido extremismo, revolucionaria y reaccionaria. No es extraño, asimismo, que todos sus amores y conversiones hayan terminado invariablemente en divorcios y apostasías. Desde su nacimiento, bajo la luz brusca del relámpago romántico que rompió las simetrías del siglo XVIII, hasta la penumbra violenta de nuestra época, la poesía no ha cesado de ser pertinaz y terca heterodoxia. Incesante movimiento en zigzag, continua rebelión frente a todas las doctrinas y las iglesias; asimismo, amor no menos constante a las realidades humilladas, reacias a las manipulaciones fideístas y a las especulaciones racionalistas. Poesía: piedra de escándalo de la modernidad.

Entre la revolución y la religión, la poesía es la *otra* voz. Su voz es *otra* porque es la voz de las pasiones y las visiones; es de otro mundo y es de este mundo, es antigua y es de hoy mismo, antigüedad sin fechas. Poesía herética y cismática, poesía inocente y perversa, límpida y fangosa, aérea y subterránea, poesía de la ermita y del bar de la esquina, poesía al alcance de la mano y siempre de un más allá que está aquí mismo. Todos los poetas, en esos momentos largos o cortos, repetidos o aislados, en que son realmente poetas, oyen la voz *otra*. Es suya y es ajena, es de nadie y es de todos. Nada distingue al poeta de los otros hombres y mujeres, salvo esos momentos —raros aunque sean frecuentes— en que, siendo él mismo, es otro. ¿Posesión de fuerzas y poderes extraños, irrupción de un fondo psíquico enterrado en lo más íntimo de su ser, o peregrina facultad para asociar palabras, imágenes, sonidos, formas? No es fácil responder a estas preguntas. Sin embargo, no creo que sólo sea una *facultad*. Pero si lo fuese: ¿de dónde viene? En fin, sea una cosa o la otra, lo cierto es que la radical extrañeza del fenómeno poético hace pensar en una dolencia que aún espera el diagnóstico del médico. La medicina antigua —y también la filosofía, comenzando por Platón— atribuían la facultad poética a un transtorno psíquico. Era una manía, es decir, un furor sagrado, un entusiasmo, un transporte. Sin embargo, la manía no es sino uno de los polos del transtorno; el otro es la *absentia*, el vacío interior, ese «melancólico bostezo» de que habla el poeta. Plenitud y vacuidad, vuelo y caída, entusiasmo y melancolía: poesía.

La singularidad psíquica y social del poeta se acentúa apenas se repara en su origen social. Todos los poetas modernos, salvo media docena de aristócratas, han pertenecido a la clase media. Todos han tenido una educación universitaria; unos han sido abogados y periodistas, otros médicos, profesores, diplomáticos, agentes de publicidad, banqueros, negociantes, pequeños o grandes burócratas. Unos pocos, como Verlaine y Rimbaud, han sido parásitos y tránsfugas. Pero Verlaine tenía una pequeña renta y Rimbaud fue un *drop-out* de la burguesía provincial. En suma, todos han sido productos de la gran creación histórica de la modernidad: la burguesía. Y por eso mismo todos han sido, sin excepción, enemigos violentos de la modernidad. Enemigos y víctimas. Así, nueva paradoja, han sido plenamente modernos. Heterodoxos cuando bendicen el orden, como Eliot, o cuando se santiguan, como Claudel, o cuando salmodian letanías leninistas, como Brecht y Neruda; libertarios cuando agitan el incensario para sahumar a un demagogo disfrazado de César, como Pound... Todos, poetas uniformados o en harapos, poetas mujeres y poetas hombres, poetas de todos los sexos y de ninguno, de todas las profesiones, creencias, partidos y sectas, poetas vagabundos por los cuatro confines y poetas que nunca han abandonado su ciudad, su barrio y su cuarto, todos han oído, no afuera sino adentro de ellos mismos (trueno, borborigmo, chorro de agua) la *otra* voz. Nunca la voz de «aquí y ahora», la moderna, sino la de allá, la otra, la del comienzo.

La singularidad de la poesía moderna no viene de las ideas o las actitudes del poeta: viene de su voz. Mejor dicho: del acento de su voz. Es una modulación indefinible, inconfundible y que, fatalmente, la vuelve *otra*. Es la marca, no del pecado sino de la diferencia original. La modernidad antimoderna de nuestra poesía, desgarrada entre la revolución y la religión, vacilante entre llorar como Heráclito y reír como Demócrito, es una verdadera transgresión. Pero una transgresión casi siempre involuntaria y que aparece sin que el poeta se lo proponga. La transgresión brota, como ya dije, de una diferencia original; no es un agregado ni un elemento postizo sino la manera propia de ser de la poesía en la edad moderna. La razón de esta singularidad es histórica. Un poema puede ser moderno por sus temas, su lenguaje y su forma, pero por su naturaleza profunda es una voz antimoderna. El poema expresa realidades ajenas a la modernidad, mundos y estratos psíquicos que no sólo son más antiguos sino impermeables a los cambios de la historia. Desde el Paleolítico, la poesía ha convivido con todas las sociedades humanas; no hay una sociedad que no haya conocido esta o aquella forma de poesía. Ahora bien, aunque atada a un suelo y a una historia, siempre se ha abierto, en cada una de sus manifestaciones, a un más allá transhistórico. No aludo a un más allá religioso: hablo de la percepción del *otro lado* de la realidad. Es una experiencia común a todos los hombres en todas las épocas y que me parece *anterior* a todas las religiones y filosofías.[1]

En un mundo regido por la lógica del mercado y, en los países comunistas, por la eficacia, la poesía es una actividad de rendimiento nulo. Sus productos son escasamente vendibles y poco útiles (salvo como propaganda en las dictaduras e ideocracias totalitarias). Para la mente moderna, aunque no se le confiese a ella misma, la poesía es energía, tiempo y talento convertidos en objetos superfluos. Poema: forma verbal de poca utilidad y vil precio. Poesía: gasto, dispendio, desperdicio. No obstante, contra viento y marea, la poesía circula y es leída. Rebelde al mercado, apenas si tiene precio; no importa: va de boca en boca, como el aire y el agua. Su valía y su utilidad no son mensurables: un hombre rico en poesía puede ser un mendigo. Tampoco se puede ahorrar poemas: hay que gastarlos. O sea: decirlos. Gran misterio: el poema contiene poesía a condición de no guardarla; está hecho para esparcirla y derramarla, como la jarra que vierte el vino y el agua. Todas las artes, especialmente la pintura y la escultura, por ser formas, son *cosas;* por esto pueden guardarse, venderse y transformarse en objetos de especulación monetaria. La poesía también es cosa pero es muy poca cosa: está hecha de palabras, una bocanada de aire que no ocupa lugar en el espacio. A la inversa del cuadro, el poema no muestra imágenes ni figuras: es un conjuro verbal que provoca en el lector, o en el oyente, un surtidor de imágenes mentales. La poesía

[1] Hace muchos años me afané por dilucidar esta experiencia en la segunda parte de *El arco y la lira,* 1956.

se oye con los oídos pero se ve con el entendimiento. Sus imágenes son criaturas anfibias: son ideas y son formas, son sonidos y son silencio.

Concluyo, pero, antes, debo repetir lo que he dicho. La discordia entre poesía y modernidad no es accidental sino consustancial. La oposición entre ambas aparece desde el comienzo de nuestra época, con los primeros románticos. La paradoja es que esa incompatibilidad es uno de los atributos, quizá el central, de la poesía moderna; además, esa incompatibilidad la vuelve aceptable para el lector, que ve en ella una imagen de su propia situación. Sólo los modernos pueden ser tan total y desgarradoramente antimodernos como lo han sido todos nuestros grandes poetas. La modernidad, fundada en la crítica, secreta de un modo natural la crítica de sí misma. La poesía ha sido una de las manifestaciones más enérgicas y vivaces de esa crítica. Pero su crítica no ha sido ni racional ni filosófica sino pasional y en nombre de realidades ignoradas o negadas por la edad moderna. La poesía ha resistido a la modernidad y al negarla, la ha vivificado. Ha sido su réplica y su antídoto. Al llegar a este punto, vuelvo al comienzo de mi reflexión.

Hoy somos testigos, según todos los signos, de otro gran cambio. No sabemos si vivimos el fin o la renovación de la modernidad. En esta vuelta de los tiempos, ¿cuál podrá ser la función de la poesía? Si, como creo y espero, nace un nuevo pensamiento político, sus creadores tendrán que oír la *otra* voz. Fue inoída por los ideólogos revolucionarios de nuestro siglo y esto explica, en parte al menos, el gran fracaso de sus proyectos. Sería desastroso que la nueva filosofía política ignorase esas realidades ocultadas y enterradas por el hombre moderno. La función de la poesía durante los dos últimos siglos ha sido recordarnos la existencia de esas realidades; la función de la poesía de mañana no podrá ser distinta. Su misión no consistirá en alimentar con ideas al pensamiento sino recordarle, como ahora, lo que tercamente ha olvidado durante tres siglos. La poesía es la Memoria hecha imagen y la imagen convertida en voz. La *otra* voz no es la voz de ultratumba: es la del hombre que está dormido en el fondo de cada hombre. Tiene mil años y tiene nuestra edad y todavía no nace. Es nuestro abuelo, nuestro hermano y nuestro bisnieto.

Es imposible, naturalmente, saber hacia dónde se van a dirigir las sociedades y los pueblos en el siglo XXI. Quizá ese nuevo pensamiento, destinado a responder las preguntas generosas con que se inició la era moderna, no sea sino un buen deseo, una esperanza, algo que pudo ser y que fue disipado por la historia. Sería terrible pues ya están a la vista, en muchas partes del mundo, signos inquietantes del regreso de las viejas pasiones religiosas, los fanatismos nacionalistas y el culto a la tribu. Reaparecen creencias y emociones que fueron sofocadas tanto por el racionalismo liberal como por los regímenes que ostentaron la máscara del «socialismo científico». Esas creencias y esas pasiones fueron mortíferas y volverán a serlo si no somos capaces de absorberlas y sublimarlas.

Más allá de la suerte que el porvenir reserve a los hombres, algo me parece evidente: la institución del mercado, ahora en su apogeo, está condenada a cambiar. No es eterna. Ninguna creación humana lo es. Ignoro si será modificada por la sabiduría de los hombres, sustituida por otra más perfecta, o si será destruida por sus excesos y contradicciones. En este último caso podría arrastrar en su ruina a las instituciones democráticas. Posibilidad que me estremece pues entonces entraríamos en una edad oscura, como ha ocurrido más de una vez en la historia. No necesito recordar el fin del mundo grecorromano, la declinación de las civilizaciones en la India y en China o el letargo de siglos en que cayó el islam. Ahora bien, ocurra lo que ocurra, es claro que el inmenso, estúpido y suicida derroche de los recursos naturales tiene que cesar pronto, si es que los hombres quieren sobrevivir sobre la tierra. La causa de este gigantesco desperdicio de riquezas —vida presente y futura— es el proceso circular del mercado. Es una actividad de alta eficacia pero sin dirección y cuyo único fin es producir más y más para consumir más y más. La obtusa política de la mayoría de los gobiernos de los países subdesarrollados, tanto en América Latina como en Asia y África, ha contribuido también a la universal destrucción y contaminación de lagos, ríos, mares, valles, selvas y montañas. Ninguna civilización había estado regida por una fatalidad tan ciega, mecánica y destructiva.

La coyuntura que acabo de evocar se presentará en el porvenir inmediato, cualesquiera que sean nuestras instituciones políticas y sociales e independientemente de nuestras creencias y opiniones. De hecho, ya se ha presentado y en términos más y más perentorios y amenazantes. Incluso puede decirse sin exagerar que el tema central de este fin de siglo no es el de la organización política de nuestras sociedades ni el de su orientación histórica. Lo urgente, hoy, es saber cómo vamos a asegurar la supervivencia de la especie humana. Ante esa realidad, ¿cuál puede ser la función de la poesía? ¿Qué puede decir la *otra* voz? Ya he indicado que si naciese un nuevo pensamiento político, la influencia de la poesía sería indirecta: recordar ciertas realidades enterradas, resucitarlas y presentarlas.

Ante la cuestión de la supervivencia del género humano en una tierra envenenada y asolada, la respuesta no puede ser distinta. Su influencia sería indirecta: sugerir, inspirar e insinuar. No demostrar sino mostrar.

El modo de operación del pensamiento poético es la imaginación y ésta consiste, esencialmente, en la facultad de poner en relación realidades contrarias o disímbolas. Todas las formas poéticas y todas las figuras de lenguaje poseen un rasgo en común: buscan y, con frecuencia, descubren semejanzas ocultas entre objetos diferentes. En los casos más extremos, unen a los opuestos. Comparaciones, analogías, metáforas, metonimias y los demás recursos de la poesía: todos tienden a producir imágenes en las que pactan el esto y el aquello, lo uno y lo otro, los muchos y el uno. La operación poética concibe el lenguaje como un universo animado, recorrido por una doble corriente de atracción y de repulsión. En el lenguaje se reproducen las luchas y las uniones, los amores y las separaciones de los astros y de las células, de los átomos y de los hombres. Cada poema, cualquiera que sea su tema, su forma y las ideas que lo informan, es ante todo y sobre todo un pequeño cosmos animado. El poema refleja la solidaridad de las «diez mil cosas que componen el universo», como decían los antiguos chinos.

Espejo de la fraternidad cósmica, el poema es un modelo de lo que podría ser la sociedad humana. Frente a la destrucción de la naturaleza, muestra la hermandad entre los astros y las partículas, las sustancias químicas y la conciencia. La poesía ejercita nuestra imaginación y así nos enseña a reconocer las diferencias y a descubrir las semejanzas. El universo es un tejido vivo de afinidades y oposiciones. Prueba viviente de la fraternidad universal, cada poema es una lección práctica de armonía y de concordia, aunque su tema sea la cólera del héroe, la soledad de la muchacha abandonada o el hundirse de la conciencia en el agua quieta del espejo. La poesía es el antídoto de la técnica y del mercado. A eso se reduce lo que podría ser, en nuestro tiempo y en el que llega, la función de la poesía. ¿Nada más? Nada menos.

La cuestión del principio: ¿cuántos y quiénes leen poemas?, se enlaza naturalmente con la de la supervivencia de la poesía en el mundo moderno. A su vez, esta pregunta se desdobla en otra de mayor urgencia y gravedad: la supervivencia de la humanidad misma. El poema es un modelo de supervivencia fundada en la fraternidad —atracción y repulsión— de los elementos, las formas y las criaturas del universo. Hugo lo dijo de una manera soberbia: «Tout cherche tout, sans but, sans trêve, sans repos». La relación entre el hombre y la poesía es tan antigua como nuestra historia: comenzó cuando el hombre comenzó a ser hombre. Los primeros cazadores y recolectores de frutos un día se contemplaron, atónitos, durante un instante inacabable, en el agua fija de un poema. Desde entonces, los hombres no han cesado de verse en ese espejo de imágenes. Y se han visto, simultáneamente, como creadores de imágenes y como imágenes de sus creaciones. Por esto, puedo decir con un poco de seguridad que, mientras haya hombres, habrá poesía. Pero la relación puede romperse. Nació de la facultad humana por excelencia, la imaginación; puede quebrarse si la imaginación muere o se corrompe. Si el hombre olvidase a la poesía, se olvidaría de sí mismo. Regresaría al caos original.

México, a 1º de diciembre de 1989

[*La otra voz. Poesía y fin de siglo* se publicó en Seix Barral, Barcelona, 1990.]

ENTRE UNO Y MUCHOS

Prólogo

En un libro cuyos temas son poetas y escritores de otras lenguas, no podían faltar algunas reflexiones sobre el arte de traducir. Teoría pero también práctica de la traducción: a los ensayos suceden versiones de algunos poemas y comentarios sobre esos poemas y sus autores. La traducción es el resultado de la diversidad de lenguas que hablamos los hombres, un enigma no menos inextrincable que el tabú del incesto o el del origen mismo del lenguaje. Si la especie humana es una, ¿por qué hay muchas lenguas? La pluralidad de idiomas es un desafío tanto a la universalidad de la razón humana como a la noción de *divinidad.* ¿Por qué, si el entendimiento es uno, se dispersa en lenguas que nunca, aunque hablen de lo mismo, dicen lo mismo? ¿Por qué Dios, que habla a todos los hombres, les habla precisamente en hebreo o en árabe, en sánscrito o en griego? Los hombres no cesan, desde el principio del principio, de hacerse estas preguntas. Al mismo tiempo, sin aguardar siquiera una respuesta, no cesan de traducir. La cultura comienza con el lenguaje y el lenguaje es esencialmente traducción. Comienza en el interior mismo de cada lengua: la madre traduce al niño; el sabio, las palabras de los antiguos; el brujo, a los animales y las plantas; el astrólogo, a las constelaciones. La historia de las civilizaciones es la historia de las traducciones que han hecho los pueblos de la cultura de sus antepasados y de la de sus vecinos, sus enemigos y sus vasallos. Traducir no sólo es trasladar sino transmutar. Esa transmutación cambia al traductor y a lo que se traduce: el cristianismo cambió al mundo grecorromano pero la Antigüedad grecorromana cambió al cristianismo.

Las preguntas que se han hecho y se hacen los teólogos, los filósofos y los lingüistas acerca de la traducción pueden trasladarse al ámbito de la literatura: ¿cuál es la función de la traducción literaria y cuáles son sus límites? La poesía es un arte íntimamente unido a la palabra y a sus propiedades físicas y significativas: ¿puede traducirse? ¿Qué es lo que queda de Verlaine en español o de Shakespeare en francés? Para un poeta hispanoamericano estas preguntas y otras semejantes, en la segunda mitad del siglo, tenían y tienen un carácter perentorio. Desde el periodo modernista los poetas de nuestra lengua emprendieron una doble empresa: asimilar la tradición poética moderna e insertar a nuestra poesía en esa tradición. Darío quiso modernizar a la poesía de nuestra lengua y, al mismo tiempo, ser un poeta moderno. Por esto, en el mismo año en que reúne sus escritos sobre poetas extranjeros, *Los raros* (1986), publica el libro que inaugura el modernismo: *Prosas profanas*. Todos los que venimos después, con mayor o menor fortuna, lo hemos seguido. Puede decirse, sin demasiada exageración, que la poesía moderna de nuestra lengua ha sido una traducción. Pero una traducción creadora, es decir, una verdadera transmutación.

[«Entre Uno *y* Muchos» formaba parte del segundo volumen de la primera edición de las *Obras completas: Excursiones e Incursiones;* en cuyo prólogo Paz hacía alusión a este apartado, y cuyo texto es el que se transcribe aquí].

Lectura y contemplación

A Helen Lane

HABLAR EN LENGUAS

Todas las sociedades, tarde o temprano, descubren que hay otros grupos que hablan un lenguaje distinto al suyo. Advertir que, para otros hombres, los sonidos que nos sirven para designar a esto o aquello —pan, cielo, demonios, árboles— nombran a otros objetos o no designan nada y son mero ruido, debe de haber sido una experiencia sobrecogedora. ¿Cómo sonidos distintos pueden producir significados semejantes? La diversidad de lenguas rompe el vínculo entre sonido y sentido y así atenta contra la unidad del espíritu. Siempre se creyó que la relación entre el sonido y el sentido pertenecía no sólo al orden natural sino al sobrenatural; eran inseparables y el lazo que los unía, aunque inexplicado, era indisoluble. Es una idea que se presenta espontáneamente al entendimiento —el sorprendente frenesí etimológico de Platón en el *Cratilo* es un ejemplo memorable— y que es dificilísimo desarraigar. Confieso que no sin vencer una íntima repugnancia acepto (provisionalmente) que la relación entre el sonido y el sentido, como la sostienen Saussure y sus discípulos, es el resultado de una convención arbitraria. Mi desconfianza es natural: la poesía nace de la antigua creencia mágica en la identidad entre la palabra y aquello que nombra.

La historia de Babel fue la respuesta a la perplejidad que produce, en todos los hombres, la existencia de muchas lenguas: el Espíritu es uno y el mal es la dispersión, la alteridad. En el principio «era toda la tierra de una lengua y de unas mismas palabras» pero los hombres concibieron un proyecto que ofendió al Espíritu: «Edifiquemos una ciudad y una torre que tenga la cabeza en el cielo y hagámonos nombrados». Jehová castiga la osadía de los hombres: «El pueblo es uno y todos estos tienen un lenguaje y ahora no dejarán de ejecutar todo lo que han pensado hacer. Ahora pues, descendamos y mezclemos allí sus lenguas, que ninguno entienda la lengua de su compañero». El pueblo dejó de ser uno. El comienzo de la pluralidad fue también el comienzo de la historia: imperios, guerras y esos soberbios hacinamientos de escombros que han dejado las civilizaciones. Babel es la forma hebraica de Babilonia y la condenación de esa ciudad, probablemente la primera ciudad cosmopolita de la historia, es la condenación del cosmopolitismo, de la sociedad plural y pluralista que admite la existencia del otro y de los otros.

En casi todas las sociedades hay un relato que, como el de Babel, explica la quiebra de la unidad original y su dispersión en multitud de lenguas y dialectos. En todas partes la pluralidad aparece como una maldición y una condenación: es la consecuencia de una falta contra el Espíritu. De ahí también que en muchas tradiciones figure, en distintas formas, la historia de un acontecimiento de signo opuesto. Para los cristianos ese acontecimiento es el descenso del Espíritu Santo sobre los apóstoles. El Pentecostés puede verse como la redención de Babel: la reconciliación de los idiomas, la reunión del otro y de los otros en la unidad del entendimiento. Y el milagro mayor es que la unidad se logra sin menoscabo de la identidad: cada uno, sin cesar de ser el mismo, es el otro. En los Hechos de los Apóstoles se lee: «Y de repente vino un estruendo del cielo como de un viento vehemente que venía con ímpetu, el cual hinchó toda la casa donde estaban sentados. Y les aparecieron lenguas repartidas como de fuego y se asentó sobre cada uno de ellos. Y fueron todos llenos del Espíritu y comenzaron a hablar con otras lenguas». En aquella época vivían en Jerusalén muchos extranjeros: partos, medas, elamitas, gente de Mesopotamia, Capadocia, Frigia, Egipto, griegos, romanos, cretenses, árabes. Así, al cosmopolitismo endemoniado de Babel, el Evangelio opone el cosmopolitismo espiritual de Jerusalén, a la confusión de lenguas el don maravilloso de hablar otras lenguas. Hablar una lengua extraña, entenderla, traducirla a la propia, es restaurar la unidad del comienzo.

El descenso del Espíritu sobre los apóstoles provocó asombro entre los testigos del milagro pero también incredulidad: «Y estaban todos atónitos y en duda, diciendo los unos a los otros: ¿qué quiere ser esto? Mas otros, burlándose, decían: Éstos están llenos de mosto». Pedro se indignó al oír estos comentarios y recordó a los escépticos las palabras del profeta Joel: «Y será en los postreros días [dice Dios] que derramaré mi Espíritu sobre vuestra carne, y vuestros hijos y vuestras hijas profetizarán, y vuestros jóvenes verán visiones y vuestros hijos soñarán sueños». Este pasaje nos desconcierta porque Pedro ve en el don de lenguas una de las señales del fin de los tiempos. Nuestra extrañeza desaparece apenas recordamos que para los primeros cristianos era inminente la segunda vuelta de Cristo: si en el origen la lengua había sido una, ¿cómo extrañarse de que, al aproximarse el fin del mundo, el don de lenguas restituyese la unidad del comienzo? Es más extraño que los que escuchaban a los apóstoles hablar en lenguas no los entendiesen y creyesen que estaban borrachos. ¿Cuáles son esas lenguas? En la Primera Epístola a los Corintios, san Pablo disipa el misterio: «El que habla en lenguas desconocidas no habla a los hombres sino a Dios, porque nadie lo entiende, aunque su espíritu hable misterios».

Enigma terrible: el Espíritu, al retirarse de los hombres, produce la pluralidad y la confusión de lenguas; más tarde, al descender sobre ellos y habitarlos, habla en un lenguaje desconocido y por esencia intraducible. No es menos asombroso que todos los poseídos hablen al mismo tiempo, destruyendo así el lenguaje en su expresión más inmediata y mejor: la conversación, el intercambio de palabras y discursos. San Pablo reprende a los corintios, los exhorta a que hablen uno después de otro y les pide que uno entre ellos interprete lo que se ha dicho: «Si hablase alguno en lengua desconocida, sea por dos o, a lo más, por tres, y esto a su turno; y uno interprete». Las amonestaciones de san Pablo, como después de los obispos, no impidieron que durante los primeros siglos las comunidades cristianas fuesen presas de trances en los que los devotos prorrumpían en voces misteriosas e incoherentes. La Iglesia luchó siempre contra esas prácticas pero una y otra vez reaparecían. Es probable que la popularidad del montanismo en los siglos II y III se haya debido, entre otras causas, a la frecuencia con que sus adeptos, especialmente las mujeres, se lanzaban a hablar en lenguas. Tertuliano mismo sucumbió a la atracción de esta herejía.

El «don de lenguas» no fue un fenómeno exclusivo de las comunidades cristianas de los primeros siglos. Es anterior a ellas y se encuentra en multitud de cultos orientales y mediterráneos desde la más alta Antigüedad. Asimismo, reaparece en otros movimientos religiosos contemporáneos del cristianismo primitivo. Los gnósticos entremezclaban en sus himnos y discursos sílabas y palabras sin sentido. En su tratado *Contra los gnósticos*, Plotino les reprocha que pretendan *encantar* a las inteligencias superiores por la emisión de gritos, exhalaciones y silbidos. Entre los textos descubiertos en Nag Hammadi hay varios que incluyen esas sílabas e interjecciones a que se refiere Plotino. En el *Discurso del ocho y del nueve* se lee: «*El Perfecto, el Dios invisible* al que se habla en silencio... es el mejor entre los mejores, Zoxthazo ōō ee ōōō ēēē ōōōō ēē ōōōōōō ooooo uuuuu ōōōōōōōōōōōō ōōō Zozazoh». Y más adelante: «Digo tu nombre que está escondido dentro de mí: aō ee o ēēē uuuu ōōōōō.[1] Extraordinaria afirmación: al pronunciar esos sonidos incoherentes, el devoto *dice* el nombre del Dios *escondido* en su intimidad. Dios se revela en un nombre pero ese nombre es ininteligible: es una sucesión de sílabas.

El «hablar en lenguas» ha sido considerado como un signo de la posesión divina o, alternativamente, de la demoniaca. La Edad Moderna ha bautizado al fenómeno con un nombre científico —glosolalia— y ha tratado de identificarlo como un trastorno fisiológico y psíquico: hipnosis, epilepsia, neurosis. Nombrar y clasificar no equivalen a explicar y menos aún a comprender. En este caso, como en tantos otros, la psiquiatría sustituye los antiguos términos religiosos por términos científicos, sin que esto implique que se ha descifrado el misterio: el fenómeno sigue siendo impenetrable. Tampoco la sociología lo explica. Aunque es una manifestación psíquica tan antigua como las religiones más antiguas —o sea: como el hombre mismo— no es un vestigio de épocas pasadas ni una supervivencia, según quisieran los que postulan una idea sucesiva y lineal de la historia. Aparece en todos los siglos y en las comunidades más apartadas: los herejes montanistas del siglo II en Asia Menor y los jansenistas franceses del XVII, la Iglesia de Pentecostés de los Estados Unidos en el siglo XX y los gnósticos del Mediterráneo en los siglos III y IV.

Una antropóloga norteamericana, Felicitas D. Goodman, ha estudiado a dos grupos que pertenecen a la rama mexicana de la Iglesia de Pentecostés. Ambos practican la glosolalia; uno tiene su centro en una barriada de la ciudad de México y el otro en un pueblo de Yucatán.[2] Aunque en un caso los fieles hablan español y en el otro maya, su conducta verbal —el trance que los hace «hablar en lenguas»— esencialmente es idéntica. La presencia de la glosolalia en México, por lo demás, ni es nueva ni se limita a las comunidades cristianas. Sin duda la conocieron y practicaron los indios precolombinos. En nuestros días, en la sierra de Puebla, durante las ceremonias de adivinación y de cura por medio de la ingestión de hongos alucinógenos, los chamanes, al principio y al fin del ritual, salmodian y canturrean sílabas y voces que, fonéticamente, semejan un lenguaje. La universalidad del fenómeno y su persistencia a través de los

[1] James M. Robinson, ed., *The Nag Hammadi Library in English*, Nueva York, 1977.

[2] Felicitas D. Goodman, *Speaking in Tongues. A Crosscultural Study of Glossolalia*, University of Chicago, 1972.

cambios históricos y de la extrema diversidad de culturas, lenguas y sociedades, me hace pensar que, una vez más, estamos frente a un invariante del espíritu humano.

La señora Goodman define a la glosolalia como una de las manifestaciones de ciertos «estados alterados de la conciencia» que se caracterizan por una excitación de varias funciones psíquicas y físicas (en este caso la actividad verbal). En el extremo opuesto estarían ciertas experiencias —la meditación yóguica, por ejemplo— que tienden al silencio y a la inmovilidad. Los términos son nuevos, no la relación contradictoria que los une: excitación o pasividad, impulso hacia el exterior o ensimismamiento. La Antigüedad conoció los dos tipos: la *furia* y la *contemplación,* el éxtasis y la introversión. Subrayo que la expresión «alteración de la conciencia» no significa para la antropología moderna anormalidad patológica ni perturbación psíquica: la disociación de la conciencia es un *trance,* un verdadero *tránsito,* por naturaleza pasajero y que no afecta al sujeto en su conducta y actividades diarias.

Aunque la experiencia se manifiesta primordialmente en los rituales y en los actos litúrgicos, no es exclusivamente religiosa. En la historia de la poesía la glosolalia y otros fenómenos semejantes aparecen con cierta regularidad. La frecuencia con que los poetas se entregan al frenesí de la danza de sílabas y voces rítmicas irreductibles a conceptos revela, una vez más, la profunda afinidad, jamás explicada del todo, entre la experiencia poética y la religiosa. El «hablar en lenguas» obedece a leyes rítmicas inconscientes que no son, esencialmente, distintas a las que rigen la elaboración de poemas: metros, acentos, pausas, copulación de sílabas, explosión de fonemas y, en fin, todas las variaciones del ritmo verbal. El discurso del que «habla en lenguas» es ininteligible pero no carece de forma. Más bien puede decirse lo contrario: se ofrece a nuestra percepción como una forma verbal pura. Es una arquitectura de sonidos edificada como el lenguaje rítmico del poema.

En la poesía de lengua española la glosolalia es un fenómeno recurrente. La experiencia más radical, en la época moderna, fue la de Vicente Huidobro. En otra ocasión me he referido a este poeta y a su poema *Altazor.*[1] Aquí sólo puedo indicar que en sus primeros poemas «creacionistas» Huidobro se propuso sustituir a la realidad real por la realidad de la imagen verbal; en un segundo momento, el de *Altazor,* el poeta despoja

[1] Véase el ensayo «Decir sin decir» en el volumen II de estas *OC.*

paulatinamente al lenguaje de su carga de significaciones y en los últimos cantos las palabras aspiran no a significar sino a ser: sílabas que son sonajas que son semillas... En un dominio más limitadamente estético fueron también famosas, en su momento, las *jitanjáforas* del poeta cubano Mariano Brull: breves poemas, generalmente en los metros cortos de nuestra poesía tradicional, hechos de frases y palabras puramente rítmicas y que aluden vagamente a realidades sensibles. Alfonso Reyes dedicó al tema un ensayo gracioso y penetrante; se trata, sentenció, de uno de los extremos de la poesía, su lado mágico e irracional. Para Reyes, esteta ecléctico, «hablar en lenguas» era un juego verbal y nada más. Olvidó que el juego colinda siempre con lo sagrado y, a menudo, con una de sus formas más extremas y terribles: el sacrificio. En el antiguo México el Juego de Pelota estaba asociado a un rito que culminaba con la inmolación de uno de los jugadores. Es un ejemplo, entre muchos, de la relación íntima entre el juego y la creación divina: los dioses no trabajan, juegan; sus juegos son la creación y la destrucción de los mundos. El juego de los hombres, con la pelota de hule o con las sílabas y los fonemas, reproduce el juego divino. Las *jitanjáforas* de Brull representan la vertiente estética del fenómeno: algo así como contemplar, desde un balcón, un paisaje vertiginoso colgado del abismo.

La historia de la poesía moderna registra experiencias más arriesgadas y totales. Se trata de momentos afines a ese *sentimiento oceánico* que para Freud era característico de la experiencia religiosa y que consiste en sentirse mecido en las aguas primordiales de la existencia. En este caso: en el oleaje rítmico de un lenguaje que ya no significa y que dice sin decir. Hacia 1913 los cubo-futuristas rusos, Víktor Jliébnikov y Alexéi Kruchenykh, se propusieron crear un lenguaje transracional: el *zaum*. En un ensayo de ese mismo año, Kruchenykh señaló el antecedente del *zaum*: el hablar en lenguas (glosolalia) de las sectas religiosas rusas. Según los fieles, el Espíritu Santo descendía sobre ellos y los hacía hablar en una lengua extraña, tal vez la lengua original de los hombres. El ensayo del poeta ruso no sólo fue la primera formulación teórica de la ambición poética moderna por trascender el lenguaje racional sino también la primera que destacó la semejanza entre la experiencia poética y la religiosa. En Francia hubo también, aunque más tarde, tentativas aisladas y discontinuas por crear un lenguaje más allá del lenguaje: Fargue, Michaux, Artaud. Después de la segunda Guerra, los *letristas* se propusieron una poesía puramente fonética. Fueron más sistemáticos que inspirados. Pero el episodio más significativo, muy poco después de los experimentos de los futuristas rusos, se remonta al nacimiento del movimiento Dadá. Uno de los fundadores, el poeta alemán Hugo Ball, cuenta que en el Cabaret Voltaire de Zurich, el 23 de junio de 1916, oculto bajo una máscara hecha por Hans Arp, ante el asombro, la indignación y la fascinación del público, recitó un poema fonético hecho de sílabas y voces sin sentido. La experiencia de Ball, según él mismo lo relata con lucidez y emoción, colindó con el trance religioso; fue un regreso al conjuro mágico o, más exactamente, a un lenguaje anterior al lenguaje: «con esos poemas hechos de sonidos renunciamos totalmente al lenguaje corrompido y vuelto inusable por el periodismo. Volvimos a la alquimia profunda de la palabra, más allá de los vocablos, preservando así a la poesía en su último dominio sagrado».

La poesía fonética de Ball revela la nostalgia religiosa por un lenguaje original, anterior a todos los lenguajes. Su experiencia es la última y más extrema de una de las tendencias de la poesía desde el romanticismo: la conjunción entre la *furia* platónica y el éxtasis religioso. Así, en la historia de la poesía moderna reaparece la misma obsesión de los gnósticos y los cristianos primitivos, los montanistas y los chamanes de Asia y América: la búsqueda de un lenguaje *anterior* a todos los lenguajes y que restablezca la unidad del espíritu. Aunque intraducible a esta o aquella significación, ese lenguaje no carece de sentido. Más exactamente: aquello que enuncia no está *antes* de la significación sino después. No es un balbuceo presignificativo: es una realidad a un tiempo física y espiritual, audible y mental, que ha atravesado el dominio de los significados y los ha incendiado. No está más acá sino *más allá* del sentido. El *decir* cesa de significar: muestra realidades que son ininteligibles e intraducibles pero no incomprensibles. No significa y, al mismo tiempo, está impregnado de sentido.

PUENTES Y VOLADEROS

La búsqueda de un lenguaje que trascienda a todos los lenguajes es una de las maneras de resolver esa oposición entre la unidad y la multiplicidad que no cesa de intrigar al espíritu humano. Otra manera de resolver el conflicto es la traducción. Desde esta perspectiva, la traducción es ese «tercer término» que tanto amaba la Antigüedad: el Espíritu es Uno, las lenguas son Muchas y el puente entre ambas es la Traducción. Pero el siglo XX ignora las mediaciones y de ahí que la traducción no aparezca como un puente sino como un despeñarse en un precipicio lógico; a medida que aumenta el número de traducciones, aumenta el escepticismo de la crítica filosófica, literaria y lingüística: la traducción es una ilusión, una superchería o una caricatura. En el caso de la poesía los críticos son aún más rigurosos. Su condenación es casi siempre tajante e inapelable; si es muy difícil traducir una frase en prosa —a lo más que podemos aspirar es a dar un equivalente de su sentido— es imposible traducir una frase poética. El argumento de los adversarios de la traducción poética puede condensarse así: la relación entre sonido y sentido constituye propiamente a la poesía y esa relación es intraducible. En otros escritos he tratado de responder a este argumento. No repetiré lo que he dicho; señalo únicamente que el solipsismo lingüístico no es sino una variante del solipsismo filosófico: el traductor está encerrado en su lenguaje como el sujeto en sus ideas y sensaciones. Sólo que esta crítica no abarca sólo a la traducción poética sino a todas las formas de comunicación. ¿Debo recordar que los poetas nunca se han propuesto eludir las dificultades de la comunicación sino trascenderlas? Por eso se ha dicho a veces que la poesía no es comunicación sino comunión. Pero no es necesario, según se verá, acudir a esta analogía más bien de índole religiosa para afirmar la posibilidad de la traducción poética.

En la experiencia misma del poeta —en esto semejante a la de todos los hombres— aparece de una manera constante la interpenetración entre lo que se siente, lo que se piensa y lo que se dice. Nuestra experiencia diaria no está hecha de ideas o sensaciones sino de ideas-sensaciones que, a su vez, son inseparables de la emisión verbal correspondiente (así sea embrionaria y silenciosa). Las sensaciones y las ideas-sensaciones se manifiestan en el interior de cada uno y por su naturaleza misma son evanescentes; el lenguaje, en un primer movimiento, las fija; apenas las fija, las cambia, las transfigura. El poeta repite esta operación aunque de una manera infinitamente más compleja y refinada. El poeta, al nombrar lo que ha sentido y pensado, no trasmite las ideas y sensaciones originales: presenta formas y figuras que son combinaciones rítmicas en las que el sonido es indisoluble del sentido. Esas formas y figuras, esos poemas, son objetos artificiales, cubos o esferas de ecos y resonancias, que producen sensaciones e ideas-sensaciones semejantes pero no idénticas a las de la experiencia original. El poema es la metáfora de lo que sintió y pensó el poeta. Esa metáfora es la resurrección de la experiencia y su transmutación. La lectura del poema reproduce este doble movimiento de cambio y resurrección. La traducción poética, a su vez, repite la misma operación aunque de manera aún más radical: no busca la imposible identidad sino la difícil semejanza. Valéry lo dijo con sencillez insuperable: el traductor busca producir, con medios distintos, efectos parecidos.

La traducción poética es un caso extremo. Sin embargo, dentro de los límites que he descrito, me parece que no es imposible. Esos límites, por lo demás, son variables y dependen de muchas circunstancias. Por ejemplo, no es tarea del otro mundo traducir entre lenguas de una misma familia y dentro de la misma época. Éste es el caso de la traducción de obras contemporáneas de una lengua romance a otra lengua romance. Naturalmente, todo depende de la obra que se traduzca: no es lo mismo traducir a un ideólogo como Sartre que a un poeta como Mallarmé. Si se trata de la traducción de una obra contemporánea escrita en inglés o alemán al español o el italiano, las dificultades aumentan; se vuelven sobrehumanas si queremos traducir a un Joyce. Las traducciones de obras de una época al lenguaje de otra época constituyen una categoría especial. Dentro de este grupo, una clase relativamente fácil es la traducción dentro de una misma lengua, como la de los textos medievales españoles al castellano moderno. En el otro extremo están las traducciones de textos de épocas antiguas y que, además, pertenecen a otras civilizaciones: la poesía china, la japonesa, libros sagrados de los mayas, los poemas de los mexica, la poesía *Kavya*.

¿Cómo traducir a Dante: en español medieval o en el del siglo XX? Hay una traducción reciente al francés de un gran especialista, André Pézard, hecha en una lengua llena de arcaísmos y medievalismos. Esa lengua, en parte, es el francés tal como sabemos que se hablaba en los siglos XIII y XIV y, en parte, es un idioma de la invención de Pézard. El traductor se propuso «comunicar al francés la misma impresión que puede provocar en el lector italiano de hoy la lectura de esa antigua obra maestra». La tentativa de Pézard falla en algo esencial: para traducir los tercetos endecasílabos de Dante escogió el verso de diez sílabas de la epopeya medieval francesa. Como el verso francés de diez sílabas equivale al endecasílabo italiano, el erudito puede afirmar con orgullo que «su traducción de la *Comedia* no tiene una sílaba más que el original de Dante». Es verdad, pero el ritmo es muy distinto: no hay en francés un equivalente de la combinación de acentos tónicos del endecasílabo de Dante. La hay en castellano y de ahí que, aunque nuestro endecasílabo sea un verso renacentista y moderno, Ángel Crespo haya podido traducir con eficacia, en ese metro, el Infierno y el Purgatorio. Un ejemplo notable de traducción que es asimismo resurrección en otra lengua y otro tiempo son los cantos del Paraíso vertidos al portugués por Haroldo de Campos. En fin, ni las épocas ni las lenguas son equivalentes y por esto la traducción no sólo es un salto entre idiomas sino entre siglos distintos. Pero las diferencias en el interior de un periodo histórico no son menos profundas de las que separan a una época de otra: el año de 1980 en la ciudad de México, ¿a que año equivale en Nueva York, Moscú, Teherán o Pekín?

En el pasado predominaba la fe en la traducción. Esta creencia tenía un fundamento religioso: si había un solo Dios —o una sola verdad— la traducción era posible pues todos los significados se fundían en la significación divina. Los grandes ejemplos de fe en la universalidad del espíritu y, por lo tanto, en la posibilidad de la traducción, no son exclusivos de Occidente ni del monoteísmo cristiano. Sin los árabes y sus traducciones e interpretaciones del pensamiento filosófico griego, ¿qué habría sido del pensamiento medieval? La influencia de Averroes no se limitó a la filosofía y la medicina sino que influyó en nuestras ideas sobre la psicología del amor, tal como fueron recogidas y reelaboradas por Cavalcanti y los otros poetas del *dolce stil nuovo*. Menos conocida es la historia de la traducción al chino de las escrituras y tratados budistas. Cuando los chinos descubrieron el budismo, se preocuparon inmediatamente por traducir los textos, a pesar de las enormes diferencias entre el chino y el sánscrito. No se contentaron con invitar a monjes y doctores indios ni con establecer en los monasterios escuelas de traductores. Muy pronto, desde el siglo III, bajo la dinastía Han, peregrinos chinos viajaron hasta la India para conseguir los manuscritos y los libros. El viaje era largo y penoso. Había que ir primero a una de las puntas más remotas del imperio, Tun-huang, que desde el siglo II era la ciudad de llegada y salida de las caravanas. Vale la pena detenerse un poco, como los peregrinos, en ese apartado lugar.

Tun-huang es célebre por sus templos en las cuevas de las colinas y por los frescos y estatuas de Budas y bodhisattvas que decoran sus santuarios. También por el carácter sincretista de su cultura; aunque Tun-huang fue un puesto militar chino, estuvo a veces en manos de los tibetanos y otras en las de los mongoles. Fue sucesivamente budista, maniquea, otra vez budista y taoísta. La decadencia del imperio y la desaparición de rutas de comercio consumaron su ruina. En 1900 un monje taoísta, Wang Yuang-lu, que vivía de la venta de fórmulas mágicas, descubrió por casualidad, en una de las grutas, la Cueva de los Mil Budas, una biblioteca entera. La mayoría de los manuscritos cubrían un periodo de seis siglos, del siglo v al x. Casi todos los textos eran budistas, aunque había también obras literarias y, en menor número, escrituras taoístas, maniqueas y cristianas. (El maniqueísmo llegó hasta el Asia Central y la Iglesia nestoriana tuvo cierta importancia en China.) En 1907, un arqueólogo inglés, Aurel Stein, en nombre del Museo Británico y del gobierno virreinal de la India, le compró a Wang, el charlatán taoísta, por una suma irrisoria un gran número de manuscritos y muchas pinturas en seda. Un año después otro arqueólogo, esta vez un francés, Paul Pelliot, compró a Wang otro lote de manuscritos y pinturas. En 1910 el gobierno chino pudo al fin adquirir una pequeña parte del tesoro. Lo que quedó fue comprado por una misión japonesa, en 1911. La biblioteca de Tun-huang se dispersó entre Londres, París, Pekín y Tokio.

Desde ese Tun-huang saqueado en el siglo xx partían los peregrinos chinos y atravesaban el Asia Central: montañas, ríos, desiertos, pueblos extraños, caminos inseguros por la guerra y el bandidaje. Al llegar al río Oxus, los peregrinos se internaban en lo que hoy es Afganistán, pasaban las montañas del Hindu-Kush, cruzaban el Indo y, por el Punjab, penetraban en la llanura gangética. El viaje duraba varios años y no todos los peregrinos volvían con vida. En la India, lo mismo en Peshawar y Cachemira que en la célebre Universidad de Nalanda, los chinos estudiaban y copiaban los textos, compraban los libros y, al cabo de los años, cargados de saber y de manuscritos, emprendían el viaje de regreso. Viajar y traducir eran actividades paralelas y que duraban toda la vida. La escuela de traductores era una escuela de viajeros y exploradores.

Los japoneses también enviaron peregrinos y monjes, desde el siglo vii, para que aprendiesen los idiomas de China y Corea, estudiasen en los monasterios y recogiesen manuscritos y obras de arte. Lo mismo sucedió con los tibetanos. Gracias a los peregrinos del Tíbet se han conservado muchos *sutras* y *sastras* que han desaparecido de la India, víctimas no sólo de la lluvia, los insectos y las plagas destructoras de manuscritos y libros sino de la barbarie humana. En dos ocasiones los grandes monasterios budistas de la India fueron saqueados y sus monjes pasados a cuchillo: al comenzar el siglo vi, por una rama de los hunos, los epthalitas; en el siglo xii, por los turcos mahometanos. El fanatismo de los bramines completó la destrucción de los hunos y los musulmanes. Los tibetanos, como en Europa los benedictinos y otras órdenes religiosas, salvaron lo que pudieron de la herencia budista. Los textos están recogidos en dos colecciones: el canon propiamente dicho, el *Kanjur* (La palabra traducida) y los comentarios, el *Tanjur* (Los tratados traducidos). Uno de los santos más venerados del Tíbet, el famoso Marpa, maestro del aún más famoso Milarepa, ostenta un sobrenombre significativo: Traductor. ¡Marpa el Traductor! ¿Alguno de nuestros filósofos y poetas soportaría que se le llamase así: Sartre el Traductor, Beckett el Traductor, Neruda el Traductor?

En todos los casos que he citado, la traducción tenía por objeto preservar y transmitir ciertas verdades que se consideraban universales y eternas. Por ser universales, esas verdades pertenecían a todos los hombres y podían ser traducidas a todas las lenguas; por ser eternas, eran de todas las épocas. La traducción se fundaba en una legitimidad sagrada. Las obras clásicas del pasado —Virgilio y Ovidio para la Edad Media y el Renacimiento, Li Po y Tu Fu para los chinos posteriores a los Tang— también poseían los dos atributos de la obra sagrada. La universalidad y la intemporalidad eran manifestaciones del Espíritu uno, idéntico a sí mismo siempre o que, como la Vacuidad budista o el Tao de Chuang-tsé, absorbía todos los cambios y así abrazaba quietud y movimiento. La actitud de los antiguos ante la traducción era simétricamente opuesta a la nuestra: para nosotros un texto, así sea un texto sagrado, es ante todo una obra fechada. La historia y la geografía relativizan a todos los textos: en esto, esencialmente, reside la dificultad teórica de la traducción para la edad moderna. Para los antiguos no era fácil tampoco traducir la palabra divina pero por causas que eran exactamente las contrarias de las nuestras. Para nosotros el texto es relativo: está fechado y pertenece a esta o aquella sociedad; para ellos, no era el texto sino el traductor el que era un ser relativo, efímero. De ahí que el traductor tuviese que ser digno de aquello que traducía. Los peregrinos chinos y tibetanos viajaban durante años y sufrían grandes penalidades: así acumulaban méritos. Sus penalidades eran una prueba más de su capacidad de traductores. Mejor dicho: esa capacidad era tanto una habilidad intelectual como una dignidad moral.

EDITH PIAF Y LOS PIGMEOS

Los problemas que planteaba traducir la palabra eterna en una lengua humana eran múltiples y desconcertaban a los teólogos. Daré un ejemplo de estas dificultades. Tanto en el Antiguo como en el Nuevo Testamento aparecen continuamente alusiones a la viña. No es extraño: se trata de una religión nacida en el mundo mediterráneo. La metáfora central del cristianismo está ligada al cultivo de la viña y a su producto: el vino de uvas. El misterio de la eucaristía, la transustanciación, consiste en el cambio del vino en sangre divina y del trigo en carne de Dios. Fueron inmensas las dificultades de los misioneros para explicar este misterio a pueblos que no conocían ni el vino ni el pan de trigo. Para esos pueblos no eran novedad los conceptos religiosos de metamorfosis y mutación —son los ejes que hacen girar a las mitologías de todas las sociedades— pero no era fácil que aceptasen la palabra cristiana sin conocer sus términos reales: el vino y el trigo. En México había realidades parecidas a las de Castilla —el vino al pulque y el maíz al pan de trigo— pero sus funciones eran distintas. Aunque había ritos fundados en la unión del maíz y la sangre, su parecido con la hostia era demasiado lejano. En cuanto al pulque: no era el agente mágico de una transustanciación como el vino.

Los indios mexicanos tenían misterios religiosos análogos a los de la eucaristía y la comunión. Pero los ritos en que se manifestaban esos misterios escandalizaron y horrorizaron a los misioneros: los agentes del cambio milagroso no eran ni el trigo ni el vino sino, en un caso, la carne y la sangre de los sacrificados en los templos y, en otro, los hongos que hoy llamamos alucinógenos. Hay una loa de Sor Juana Inés de la Cruz en la que —siguiendo la interpretación corriente en su época— ve en los sacrificios humanos y en el canibalismo ritual de los mexica (comían una pequeña porción del muslo de la víctima, sin salar) una suerte de premonición de la eucaristía. No menos horror causó a los misioneros la ceremonia de ingestión de los hongos, sobre todo cuando descubrieron que uno de sus nombres era «carne de Dios». La traducción se convirtió en un problema teológico y Sahagún no vaciló en achacar a una trampa del Diablo las semejanzas entre la eucaristía cristiana y la ceremonia de comunión con los hongos; así, los problemas de la traducción del español al náhuatl se insertaron en la perspectiva de la intervención de Satanás en los asuntos de este mundo. Para nosotros las dificultades no son menos graves, aunque no sean de orden religioso: ante un texto literario o filosófico en otra lengua —latín o chino, griego o árabe— nos enfrentamos a una sociedad y a una civilización diferentes. En un caso y en otro la unidad del espíritu y de la especie se ve amenazada por la pluralidad. La vieja dualidad, el Uno y los Muchos, reaparece y todos los puentes para comunicarlos son frágiles y precarios.

En el horror de Sahagún ante la versión azteca de la comunión aparecían también sentimientos de admiración ante los principios, los usos y las instituciones de los indios mexicanos. Sahagún tuvo clara conciencia de que el mundo indígena era lo que llamamos hoy *una civilización.* Su caso no fue el único ni ese reconocimiento se limitó a las civilizaciones americanas. En los siglos XVII y XVIII los jesuitas estuvieron en relación con China y pronto descubrieron que aquella sociedad, aunque ignorante de las verdades del cristianismo, era más sabia y armoniosa que las naciones de Occidente. Poco después la Ilustración exaltó las costumbres, la moral y el saber de los chinos. Al mismo tiempo que los europeos descubrían que las versiones de la realidad de las otras civilizaciones no eran desdeñables, las verdades del cristianismo palidecían. ¿Eran realmente universales? ¿Eran realmente verdades? Pero el desvanecimiento del universalismo cristiano no debilitó la fe en la traducción. Si el espíritu humano era universal, los significados también lo eran y, en consecuencia, la traducción era legítima y posible. El común denominador de la pluralidad de lenguas fueron la razón y sus productos: los significados. Esta idea venía de la Antigüedad. Aristóteles había dicho: «Aunque la escritura y la palabra hablada no son las mismas para todos los hombres, sí lo son los estados del alma y las cosas que esos signos designan». La pluralidad de lenguajes y la diversidad de los signos escritos que los representan se resolvían en la universalidad de aquello que designan: los hombres, sus estados de ánimo y el universo que los rodea.

La relación entre lenguaje y realidad era transparente. Por una parte, el universo: cosas y seres; por la otra, los significados idénticos para todos a pesar de la diversidad de lenguajes. Todas las lenguas obedecían a las mismas leyes de la razón y de ahí que, desde Port-Royal en el siglo XVII hasta Chomsky en el siglo XX, uno de los sueños de los lingüistas haya sido la construcción de una gramática universal. Las lenguas eran catálogos, nomenclaturas, es decir, nombres de seres, personas, procesos, cualidades y propiedades: sustantivos, pronombres, verbos, adjetivos. En lenguas distintas los hombres nombraban siempre las mismas cosas, los mismos conceptos y las mismas ideas. Casa, frío, mujer, principio de identidad, palabras distintas que en francés, persa y guaraní designaban lo mismo. La universalidad de los significados garantizaba la posibilidad de la traducción.

A pesar de su fe en la universalidad de la razón, el siglo XVIII introdujo el principio del relativismo, primero en la moral y después en los otros dominios de la cultura, de la filosofía a la estética. En un pequeño ensayo que dediqué hace años a la traducción poética (*Traducción: literatura y literalidad,* 1970) citaba una frase del doctor Johnson que ilustra este cambio de actitud. Al relatar un viaje al Continente, el poeta inglés anota esta reflexión: «Un manojo de hierbas es un manojo de hierbas, en este país o en otro [...] Los hombres y las mujeres son el objeto de mi investigación: veamos *cómo* y *en qué* los de aquí difieren del país que acabo de abandonar». El hombre se convierte en los hombres y cada uno de ellos es distinto, único. Cambio de dirección: a la búsqueda de una identidad universal sucede una curiosidad empeñada en descubrir diferencias no menos universales. Pluralidad de lenguas y sociedades: cada lengua es una visión del mundo, cada civilización es un mundo. El sol que canta el poema azteca es distinto al sol que canta el himno egipcio, aunque el astro sea el mismo. Desde el doctor Johnson hasta nuestros días, durante más de dos siglos, primero los filósofos y los moralistas, después los historiadores y ahora los antropólogos y los lingüistas, han acumulado pruebas sobre las irreductibles diferencias que separan a los individuos, las sociedades y las lenguas.

Un ejemplo muy conocido de estas diferencias es el de los colores: no todas las sociedades ni todas las épocas ven los mismos colores. Si la percepción de los colores entre los griegos fue distinta a la nuestra, este hecho se inscribe en contra de la pretendida universalidad del espíritu. A colores distintos corresponden una sensibilidad y una estética distintas. También una diferente visión de la realidad y del mundo: otra filosofía y otra moral. Nuestra perplejidad aumenta cuando descubrimos que, desde el punto de vista fisiológico, la experiencia de los colores es la misma en todas las razas: las células retinianas y las de los nervios ópticos son las mismas en todos los hombres; sin embargo, son conocidas e incontrovertibles las diferentes percepciones de los colores y las distintas actitudes que se derivan de este hecho. Los traductores de Homero se enfrentan a obstáculos temibles cuando intentan encontrar equivalentes precisos, en nuestras lenguas, de términos como *zanthós, glaukós, ochrós.* A veces *ochrós* es verde amarillo y otras gris. Algunos han traducido estas palabras por brillante o sombrío, suponiendo que los griegos, como los hebreos, prestaban menos atención al tinte que a la intensidad, la luminosidad y el brillo. Falsa solución, pues el griego posee muchas palabras para designar lo luminoso y lo brillante. Otros han dicho que los griegos eran un pueblo poco sensible al color, un pueblo de ciegos. En el excelente libro que ha dedicado a estos temas, George Mounin hace depender las diferencias lingüísticas de las diferencias en la concepción del mundo: «si las contradicciones observadas no pueden atribuirse ni a la naturaleza de los fenómenos ni a la estructura del ojo humano, deben fundarse en aquello que está entre la realidad del mundo y la expresión lingüística: las diferentes maneras que tienen los hombres de ver y concebir el mundo».[1] Es difícil decidir si Mounin tiene razón; para otros escritores las diferencias de la concepción del mundo son la consecuencia de las diferencias lingüísticas.

Hace unos años, en Cambridge, tuve una confirmación impresionante de las barreras entre distintas civilizaciones. Exhibían en la televisión un documental holandés sobre Nueva Guinea. La película narra las peripecias de un grupo de etnólogos, los primeros que lograron cruzar la cadena montañosa que divide a la inmensa isla. Hay un pasaje que muestra la llegada de la expedición a una pequeña comunidad de pigmeos, aislada en una hondonada de la montaña tropical. Los exploradores acampan a cierta distancia de las chozas de los aborígenes, pues éstos, temerosos de la contaminación mágica, les piden que no se acerquen demasiado. Como la curiosidad puede más que las prohibiciones rituales, unos instantes después se ve a los salvajes en torno a un aparato de radio. La expedición holandesa coincidió con los primeros viajes soviéticos al espacio exterior, de modo que se ofrece al espectador una imagen insólita: en un barranco perdido de la selva, un grupo de pigmeos de la Edad de Piedra oye una noticia de la Edad Tecnológica. Los salvajes no entendían las palabras que emitía el aparato de radio, pero si un intérprete hubiese traducido lo que decía el locutor, ellos habrían trasladado inmediatamente el lenguaje científico a términos míticos y mágicos. La nave y sus tripulantes se habrían transformado en una manifestación de poderes sobrenaturales. Incluso si la lengua de los aborígenes hubiese podido expresar las ideas y conceptos implícitos en la noción de *viaje espacial,* esa traducción habría transformado ese hecho en un mito, un milagro o un acontecimiento mágico. La pregunta sobre la capacidad de comprensión de los pigmeos, es decir, sobre sus dotes de traductores, también puede hacerse a los exploradores holandeses. Tampoco ellos entendían los conceptos de los papúes; mejor dicho, para entenderlos, los traducían a términos de la antropología moderna. Repetían así la historia de las relaciones entre civilizaciones diferentes: para Sahagún la religión azteca era un invento del

[1] Georges Mounin, *Les Problèmes théoriques de la traduction,* Gallimard, París, 1963.

Diablo; para Lévy-Bruhl las creencias primitivas obedecían a lo que él llamaba «mentalidad prelógica»; para Frazer la magia era una aplicación equivocada del principio de causalidad.

En otro momento de la película se ve a los pigmeos alrededor de un fonógrafo. De pronto, todos se echan a correr. ¿Qué ha provocado su fuga? La voz intolerable e insoportable de Edith Piaf. Los exploradores oyen la canción embelesados, los pigmeos se tapan los oídos y huyen despavoridos. La canción de la Piaf era una canción de amor y celos, un tema que remonta, en Occidente, al siglo XII y a la poesía provenzal. Si alguien hubiese traducido a los pigmeos la letra de la canción, ¿qué habrían pensado? Su desagrado ante la música se había transformado probablemente en repugnancia moral. Tal vez su reacción no habría sido distinta a la de los españoles ante los sacrificios humanos de los aztecas. De nuevo aparece la conclusión que no me gustaría aceptar: ni los significados morales y estéticos ni los científicos y mágicos son enteramente traducibles de una sociedad a otra. Para que los papúes entiendan la ciencia moderna tienen que abandonar sus creencias; para que nosotros entendamos realmente el mundo papú, también tenemos que cambiar. En ambos casos, ese cambio no debería implicar el abandono de nuestra antigua personalidad y de nuestra cultura de origen. La comprensión de los otros es un ideal contradictorio: nos pide cambiar sin cambiar, ser otros sin dejar de ser nosotros mismos.

El cambio que nos exige el tránsito de una civilización a otra equivale a una verdadera conversión. El más ilustre de los peregrinos chinos, el sabio Hsuan Tsang, más conocido por su sobrenombre: Tripitaka,[1] fue protagonista de un incidente doblemente maravilloso, lo mismo en la historia de las conversiones religiosas que en la crónica de la traducción. En 645 Hsuan Tsang regresó a China y, bajo la protección del emperador T'ai-tsung, durante más de veinte años realizó una obra notable, si no única. Fundó una academia de traductores, compuesta por doce peritos en literatura budista y nueve correctores de estilo (*chui wen:* «conectadores de frases»); tradujeron ochenta libros y tratados, una guía de la India y, para la edificación de los eruditos y filósofos indios, trasladaron al sánscrito el *Tao Te Ching*. Ya al final de su vida, cuando residía como abate y jefe de traductores en el monasterio del Amor Maternal, Tripitaka fue

[1] Hsuan Tsang tomó el nombre de los textos mismos que tradujo: Tripitaka designa las «tres canastas», o sea las tres secciones (San Tsang) que sostienen las escrituras canónicas del budismo Mahayana en su versión china: Sutras, Vinaya y Abhidharma.

invitado por el nuevo emperador, Kao-tsung, hijo de T'ai-tsung, a pasar una temporada en el Palacio. En esos días la emperatriz, embarazada, estaba a punto de dar a luz. Entonces ocurrió el hecho a que me referí más arriba. Pero es mejor reproducir la carta que escribió Tripitaka a la emperatriz, tal como la transcribe Arthur Waley en su biografía del santo peregrino:

> Hoy, después de la hora de la Serpiente y antes de la hora del Gallo, vi a un pajarito volando entre las cortinas de una de las ventanas que dan al gran patio del Palacio. Sus alas y su lomo eran rosados, su pecho y su vientre de un rojo intenso. Voló entre las cortinas, penetró en la estancia y se posó en la misma silla de Vuestra Majestad, ausente en esos momentos. Allí saltaba de un lado para otro. Comprendí que no era un ave común y corriente y le dije: «Su Majestad la Emperatriz está a punto de parir. Naturalmente estoy muy preocupado y he rogado fervorosamente para que salga con bien. Si mis plegarias han sido oídas, te ruego que me lo indiques con algún signo». Inmediatamente el pajarito hizo una pirueta y, en seguida, golpeó el suelo con una patita, como los bailarines cuando ejecutan la figura de danza llamada Paz y Felicidad. Era evidente que había comprendido perfectamente todo lo que yo le había dicho. Ya podréis imaginaros mi delicia. Le hice una seña para que se acercase y él, sin pizca de miedo, me obedeció. Lo toqué con una mano, como pueden atestiguarlo todos los que presenciaron la escena, sin que él se moviese. Entonces le impartí la sagrada fórmula del Triple Refugio: *Budam saranam gakchi; Darman saranam gakchi; Sangam saranam gakchi.* (Me refugio en el Buda, me refugio en el Darma [Doctrina], me refugio en la Orden [Sanga].) Después, en vista de su cortés actitud, lo dejé en libertad. No se alejó inmediatamente; danzó de aquí para allá y luego emprendió el vuelo.

Tripitaka no aclaró nunca en qué lengua hablaron él y el pajarito.

EL SENTIDO ES HIJO DEL SONIDO

En un extremo opuesto a los que piensan que las diferencias lingüísticas son el resultado de diferencias de civilización y cultura, se encuentran los que sostienen que cada lengua contiene una visión del mundo distinta a la de las otras lenguas. Cada idioma es una interpretación del universo, un prisma a través del cual vemos el universo no lingüístico. Cassirer lo ha dicho de una manera a un tiempo sucinta y clara: «El hombre no solamente piensa al mundo por medio del lenguaje: su visión del mundo está ya determinada por su lenguaje». El origen de estas ideas, en la edad moderna, se remonta probablemente a Vico y a Herder, los dos primeros que de una manera coherente ofrecieron una visión pluralista de la historia. En el libro que ha dedicado Isaiah Berlin a estos dos historiadores,[1] cita una obra de Vico: «los ingenios están formados por el carácter del lenguaje, no el lenguaje por el ingenio de aquellos que lo hablan». Un siglo más tarde Joseph de Maistre decía casi lo mismo, aunque de una manera menos clara: «El pensamiento y la palabra son sinónimos». Algo semejante creía André Breton; para él, la perfecta equivalencia entre el sonido y el sentido se manifestaba en la poesía; por esto, decía, es absurdo preguntarse qué quiso decir Rimbaud cuando dijo esto o aquello. Los poemas no se explican ni se interpretan; en ellos el signo cesa de significar: es. Para Herder cada lenguaje era, más que un sistema de signos, una fisonomía histórica, con lo que quería decir que la lengua es un destino, una manera no sólo de hablar sino de ser. Según Herder, los idiomas que habían preservado los géneros contenían una visión del mundo esencialmente distinta a la de los lenguajes «asexuados». Así, la lógica misma no era sino la expresión abstracta de un lenguaje: hay tantas lógicas como lenguajes.

El primer lingüista que se rehusó a ver el lenguaje como una expresión pasiva del hablante fue Wilhelm von Humboldt. Las intuiciones e hipótesis de Humboldt y sus seguidores fueron redescubiertas independientemente, hacia 1930, por un lingüista norteamericano: Benjamin Lee Whorf. La importancia de Whorf no reside solamente en la reformulación de estas ideas sino en que fue el primero en apoyar su demostración con ejemplos concretos y con análisis de extraordinaria perspicacia. Los ejemplos de Whorf fueron tomados casi siempre de las lenguas de los indios americanos: el hopi, el maya y el náhuatl. Whorf no fue lingüista de profesión sino ingeniero químico (como Jorge Cuesta). Estudió en el Instituto Tecnológico de Massachusetts y su profesión lo llevó a trabajar en una compañía de seguros contra incendios. Según parece fue un buen funcionario y la compañía, en agradecimiento a sus servicios, le dio en varias ocasiones licencia con goce de sueldo para que se entregase a sus estudios. Whorf nació en 1897 pero se interesó en la lingüística más bien tarde, en 1924. Como sus trabajos científicos están ligados a su interés por el mundo de los indios americanos, hay que señalar que su simpatía

[1] *Vico and Herder, Two Studies in the History of Ideas*, Londres, 1979.

por estos últimos nació de su lectura infantil de la historia de Prescott: *La conquista de México*. En alguna ocasión Robert Frost me contó que había escrito su primer poema después de haber leído en el mismo libro de Prescott el episodio de la Noche Triste. Whorf amó desde niño las adivinanzas y las charadas; no es extraño que en sus años de madurez haya intentado descifrar los jeroglíficos mayas. Otros rasgos que pueden darnos una idea del personaje: toda su vida llevó un diario y, también, un diario de sus sueños. Por desgracia, ni uno ni otro han sido publicados. Le apasionó la botánica y le debemos valiosas informaciones sobre la flora mexicana.[1]

Whorf era un espíritu religioso y, al mismo tiempo, poseía una sólida cultura científica. Pensó que un estudio profundo del significado oculto de la Biblia podría disolver las contradicciones entre la ciencia y la religión. La actitud de Whorf en esta materia no fue muy distinta a la de un Einstein y otros físicos y matemáticos contemporáneos. En sus estudios bíblicos Whorf tropezó con Antoine Fabre d'Olivet, un dramaturgo, lingüista y filósofo ocultista que escribió al despuntar el siglo XIX un curioso libro: *La Langue hébraïque restituée*. Es sorprendente cómo se cruzan las lecturas y los destinos: Fabre d'Olivet produjo también una gran impresión en André Breton, especialmente por sus teorías lingüísticas y poéticas. Fabre d'Olivet pensaba, fundado en la Cábala, que había en la lengua hebrea ciertas raíces universales. El viejo sueño de un lenguaje primero y universal, dotado de propiedades extraordinarias tales como la correspondencia entre el sonido y el sentido, transmitido por el hermetismo neoplatónico y la Cábala, fue recogido al comenzar el siglo XIX por escritores como Court de Gebelin y Fabre d'Olivet. Ambos influyeron en Nerval. El soneto *Vers dorés*, en el que el poeta *lee* la naturaleza como si ésta fuera una escritura a un tiempo indeleble y cambiante, está directamente inspirado en una obra de Fabre d'Olivet sobre los versos de Pitágoras:[2]

> Respecte dans la bête un esprit agissant,
> chaque fleur est une âme à la Nature éclose,
> un mystère d'amour dans le métal repose,
> tout est sensible! Et tout sur ton être est puissant.

[1] *Cf.* el prólogo de John B. Carroll a *Language, Thought and Reality*, selección de los escritos de Whorf, The MIT Press, Cambridge, Mass., 1956.

[2] *Les Vers dorés de Pythagore, expliqués et traduits pour la première fois en vers eumalpiques français, précédés d'un discours sur l'essence et la forme de la poésie chez les principaux peuples de la terre*, París, 1813.

En la poesía simbolista francesa —por ejemplo: en el conocido «soneto de las correspondencias» de Baudelaire— pueden oírse ecos y resonancias de estas ideas. También en la poesía hispanoamericana del periodo modernista, como en el soneto inicial de *Las ánforas de Epicuro* de Darío:

> Mira el signo sutil que los dedos del viento
> hacen al agitar el tallo que se inclina [...]

No es fácil que Whorf se haya enterado de todo esto o que haya leído siquiera a Nerval. No importa: la lectura de Fabre d'Olivet inspiró algunas de sus especulaciones más arriesgadas. No menos determinante en la evolución de su pensamiento fueron sus estudios de las lenguas indias de América. Hasta 1926, sin maestro, aprendió el náhuatl: después siguió con el maya y con el hopi. En 1930 vivió en México, estudió con don Mariano Rojas y, sobre todo, convivió en la comunidad indígena de Milpa Alta, donde todavía hace unos años se hablaba náhuatl. Whorf fue uno de los primeros —si no es que el primero— en advertir la influencia maya entre los nahuas. En 1931 publicó un estudio intitulado *Una inscripción del centro de México que combina los signos mayas y mexicanos de los días*. Este ensayo —nunca mencionado ni reconocido entre nosotros— cobra en estos momentos actualidad: los recién descubiertos y admirables frescos de Cacaxtla, como antes los relieves de Xochicalco, son nuevas pruebas de la presencia maya en el centro de México. Es un tema sobre el que espero que un día nuestros jóvenes arqueólogos —olvidando por un instante la lucha de clases de Tenochtitlan y la plusvalía entre los mixtecas— nos digan *algo*. En 1931, de regreso a los Estados Unidos, Whorf se puso en relación con uno de los grandes lingüistas modernos: Edward Sapir. Whorf soñó con escribir un libro —la muerte no le dejó cumplir su propósito: murió en 1941, a los 44 años— que se llamaría *Lenguaje, pensamiento y realidad*. El libro estaría dedicado a Fabre d'Olivet y a Sapir: al visionario y al científico.

La contribución de Whorf consiste en haber dado un fundamento realmente lingüístico a lo que era hasta entonces una hipótesis filosófica. Llamó a su teoría, en clara alusión a la física de Einstein, el principio de relatividad lingüística. En los círculos científicos también se la llama «hipótesis Whorf-Sapir». En efecto, sin Sapir quizá Whorf no habría podido formular enteramente su teoría. Creo que, según se verá, la hipótesis también podría llamarse «determinismo lingüístico» y, desde otro punto de vista, «nominalismo pluralista». En uno de sus últimos ensayos «Science and Linguistics» Whorf indica que

> las bases del sistema de cada lengua (en otras palabras: su gramática) no son un mero instrumento reproductivo para emitir verbalmente ideas; más bien, el sistema mismo es el productor de ideas [...] La producción de ideas no es un proceso independiente, estrictamente racional, en el viejo sentido, sino que es parte de una gramática particular [...] Analizamos a la naturaleza, la pensamos, a través de formas dictadas por nuestra lengua materna.

Frente al racionalismo, Whorf opone un relativismo no fundado en la subjetividad, en las diferencias de civilizaciones o en la temporalidad histórica sino en la lengua. En un segundo momento de su razonamiento, Whorf introduce un nuevo concepto:

> Analizamos a la naturaleza, la organizamos en conceptos, y le atribuimos significados porque, fundamentalmente, somos partes de un *acuerdo* para proceder de esta manera —un acuerdo que rige enteramente a nuestra comunidad lingüística y que ha sido codificado en las normas de nuestra lengua. Este acuerdo, naturalmente, es implícito y no formulado pero *sus términos son absolutamente obligatorios;* es imposible hablar sin someterse a la organización y clasificación de las formas verbales que decreta el acuerdo.

El relativismo se desdobla en un determinismo.

En la hipótesis de Whorf el determinismo se presenta como el resultado de un *acuerdo* entre los miembros de la comunidad lingüística. Esta idea suscita inmediatamente el nombre de Rousseau: fue el primero que, al inclinarse sobre el origen del lenguaje, afirmó que en el comienzo hubo una suerte de pacto verbal entre los hombres. Ese pacto —hijo de la necesidad y las pasiones, no de la razón ni de la libertad— es el antecedente y la causa necesaria del pacto social. El lenguaje funda a la sociedad y, a su vez, el lenguaje es una sociedad. Confieso que, ante las ideas de Rousseau y Whorf, experimento cierto vértigo. Puesto que ese acuerdo o pacto verbal no sólo es implícito sino que también es involuntario —a nadie se le pide su consentimiento para constituir de esta o aquella manera la lengua que habla— no es muy exacto llamarlo acuerdo o pacto. Si la relación entre el significante y el significado depende de una convención, ¿cómo pudo realizarse esa convención sin la voluntad de los hablantes? ¿Quién es el autor de esa convención? ¿El lenguaje mismo? Entonces, ¿qué hubo *antes* del lenguaje y de dónde viene? En suma, si el origen del llamado pacto lingüístico no está en la voluntad de los hombres, ¿cómo explicar la doble relación del lenguaje con la sociedad: es su fundamento y en ella se funda? Sin lenguaje, no hay sociedad; sin sociedad, no hay lenguaje. Éste es, para mí, uno de los grandes enigmas de la historia humana. Mejor dicho: el enigma.

A diferencia del pacto de Rousseau, el *acuerdo* de Whorf no es universal o, más bien, es un fenómeno universal que en cada caso se manifiesta de una manera particular y establece un conjunto de reglas de hablar y de pensar diferentes para cada grupo. Es una idea que está muy cerca de la segunda filosofía de Wittgenstein y de lo que él llama *language games*. La idea de la lengua como juego o, más exactamente, como un conjunto de juegos, no está muy alejada de la idea de la lengua como acuerdo: en uno y otro caso cada lengua está regida por reglas propias, inescapables y que no pueden aplicarse ni a otros juegos ni a otras comunidades lingüísticas. Me parece que las ideas de Wittgenstein y las de Whorf se acercan al viejo nominalismo, sólo que el suyo es pluralista y relativista. Por una parte, los nombres han dejado de ser universales y eternos; por la otra, los significados son válidos sólo dentro de la comunidad y duran tanto como ella. Al escribir: la realidad no es el nombre sino los nombres y sus combinaciones, me siento, de nuevo, perplejo: ¿esas combinaciones son infinitas? Si lo fuesen, ¿no desaparecería el relativismo lingüístico? Pero ¿quién, salvo Dios, podría encontrar el punto en que todas esas combinaciones se cruzan y producen ese significado último (y primero) que comprende a todos los otros?

La hipótesis de Whorf es un doble ataque a los dos términos de la filosofía tradicional, al *objeto* y al *sujeto*, al *objetivismo* y al *subjetivismo*. Frente al primero: nuestro lenguaje determina a nuestra lógica y a nuestra visión de la realidad; frente al segundo: «nadie es libre para describir a la naturaleza con absoluta imparcialidad pues está constreñido a obedecer ciertos modos de interpretación, incluso cuando se piensa más libre». Más fuerte que el yo es la lengua. Whorf concluye: «El nuevo principio de relatividad lingüística indica que no todos los observadores, ante fenómenos semejantes, deducen la misma imagen del universo, salvo si su trasfondo lingüístico es semejante o puede volverse semejante». Whorf no desconocía la influencia de la historia y de los elementos no-lingüísticos en las diferencias entre las lenguas. Tampoco le parecían insalvables esas diferencias. Se puede pasar de una lengua a otra pero este salto implica una pérdida grave: el hecho de que «científicos chinos o turcos describan hoy el mundo en los mismos términos que los científicos occidentales significa únicamente que se han apropiado enteramente del sistema de explicaciones y realizaciones de Occidente, *no que hayan corroborado ese sistema desde sus puntos nativos de observación*». He subrayado la última frase porque me parece capital: al adoptar el punto de vista occidental, el chino o el árabe pierden el punto de vista de sus culturas y así se empobrecen y empobrecen a la especie humana.

El gran orgullo de Occidente es la física, en la que son básicas ciertas nociones como *tiempo, velocidad* y *materia*. Whorf no niega a la física moderna —se había nutrido de ella en uno de sus grandes centros: el MIT de Cambridge— pero afirma que las nociones que la constituyen «no son esenciales en la construcción de una imagen consistente del universo». El tiempo es el eje de nuestra física; en cambio, «el hopi puede llamarse un lenguaje atemporal». Aunque conoce un tiempo psicológico —el tiempo hopi recuerda a la *duración* de Bergson— no se parece en nada al tiempo matemático *(t)* usado por nuestros físicos... El hopi no dice: *Estuve en tal lugar cinco días*, sino: *Dejé tal lugar al quinto día*. La omisión del tiempo no impide que la gramática hopi distinga con facilidad entre ocurrencia y sucesos momentáneos, continuos y repetidos, indicando las secuencias y las otras características pertinentes. Así, «el universo puede ser descrito sin recurrir al tiempo dimensional. ¿Cómo podría construirse una física sin *t* (tiempo) y sus ecuaciones? Perfectamente. Sería necesario, eso sí, una ideología diferente y, probablemente, también una matemática diferente. Tal vez tendríamos que introducir un nuevo término *I*, intensidad». No faltará quien se pregunte: ¿por qué, entonces, los hopi —o los chinos o los hindúes— no han creado una física que, aunque distinta, sea comparable a la física de Occidente? ¿No será más cuerdo atribuir las diferencias culturales a la diversidad de historias de cada sociedad y no a la pluralidad de lenguas? Confieso que este argumento, aunque es razonable, no me seduce: prefiero pensar en una física en la que *t* (tiempo) haya sido sustituido por *I* (intensidad) y *v* (velocidad) por *r* (ritmo).

Los críticos de Whorf —e incluso sus intérpretes más inteligentes, como Mounin— han dicho que veía al lenguaje como una cárcel de conceptos. Más justo sería decir que para él las lenguas eran *puntos de vista*. Cierto, no podemos salir de nuestra lengua pero esa lengua que nos encierra también es una ventana, un puesto de observación del mundo, de nuestros semejantes y de las otras lenguas. Whorf ve al hopi y al náhuatl desde su inglés como yo veo sus teorías desde mi español. Carroll dice con razón: «nada más alejado de lo que pensaba y quería Whorf que convertir su relativismo lingüístico en un argumento contra la comunicación entre las culturas y las naciones. Al contrario: él esperaba que, a medida que nos diésemos cuenta del relativismo lingüístico, los occidentales adoptaríamos una actitud más humilde y renunciaríamos a nuestra creencia en la supuesta superioridad de los idiomas europeos». Por mi parte agrego que el relativismo lingüístico de Whorf es un pluralismo paradójico, pues está fundado en la creencia, tal vez ilusoria, de un lenguaje original común. Incluso si la ciencia desmiente esta hipótesis —él nunca se atrevió a sostenerla abiertamente— sigue en pie su idea del lenguaje como una ventana que nos deja ver a los otros y, dentro de ciertos límites, comunicarnos con ellos. El relativismo lingüístico de Whorf corrige nuestro etnocentrismo: «somos como una constelación dentro de una galaxia».

En mi apresurada descripción de la filosofía lingüística de Whorf apenas si me detuve en sus contradicciones y debilidades. La mayor es el carácter circular y tautológico de su teoría: las diferencias lingüísticas se confunden con las diferencias culturales y éstas, a su vez, se transforman en diferencias lingüísticas. Quizá la respuesta a esta crítica sea reconocer de una vez por todas que cada cultura —ese conjunto de estructuras materiales, intelectuales y emocionales: cosas, instituciones y hombres que componen una sociedad— es predominantemente un sistema simbólico. Así desaparecen tanto la contradicción entre lenguaje y sociedad como la tautología de cultura y lenguaje: todo lo que hacen los hombres, incluso sus crímenes, *dice:* estamos condenados a emitir sin cesar sentido. Somos lenguaje.

LEER, COMPRENDER, CONTEMPLAR

Hay un aspecto del pensamiento de Whorf que los lingüistas, con cierto pudor, generalmente eluden. Me refiero a la noción de *simbolismo fonético,* que uno de sus discípulos (Carroll) define como «la relación inherente —bajo y sobre la relación arbitraria establecida en cualquier lenguaje— entre los sonidos y los significados». Es un regreso al *Cratilo* platónico pero con un fundamento nuevo. En uno de sus ensayos —precisamente sobre el idioma maya: Stem Series in Maya— Whorf afirma: «las ideas obedecen a la fonética». Esta aseveración es, en cierto modo, una consecuencia del «acuerdo» verbal, necesario e independiente de la voluntad de los hablantes, que según Whorf constituye a cada lengua. Al mismo tiempo, va más allá de esta idea: supone que en el lenguaje —quiero decir: en sus partículas constitutivas, fonemas y morfemas— se manifiestan afinidades y antipatías, uniones y oposiciones, regidas por fuerzas que no hay más remedio que llamar de atracción y repulsión. Se trata de fenómenos que aún no hemos logrado ni aislar ni comprender del todo. Debo decir que Whorf nunca desarrolló esta idea y menos aún en los términos que he empleado. Aparece en sus primeros escritos, en una forma más bien embrionaria; soy yo, en verdad, el que se atreve a extraer de sus no siempre claras y breves alusiones al «simbolismo fonético» unas conclusiones tal vez demasiado tajantes.

La imagen del lenguaje que nos presenta Whorf ofrece una sorprendente analogía con el universo de la física moderna. Pienso no sólo en la que se ocupa de los cuerpos celestes, de las galaxias a los planetas, sino en la que estudia lo infinitamente pequeño: el átomo, los electrones y neutrones, las partículas elementales. En uno y otro caso: mundos en movimiento, regidos por distintas fuerzas que se resuelven en la creación de estados de equilibrio dinámico entre dos extremos o tendencias: la concentración y la dispersión, lo centrífugo y lo centrípeto. La lingüística de Whorf es una física. También y sin contradicción es una erótica: universo regido por la atracción y la repulsión que, en las alianzas y enemistades de sus elementos, engendran figuras que son incesantes variaciones de un patrón único. Astros y átomos, sexos y sílabas, todos están regidos por el doble ritmo de las conjunciones y las disyunciones. Sin embargo, la analogía se rompe en un extremo de la tríada: el lenguaje. Hay una diferencia, desdeñada por Whorf y por muchos lingüistas modernos: las uniones y las separaciones entre los fonemas y las sílabas secretan invariablemente un elemento impalpable y único: el significado. Ni el universo estelar ni el sexual son sistemas de significación; en cambio, amputado de las significaciones, el lenguaje deja de ser lenguaje. El átomo, la galaxia y el racimo erótico son espejos infieles: reproducen los cuerpos del lenguaje, sus movimientos y sus abrazos, no su sentido. Le roban su sombra, ese reflejo que arrojan los signos sobre la conciencia humana.

La crítica que acabo de esbozar muestra los límites de la analogía entre el lenguaje y el universo físico. Esta crítica, me parece, es válida para muchas de las concepciones modernas del lenguaje; por más distintas que sean unas de otras, todas ellas tienen en común suprimir o poner entre paréntesis a la significación. Pero las dificultades y tropiezos que, en el otro extremo, experimenta la semiótica contemporánea, nos previenen también contra los espejismos de la significación. Cierto, todo lo que tocan los hombres está impregnado de sentido; sólo que, apenas lo percibimos, el sentido se dispersa y se desvanece. No hay sentido sino sentidos. Cada uno de ellos es instantáneo y dura el tiempo de su aparición. Cenizas del sentido: cenizas sin sentido. La pregunta que tradicionalmente ha hecho la significación a las cosas y a los hombres: ¿qué significa el universo con sus soles y sus planetas, qué sentido tiene lo que llamamos vida, muerte, historia, hombre, átomo, planta?, también puede hacerse al lenguaje. También podemos preguntarle ¿qué significa la significación? El lenguaje calla y su silencio parece decirnos que las significaciones no tienen un sentido final o que ese sentido es indecible y, propiamente, inefable e impensable. Las significaciones se anulan unas a otras; sobre las ruinas del sentido aparece una realidad que no puede ser nombrada y, quizá, tampoco pensada.

Interrogar al lenguaje es interrogarnos a nosotros mismos. Sin duda Whorf se hizo también la pregunta que acabo de hacerme. Sus últimos ensayos, escritos un poco antes de su temprana muerte, fueron una tentativa por superar el relativismo lingüístico al que su nombre está asociado. Superar: no negar. En ningún momento Whorf puso en duda que cada lengua —o más bien: cada familia de lenguas— constituye un sistema completo y que encierra y determina a la cultura de sus hablantes. No obstante, a pesar de que cada lengua es un mundo, todas ellas están constituidas de la misma manera. Whorf las concibe como una serie de planos o niveles: el físico-fonético, el fonémico y morfonémico, el morfológico y sintáctico. El último plano, apenas perceptible para la conciencia, se sitúa más allá de los significados y los referentes. Este nivel se caracteriza esencialmente por las relaciones entre los distintos elementos lingüísticos y por las figuras y configuraciones que crean esas relaciones. En ese plano aparece con toda nitidez el «sistema combinatorio» en que consiste esencialmente cualquier lenguaje. Como Chomsky, aunque siguiendo una dirección distinta y con objetivos diferentes, Whorf encuentra un elemento común en todos los idiomas. La diversidad de lenguajes se resuelve en identidad: todos y cada uno es un sistema de relaciones, no estáticas sino en movimiento. Reaparece otra vez la analogía: las lenguas están animadas por algo así como un ritmo universal que no es distinto al de la música y que, asimismo, refleja a las matemáticas.

Whorf pensaba que las ciencias descubrirían poco a poco, a pesar de su especialización creciente, «Un mundo noumenal [...] cuyo aspecto primordial es el de ser un dominio de figuras y formas en relación». Es una afirmación, apenas necesito decirlo, que evoca a Pitágoras y, asimismo, a la visión platónica de las ideas y los arquetipos, salvo que las de Whorf no están fijas en el cielo ni obedecen al movimiento circular: su universo es el de la física contemporánea. Es un mundo en perpetuo movimiento que presenta «una patente afinidad con la rica y sistemática organización del lenguaje y también con la matemática y la música [...] Las configuraciones arquetípicas del lenguaje [las formas en que se enlazan y agrupan los distintos elementos para construir palabras y frases] son básicas como las de la psicología Gestalt». El lenguaje es un tejido hecho de las figuras que forman los distintos elementos lingüísticos, de los más simples a los más complejos. Aunque este tejido está en perpetuo cambio y animación, las figuras que aparecen, desaparecen y reaparecen son variaciones de unos cuantos arquetipos o modelos inscritos, por decirlo así, en las leyes del movimiento que producen las distintas combinaciones. Las figuras verbales reproducen de alguna manera tanto las formas de la percepción (Gestalt) como el mapa del cosmos, la partitura de la música, la hoja de las ecuaciones y las formas de la geometría. La idea de que en el lenguaje aparece la fábrica de los universos fue conocida ya por otras civilizaciones, como el mismo Whorf lo señala. Me figuro que su hipótesis sería hoy aprobada por algunos filósofos de la ciencia, como el topólogo René Thom. Debo añadir, por último, que esta idea es el fundamento de la poética moderna: es la antigua visión de la correspondencia universal, presente ya entre los neoplatónicos y reelaborada por los románticos, los simbolistas y algunos poetas contemporáneos. La naturaleza y el lenguaje se corresponden, se reflejan; ambos pueden ser vistos como sistemas o configuraciones en rotación que, a su vez, engendran otras figuras en movimiento.

En nuestros días se ha hecho popular la expresión *leer.* No decimos *la teoría* sino *la lectura* del universo del físico *X;* tampoco decimos *la interpretación* sino *la lectura* del teatro de Shakespeare por el crítico *Z.* Afectación que sólo sería inocua si no revelase cierta miopía espiritual. Acepto que *leer* es *entender,* pero ¿es *contemplar?* La contemplación es la forma más alta de la comprensión porque abarca *ver* y *entender.* A la inversa de los modernos, Whorf no nos propone leer un texto escondido debajo del texto lingüístico ni desentrañar las relaciones entre los distintos elementos de la naturaleza —átomos, células, estrellas— como si se tratara de un discurso. El lingüista norteamericano no intenta traducir las formas y configuraciones de la naturaleza en signos lingüísticos sino que nos propone lo contrario: *ver los signos lingüísticos como formas y arquetipos,* semejantes a los de la naturaleza. En el mismo ensayo dice «ver cómo todos los sonidos elementales del inglés (los fonemas) se agrupan, coordinados por una ley a un tiempo compleja, sistemática e inevitable, de la misma manera que la fórmula química de una solución prescribe la emergencia de sólo ciertas formas de cristales —ésta sí es una experiencia única». Experiencia poco frecuente, aunque conocida por «muchos matemáticos y lingüistas que han *visto,* en un fugitivo destello, un sistema completo de relaciones formando una insospechada unidad». No es exagerado comparar esta visión del lenguaje, bañado por una corriente de delicia estética, con la contemplación de los filósofos de la Antigüedad.

En su nivel más alto —también es el más profundo: en la base y en la cúspide— las configuraciones lingüísticas «sobrepasan y controlan el aspecto lexical del lenguaje [...] Los entendimientos superiores perciben símbolos sin referencia concreta a esto o aquello, como cheques en blanco que pueden llenarse cuándo y cómo sea necesario y que puedan significar cualquier *valor* de una magnitud variable». Así, la referencia «es la parte menor del sentido y el poder configurativo la mayor». La lengua desemboca en un lenguaje más allá de los léxicos, las referencias y los significados. El sentido no se evapora pero es irreductible a la significación: es una forma. La lingüística de Whorf, en su fase final, es una despedida al significado, no para caer en la insignificancia, como ocurre con frecuencia con la crítica nihilista, sino en un estado no muy lejano al de la vacuidad *(śunyata)* del budismo. Su concepción se acerca también a la visión de Plotino: las formas, en su realidad última, no significan: son. El Uno ni siquiera piensa porque pensar es ya dualidad. Pero no importa cuál sea nuestra interpretación: la contemplación del ser y la de la vecindad ¿no se corresponden?

El pensamiento de Whorf se presenta como un desengaño, otro más, de la fe que durante toda la edad moderna ha profesado Occidente al signo. Hay un momento en el que los significados, subsidiarios de las relaciones, se disipan: sólo quedan las formas. Es revelador que este desengaño sea la obra no de la filosofía sino de la lingüística, la última gran empresa intelectual de nuestra civilización. Para Whorf la ilusión del significado «se ha clausurado en las lenguas indoeuropeas de Occidente». Al mismo tiempo, «más allá de la ilusión del significado comienza una comprensión más amplia del lenguaje. Esa comprensión sólo pueden darla, hoy, las lenguas indoeuropeas». La crítica de la significación —que es la crítica del Occidente moderno, desde el Renacimiento— se realiza a través de la crítica del lenguaje. Pero esa crítica sólo se ha hecho —sólo podía hacerse— desde las lenguas de Occidente. Es una autocrítica... Vuelta a los orígenes: el pensamiento de Whorf va del relativismo lingüístico más radical a una concepción que no está muy alejada de la creencia en que se funda el «hablar en lenguas» de los cristianos primitivos y los gnósticos; no son los significados sino las combinaciones entre los elementos lingüísticos las que producen un sentido más allá del sentido. Un sentido que podemos ver y oír pero no traducir, salvo a través de la poesía y del arte —ellos también intraducibles.

La disputa entre el Uno y los Muchos, entre el espíritu y las letras, ha sido resuelta de distintas maneras. La búsqueda de una lengua original y primera se resuelve, inevitablemente, en la pregunta sobre el sentido de la significación. Pero el sentido se dispersa en una pluralidad de significaciones contrarias que terminan por anularse: no hay sentido. La disolución de los signos culmina en la aparición de una presencia o de una vacuidad que son, ambas, indecibles e impensables. El ser se desangra en sus atributos y manifestaciones; la vacuidad se niega a sí misma en su vacío. Una y otra, la presencia y la ausencia, están roídas por la contradicción. Nada podemos decir sobre ellas y nada las nombra, ni siquiera la palabra *nada*. Tampoco el silencio las designa. El silencio no dice o, más bien, dice sólo como reverso del decir. El silencio depende de la palabra, es una dimensión última del decir. Si todo lo que tocamos y nombramos se llena de sentido y si todos esos sentidos —provisionales, dispares, contradictorios— pierden instantáneamente su sentido, ¿qué nos queda? Nos queda volver a empezar. Entre el silencio y el sinsentido, entre el decir y el callar, hay un centelleo: un saber sin saber, un comprender sin entender, un hablar mientras se calla. Nos queda oír, en lo que decimos, aquello que callamos. Nos queda la contemplación.

Doscientos años antes de nosotros y de nuestras disputas y preguntas, en el Tíbet del siglo XVIII, bajo el quinto Dalai Lama, ocurrió un suceso notable. Un día Su Santidad vio, desde una ventana de Patala, su palacio-templo-monasterio, algo extraordinario: la diosa Tara daba la vuelta, según el rito budista, a la muralla que rodea el edificio. Al día siguiente, a la misma hora, se repitió el fenómeno y así todos los días. Después de una semana de vigilancia, el Dalai Lama y sus monjes descubrieron que, diariamente, justo a la hora de la aparición de la diosa, un pobre viejo daba también la vuelta a la muralla recitando sus plegarias. Interrogaron al anciano: la plegaria que recitaba era un poema-oración a Tara que, a su vez, era una traducción de un texto sánscrito en honor de Prajñaparamita. Estas dos palabras significan la Perfecta Sabiduría, expresión que designa a la Vacuidad. Es un concepto que el budismo Mahayana ha personalizado en una divinidad femenina de indecible hermosura. Los teólogos hicieron recitar el texto al viejo. Inmediatamente encontraron que el pobre hombre repetía una traducción defectuosa y lo obligaron a que aprendiese la traducción correcta. Desde ese día Tara no volvió a aparecer.

México, 1982

[«Lectura y contemplación» fue publicado en *Sombras de obras*, Seix Barral, Barcelona, 1983.]

Literatura y literalidad

Aprender a hablar es aprender a traducir; cuando el niño pregunta a su madre por el significado de esta o aquella palabra, lo que realmente le pide es que traduzca a su lenguaje el término desconocido. La traducción dentro de una lengua no es, en este sentido, esencialmente distinta a la traducción entre dos lenguas, y la historia de todos los pueblos repite la experiencia infantil: incluso la tribu más aislada tiene que enfrentarse, en un momento o en otro, al lenguaje de un pueblo extraño. El asombro, la cólera, el horror o la divertida perplejidad que sentimos ante los sonidos de una lengua que ignoramos no tarda en transformarse en una duda sobre la que hablamos. El lenguaje pierde su universalidad y se revela como una pluralidad de lenguas, todas ellas extrañas e ininteligibles las unas para las otras. En el pasado, la traducción disipaba la duda: si no hay una lengua universal, las lenguas forman una sociedad universal en la que todos, vencidas ciertas dificultades, se entienden y comprenden. Y se comprenden porque en lenguas distintas los hombres dicen siempre las mismas cosas. La universalidad del espíritu era la respuesta a la confusión babélica: hay muchas lenguas pero el sentido es uno. Pascal encontraba en la pluralidad de religiones una prueba de la verdad del cristianismo; la traducción respondía con el ideal de una inteligibilidad universal a la diversidad de las lenguas. Así, la traducción no sólo era una prueba suplementaria sino una garantía de la unidad del espíritu.

La edad moderna destruyó esa seguridad. Al redescubrir la infinita variedad de los temperamentos y pasiones y ante el espectáculo de la multiplicidad de costumbres e instituciones, el hombre empezó a dejar de reconocerse en los hombres. Hasta entonces el salvaje había sido una excepción que había que suprimir por la conversión o la exterminación, el bautismo o la espada; el salvaje que aparece en los salones del siglo XVIII es una criatura nueva que, aunque hable a la perfección la lengua de sus anfitriones, encarna una extrañeza irreductible. No es un sujeto de conversión sino de polémica y crítica; la originalidad de sus juicios, la simplicidad de sus costumbres y hasta la violencia de sus pasiones son una prueba de la locura y vanidad, cuando no de la infamia, de los bautismos y conversiones. Cambio de dirección: a la búsqueda religiosa de una identidad universal sucede una curiosidad intelectual empeñada en descubrir diferencias no menos universales. La extrañeza cesa de ser un extravío y se vuelve ejemplar. Su ejemplaridad es paradójica y reveladora: el salvaje es la nostalgia del civilizado, su otro yo, su mitad perdida. La traducción refleja estos cambios: ya no es una operación tendiente a mostrar la identidad última de los hombres sino que es el vehículo de sus singularidades. Su función había consistido en revelar las semejanzas por encima de las diferencias; de ahora en adelante manifiesta que esas diferencias son infranqueables, trátese de la extrañeza del salvaje o de la de nuestro vecino.

Una reflexión del doctor Johnson en el curso de un viaje expresa muy bien la nueva actitud: «A blade of grass is always a blade of grass, whether in one country or another [...] Men and women are my subjects of inquiry; let us see how these differ from those we have left behind». La frase del doctor Johnson tiene dos sentidos y ambos prefiguran el doble camino que había de emprender la edad moderna. El primero se refiere a la separación entre el hombre y la naturaleza, una separación que se transformaría en oposición y combate: la nueva misión del hombre no es salvarse sino dominar a la naturaleza. El segundo se refiere a la separación entre los hombres: el mundo deja de ser un mundo, una totalidad indivisible, y se escinde en naturaleza y cultura, y la cultura se parcela en culturas. Pluralidad de lenguas y sociedades: cada lengua es una visión del mundo, cada civilización es un mundo. El sol que canta el poema azteca es distinto al sol del himno egipcio, aunque el astro sea el mismo. Durante más de dos siglos, primero los filósofos y los historiadores, ahora los antropólogos y los lingüistas, han acumulado pruebas sobre las irreductibles diferencias entre los individuos, las sociedades y las épocas. La gran división, apenas menos profunda que la establecida entre naturaleza y cultura, es la que separa a los primitivos de los civilizados; en seguida, la variedad y heterogeneidad de las civilizaciones. En el interior de cada civilización renacen las diferencias: las lenguas que nos sirven para comunicarnos también nos encierran en una malla invisible de sonidos y significados, de modo que las naciones son prisioneras de las lenguas que hablan. Dentro de cada lengua se reproducen las divisiones: épocas históricas, clases sociales, generaciones. En cuanto a las relaciones entre individuos aislados y que pertenecen a la misma comunidad: cada uno es un emparedado vivo en su propio lenguaje.

Todo esto debería haber desanimado a los traductores. No ha sido así: por un movimiento contradictorio y complementario, se traduce más y más. La razón de esta paradoja es la siguiente: por una parte, la traducción suprime las diferencias entre una lengua y otra; por la otra, las revela más plenamente: gracias a la traducción nos enteramos de que nuestros vecinos hablan y piensan de un modo distinto al nuestro. En un extremo, el mundo se nos presenta como una colección de heterogeneidades; en el otro, como una superposición de textos, cada uno ligeramente distinto al anterior: traducciones de traducciones de traducciones. Cada texto es único y, simultáneamente, es la traducción de otro texto. Ningún texto es enteramente original porque el lenguaje mismo, en su esencia, es ya una traducción: primero, del mundo no-verbal y, después, porque cada signo y cada frase es la traducción de otro signo y de otra frase. Pero ese razonamiento puede invertirse sin perder validez: todos los textos son originales porque cada traducción es distinta. Cada traducción es, hasta cierto punto, una invención y así constituye un texto único.

Los descubrimientos de la antropología y la lingüística no condenan a la traducción sino a cierta idea ingenua de la traducción. O sea: a la traducción literal que en español llamamos, significativamente, *servil*. No digo que la traducción literal sea imposible sino que no es una traducción. Es un dispositivo, generalmente compuesto por una hilera de palabras, para ayudarnos a leer el texto en su lengua original. Algo más cerca del diccionario que de la traducción, que es siempre una operación literaria. En todos los casos, sin excluir aquellos en que sólo es necesario traducir el sentido, como en las obras de ciencia, la traducción implica una transformación del original. Esa transformación no es ni puede ser sino literaria porque todas las traducciones son operaciones que se sirven de los dos modos de expresión a que, según Roman Jakobson, se reducen todos los procedimientos literarios: la metonimia y la metáfora. El texto jamás reaparece (sería imposible) en la otra lengua; no obstante, está presente siempre porque la traducción, sin decirlo, lo menciona constantemente o lo convierte en un objeto verbal que, aunque distinto, lo reproduce: metonimia o metáfora. Las dos, a diferencia de las traducciones explicativas y de la paráfrasis, son formas rigurosas que no están reñidas con la exactitud: la primera es una descripción indirecta y la segunda una ecuación verbal.

La condenación mayor sobre la posibilidad de traducción ha recaído sobre la poesía. Condenación singular si se recuerda que muchos de los mejores poemas de cada lengua de Occidente son traducciones y que muchas de esas traducciones son obra de grandes poetas. En el libro que hace unos años dedicó a la traducción el crítico y lingüista George Mounin,[1] señala que en general se concede, aunque de mala gana, que sí es posible traducir los significados denotativos de un texto; en cambio, es casi unánime la opinión que juzga imposible la traducción de los significados connotativos. Hecha de ecos, reflejos y correspondencias entre el sonido y el sentido, la poesía es un tejido de connotaciones y, por tanto, es intraducible.

Confieso que esta idea me repugna no sólo porque se opone a la imagen que yo me he hecho de la universalidad de la poesía sino porque se funda en una concepción errónea de lo que es la traducción. No todos comparten mis ideas y muchos poetas modernos afirman que la poesía es intraducible. Los mueve, tal vez, un amor inmoderado a la materia verbal o se han enredado en la trampa de la subjetividad. Una trampa mortal, como Quevedo nos advierte: «las aguas del abismo / donde me enamoraba de mí mismo». Un ejemplo de este engolosinamiento verbal es Unamuno, que en uno de sus arranques lírico-patrióticos dice:

> Ávila, Málaga, Cáceres,
> Játiva, Mérida, Córdoba,
> Ciudad Rodrigo, Sepúlveda,
> Úbeda, Arévalo, Frómista,
> Zumárraga, Salamanca,
> Turégano, Zaragoza,
> Lérida, Zamarramala,
> sois nombres de cuerpo entero,
> libres, propios, los de nómina,
> el tuétano intraducible
> de nuestra lengua española.

«El tuétano intraducible de nuestra lengua española» es una metáfora estrafalaria (¿tuétano y lengua?) pero perfectamente traducible y que

[1] *Les Problèmes théoriques de la traduction*, Gallimard, París, 1963.

alude a una experiencia universal. Muchísimos poetas se han servido del mismo procedimiento retórico, sólo que en otras lenguas: las listas de palabras son distintas pero el contexto, la emoción y el sentido son análogos. Es curioso, por lo demás, que la intraducible esencia de España consista en una sucesión de nombres romanos, árabes, celtíberos y vascos. También lo es que Unamuno traduzca al castellano el nombre de la ciudad catalana Lleida (del ibero *Ilerda). Y lo más extraño es que, sin darse cuenta de que así desmentía la pretendida intraducibilidad de esos nombres, haya citado estos versos de Victor Hugo como epígrafe de su poema:

Et tout tremble, Irún, Coïmbre,
Santander, Almodovar,
sitôt qu'on entend le timbre
des cymbals de Bivar.

En español y en francés el sentido y la emoción son los mismos. Como los nombres propios, en rigor, no son traducibles, Hugo se limita a repetirlos en español sin tratar siquiera de afrancesarlos. La repetición es eficaz porque esas palabras, despojadas de todo significado preciso y convertidas en cascabeles verbales, verdaderos *mantras*, resuenan en el texto francés con más extrañeza aún que en castellano... Traducir es muy difícil —no menos difícil que escribir textos más o menos originales— pero no es imposible. Los poemas de Hugo y Unamuno muestran que los significados connotativos pueden preservarse si el poeta-traductor logra reproducir la situación verbal, el contexto poético, en que se engastan. Wallace Stevens nos ha dado una suerte de imagen de esa situación en un pasaje admirable:

[...] the hard hidalgo
Lives in the mountainous character of his speech;
And in that mountainous mirror Spain acquires
The knowledge of Spain and of the hidalgo's hat—
A seeming of the Spaniard, a style of life,
The invention of a nation in a phrase [...]

El lenguaje se vuelve paisaje y ese paisaje, a su vez, es una invención, la metáfora de una nación o de un individuo. Topografía verbal en la que todo se comunica, todo es traducción: las frases son una cadena de montañas y las montañas son los signos, los ideogramas de una civilización. Pero el juego de los ecos y las correspondencias verbales, además de ser vertiginoso, esconde un peligro cierto. Rodeados de palabras por todas partes, hay un momento en que nos sentimos sobrecogidos: angustiosa extrañeza de vivir entre nombres y no entre cosas. Extrañeza de tener nombre:

> Entre los juncos y la baja tarde
> ¡qué raro que me llame Federico!

También esta experiencia es universal: García Lorca habría sentido la misma extrañeza si se hubiese llamado Tom, Jean o Chuang-tsé. Perder nuestro nombre es como perder nuestra sombra; ser sólo nuestro nombre es reducirnos a ser sombra. La ausencia de relación entre las cosas y sus nombres es doblemente insoportable: o el sentido se evapora o las cosas se desvanecen. Un mundo de puros significados es tan inhospitalario como un mundo de cosas sin sentido —sin nombres. El lenguaje vuelve habitable al mundo. Al instante de perplejidad ante la extrañeza de llamarse Federico o Sô Ji, sucede inmediatamente la invención de otro nombre, un nombre que es, en cierto modo, la traducción del antiguo: la metáfora o la metonimia que, sin decirlo, lo dicen.

En los últimos años, debido tal vez al imperialismo de la lingüística, se tiende a minimizar la naturaleza eminentemente literaria de la traducción. No, no hay ni puede haber una ciencia de la traducción, aunque ésta puede y debe estudiarse científicamente. Del mismo modo que la literatura es una función especializada del lenguaje, la traducción es una función especializada de la literatura. ¿Y las máquinas que traducen? Cuando esos aparatos logren realmente *traducir*, realizarán una operación literaria; no harán nada distinto a lo que hacen ahora los traductores: literatura. La traducción es una tarea en la que, descontados los indispensables conocimientos lingüísticos, lo decisivo es la iniciativa del traductor, sea éste una máquina «programada» por un hombre o un hombre rodeado de diccionarios. Para convencernos oigamos a Arthur Waley:

> A French scholar wrote recently with regard to translators: «Qu'ils s'effacent derrière les textes et ceux-ci, s'ils ont été vraiment compris, parleront d'eux-mêmes». Except in the rather rare case of plain concrete statements such as *The cat chases the mouse* there are seldom sentences that

> have exact word-to-word equivalents in another language. It becomes a question of choosing between various approximations [...] I have always found that it was I, not the texts, that had to do the talking.

Sería difícil añadir una palabra más a esta declaración.

En teoría, sólo los poetas deberían traducir poesía; en la realidad, pocas veces los poetas son buenos traductores. No lo son porque casi siempre usan el poema ajeno como un punto de partida para escribir su poema. El buen traductor se mueve en una dirección contraria: su punto de llegada es un poema análogo, ya que no idéntico, al poema original. No se aparta del poema sino para seguirlo más de cerca. El buen traductor de poesía es un traductor que, además, es un poeta —como Arthur Waley—, o un poeta que, además, es un buen traductor —como Nerval cuando tradujo el *Primer Fausto* y más tarde a Heine. En otros casos Nerval hizo *imitaciones* (admirables) de Goethe, Jean-Paul y otros poetas alemanes. La *imitación* es la hermana gemela de la traducción: se parecen pero no hay que confundirlas. Son como Justine y Juliette, las dos hermanas de las novelas de Sade... La razón de la incapacidad de muchos poetas para traducir poesía no es de orden puramente psicológico, aunque la egolatría tenga su parte, sino funcional: la traducción poética, según me propongo mostrar en seguida, es una operación análoga a la creación poética sólo que se despliega en sentido inverso.

Cada palabra encierra cierta pluralidad de significados virtuales; en el momento en que la palabra se asocia a otras para constituir una frase, uno de esos sentidos se actualiza y se vuelve predominante. En la prosa la significación tiende a ser unívoca mientras que, según se ha dicho con frecuencia, una de las características de la poesía, tal vez la cardinal, es preservar la pluralidad de sentidos. En verdad se trata de una propiedad general del lenguaje; la poesía la acentúa pero, atenuada, se manifiesta también en el habla corriente y aún en la prosa. (Esta circunstancia confirma que la prosa, en el sentido riguroso del término, no tiene existencia real: es una exigencia ideal del pensamiento.) Los críticos se han detenido en esta turbadora particularidad de la poesía, sin reparar que a esta suerte de movilidad e indeterminación de los significados corresponde otra particularidad igualmente fascinante: la inmovilidad de los signos. La poesía transforma radicalmente al lenguaje y en dirección contraria a la de la prosa. En un caso, a la movilidad de los signos corresponde la tendencia a fijar un solo significado; en el otro, a la pluralidad de significados corresponde la fijeza de los signos. Ahora bien, el lenguaje es un sistema de signos móviles que, hasta cierto punto, pueden ser intercanjeables: una palabra puede ser sustituida por otra y cada frase puede ser dicha (traducida) por otra. Parodiando a Peirce podría decirse que el significado de una palabra es siempre otra palabra. Para comprobarlo basta con recordar que cada vez que preguntamos «¿qué quiere decir esta frase?», se nos responde con otra frase. Pues bien, apenas nos internamos en los dominios de la poesía, las palabras pierden su movilidad y su intercanjeabilidad. Los sentidos del poema son múltiples y cambiantes; las palabras del mismo poema son únicas e insustituibles. Cambiarlas sería destruir al poema. La poesía, sin cesar de ser lenguaje, es un más allá del lenguaje.

El poeta, inmerso en el movimiento del idioma, continuo ir y venir verbal, escoge unas cuantas palabras —o es escogido por ellas. Al combinarlas, construye su poema: un objeto verbal hecho de signos insustituibles e inamovibles. El punto de partida del traductor no es el lenguaje en movimiento, materia prima del poeta, sino el lenguaje fijo del poema. Lenguaje congelado y, no obstante, perfectamente vivo. Su operación es inversa a la del poeta: no se trata de construir con signos móviles un texto inamovible sino desmontar los elementos de ese texto, poner de nuevo en circulación los signos y devolverlos al lenguaje. Hasta aquí la actividad del traductor es parecida a la del lector y a la del crítico: cada lectura es una traducción y cada crítica es, o comienza por ser, una interpretación. Pero la lectura es una traducción dentro del mismo idioma y la crítica es una versión libre del poema o, más exactamente, una transposición. Para el crítico el poema es un punto de partida hacia otro texto, el suyo, mientras que el traductor, en otro lenguaje y con signos diferentes, debe componer un poema análogo al original. Así, en su segundo momento, la actividad del traductor es paralela a la del poeta, con esta diferencia capital: al escribir, el poeta no sabe cómo será su poema; al traducir, el traductor sabe que su poema deberá reproducir al poema que tiene bajo los ojos. En sus dos momentos la traducción es una operación paralela, aunque en sentido inverso, a la creación poética. Su resultado es una reproducción del poema original en otro poema que, como ya se ha dicho, no es tanto su copia como su transmutación. El ideal de la traducción poética, según alguna vez lo definió Valéry de manera insuperable, consiste en producir con medios diferentes efectos análogos.

Traducción y creación son operaciones gemelas. Por una parte, según lo muestran los casos de Baudelaire y de Pound, la traducción es indistinguible muchas veces de la creación; por la otra, hay un incesante reflujo entre las dos, una continua y mutua fecundación. Los grandes periodos creadores de la poesía de Occidente, desde su origen en Provenza hasta nuestros días, han sido precedidos o acompañados por entrecruzamientos entre diferentes tradiciones poéticas. Esos entrecruzamientos a veces adoptan la forma de la imitación y otras la de la traducción. Desde este punto de vista la historia de la poesía europea podría verse como la historia de las conjunciones de las diversas tradiciones que componen lo que se llama la literatura de Occidente, para no hablar de la presencia árabe en la lírica provenzal o la del haikú y la poesía china en la poesía moderna. Los críticos estudian las «influencias» pero ese término es equívoco; más cuerdo sería considerar a la literatura de Occidente como un todo unitario en el que los personajes centrales no son las tradiciones nacionales —la poesía inglesa, la francesa, la portuguesa, la alemana— sino los estilos y las tendencias. Ninguna tendencia y ningún estilo han sido nacionales, ni siquiera el llamado «nacionalismo artístico». Todos los estilos han sido translingüísticos: Donne está más cerca de Quevedo que de Wordsworth; entre Góngora y Marino hay una evidente afinidad en tanto que nada, salvo la lengua, une a Góngora con el Arcipreste de Hita que, a su vez, hace pensar por momentos en Chaucer. Los estilos son colectivos y pasan de una lengua a otra; las obras, todas arraigadas a su suelo verbal, son únicas... Únicas pero no aisladas: cada una de ellas nace y vive en relación con otras obras de lenguas distintas. Así, ni la pluralidad de las lenguas ni la singularidad de las obras significa heterogeneidad irreductible o confusión sino lo contrario: un mundo de relaciones hecho de contradicciones y correspondencias, uniones y separaciones.

En cada periodo los poetas europeos —ahora también los del Continente Americano, en sus dos mitades— escriben el mismo poema en lenguas diferentes. Cada una de esas versiones es, asimismo, un poema original y distinto. Cierto, la sincronía no es perfecta pero basta alejarse un poco para advertir que oímos un concierto en el que los músicos, con diferentes instrumentos, sin obedecer a ningún director de orquesta ni seguir partitura alguna, componen una obra colectiva en la que la improvisación es inseparable de la traducción y la invención de la imitación. A veces uno de los músicos se lanza a un solo inspirado; al poco tiempo los demás lo siguen, no sin introducir variaciones que vuelven irreconocible al motivo original. A fines del siglo pasado la poesía francesa maravilló y escandalizó a Europa con ese solo que inicia Baudelaire y que cierra Mallarmé. Los poetas modernistas hispanoamericanos fueron de los primeros en percibir esta nueva música; al imitarla, la hicieron suya, la cambiaron y la transmitieron a España que, a su vez, volvió a recrearla. Un poco más tarde los poetas de lengua inglesa realizan algo parecido pero con instrumentos distintos y diferente tonalidad y *tempo.* Una versión más sobria y crítica en la que Laforgue y no Verlaine ocupa un lugar central. La posición singular de Laforgue en el modernismo angloamericano contribuye a explicar el carácter de ese movimiento que fue, simultáneamente, simbolista y antisimbolista. Pound y Eliot, siguiendo en esto a Laforgue, introducen dentro del simbolismo la crítica del simbolismo, la burla de lo que el mismo Pound llamaba los *funny symbolist trappings.* Esta actitud crítica los preparó para escribir, un poco después, una poesía no «modernista» sino moderna y así iniciar, con Wallace Stevens, William Carlos Williams y otros, un nuevo solo —el solo de la poesía angloamericana contemporánea.

La fortuna de Laforgue en la poesía inglesa y en la de lengua española es un ejemplo de la interdependencia entre creación e imitación, traducción y obra original. La influencia del poeta francés en Eliot y Pound es muy conocida, pero apenas si lo es la que ejerció sobre los poetas hispanoamericanos. En 1905 el argentino Leopoldo Lugones, uno de los grandes poetas de nuestra lengua y uno de los menos estudiados, publica un volumen de poemas, *Los crepúsculos del jardín,* en el que aparecen por primera vez en español algunos rasgos laforguianos: ironía, choque entre el lenguaje coloquial y el literario, imágenes violentas que yuxtaponen el absurdo urbano al de una naturaleza convertida en grotesca matrona. Algunos de los poemas de ese libro parecían escritos en uno de esos *dimanches bannis de l'Infini,* domingos de la burguesía hispanoamericana de fin de siglo. En 1909 Lugones publica *Lunario sentimental;* a despecho de ser una imitación de Laforgue, ese libro fue uno de los más originales de su tiempo y todavía puede leerse con asombro y delicia. La influencia del *Lunario sentimental* fue inmensa entre los poetas hispanoamericanos pero en ninguno fue más benéfica y estimulante que en el mexicano López Velarde. En 1919 López Velarde publica *Zozobra,* el libro central del postmodernismo hispanoamericano, es decir, de nuestro simbolismo antisimbolista. Dos años antes Eliot había publicado *Pufrock and other Observations.* En Boston, recién salido de Harvard, un Laforgue protestante; en Zacatecas, escapado de un seminario, un Laforgue católico. Erotismo, blasfemias, humor y, como decía López Velarde, una «íntima tristeza reaccionaria». El poeta mexicano murió poco después, en 1921, a los 33 años de edad. Su obra termina donde comienza la de Eliot... Boston y Zacatecas: la unión de estos dos nombres nos hace sonreír como si se tratase de una de esas asociaciones incongruentes en las que se complacía Laforgue. Dos poetas escriben, casi en los mismos años, en lenguas distintas y sin que ninguno de los dos sospeche siquiera la existencia del otro, dos versiones diferentes e igualmente *originales* de unos poemas que unos años antes había escrito un tercer poeta en otra lengua.

Cambridge, a 15 de julio de 1970

[«Literatura y literalidad» se publicó en *El signo y el garabato*, Joaquín Mortiz, México, 1973.]

Contar y cantar
(SOBRE EL POEMA EXTENSO)

Se canta una historia
contando su melodía.
ANTONIO MACHADO

¿Qué es un poema extenso? El diccionario dice que *extender* es hacer que una cosa aumente su superficie y ocupe así más espacio. *Extender* también significa esparcir, desenvolver, desplegar y ocupar cierta extensión de terreno. En su sentido original y primario *extender* es un concepto espacial. Así, un poema extenso es un poema largo. Como en el lenguaje las palabras van una detrás de otras, en hilera, un poema extenso es un poema que tiene muchas líneas y cuya lectura es prolongada. Espacio es tiempo. ¿Pero qué tan largo tiene que ser un poema para ser considerado como un poema extenso? ¿Cuántas líneas? El Mahabarata tiene más de doscientos mil versos, y un *uta,* considerado por los japoneses como un poema largo, tiene unos treinta o cuarenta versos. Las *Soledades* tienen un poco más de dos mil versos; *Primero sueño,* cerca de mil, y la *Divina Comedia,* unos quince mil. En cambio *The Waste Land* no tiene sino cuatrocientos treinta y cuatro versos; *Un Coup de dés,* menos de trescientas líneas, y *Muerte sin fin,* un poco más de seiscientas. *Extenso* o *corto* son términos relativos, variables. El número de versos no es un criterio: un poema largo para un japonés es un poema corto para un hindú; un poema largo para un hombre del siglo XX es un poema corto para un hombre de la edad barroca. Hay que buscar otros elementos de definición.

Valéry dijo que el poema es el desarrollo de una exclamación. Fórmula lúcida pero que, a su vez, necesita desarrollarse. En el poema corto el fin y el principio se confunden: apenas si hay desarrollo. En el poema de extensión media sí son discernibles el principio y el fin; al mismo tiempo, aunque distintos, cada uno con su fisonomía propia, son inseparables. Leemos los poemas de mediana extensión de la primera línea a la última, no sólo el principio o sólo el fin. No podemos aislar a las partes. En el poema largo las partes tampoco tienen completa existencia autónoma pero cada una existe como parte. No podemos leer una parte aislada de un poema de extensión media porque esa parte no tiene sentido por sí misma; en cambio, en el poema extenso cada parte tiene vida propia. Ejemplos: el episodio de Paolo y Francesca en el Infierno, el del encuentro con Matelda en el *Paraíso terrenal* o el canto de la usura en el poema de Pound.

La poesía está regida por el doble principio de la variedad dentro de la unidad. En el poema corto, la variedad se sacrifica a expensas de la unidad; en el poema largo, la variedad alcanza su plenitud sin romper la unidad. Así, en el poema largo encontramos no sólo la extensión, que es una medida cambiante, sino máxima variedad en la unidad. En el poema extenso aparece, además, otra doble exigencia, que está en relación estrecha con la regla de la variedad dentro de la unidad: la sorpresa y la recurrencia. En todos los poemas la recurrencia es un principio cardinal. El metro y sus acentos, la rima, los epítetos en Homero y otros poetas, las frases e incidentes que se repiten como motivos y temas musicales, son como signos o marcas que subrayan la continuidad. En el otro extremo están las rupturas, los cambios, las invenciones y, en fin, lo inesperado: el dominio de la sorpresa. Lo que llamamos desarrollo no es sino la alianza entre sorpresa y recurrencia, invención y repetición, ruptura y continuidad.

Reducido a su forma más simple y esencial, el poema es una canción. El canto no es discurso ni explicación. En el poema corto —jarcha, haikú, epigrama, *chüeh-chü,* copla— se omiten los antecedentes y la mayoría de las circunstancias que son la causa o el objeto del canto. Pero para *cantar* la cólera de Aquiles y sus consecuencias, Homero debe *contar* sus hazañas y las de los otros aqueos y troyanos. El canto se vuelve cuento y, a su vez, el cuento se vuelve canto. En su forma más inmediata, el cuento es el relato de un suceso o una historia. El poema nos cuenta algo: las historias de los héroes. El poema extenso es, en su origen, poema épico. Pero las historias de los héroes son también las historias de los dioses y la historia de las relaciones entre los dos mundos, el heroico y el divino. Ulises, Áyax, Gilgamesh, Eneas: encuentros, amores y combates con diosas y dioses. Lo mítico y lo heroico se confunden: la materia épica es la gesta de los héroes y los héroes son seres semidivinos. ¿Hay una épica puramente terrestre, no contaminada por las intervenciones sobrenaturales y las genealogías divinas? Se dice que el *Cantar de Mio Cid* es un poema realista. No: el realismo es un concepto moderno y el poema del Cid es un texto medieval, es decir, de una época en la que era constante la interpenetración entre lo que llamamos realidad real y la sobrenatural y maravillosa. La épica colinda, en un extremo, con la historia y, en el otro, con la mitología. Épica, mitología y cosmogonía se interpenetran constantemente. El poema épico es primo hermano del poema religioso. A su vez, el poema religioso no tarda en transformarse en poema filosófico. Los ejemplos abundan, del poema de Parménides al de Lucrecio.

El Occidente cristiano introduce una doble y gran novedad. El poema extenso de la Antigüedad grecorromana —ya sea épico, filosófico o religioso— es siempre objetivo y en él no aparece el autor. Virgilio nos relata los trabajos y los amores de Eneas, Parménides nos dice lo que es el ser y lo que es el no ser, Hesíodo nos cuenta las cuatro edades de la tierra. En todos estos poemas no se rompe la objetividad del relato ni el tema del canto es la persona del poeta. En la poesía cristiana aparece un elemento nuevo: el poeta mismo como héroe. La *Divina Comedia* es un poema en el que se reúnen todos los géneros anteriores —épicos, míticos, filosóficos— y en el que se cuenta una historia. El tema del poema no es el regreso de Ulises a Ítaca o las aventuras de Eneas: relata la historia del viaje de un hombre al otro mundo. Ese hombre no es un héroe, como Gilgamesh, sino un pecador —y más: ese pecador es el poeta mismo, el florentino Dante. El poema antiguo era impersonal; con Dante aparece el yo.

Gran cambio: la primera persona del singular se convierte en el protagonista central del poema extenso. Esto fue posible porque la *Divina Comedia* es un poema alegórico y en esto consiste la segunda gran novedad del poema cristiano. El relato del viaje de Gilgamesh al otro mundo es uno de los textos más hermosos y desoladores de la literatura universal —es el canto de la conciencia de la muerte— pero en ningún momento el episodio puede verse como una alegoría: el viaje del héroe al país de los inmortales, por más fantástico que nos parezca, se presenta como un hecho real, absolutamente real. Tampoco son alegóricos los cantos en que Homero y Virgilio nos cuentan las entrevistas de Ulises y Eneas con los muertos. En cambio, el viaje de Dante a los tres mundos es una triple alegoría: del Éxodo de Israel, que es la cifra del destierro del Edén; de la historia de los Evangelios, que es la historia de la redención de los hombres, y de la historia de Dante, que es una alegoría de la de todos los pecadores... Alegoría de la historia de la salvación por el amor: el cristianismo.

En muchos pasajes de la *Vita nuova* Dante emplea expresiones como ésta: «Amor me dijo», «Vi llegar al Amor»... O sea: ve al Amor y lo oye; habla de él no como si fuese una pasión sino una persona. Sin embargo, en el mismo libro, al comentar uno de sus poemas, escribe: «Alguno podrá sorprenderse de que hable de Amor no sólo como si fuese una cosa en sí o como una sustancia inteligente sino como si fuese una sustancia corporal, lo cual es, en verdad, falso. Amor no existe en sí como sustancia sino que es un accidente de una sustancia». Para la mejor comprensión de este pasaje, debe recordarse que, según la doctrina medieval, hay sustancias inteligentes e incorpóreas como los ángeles, sustancias sin inteligencia como los elementos materiales, sustancias animadas por un alma vegetal o animal pero irracional y, en fin, sustancias que son corporales e inteligentes: los hombres.[1] Aunque Amor no es ni espíritu angélico ni demonio ni materia bruta, tampoco es una persona. ¿Qué es entonces? Es un accidente de una sustancia corpórea e inteligente; no es una persona sino algo que le pasa a una persona: una pasión, un sentimiento. Pero Dante describe este accidente que carece de forma —aunque nace de la visión de una forma— como si fuese realmente una persona; quiero decir, hace del amor una personificación. Más adelante explica que revestir al amor con los atributos del ser humano es un privilegio acordado a los poetas. Desde la Antigüedad, dice, los poetas usan «figuras y colores retóricos para hablar de las cosas inanimadas como si ellas tuviesen sentido y razón». Amor es una figura de lenguaje.

Por medio de la personificación el poeta traza un puente entre lo invisible y lo visible, la idea y la cosa, la abstracción y el objeto. El amor, la envidia y la cólera son pasiones que, a través de una operación del lenguaje, se transforman en personas, no de carne y hueso sino imaginarias. La personificación es un momento de la alegoría. Las distintas personificaciones —Amor, Envidia, Castidad, Justicia, Cólera, Templanza— hablan entre ellas como hablan los hombres y las mujeres; como ellos, se unen y separan, pactan y pelean. Hay una diferencia, sin embargo: cualquiera que sea la forma que adopten, las figuras alegóricas no son realmente formas sino configuraciones de signos. Su ser es ser signo. La esencia del triángulo es su forma y puede reducirse a una proporción geométrica y matemática; el triángulo que vemos pintado en una iglesia medieval no es nada más una forma: es el signo de la divinidad. En la ale-

[1] *Cf.* la nota de André Pézard a *Vita nuova,* XXV, Nagel, París, 1953.

goría desaparece la distancia entre ser y sentido: el signo devora al ser. Cada elemento de la alegoría —rostro y cuerpo, gesto y vestidura— es un atributo y cada atributo es un signo. Pero la alegoría nos oculta aquello mismo que nos presenta. No es una presencia, aunque asuma una forma corpórea, ni es algo que se aprehende con los ojos y de golpe sino lentamente y con el entendimiento: ver una alegoría es interpretarla. Contemplamos las formas del mundo, desciframos las alegorías.

La naturaleza intelectual de la alegoría, que reduce el ser al signo, se manifiesta también en la actitud del poeta ante su obra. A diferencia del poeta romántico, poseído por la inspiración, el poeta alegórico *sí sabe* de qué habla. Dante aclara con sencillez: «Sería una gran vergüenza que un rimador que reviste sus ideas con figuras o con los colores de la retórica no pueda, cuando se le interroga, desvestirlas de manera que se vea que ellas esconden un sentido verdadero». El cuerpo de la analogía es su significado. Así, aunque se presentan como imágenes, las alegorías son realmente escrituras. Como las Santas Escrituras, modelo de todas las otras, las alegorías esconden una pluralidad de significados. En *Il convivio* (II, I), Dante llama a sus poemas *escrituras* y enumera los cuatro sentidos que pueden extraerse de ellas: el literal, el alegórico («la verdad encubierta por una mentira hermosa»), el moral y el anagógico o sobrenatural. El cuerpo de la alegoría es cuádruple y, al mismo tiempo, inasible. Cada significación nos lleva a otra, más elevada, hasta que la última nos enfrenta a aquello que es indecible y que está más allá del sentido.

En el libro sabio e inteligente que ha dedicado a este tema *(The Allegory of Love)* C. S. Lewis nos previene contra una confusión frecuente: leer una alegoría medieval como un símbolo.[1] La alegoría y el símbolo son hermanos pues ambos son manifestaciones del pensamiento analógico; lo mismo la alegoría que el símbolo postulan una relación secreta entre el esto y el aquello, el mundo de las ideas y el de las cosas. Pero Lewis introduce una distinción fundamental: «la equivalencia entre lo material y lo inmaterial puede ser usado por la mente de dos maneras [...] Ante un hecho inmaterial, como la pasión que uno siente, se inventa *visibilia* para expresarla [...] Se siente cólera e imaginamos a la Ira, con el rostro descompuesto y una antorcha en la mano. Esto es lo que se llama alegoría». En cambio, también podemos ver a nuestras pasiones como una copia o reflejo de un mundo inmaterial. Ésta fue la idea de Platón;

[1] Me reconozco culpable de esta confusión en las páginas que, hace más de treinta años, dediqué a Dante y la *Vita nuova* («La inspiración», en *El arco y la lira*).

es una idea implícita —aunque pocas veces consciente— en todo simbolismo. Ver a través de la copia al arquetipo, vislumbrar en el mundo de aquí al de allá, dice Lewis, «es lo que llamo simbolismo o sacramentalismo». Para el simbolista, la realidad que vemos no es enteramente real; es un símbolo de la otra realidad, la verdadera: la idea, la esencia.

La alegoría fue la forma predilecta de los poetas medievales y a ella le debemos, entre otras obras, *Le Roman de la rose*. Sin embargo, aunque Dante ve a su poema como una verdadera alegoría, la *Divina Comedia* es, por fortuna, algo más y, sobre todo, algo irreductible a la geometría, a un tiempo obsesiva y árida, del género. La declinación de la alegoría comienza en el Renacimiento. Aparece el poema épico fantástico, quiero decir, en el que las circunstancias y los héroes son plenamente ficciones. La obra maestra del género es el *Orlando furioso* de Ariosto, un poema que pocos leen hoy, a pesar de que por su brío, su velocidad, la mezcla de alta poesía y humor, extravagancia y sentido común, es un libro extraordinariamente moderno. Un libro vivo. Con la épica burlesca italiana —Boiardo y Ariosto— se rompe la alegoría y se abre el camino a la nueva novela y a Cervantes. En la novela opera un principio opuesto al del poema alegórico: la ironía. La primera reveló la correspondencia entre el mundo de aquí y el de allá; la segunda subraya la distancia entre lo real y lo imaginario.[1] También es italiano el otro gran poema extenso del Renacimiento: *Jerusalén liberada*. Es una obra menos veloz y abigarrada que el *Orlando* pero más grave y noble. El humor se evapora y se transforma en una niebla irisada: la melancolía.

Ni la poesía épica italiana, con ser una de las más altas creaciones literarias europeas, ni los otros grandes poemas del Renacimiento y la edad barroca —*Los Lusíadas, The Faerie Queene, Paradise Lost*— han ejercido influencia sobre la poesía moderna. En cambio, los poetas románticos los leyeron con pasión, sobre todo a Milton. Además, veneraron sus figuras, que les parecían emblemas del destino del poeta: Milton, ciego y rebelde; Tasso, enamorado, loco y perseguido. La indiferencia de los modernos ante la épica renacentista y barroca se debe, quizá, a que con esos poemas culmina la tradición del humanismo grecolatino y renacentista mientras que la Edad Moderna ha sido la de la quiebra de esos

[1] He tratado el tema de las relaciones contradictorias entre analogía e ironía en *El arco y la lira* (en el capítulo «Ambigüedad de la novela»), México, 1956; en *El signo y el garabato* («La nueva analogía»), México, 1973, y en *Los hijos del limo* («Analogía e ironía»), Barcelona, 1974. [Estos textos han sido incluidos en este volumen.]

cánones estéticos. Es lástima. Los *Mutabilitie Cantos* de Spenser, por ejemplo, merecen ser leídos no con los ojos de la arqueología literaria sino con los de la poesía de hoy. Son modernos, a pesar del arcaísmo de su lenguaje, tanto por su tema —el diálogo entre mutación e identidad, cambio y continuidad— como por la vitalidad de sus giros, imágenes y expresiones. La máxima abstracción vertida en términos particulares y concretos. La naturaleza, madre de todas las criaturas, «siempre joven y siempre vieja, / inmóvil siempre y siempre en movimiento, / nadie la ve y todos la contemplan». Camões es menos inclinado a las paradojas y a las filosofías pero su lenguaje no es menos concreto que el de Spenser y su relato es más simple. Economía en la acción y opulencia en las digresiones. Camões está lejos de nosotros pero algunos pasajes no han perdido sus poderes de encantamiento, como la descripción de Malabar y su gente, la aparición del gigante Adamastor convertido en el Cabo de Buena Esperanza (que el poeta llama, con mayor realismo, Tormentario) y, en fin, el delicioso episodio de la Isla del Amor.

Eliot reprochó a Milton sus giros latinizantes y su elocuencia; crítica sorprendente pues, en el fondo, equivalía a reprocharle aquello mismo que Eliot siempre exaltó: el europeísmo. ¿Inconsistencia? Quizá, más bien, dos opuestas visiones de Europa. Para Eliot la tradición europea podía condensarse en dos nombres: Roma y Dante, es decir, el orden cristiano medieval; para Milton, Europa era ante todo el pasado grecorromano, las humanidades renacentistas, el cristianismo reformado y el nuevo pensamiento. Durante su viaje en Italia visitó a Galileo, que vivía recluido. La Europa de Milton es la Europa que dividió a la Europa de Eliot. El equívoco entre la generación de Eliot y Milton es de la misma índole del que separa a Miguel Ángel de pintores como Matisse y Picasso. Aunque Milton nació cuarenta años después de la muerte de Miguel Ángel, hay en sus figuras heroicas cierto parecido: son encarnaciones del conflicto entre el cristianismo y la belleza ideal del humanismo pagano. En las obras de los dos artistas triunfa el arquetipo renacentista del hombre y de la naturaleza: idealismo naturalista. Sin embargo, aunque sus personajes posean las proporciones sobrehumanas de los héroes de la Antigüedad, están poseídos por un dinamismo ausente en los modelos clásicos y en las obras de los pintores y poetas del primer Renacimiento. El dinamismo de las figuras de Miguel Ángel y de Milton es trágico pues es una visión de la caída del héroe en un espacio sin fin. Quiero decir: es una versión, a un tiempo cristiana y olímpica, del misterio del pecado original.

El Satán de Milton se despeña interminablemente y, lo que es más terrible, al caer en el espacio sin fin cae en sí mismo. La modernidad comienza con el descubrimiento del doble infinito: el cósmico y el psíquico. El hombre sintió de pronto que le faltaba, literalmente, suelo. La nueva ciencia había abierto el espacio y por esa hendedura el ojo humano descubrió algo rebelde al pensamiento: el infinito. Así, la modernidad naciente, a través de sus poetas y artistas, descubrió un nuevo vértigo. El mundo de Dante era finito y por eso pudo trazar la geografía del Infierno, el Purgatorio y el Paraíso. Pero ese mundo limitado era eterno: los hombres estaban destinados a vivir por los siglos de los siglos y, después del Juicio Final, sin experimentar cambio alguno. La eternidad disipa al tiempo y a la sucesión: seremos para siempre lo que somos. En esto consiste la diferencia radical entre el mundo medieval y el moderno. El cristiano medieval vivía en un espacio finito y estaba destinado a la eternidad de los bienaventurados o los réprobos; nosotros vivimos en un universo infinito y estamos destinados a desaparecer para siempre. Nuestra condición es trágica en un sentido que no sospecharon ni los paganos de la Antigüedad ni los cristianos de la Edad Media.

Ninguna de las epopeyas españolas de los siglos XVI y XVII puede compararse a las que he citado. Lope de Vega, a imitación de Ariosto, escribió *La hermosura de Angélica,* y unos años después rivalizó con Tasso al publicar *Jerusalén conquistada*. Son poemas olvidados con justicia. Lope también escribió una *Gatomaquia,* un poema épico burlesco que cuenta batallas y amoríos de gatos y gatas en los tejados de Madrid. Sus gatos son demasiado humanos y sus humanos demasiado estereotipados. ¿Y Alonso de Ercilla? Hace muchos años Neruda, que se disponía a escribir su *Canto general,* me instó a que leyese algunos pasajes que él admiraba. Lectura a un tiempo fatigosa y conmovedora. El estilo de Ercilla es como el trote de un escuadrón de caballería en un llano. Pero esa monotonía tiene compensaciones: la sobriedad, el realismo y cierta nobleza viril. La exaltación del enemigo, el cacique Caupolicán, es una lección de moral poética, sobre todo en nuestra época vil, que acostumbra deshonrar a los vencidos.

Las fábulas, abundantes en esos siglos, podrían considerarse poemas extensos. Sin embargo, por su carácter mismo, son episodios desprendidos del gran libro de la mitología. Casi todas están inspiradas en las *Metamorfosis* de Ovidio. La más famosa de todas, la *Fábula de Polifemo y Galatea,* es uno de los poemas más perfectos de la poesía europea pero ¿es un poema extenso? Tiene quinientos cuatro versos: largo para nosotros, no para su época. Tampoco me parece que las *Soledades* se ajustan a las características del poema extenso. Lo distintivo no es únicamente el número de líneas sino el desarrollo: las divisiones entre las distintas partes y los enlaces y articulaciones entre ellas. El poema extenso debe satisfacer una doble exigencia: la de la variedad dentro de la unidad y la de la combinación entre recurrencia y sorpresa. No encuentro en las *Soledades* desarrollo sino acumulación —a veces deslumbrante, otras fastidiosa y siempre prolija— de fragmentos y detalles. Hace mucho quería decirlo y ahora me atrevo: las *Soledades* es una pieza de marquetería sublime y vana. Es un poema sin acción y sin historia, plagado de amplificaciones y rodeos divagantes; las continuas digresiones son a veces mágicas, como pasearse por un jardín encantado, pero la repetición de maravillas termina por resultar tediosa. Hay visiones fascinantes y charadas fútiles: ¿cuál es el aroma que «traducido mal por Egipto, / tarde lo encomendó el Nilo a sus bocas»? En fin, ¿se puede leer con entusiasmo a las *Soledades*? Entusiasmo: la marca de la poesía, su señal de nacimiento, el furor divino.

La composición de las *Soledades* es nula. Composición en el sentido en que la *Eneida* y la *Divina Comedia,* las *Coplas a la muerte del maestro de Santiago* y *El preludio,* el *Canto a mí mismo* y *Un lance de dados* son obras *compuestas,* cualquiera que sea su género. El *Polifemo,* que es para mí el mejor poema de Góngora, está concebido con mayor fortuna; tal vez porque en este caso el poeta cordobés siguió fielmente a Ovidio. La acción es condensada y rápida como en el poeta latino pero la verdadera originalidad de Góngora está en el lenguaje, que es prodigioso, y en su visión paradisiaca del mundo natural. Los personajes de Góngora nos impresionan por sus dimensiones sobrehumanas pero su Polifemo no nos hace reír como el de Teócrito ni nos conmueve como el de Ovidio: nos asombra. Lo mismo debe decirse de Acis y su fin desdichado o de la hermosa Galatea y su pasión: nos maravillan sin conquistar nuestra complicidad sentimental o emocional como los otros héroes de la literatura. No son personas ni personajes: son figuras. El mundo de Góngora no es el teatro de las pasiones humanas o el de las batallas y amores de los dioses. Es un mundo estético y sus criaturas, tejidas por las palabras, son reflejos, sombras, centelleos, engaños adorables y efímeros. ¿Qué queda después de la lectura? Queda una naturaleza transfigurada en lenguaje. Queda la hermosura...

La influencia de Góngora fue inmensa. Enriqueció el vocabulario y nos enseñó a ver y a combinar lo que vemos de una manera a un tiempo inusitada y sensual; en cambio, no nos dio una *visión* del ser humano ni de este mundo y sus trasmundos. Tampoco nos enseñó a *componer*, en la acepción más inmediata de la palabra: formar un todo con cosas diversas. Fue muy imitado y, sin embargo, esa influencia no produjo ninguna obra considerable, excepto *Primero sueño* de Sor Juana Inés de la Cruz. El poema de la poetisa mexicana es gongorino y, al mismo tiempo, es la negación de Góngora y de su estética: es una visión del mundo y del espíritu humano perdido en la vastedad universal. Es un verdadero poema extenso, con un principio, un desarrollo complejo y un fin súbito, inesperado. No hay nada en la poesía de nuestro siglo XVI y XVII que se le asemeje. En la poesía española de su época, *Primero sueño* es un obelisco solitario. Poema del acto de conocer y de los límites de todo conocer, para encontrar visiones y obsesiones parecidas hay que ir al poema de Mallarmé, *Un lance de dados,* y a su descendencia en nuestro siglo.

Aunque en más de un sentido somos sus herederos y continuadores (no siempre fieles: hemos olvidado su tolerancia y sus buenas maneras intelectuales), el siglo XVIII está más lejos de nosotros, poéticamente, que el XVI o el XVII. En el siglo XVIII nace ya plenamente la modernidad pero no la poesía moderna. Más bien puede decirse lo contrario: la poesía romántica fue una reacción frente a la del XVIII. Las cualidades de los poemas extensos de ese siglo son las opuestas a las que amamos en los poemas de los románticos y los simbolistas. El *Essay on Man,* por ejemplo, es un verdadero ensayo —lúcido, ingenioso, elegante y de composición esmerada— pero me pregunto si, a pesar de la versificación admirable, no podía haber sido escrito en prosa. La elocuencia de Milton nos cansa y sus largos y complejos periodos nos marean; sin embargo, en el momento en que estamos a punto de cerrar el volumen, nos fascina una súbita perspectiva espiritual que, de pronto, se abre ante nuestros ojos. Es como si el telón de la realidad se desgarrara y pudiésemos ver el *otro lado.* Blake dijo que Milton, como verdadero poeta, estaba de parte del diablo, aunque no lo sabía. Desde entonces Satán se transformó en una figura que participa del heroísmo altruista de Prometeo, la osadía de Ícaro y el amor a la libertad. Satán: subversión e ironía, caída y melancolía. También promesa de redención. El príncipe caído, Lucifer, el lucero del alba, el portaantorcha que rompe la oscuridad, fascinó a los románticos y a sus sucesores. En el poema de Hugo *El fin de Satán,* el ángel rebelde en su infinita caída abandona una pluma. Tocada por el ojo de Dios, esa pluma se convierte en el ángel Libertad.

El romanticismo alteró profundamente el poema extenso, lo mismo en su arquitectura y en sus temas que en sus fundamentos. Fue un cambio no menos profundo que el de la alegoría. En primer término, introdujo un elemento subjetivo como tema del poema: el yo del poeta, su personalidad misma; en segundo lugar, hizo del canto el cuento mismo. Quiero decir: el cuento del canto fue el canto, el tema del poema fue la poesía misma. O como dice el sentencioso Antonio Machado: se *canta* una historia y así se *cuenta* una melodía. Contar es, simultáneamente, relatar una historia y escandir el verso: cuento que se vuelve canto y canto que, al contar el cuento, se canta a sí mismo —al acto de cantar. El poema romántico tuvo como tema del canto al canto mismo o a su cantor: poema de la poesía o poema del poeta. En la *Divina Comedia* el héroe no es un semidiós sino un pecador: el poeta florentino Dante Alighieri, que es un ser real y, al mismo tiempo, es una alegoría del hombre caído. El tema del Don Juan de Byron no es el libertino de la leyenda sevillana sino el poeta mismo. Don Juan no es una alegoría de Byron: es una máscara simbólica, una *persona*. Byron es Byron y es el reflejo que lo trasciende: el poeta rebelde y libre. El reflejo terrestre, la copia corporal y espiritual de un arquetipo: Satán, el ángel de la libertad.

El símbolo opera en dirección opuesta a la alegoría. Ya antes Blake había escrito un poema épico-simbólico que tiene como personaje a Milton pero el Milton de Blake es realmente el mismo Blake que, a su vez, no es sino la manifestación humana de la imaginación poética. Según Blake, la imaginación tiene la misión, a través del poeta, de convertir a «los hijos de la Memoria», es decir: a la poesía grecorromana, en «los hijos de la inspiración»: la poesía de la nueva era. El Milton de Blake, encarnación de la «eterna energía» (Satán), no es una alegoría: es el *símbolo* del nuevo poeta. La nueva poesía se propone acabar con la imitación de «los pervertidos escritos de Virgilio, Ovidio y los otros paganos, esclavos de la espada». En el Milton de Blake se conjugan el poema del poeta con el poema de la poesía.

No es difícil encontrar las dos notas, siempre en el modo simbólico, en casi todos los grandes poemas románticos: en el *Hiperión* de Hölderlin, en el *Adonais* de Shelley o en *El viejo marinero* de Coleridge. En *El preludio* los dos elementos aparecen de modo explícito y directo. Wordsworth nos cuenta la formación del poeta Wordsworth, desde la infancia visionaria hasta la madurez. Pero no es una biografía, aunque no se omitan los episodios reales; el verdadero héroe de *El preludio* es la imaginación poética: cómo nace en un niño, cómo se debilita y está a punto de perderse y cómo, por la contemplación de la naturaleza y de la sociedad humana, el poeta maduro la restaura. Es un poema animado por un doble movimiento: el tránsito hacia la madurez es también un regreso a la infancia. El asunto del poema es psicológico, filosófico y, sobre todo, poético y religioso: recobrar la mirada del niño. La restauración del saber inocente. El poema del poeta se funde en el poema del poema.

El simbolismo recogió los dos grandes temas de la poesía romántica: la poesía del poeta y la poesía del poema. Entre estos dos extremos desplegó —otra herencia romántica— el diálogo entre ironía y analogía: la conciencia del tiempo y la visión de la correspondencia universal. Diálogo que se resuelve en discordia, como en Baudelaire. La poesía simbolista introdujo otro cambio, éste sí radical: aplicó al poema extenso la estética del poema breve. El poeta simbolista aborrece las explicaciones; no cuenta y ni siquiera dice: sugiere. Su canto colinda con el silencio. Uno de los elementos del poema extenso era la continuidad en el desarrollo, es decir, el carácter lineal de la composición: un episodio sucedía a otro y cada uno estaba ligado al anterior y al siguiente. No había interrupción ni ruptura. El poeta simbolista rompe la continuidad: cree en el valor de la pausa y del espacio en blanco. Un poema simbolista es un archipiélago de fragmentos. El desarrollo se atomiza. A diferencia del poema romántico, los fragmentos no están unidos por una cadena verbal sino por silencios, afinidades, colores. La sucesión no es explícita sino tácita. Por último, en el poema simbolista abundan las metáforas y los símbolos mientras que se omiten las descripciones y la narración. Encuentro entre lo extenso y lo intenso: el poema extenso se vuelve una sucesión de momentos intensos.

El mejor ejemplo de la nueva poética fue *Un lance de dados:* un extraño poema que tiene por tema el acto de escribir un poema. Pero un poema nunca antes intentado: un poema absoluto. No *un* poema del poema sino *el* poema del poema. El tema de Sor Juana Inés de la Cruz —el poema del acto de conocer— reaparece llevado a un límite extremo. La respuesta fue igualmente negativa: *el* poema del poema fue *un* poema. No hay más poema absoluto que este que ahora escribo en una lengua destinada a desaparecer. Así, el poema del poema de Hölderlin y los otros románticos culmina en su crítica y en su negación: estamos condenados a escribir el mismo poema y cada versión de ese poema universal es particular y relativa. Es conocida la emoción con que, hacia 1866, Mallarmé descubrió el pensamiento de Hegel. Hay una indudable semejanza: ambos, el filósofo y el poeta, parten de la final identidad entre el ser y la nada.[1] La dialéctica está destinada, según Hegel, a mediar entre los distintos modos del ser hasta la final afirmación plenaria del ser; a esta idea corresponde la ambición de Mallarmé: resolver el azar (el lenguaje) en un número absoluto (el poema). A la inversa del soberbio Hegel —y en esto su humildad fue también sabiduría— Mallarmé termina por proferir apenas un *Quizá*. El cubilete poético no anula a la casualidad: no hay un número absoluto. Si lo hubiese, sería incognoscible e indecible. Cada poema, cada número, es un absoluto instantáneo. Lección de sobriedad y heroísmo. Fue un regreso implícito a Kant, aunque Mallarmé quizá no lo supo. A Kant, el fundador de la modernidad verdadera y el primero que nos previno contra los delirios de la dialéctica, que él llamaba, con razón, la «filosofía de la ilusión».

En el otro extremo: Walt Whitman. Para darse cuenta de su extraordinaria modernidad hay que recordar la fecha de publicación de *Canto a mí mismo:* 1855. ¿Qué se escribía entonces en Europa y en América? El poema de Mallarmé apareció cerca de medio siglo después, en 1897. Pero no es sólo una fecha lo que separa a los dos poetas: sus obras anuncian las vías opuestas, aunque complementarias, que ha seguido la poesía del siglo XX. Whitman recoge el tema romántico del poeta como asunto del poema. Al mismo tiempo, cambia radicalmente esa tradición. Whitman no nos cuenta la historia de un héroe legendario tras cuyos rasgos se esconde el poeta, como el *Hiperión* de Hölderlin o el *Childe Harold* de Byron. Tampoco escribe una biografía poética como la de *El preludio* de Wordsworth. El *Canto a mí mismo* no es un relato sino una *expansión* poética. Whitman no habla de las vicisitudes de su vida sino de su ser mismo. El poeta canta a un yo que es un tú y un él y un nosotros. Es uno entre tantos y es un ser único: un peatón y un cosmos. El tiempo del canto también es distinto al de los antiguos poemas. No es ni un pasado mítico ni un presente atemporal. Es un presente fechado: 1855; y es un presente sin fechas: el ahora mismo que pasa todos los días desde que los hombres son hombres. Whitman recobra el carácter arquetípico del tiempo no a través de un pasado legendario sino por la inmersión en el ahora. Lo que pasa ahora está pasando siempre.

La forma del poema también está en oposición a la forma de Mallarmé. Ambos prescinden de la rima pero en tanto que el ritmo de Mallarmé

[1] Una idea que se encuentra también en el pensamiento de la India, especialmente en el budismo de Nagarjuna.

es primordialmente visual —la disposición de las líneas sobre las páginas, los blancos y los diferentes caracteres— el de Whitman es oral: no algo que vemos sino algo que oímos. Vuelta al origen de la poesía: la palabra hablada. Mallarmé exalta la reticencia, el silencio, los blancos; su lenguaje viene de la escritura y es exquisito. El lenguaje de Whitman es hablado y peca no por el lado del preciosismo sino por el de la oratoria y la gesticulación. Arrebatado por el entusiasmo, quiere decirlo todo, se pierde y se gana en interminables enumeraciones con una suerte de delicia a un tiempo infantil y cósmica, va de la confidencia a la exclamación y de la exclamación a la profecía. Al exaltar el yo exalta al nosotros. Su democracia es libertaria, igualitaria y cósmica. Poema de la reconciliación de las potencias enemigas: el cuerpo y el alma, el presente y el pasado, el yo y el tú, el blanco y el negro, el hombre y la mujer, lo alto y lo bajo. El *Canto a mí mismo* se resuelve en el canto de la fundación de una comunidad libre, una fraternidad entre los hombres, los seres y las cosas, sean astros o ratones, tigres o locomotoras, árboles o sonatas... Mallarmé: el canto del poeta solitario frente al universo; Whitman: el canto de fundación de la comunidad libre de los iguales. Con estos dos poetas termina cierta modernidad —la poesía romántica, el simbolismo— y comienza otra: la nuestra.

México, 1976

[«Contar y cantar» se publicó por primera vez en la revista *Vuelta,* núm. 115, México, junio de 1986, y en *La otra voz. Poesía y fin de siglo,* Seix Barral, Barcelona, 1990.]

Delta de cinco brazos

Hace años, en un ensayo dedicado al poema extenso, «Contar y cantar», intenté distinguir a los poemas no por su forma o por su asunto —poemas épicos, líricos, elegíacos, eróticos o sagrados— sino por su extensión: poemas largos, cortos y de extensión mediana. El poema corto requiere la máxima intensidad combinada con la máxima brevedad; compuesto de tres o cuatro líneas, está más cerca de la exclamación que del discurso. El poema corto *no cuenta: canta;* pero su canto se apoya en un cuento, brota de una situación o de una historia. Situación implícita, historia no dicha y, sin embargo, presente: amor, separación, duelo, júbilo, encuentro, despedida, queja. En el poema corto no hay desarrollo; el fin y el principio se confunden. En el poema de extensión mediana el comienzo se distingue claramente del medio y ambos del fin. Es imposible confundir una parte con otra pues cada una posee carácter propio; al mismo tiempo, ninguna es autónoma ni separable de las otras: las partes no tienen existencia por sí mismas, dependen del conjunto. En el poema extenso el canto vive en función del cuento; quiero decir, depende de la historia o de la narración. La relación entre las partes no desaparece pero se afloja: cada parte y cada capítulo tienen vida independiente. Cierto, para gozar plenamente de la lectura del episodio de Nausica, en la *Odisea,* debemos tener presente la historia de Ulises desde su salida de la isla de Calipso y aun desde antes. Pero una cosa es tener presentes los episodios o sucesos anteriores y otra abarcar en una sola lectura a un poema extenso. Es imposible leer la *Ilíada,* la *Divina Comedia* o el *Paraíso perdido* de una sentada.

En la edad moderna el poema extenso experimentó un cambio radical. Los poetas simbolistas aplicaron a los poemas largos la estética de los poemas breves y medios: la extensión se redujo y la intensidad se redobló. La consecuencia fue la ruptura de la continuidad o, más exactamente, su dispersión. Desde entonces, hace ya más de un siglo, el poema extenso se transformó. La extensión: las *Soledades* tienen más de dos mil versos; *The Waste Land*, apenas cuatrocientos treinta y seis; la continuidad: el poema se convierte en una sucesión de momentos intensos, unidos no tanto por la narración como por los silencios y los blancos. No obstante, la unidad no se ha roto: el poema extenso moderno es un todo. Y aquí conviene introducir otra distinción: con cierta frecuencia aparecen composiciones que son series de poemas unidos por un tema común; sus autores y nuestra distraída crítica llaman poemas extensos a esos conjuntos. No, un poema largo no es una *suite;* es una forma orgánica en la que la diversidad de los elementos se resuelve en la unidad de la obra. El poema largo no se define únicamente por su extensión sino por el orden y la relación que guardan entre ellas las distintas partes que lo componen. Es una verdadera composición: transcurre y, simultáneamente, recurre; nace de un motivo inicial, se bifurca, se enlaza a otros motivos y temas, cambia sin cesar y regresa a sí mismo. Su desarrollo es lineal y sucesivo, simultáneo y sincrónico. La línea que lo representa puede ser recta o sinuosa, en espiral o en zigzag. Pero la comparación con la línea es insuficiente: el poema extenso es cuerpo y volumen. En uno de sus extremos colinda con la música y, en el otro, con la arquitectura.

Desde mi juventud he intentado, con varia fortuna, escribir poemas extensos modernos, es decir, composiciones que alíen la intensidad con la extensión. El primero es de 1940: *Entre la piedra y la flor;* el último de 1987: *Carta de creencia.* En 1980, la editorial Suhrkamp publicó *Suche nach einer Mitte,* cuatro poemas largos, muy bien traducidos por el poeta Fritz Vogelgsang y acompañados por un luminoso ensayo de Pere Gimferrer. Los cuatro poemas escogidos fueron *Piedra de Sol, Blanco, Nocturno de San Ildefonso* y *Pasado en claro.* Este año mi amigo Hans Meinke, director del Círculo de Lectores, para celebrar mis ochenta años de vida y mis sesenta y pico de escribir poesía, me propuso publicar esos cuatro poemas en una nueva edición. Acepté encantado pero decidí aumentar a cinco el número de poemas. El cinco me ha atraído siempre: es la suma del tres, la cifra emblemática de nuestra civilización, y del dos, que simboliza la pareja primordial. Para los antiguos mexicanos el universo era un cuadrado formado por los cuatro puntos cardinales y con un punto, eje o sol, en el centro. El cinco une la visión cosmológica de los indios americanos con la de los indoeuropeos. Guiado por este simbolismo, escogí un poema más: *Carta de creencia.* Es el más reciente y puede ser visto como el centro o quinto sol del conjunto.

La palabra que designa a la figura geométrica que forman los cuatro lados de un cuadrado y el centro es *quinconce.* No es muy hermosa. Además, a pesar de su origen latino *(quincunx)* y de ser usual en francés y en inglés, nuestros diccionarios la reprueban como un galicismo. Deseché *quincunce.* En una noche de insomnio, en la que vi a la poesía como un río de muchos afluentes, se me ocurrió un título: *Río de cinco brazos.* Más tarde, al componer este libro, mi amigo Nicanor Vélez, releyendo *Blanco,* encontró esta línea: «delta de brazos del deseo». Al punto me escribió con una sugerencia: el título debería ser *Delta de cinco brazos.* Sentí el choque eléctrico del hallazgo. Pero dudé: delta no designa el río que, al desembocar, se divide en varios brazos sino al territorio, generalmente hecho de aluviones, que se forma entre los brazos; como su nombre lo indica, el delta es casi siempre de forma triangular (Δ). Recordé que se llama «brazo de río» a la corriente que se separa de la principal y corre sola durante cierto espacio. ¿Qué hacer? Cerré los ojos y leí sobre la cubierta de un libro, diseñado con maestría por Norbert Denkel, unas líneas fluviales que dibujaban esta frase: *Delta de cinco brazos.*

En los poemas largos el tiempo fluye y se hace visible mientras que en los cortos se anula. El poema corto tiende a ser intemporal; es un instante y, como todos los instantes, no tiene hora fija: pasa en cualquier tiempo. Y más: es de todos los tiempos. Por su misma brevedad, se confunde con la poesía anónima: apenas si tiene autor o, más bien, su autor es un yo sin nombre y desprovisto de señas personales: es una presencia pura ante un presente irrevocable. El poema corto a veces es un complemento del poema largo y otras es un reproche; en ambos casos, es un descanso, un respiro. A la manera de epígrafes y epílogos, escogí diez poemas cortos, dos para cada uno de los cinco largos, uno al principio y otro al fin. Introitos, inscripciones grabadas en un pórtico, señales de entrada y salida; asimismo, correctivos y antídotos ante la prolijidad de los poemas extensos. Y sobre todo: diminutos fuegos vagabundos. Lo que queda, si algo queda, de nuestros trabajos.

México, a 22 de febrero de 1994

[«Delta de cinco brazos» es el prólogo del poemario *Delta de cinco brazos,* Círculo de Lectores, Barcelona, 1994, y Galaxia Gutenberg, 1998.]

ÍNDICE DE NOMBRES

Este índice incluye nombres de autores y personajes reales (en VERSALITAS), de divinidades y de personajes míticos y literarios (en redondas), de obras literarias y artísticas, poemas y revistas *(en cursivas)* y de artículos, partes de obras, etc. (en redondas y «entre comillas»). Después del título de la obra se cita el nombre de su autor entre paréntesis.

ÍNDICE GENERAL

Segunda parte

LOS HIJOS DEL LIMO

Del romanticismo a la vanguardia

Tercera parte

LA OTRA VOZ

Poesía y fin de siglo

Obras completas I. La casa de la presencia. Poesía e historia, de Octavio Paz, se terminó de imprimir y encuadernar en marzo de 2014 en Impresora y Encuadernadora Progreso, S. A. de C. V. (IEPSA), Calz. San Lorenzo, 244; 09830 México, D. F. La edición, al cuidado de *Ana Clavel* y *Alejandra García*, consta de 5 000 ejemplares.